Groß britannien

Entwurf und künstlerische Gestaltung von
Johannes Hoefer

Herausgegeben von Merin Wexler
Bildmaterial: Apa Photo Agency
Ins Deutsche übersetzt von Joachim von Beust,
Dr. Ursula Münch und Dr. Heinz Vestner

NELLES-VERLAG
1990

APAGUIDES

Titel in deutscher Sprache

LÄNDER & REGIONEN

Ägypten	New York
Argentinien	Philippinen
Australien	Portugal
Bali	Schottland
Brasilien	Singapur
Burma	Spanien
Florida	Sri Lanka
Frankreich	Taiwan
Griechenland	Thailand
Großbritannien	Türkei
Hawaii	USA Südwest
Hong Kong	USA
Indien	
Indonesien	
Irland	### STÄDTE
Israel	
Italien	Bangkok
Jamaika	Berlin
Java	Istanbul
Kalifornien	Lissabon
Kanada	London
Kenia	Paris
Korea	Prag
Malaysia	Rio
Mexiko	Rom
Nepal	San Francisco
Neuseeland	Venedig
	Wien

Titel in englischer Sprache

COUNTRIES & REGIONS

Alaska	Philippines
American Southwest	Portugal
Australia	Puerto Rico
Bahamas	Rajasthan
Bali	Scotland
Barbados	South Asia
Burma	Southern California
California	Spain
Canada	Sri Lanka
Caribbean (The,lesser Antilles)	Taiwan
Channel Islands	Texas
Continental Europe	Thailand
Crossing America	The Pacific Northwest
East Asia	The Rockies
Egypt	Trinidad and Tobago
Florida	Turkey
France	
Germany	
Great Britain	### CITYGUIDES
Greece	
Hawaii	Bangkok
Hong Kong	Berlin
India	Buenos Aires
Indonesia	Dublin
Ireland	Istanbul
Israel	Lisbon
Italy	London
Jamaica	Paris
Kenya	Rio de Janeiro
Korea	Rome
Malaysia	San Francisco
Mexico	Singapore
Nepal	Venice
New England	Vienna
New York State	
New Zealand	### ADVENTURE
Northern California	
	Indian Wildlife

© APA Publications (HK) Ltd. 1990
Alle Rechte vorbehalten
© Alleinrechte für die deutschsprachige Ausgabe:
Nelles Verlag GmbH D-8000, München 45

Großbritannien: ISBN: 3-88618-955-4
Dritte unveränderte Auflage, 1990

Satz: AdLitteras, München
Druck: APA Press Pte Ltd
Printed in Singapore

Einleitung

Die Geburtsstunde für den vorliegenden *Apa Guide England* schlug an einem Samstagnachmittag im September 1984 in einer ruhige Suite des Gramercy Park Hotel in New York. Hier lernten sich beim Kaffee **Merin Wexler** und **Hans Hoefer,** Begründer und Herausgeber der Apa Productions, kennen.

Der Verlag Apa Productions wurde 1970 gegründet und hat seither seinen Sitz in Singapur. Hans Hoefer, der Verlagsgründer, kam als in der Bauhaustradition geschulter Grafiker und Designer hierher. Sein erster Titel war der *Apa Guide Bali,* ein völlig neuer Typ von Reiseführer, der vom Publikum und der Fachwelt gleichermaßen begeistert aufgenommen wurde. Auch die deutsche Ausgabe erlebt bereits ihre dritte Auflage. Dem bahnbrechenden Bali-Band folgte eine ganze Serie von Apa Guides über Länder und Orte in Amerika, Asien, Afrika und dem Pazifik.

Hoefer

Wexler

Auf Wunsch von Hans Hoefer sollte der erste europäische Einzeltitel (nach dem englischen Sammelband *Continental Europe)* ein *Apa Guide England* sein. Deshalb unternahm Hoefer im Sommer 1984 eine Rundreise durch das Inselreich, von der er Hunderte hervorragender Fotos mit zurückbrachte.

Die Weichen waren gestellt, aber wer sollte die inhaltliche Verantwortung übernehmen? Der damals leitende Redakteur von Apa Productions, **Jay Itzkowitz,** hatte Merin Wexler vorgeschlagen und an besagtem Nachmittag im Gramercy Hotel traf Hoefer seine Entscheidung. Wexler wurde als verantwortliche Redakteurin engagiert.

An den Vorarbeiten bis zu dieser Entscheidung war außer dem inzwischen als Anwalt tätigen Itzkowitz auch **Adam Liptak,** Mitherausgeber von Apa Productions, beteiligt.

Grundgedanke für den *Apa Guide England* war von Anfang an, auf keinen Fall der ohnehin schon umfangreichen Bibliothek von Reiseführern über England noch ein weiteres, im Grunde überflüssiges Exemplar hinzuzufügen. Stattdessen trifft der *Apa Guide England* eine Auswahl aus der überwältigenden Fülle touristischer Alternativen, die sich dem Englandreisenden bieten. Beibehalten wurde die bewährte Methode von Apa Productions, durch profunde Hintergrundinformationen über Geschichte und Kultur das Reiseland England besser verstehbar werden

zu lassen. Verständlicherweise haben Platzgründe Einschränkungen erfordert. Trotzdem haben die mit den einzelnen Kapiteln betrauten Autoren dafür gesorgt, daß sich Ihnen das ganze Land in seiner ganzen Vielfalt erschließen wird.

Nach ihrem Gespräch mit Hoefer verließ Merin Wexler New York für einen Studienaufenthalt in den ruhigeren Gefilden der Oxford University, der nach einem erfolgreichen Abschluß in klassischer Literatur von der Harvard University finanziert wurde. Während dieser Zeit wollte sie im Land selbst englische Literatur studieren und gleichzeitig den *Apa Guide England* fertigstellen.

Reiseerfahrungen hatte Wexler vorher nicht nur in England und Irland, sondern auch in Italien, Frankreich, Spanien, Westdeutschland, Mexiko und der UdSSR gesammelt. Im Bereich des Journalismus hat sie gearbeitet als Tagesreporterin für *The Morning Call* (Allentown) und als freie Mitarbeiterin für *The New York Times* und *Rolling Stone.*

Schon vor ihrer Abreise nach Oxford begann Wexler mit der Suche nach kompetenten Autoren für die einzelnen Abschnitte des Buches. Als ersten verpflichtete sie den Harvard-Absolventen **John Paul Ziaukas,** der als Experte für englische Geschichte und Literatur mit den ausführlichen Artikeln über die Geschichte Englands betraut wurde. Maßgebend für diese Entscheidung waren auch Ziaukas' langjährige Erfahrungen bei der Produktion von Fernsehdokumentationen über geschichtliche Themen. Ziaukas stammt aus Pittsburgh (Pennsylvania), wohnt in Salem (Massachusetts) und interessiert sich außer für seinen heutigen Beruf als Anwalt auch für Kirchenmusik und Rechtstheorie.

Als nächster Autor wurde noch von New York aus **Gwyneth Lewis** gewonnen, die für die Beiträge über Wales und den englischen Garten verantwortlich zeichnet. Sie stammt aus dem walisischen Cardiff und wurde von Wexler entdeckt, als sie sich in einem Fahrradgeschäft in New York gerade ihre Reifen aufpumpen ließ. Zu diesem Zeitpunkt lebte Lewis bereits zwei Jahre in New York als Stipendiatin an der Harvard und der Columbia University. Ihren ersten Studienabschluß hatte sie in englischer Literatur an der Cambridge University absolviert. In *Welsh* waren Gedichte von ihr erschienen und sowohl *The Village Voice* als auch *The New York Times* hatten Prosastücke von ihr veröffentlicht. Während ihres USA-Aufenthaltes war sie als Nachrichtenkorrespondentin für BBC Radio Wales tätig. Nachdem sie zwei Jahre den Aufenthalt in der Upper West Side of Manhatten überlebt hatte, kehrte sie wieder nach England zurück, um in Oxford zu promovieren.

Die Kapitel über London, das Londoner Nachtleben, die Umgebung Londons und das West Country hat **Joseph Yogerst** geschrieben, ein gebürtiger Kalifornier, der als Reisejournalist fast die ganze Welt gesehen hat. Mit zwei Diplomen — in Geographie und Journalistik — in der Tasche erkundet er die Welt mit der Feder und der Kamera. Mit einem Fellachenboot ist er den Nil hinuntergefahren, in Botswana nur knapp einem Elefantenbullen entkommen und in Afghanistan hat er in drohende Gewehrläufe geblickt. Seine Fotos und Artikel wurden veröffentlicht in *The Los Angeles Times, The Washington Post* und zahlreichen Reisejournalen. 1985 erschienen in London seine Bücher *East Africa* und *Paris Confidential*.

Roland Collins, Autor der drei Kapitel über Wessex, die Cotswolds und Stratford, Kent und Sussex, stammt aus London und lebt dort. Als Autor, Fotograf und Maler hat er seine lebenslange Reiselust durch das Inselreich dokumentiert. Schon immer war er fasziniert von englischen Schrullen, Grotten, Ruinen, Friedhöfen, Kanälen, Kirchen und Pubs. Einer eigenen Vorliebe für die Grafschaften rund um London folgend, hat er so gut wie alle Wege und Straßen im Umkreis von 75 km um London abgelaufen. Bekannt geworden ist er nicht nur als Werbefachmann und Reiseschriftsteller, sondern auch als Maler. Bilder von ihm wurden in Ausstellungen der Royal Academy und der Royal Watercolour Society gezeigt und hängen in Privatgalerien in Frankreich, Belgien, Schweden und den USA.

Das Kapitel über East Anglia hat der Fotojournalist **Andrew Eames** geliefert. Nach erfolgreichem Studienabschluß in Cambridge begann er seine journalistische Laufbahn bei der *Straits Time* in Singapur. Reisen haben ihn nach Japan, Hongkong, Rußland, Europa und in die USA geführt. Während einer Reise in Australien rettete ihn nur die Flucht auf einen Baum vor einer wilden Büffelherde im Kakdu National Park. Für ihn ist trotz drei Jahren in Südostasien noch immer die Isle of Skye der schönste Ort auf der Welt, wo sein Großvater als Kleinbauer gelebt hat und gestorben ist. Seine zahlreichen Reiseessays sind in einer Fülle von Publikationen erschienen, darunter dem *Business Traveller*,

der *Bangkok Post* und *Discovery*. In London kam es zu einer Ausstellung seiner Fotografien, hier hat er auch als Redakteur für das Magazin *Frontier* gearbeitet.

Das Kapitel über Nordengland ist Ergebnis der Zusammenarbeit von **Brian Bell** und **Diane Fisher**. Er stammt aus Nordirland, sie aus Connecticut. Getroffen haben sie sich 1975 als Wirtschaftsjournalisten bei *The Observer*. Es kam zu einer derart engen Zusammenarbeit, daß nur noch Heirat die „Probleme" lösen konnte. Die anschließend gemeinsam unternommenen Reisen führten rund um die Welt. Er ist inzwischen Ressortleiter des Farbmagazins des *Observer* und insbesondere verantwortlich für den Reiseteil. Sie unterstützt seine Arbeit als freie Mitarbeiterin.

William Ruddick, Professor für englische Literatur an der Universität Manchester, hat den Abschnitt über den Lake District verfaßt. Als Wordsworth-Spezialist ist er auch tätig für die Wordsworth Society. Soweit es seine

Ziaukas

Collins

Bhatia

Yogerst

Lehr- und Forschungstätigkeit zuläßt, beschäftigt er sich mit Studien zur Lake-District-Reiseliteratur des 18. und 19. Jahrhunderts.

Der in Inverness geborene Schotte **Ian Crawford** hat in seiner langen journalistischen Karriere in nahezu allen Medienbereichen gearbeitet. Unmittelbar bevor er die Arbeit über das Schottland-Kapitel aufnahm, vollendete er eine achtteilige Fernsehserie über die Schlösser und Burgen Schottlands. Hervorgetreten ist er als Verfasser von Büchern über Wein, als Romanautor und Verfasser von Fernseh- und Hörspielen. Veröffentlicht hat er in allen wichtigen englischen Zeitungen, darunter in *The Times, The Guardian, The Daily Telegraph* und *The Scotsman*. Von 1973 bis 1980 war er Public-Relations-Manager für das Edinburgh Festival, anschließend hatte er ein Jahr lang eine ähnliche Stellung bei der Scottish Opera. Seither arbeitet er freiberuflich.

Eames

Auch **Alan Hamilton,** Verfasser der Essays

über die englischen Kneipen und das Könighaus, ist Schotte, lebt aber in London, wo er für *The Times* arbeitet. In seiner journalistischen Laufbahn hat er alles Mögliche gemacht — er war Reporter für Arbeitsfragen, Nachrichtenreporter, Klatschkolumnist, Featureautor. Inzwischen ist er spezialisiert auf die Berichterstattung über die Königsfamilie. Im Lauf der Jahre hat er sich mit Themen befaßt wie dem Leben der grönländischen Eskimos, der Monopoly-Weltmeisterschaft in Washington, den Folgen des Falkland-Krieges, dem Bürgerkrieg in der französischen Kolonie Neukaledonien, den Auswirkungen der Kulturrevolution in Tibet und den Wahlen in Australien. Außerdem ist er Verfasser der Bücher *Essential Edinburgh* und *Britain's National Parks* und von zwei demnächst erscheinenden „Enthüllungsbüchern" über die Königsfamilie. Er mag Golf, schottisches und englisches Bier — ge

Crawford

Bell

Fisher

Lewis

legentlich zusammen mit Ian Crawford.

Bryan Ralph legt Wert auf die Feststellung, daß er in den Jahren der Vergessenheit aufgewachsen ist — „zu jung, um sich mit den Blumen der Woodstockgeneration zu schmücken, und zu alt, um als Punker herumzulaufen". Aber das hat ihn nicht daran gehindert, ein einfühlsamer Beobachter der Popszene zu werden und darüber einen Artikel zu schreiben. Während der Vorbereitung auf sein Abschlußexamen in englischer und amerikanischer Literatur an der University of East Anglia in Norwich verbrachte er einen einjährigen Studienaufenthalt am Dickinson College in Pennsylvania. Aber dann hat er sich dem Schreiben von Artikeln für Magazine wie *Psychic News, Soundcheck, Woman* zugewandt und für eine Computerzeitschrift gearbeitet.

Hamilton

Der Essay über die Briten stammt von **Shyam Bhatia,** Sohn einer Diplomatenfamilie aus Neu-Delhi. Zur Zeit hat er seinen Wohnsitz in London, wo er für *The Observer* arbeitet. Von 1977 bis 1981 war er Kairo-Korrespondent der gleichen Zeitung. Während dieser Zeit kommentierte er unter anderem die Jerusalem-Reise Sadats, die Gespräche in Camp David, die iranische Revolution und die Anfänge der sowjetischen Invasion in Afghanistan, wo er drei Tage unter afghanischen Widerstandskämpfern verbrachte.

Den Kurzführer hat die in London lebende Amerikanerin **Kathy Kouril** zusammengestellt.

Das hervorragende Bildmaterial in diesem Band, soweit es nicht von Hans Hoefer selbst stammt, ist einer Reihe von international renommierten Fotografen zu verdanken. Viele der historischen Aufnahmen hat **Bruce Bernstein** geliefert. **Ping Amranand** aus Bangkok hat seinen akademischen Titel in orientalischer Geschichte an der London University erworben. Außer seiner Mitarbeit am *Apa Guide New England* kann er verweisen auf Publikationen in *Architectural Digest, Asia* und *Sawasdee.*

Weitere fotografische Beiträge in diesem Band stammen von **David Beatty, Mireille Vautier, D. und H. Heaton, Joseph Yogerst, Roger Scruton, Philip Little, Lee Forster, Adam Woolfitt.**

Bildmaterial ist darüberhinaus auch Londoner Fotoagenturen wie **Tony Stone, Rex Features** und **Ace** zu verdanken. Besonderer Dank gilt der **BBC Hulton Picture Library** und dem Archiv von *The Illustrated London News.* Die **National Portrait Gallery** hat die Porträts von „Capability" Brown und Humphrey Repton zur Verfügung gestellt.

Unsere Dankbarkeit gilt auch der **British Tourist Authority** in London für ihre Unterstützung.

Unentbehrliche Stütze und Krisenmanager sowohl in Singapur als auch von London aus war **Stuart Ridsdale,** vor allem bei der Schlußredaktion des Bandes.

Außer den bereits Genannten haben auch noch bisher Ungenannte geholfen. Dazu gehören: Sita Sheer, Polly Scholfield, John Ziaukas, Anna Golla, Paul Harvey, Alison Shaw und viele andere.

Nelles Verlag

INHALTSVERZEICHNIS

INHALTSVERZEICHNIS

Karten

Alle Karten sind auf den Informationsseiten,
die jedem Regionalkapitel in Teil Zwei vor-
ausgehen, zu finden.

Karthographie
— Nelles Verlag

Informationen
— zusammengestellt von den
Redaktionsmitarbeitern

GESCHICHTSREICHE INSEL

„Britain is a world by itself ..."
Shakespeare, *Cymbeline*

England, Schottland und Wales. Die Vergangenheit Großbritanniens reicht nicht nur bis ins römische Weltreich und in die Lager Verulaneum und Londinium, sondern weit zurück in die Frühgeschichte und in die Bronzezeit mit ihren rätselhaften Steindenkmälern, Grabhügeln und schottischen Rundtürmern.

Dieses Land wurde seit 1066 nie wieder erobert und Königin Elizabeth II. kann ihren Stammbaum in direkter Linie zurückverfolgen bis zum Angelsachsenkönig Egbert von Wessex. Dazwischen liegen 62 Herrschergenerationen. In diesem Land wurde die moderne Demokratie geboren — seit der Unterzeichnung der Magna Charta im Jahr 1215 haben seine Bürger Schritt für Schritt die Voraussetzungen für das geschaffen, was wir heute unter Freiheit des Individuums verstehen. Großbritannien kann sich rühmen, drei ehemals selbständige Nationen zu einer einzigen verschmolzen zu haben: England, Wales und Schottland. Obwohl Wales vor 700 Jahren vom englischen König Edward I. erobert wurde und die politische Union zwischen Schottland und England schon im 17. Jahrhundert zustande kam, haben die drei Regionen Großbritanniens das Erbe ihrer eigenen Vergangenheit bis heute bewahrt.

Die Geschichte Großbritanniens hat den Lauf der Weltgeschichte maßgeblich beeinflußt. Mit der Weltumseglung von Francis Drake im Jahr 1577 begann eine lange Ära des Kulturaustausches, weltweiter Expansion und hochgesteckter Ziele. Die Geschichte Großbritanniens ist zugleich die Geschichte eines Imperiums, das bis ins 20. Jahrhundert hinein Stützpunkte in allen Teilen der Welt hatte — eine Tatsache, die sich noch heute in der zunehmend gemischtrassischen Bevölkerung des Mutterlandes widerspiegelt. Gewiß, das britische Empire ist längst zerfallen. Aber noch immer spielt Großbritannien eine führende Rolle innerhalb des Commonwealth of Nations.

Die Kultur dieses Landes — seien es nun die anonymen Zeilen der frühen angelsächsischen Dichter, die Dramen eines Shakespeare oder die Texte der Beatlessongs — wurde ein Bestandteil der Weltkultur.

Die landschaftliche Schönheit Großbritanniens, unsterblich gemacht in den Romanen von Thomas Hardy und den Bildern von John Constable, genießt weltweiten Ruhm, nicht zuletzt wegen ihrer Vielfalt. Selbst das weitverbreitete Bild von England als der „grünen und lieblichen Insel" drückt nur die halbe Wahrheit aus. Wer kennt schon die abgeschiedene und rauhe Schönheit des Peak District, die Moore von Yorkshire und das schottische Hochland?

Die folgenden Seiten zeigen Ihnen Großbritannien in Wort und Bild in seiner ganzen Schönheit. Lassen Sie sich in ein Land begleiten, von dem Sie schon viel gehört haben und über das es noch mehr zu wissen und zu erfahren gibt.

Vorhergehende Seiten: Mittelalterliche Kathedralenfigur; patriotische Hochzeitsgesellschaft 1981; Fischerdorf in Cornwall; uneinnehmbare mittelalterliche Festung; winterliche Abendstimmung auf dem Lande; Privatanschluß in der Einsamkeit. Links: Houses of Parliament, überragt von Big Ben.

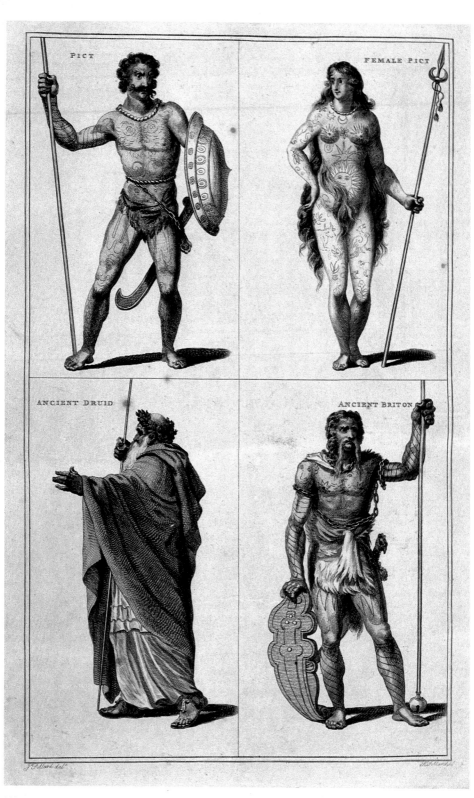

PICT

FEMALE PICT

ANCIENT DRUID

ANCIENT BRITON

18

DIE GRUNDLAGEN
DER BRITISCHEN GESELLSCHAFTSORDNUNG
(55 v.Chr. bis 1603)

55 v.Chr. landete Julius Caesar mit seiner Armee an der Südostküste der Insel, die heute den Namen Großbritannien trägt. Die wenige Generationen vorher vom Festland eingedrungenen Kelten leisteten dem Imperator erbitterten Widerstand, aber schließlich mußten sie sich der Übermacht Roms beugen. Leben und Bräuche der Urbevölkerung vor der keltischen Einwanderung werden wohl für immer im Dunkel der Geschichte verborgen bleiben. Wir wissen nur, daß diese Menschen Stonehenge gebaut haben, nicht jedoch warum und wann. Auch ist es bekannt, daß in den Wäldern nördlich des Firth of Forth, im heutigen Schottland, das kriegerische Volk der Pikten lebte.

Die Kelten stammten aus Mitteleuropa und lebten in befestigten Dörfern, die sie gegen Caesar verteidigten. Ihre Reitkunst und ihre Eisenwaffen machten sie zu zähen Gegnern, deren religiöser Zusammenhalt durch Druiden gewährleistet wurde — Priesterherrschern in einem von Dämonenglauben und Menschenopfern geprägten System. Die Druiden leiteten die religiösen Rituale und konnten angeblich durch Beschwörungsgesänge von Grabhügeln aus die Kräfte des Feindes schwächen und die germanischen Runenzeichen zu magischen Zwecken nutzen.

Mehr als ein Jahrhundert nach der Ankunft Caesars veranlaßten fortdauernde Konflikte mit den westlichen Kelten Kaiser Claudius im Jahr 43 n.Chr. zu einem neuerlichen Eroberungsfeldzug. In den Jahren danach konnte Rom seine Herrschaft konsolidieren, so daß es um 80 n.Chr. den größten Teil des Landes südlich des Firth of Clyde und Firth of Forth unter Kontrolle hatte. Nördlich dieser Grenze gehörte das Land plündernd umherziehenden Pikten, während sich weit im Westen noch die Kelten behaupteten.

Die Römer gründeten voneinander unabhängige Städte, die in einigen Fällen bis heute Bedeutung haben. Sie waren weitgehend selbstverwaltete ,,civitates'', mit Tempeln, öffentlichen Bädern, Amphitheatern, Marktplätzen und Basiliken. Die Adligen hatten hier ihre Stadthäuser, während sie von ihren vornehmen Landvillen aus die Arbeit der abhängigen Bauern überwachten. Um die städtischen Zentren entstanden kleinere ,,Satellitenstädte'', die untereinander durch ein gutausgebautes Straßensystem verbunden waren, denn die römischen Besatzer legten Wert auf reibungslosen Truppentransport. Zu den elf wichtigsten Römerstädten zählten Londinium (London), das im Lauf der Zeit Camulodunum (Colchester) als Provinzhauptstadt ersetzte, Lindum (Lincoln), Glevum (Glocester) und Städte, die heute Leicester, Chichester und Silchester heißen.

Ständige Grenzkriege im Norden und Westen ließen die Römer nicht zur Ruhe kommen. Schließlich riefen sie Germanen ins Land, die von Bergfestungen aus die Eindringlinge fernhalten sollten. Im 4. Jahrhundert begann sich, eingeleitet durch Kaiser Konstantin, das Christentum auszubreiten. Damals wurden zwei Sprachen gesprochen: Englisch unter den Bauern, Latein in der führenden Schicht der Städte, die Landadligen beherrschten beide Idiome. In diesem Jahrhundert patizipierte England am Wohlstand Roms.

Infolge sich verschärfender Probleme in anderen Teile des Imperiums konnte sich Rom bald darauf nicht mehr in gleichem Maße wie früher um die englische Provinz kümmern. Es zeigten sich Lücken im englischen Verteidigungssystem, Pikten und Skoten gewannen an Spielraum. 410 n.Chr. zogen die Römer ab. England wurde zum hilflosen Opfer neuer Eroberer.

Die Sachsen als Retter (449-793)

449 rief Vortigern, Anführer der keltischen Britannier, die verwandten Sachsen aus dem norddeutschen Raum zu Hilfe, um die Pikten und Skoten zurückzutreiben. Seinem Ruf folgten auch die den Sachsen verwandten Angeln und Jüten; nach dem Sieg über die Pikten blieben die Retter Englands im Land. Doch je keltischer Britannien in dieser Zeit wurde, desto mehr verfielen die Städte. Die Wälder dehnten sich wieder aus und verschlangen ehemals kultiviertes Land. Der Weald erstreckte sich von Hampshire bis Kent, auf einer Fläche von 190 auf 50 km. Auch die Waldgebiete Selwood, Wyre, Arden und Sherwood waren beträchtlich größer als heute. Im Verlauf des 6. Jahrhunderts ge-

Vorhergehende Seiten: Stonehenge. Links: Frühe Einwohner Englands — struppige Pikten, ein Druide und ein bretonischer Krieger.

wannen die Engländer (Nachfahren der Angeln) die Oberhand über die Britannier.

Grüße von Papst Gregor

Da es den Britanniern nicht gelang, die englischen Eroberer zu bekehren, schickte Papst Gregor Augustinus. 597 landete er auf der Insel. Seine Missionsarbeit in Britannien war, vor allem nach der Bekehrung des Königs Aethelberht von Kent, von großem Erfolg gekennzeichnet. So konnte er in den 60 Jahren seines Wirkens viele Menschen in den sieben englischen Königreichen Kent, Sussex, Essex, Wessex, East Anglia, Mercia und Northumbria dem Christentum zuführen.

Im gleichen Zeitraum gründeten einige Stämme eigene Königreiche. Zeitweilig huldigten mehrere von ihnen einem einzigen Herrscher, aber niemals lange Zeit. Im 7. und 8. Jahrhundert beherrschten die Mercians die Königreiche südlich des Humber und unter den Königen Offa und Aethelbald waren ihnen auch Kent, Sussex, Wessex und East Anglia tributpflichtig. Die Geschichte der Sachsen ist eine endlose Chronik von Heiraten, Morden und Erbfolgekriegen. Die Autorität der Könige beruhte auf Kriegserfolgen, Beutezügen und Gefangenen, die unter den Gefolgsleuten verteilt wurden. Dafür gelobten diese den Herrschern ihre absolute Treue. Dem Könige beratend zur Seite stand der *Witangemot,* ein Rat der Adligen.

Die Treuepflicht zwischen Herrscher und Gefolgsleuten war eines der wichtigsten Bindeglieder im angelsächsischen England. Jeder Gefolgsmann hatte als Glied der Hierarchie seinen bestimmten Wert, der sich im *wergeld* ausdrückte. Es mußte an den Herrscher gezahlt werden bzw. ging an seine Familie, falls er auf unrechtmäßige Weise zu Tode kam. Gefangene aus den Grenzkriegen wurden als Sklaven behandelt.

Damals zogen die Könige mit ihrem Gefolge von Besitz zu Besitz. Allerdings konnten diese Besuche und die dafür notwendigen Vorbereitungen den Untergebenen manch' schlaflose Nacht bereiten. Als sich wieder einmal König Aethelstan bei einer Dame namens Aethelfled angesagt hatte, stellten die tags zuvor eingetroffenen Gesandten fest, daß nicht genügend Met im Haus war (laut

P.H. Sawyer der ,,Champagner des Mittelalters''). Aethelfled betete zur Heiligen Jungfrau, und ihre Bitten wurden erhört.

Zu dieser Zeit schrieb ein königlicher Barde das Epos *Beowulf,* in dem der Geist des damaligen Hoflebens und der herrschenden Moralvorstellungen eingefangen sind. Im gleichen Zeitraum schlossen sich verschiedene Missionarsgruppen zu Klostergemeinschaften zusammen, z.B. in Jarrow-on-Tyne oder in Lindisfarne nahe der Küste von Northumbria. Die Kunst der Buchmalerei er-

Unzivilisierte Britannier empfingen die Flotte Caesars (links); Wilhelm der Eroberer kam auf einem der gefürchteten Wikingerschiffe (rechts).

reichte ihre Vollendung. Ihr schönstes Zeugnis, die *Lindisfarne Gospels,* sind heute im British Museum in London zu bewundern.

Die Wikinger kommen

Zu Beginn des 9. Jahrhunderts landeten in mehreren Wellen skandinavische Eroberer, plünderten das Land, beendeten die Vorherrschaft der Mercians und setzten sich an die Spitze der angelsächsischen Reiche. Vorangegangen waren gelegentliche Raubzüge, denen 793 Kloster Lindisfarne und 835 Jarrow zum Opfer fielen.

Um 835 wurde daraus eine regelrechte Invasion, die skandinavischen Heere besetzten

in Person von Edward dem Bekenner, dem Sohn der normannischen Frau Aethelreds. Als Edward 1066 starb, hinterließ er keinen Erben. Zwar hatte er die Tochter des Grafen Godwin geheiratet, aber zum Verdruß seiner Gattin ein Zölibatsgelübde abgelegt. Godwin spekulierte auf die Thronfolge, aber Edward zog seine normannischen Verwandten dem Sohn Godwins, Harold, vor. Trotzdem rief der *Witangemot* Harold zum König aus. Seine Regierungszeit war kurz, denn der Erbfolgestreit hatte die Normannen nach Britannien gebracht. Am 14. Oktober 1066 unterlag Harold in der berühmten Schlacht von Hastings dem normannischen Herzog William „the Conqueror" (Wilhelm „der Eroberer"). Seither ist die Insel nie wieder erobert worden.

Herzog William besteigt den Thron

East Anglia, Northumbria und die nordöstlichen Midlands. Erst König Alfred von Wessex konnte sie 878 bei Edington besiegen und auf ein Gebiet im Osten zurückdrängen, das nach dem dort geltenden dänischen Recht später Danelaw genannt wurde.

Auch im nächsten Jahrhundert setzten sich die Raubzüge fort und am Ende des 10. Jahrhunderts, während der Regierung von Aethelred dem Ratlosen, konnten sich die Wikinger in England festsetzen. 1016 brach der Dänenkönig Knut der Große den englischen Widerstand und machte sich nach dem Tod Aethelreds zum Herrscher Englands. 1042 starb die skandinavische Herrscherlinie aus und die Nachkommen Alfreds von Wessex bestiegen wieder den Thron — zunächst

Nach der Schlacht von Hastings waren die meisten angelsächsischen Adligen entweder gefallen oder nach Schottland zu König Malcolm geflohen. Das Vakuum füllte William mit normannischen Baronen, die er zu „Kronvasallen" und Besitzern des konfiszierten Landes machte. Er schuf eine neue herrschende Klasse, die Normannisch sprach und sich zu Frankreich gehörig fühlte. Die großen Landbesitzer teilten das Land unter ihren Gefolgsleuten auf, die es ihrerseits an ihre Untergebenen verteilten bis hinab zu den „villeins", den leibeigenen Bauern, die als Eigentum der jeweiligen Herrscher galten und zusammen mit dem Land oft den Besitzer wechselten. Dies waren die Grundlagen eines neuen Lehnssystems.

Am stärksten war der Einfluß Williams im Süden. Nach den Revolten in Yorkshire in den Jahren 1069 und 1070 unterwarf und verwüstete er Yorkshire und das nördliche Mercia. Seine Herrschaft sicherte William durch eine Kette von Burgen an strategisch wichtigen Punkten, wie zum Beispiel dem Tower in London oder dem Burgfried in Colchester.

Den *Witangemot* ersetzte er durch die Große Ratsversammlung seiner Kronvasallen, die dreimal jährlich zusammentrat.

Das Reichsgrundbuch

Als nächstes schickte William seine Beamten durchs Land, um alle Besitztümer des Königreiches zu registrieren. Dieser Bericht

Das Klosterleben in England erlebte im frühen 12. Jahrhundert unter dem Einfluß der von Bernhard von Clairvaux initiierten Zisterzienser-Reformbewegung einen ungeheuren Aufschwung. Die neuen Ideale reiner Geistigkeit, Abgeschiedenheit und religiöser Strenge fanden Ausdruck in den großartigen Abteien von Tintern (Herefordshire), Fountains und Furness (1131).

William und auch seine Söhne hatten Schwierigkeiten, an der schottischen und walisischen Grenze den Frieden zu bewahren. So schlug Henry I. einen neuen Weg ein: Er heiratete Maud (Mathilde), die Tochter König Malcolms. Ihre gemeinsame Tochter Maud heiratete Henry Plantagenet, den Grafen von Anjou, deren Sohn als Henry II. das Haus Anjou-Plantagenet gründete.

wurde 1086 fertiggestellt und *Domesday Book* tituliert, weil er für so manchen Engländer einem Buch der Sünden glich, nach welchem Gott, der höchste Lehnsherr, am Jüngsten Tag (engl. doomsday) richtete. Im selben Jahr verlangte William mit dem Schwur von Salisbury von seinen Vasallen die Verpflichtung zur unbedingten Lehenstreue. Ein Jahr später starb er. Sein Sohn William Rufus regierte von 1807 bis 1100; ihm folgte Williams jüngster Sohn Henry auf den Thron, den er als Henry I. bis 1135 innehatte.

William und seine Söhne nahmen großen Einfluß auf die Kirche. William bestimmte Lanfranc zum Erzbischof von Canterbury und unterstützte dessen Reformen.

Henry I., im Bewußtsein wachsender königlicher Macht und um ein besseres Verhältnis zu den angelsächsischen Untertanen bemüht, wandte sich einer Verwaltungsreform zu. Sein Vertrauter Bischof Roger, ein Finanzgenie, gründete das königliche Schatzamt. Aber Reform und Friede waren nicht von Dauer. Bei seinem Tod im Jahr 1135 hinterließ Henry I. keinen männlichen Thronfolger. Seine Tochter Maud führte von 1135 bis 1153 mit ihrem Cousin Stephen einen blutigen Bürgerkrieg. Obwohl Stephen die Kro-

Oben: Mittelalterliches Turnier. Rechts: Fahrende Schausteller in allegorischen Kostümen für ein religiöses *mystery play*.

ne trug, gelang es Maud und ihren Anhängern, ihm ihren Sohn Henry Plantagenet 1153 als Mitregenten aufzuzwingen. Nach dem Tod von Stephen (1154) wurde er als Henry II. Alleinherrscher.

Blütezeit unter Henry II.

Unter Henry II. stand der anglo-normannische Staat im Zenith seiner Machtentfaltung. Mütterlicherseits König von England und Herzog der Normandie, war dieser Herrscher väterlicherseits zugleich Graf von Anjou. Sein Reich erstreckte sich beiderseits des Ärmelkanals und so regierte er abwechselnd von London oder Rouen. Er stärkte die königlichen Machtbefugnisse, trieb die Verwaltungsreformen voran und schuf die Vor-

hängte ein Interdikt über England, das erst nach Henrys öffentlicher Sühne aufgehoben wurde.

Die Magna Charta

1189 starb Henry II. Sein Sohn Richard („Löwenherz") verbrachte seine Regierungszeit fast ausschließlich auf Kreuzzügen. Als sein Bruder John nach Richards Tod im Jahr 1199 die Regierung antrat, sah er sich dem wachsenden Unmut des Adels über die hohen Steuern und die herrscherliche Macht gegenüber. Hinzu kam, daß Philipp August von Frankreich versuchte, die Normandie an sich zu reißen — mit Erfolg, denn 1214 schlug er John bei Bouvines vernichtend und damit

aussetzungen für das Common Law (das „Allgemeine Recht"), auf dem noch heute das englische Rechtssystem beruht.

Während der Regierungszeit von Henry II. verschärften sich die Spannungen zwischen Krone und Kirche. Teil der königlichen Reformpläne war die Abschaffung des Rechts der Kirche auf Bestrafung der Geistlichkeit für weltliche Vergehen. Dagegen sträubte sich der von Henry II. eingesetzte Erzbischof Thomas Becket. Die Beziehungen zwischen den ehemals befreundeten Männern verschlechterten sich rapide, bis schließlich vier königliche Ritter am 20. Dezember 1170 den Erzbischof vor dem Altar der Kathedrale von Canterbury ermordeten. Eine Woge der Empörung ging durch das Reich, der Papst ver-

wurde England ein Inselstaat. Der Papst sprach abermals ein Interdikt aus, weil John seine Politik der hohen Steuern fortsetzte, sich gegen die päpstliche Ernennung von Stephen Langton zum Erzbischof von Canterbury sträubte und die Einkünfte aus kirchlichen Besitztümern nach dem Tod ihrer Eigentümer bis zu einer Neubestallung in seine eigene Kasse fließen ließ. Die inzwischen offen rebellierenden Barone trafen 1215 mit John in Runnymede zusammen und zwangen ihn am 15. Juni zur Unterzeichnung der Magna Charta. Der König wurde in seiner Herrschergewalt bestätigt, mußte aber zusagen, willkürliche Strafen und Verhaftungen einzuschränken. Ebenfalls beschnitten wurden seine Rechte über die königlichen Forsten und die Besitztümer von Witwen. Die Magna Charta unterwarf den König erstmals einer gewissen Gesetzlichkeit und schrieb das Recht des Adels auf politische Mitbestimmung fest.

Die Entwicklung zum Nationalstaat

Johns Sohn, Henry III. (1216—1272), stand vor der Aufgabe, die politischen, administrativen und finanziellen Reformen seines Großvaters Henry I. fortzuführen. Die Vorstellung von England als einer großen „Gemeinschaft des Reiches" trat allmählich an die Stelle der alten feudalistischen Ideale. Die Barone verlangten unaufhörlich eine größere Mitwirkung in den Regierungsgeschäften, die ihnen 1258 schließlich in den *Provisions of*

Oxford zugestanden wurde. Unter Führung von Simon de Montfort kam es später zu einer Kraftprobe mit der Krone.

Edward I. (1272—1307) begann, aus dem zerstrittenen Reich eine einheitliche Nation zu bilden. Er reformierte die feudalen und klerikalen Strukturen sowie das Handelswesen und etablierte regelmäßige Ratsversammlungen, die den Spitznamen „Parliament" erhielten.

Während seiner Regierungszeit entstanden so großartige Kathedralen wie die in Lincoln und Salisbury oder der berühmte Chor der Westminster Abbey. Auch der Sarkophag von Edward dem Bekenner, schon von Henry III. in Auftrag gegeben, wurde fertiggestellt.

Der Bau der Kathedralen war unmöglich ohne die generationenlange Zusammenarbeit mehrerer Gemeinden. Daß die meisten der dabei beteiligten Handwerker anonym blieben, war der Ausdruck eines Lebensgefühls, dem zufolge sich der Einzelne als Teil eines Kollektivs verstand. Die Menschen fühlten sich umgeben von Geistern, deren Bilder sie im Stein der Kirchen bannten. Gläubigkeit und Gottesfurcht spiegeln sich in diesen Baudenkmälern, die während der Regierungszeit von Edward I. vollendet wurden, wider.

Das Königtum erstarkt (1307—1485)

In den zwei Jahrhunderten nach Edwards Tod wurden die bis zu Wilhelm dem Eroberer zurückreichenden Widersprüche zwischen

Krone und Adel immer mehr zum bestimmenden Faktor der politischen Entwicklung.

1307 bestieg der unfähige Sohn Edwards I. als Edward II. den Thron. Schon sieben Jahre später verlor er bei Bannockburn Schottland an Robert Brus und ebnete so den Weg für die schottische Besetzung Irlands. Angewidert von seiner Unfähigkeit, verließ ihn seine eigene Frau, die ihn zusammen mit Edward Mortimer, dem Grafen von Wales, 1327 zugunsten seines unmündigen Sohnes zum Rücktritt zwang. Drei Jahre später übernahm er als Edward III. selbst die Regie-

Die Kathedralen sind künstlerische und geistige Symbole ihrer Zeit; Lincoln Cathedral (links), Salisbury Cathedral (rechts).

rungsgeschäfte, die er fast 50 Jahre lang ausübte. Eine abermalige Schwächung der Krone bedeutete der 1337 von Edward III. mit Erbansprüchen gegenüber der Normandie begonnene Hundertjährige Krieg. Die Kosten dieses Krieges und ihre Rolle als Feldherren vergrößerte den Handlungsspielraum der Adligen gegenüber dem König.

Edward III. starb 1377. Sein Enkel Richard II. wurde König und schlug die Bauernrevolte unter Führung von Wat Tyler 1381 blutig nieder. Da nach der Pestepedemie von 1348 Arbeitskräfte fehlten, hatten die Bauern versucht, ihre wachsende Bedeutung zu nutzen, um ihre beklagenswerten Lebensbedingungen zu verbessern. Als er seinen Thron durch Henry, den Herzog von Lancaster, bedroht sah, ließ Richard dessen Erbe konfiszieren und ihn 1399 verbannen. Dadurch schürte er unter den Großgrundbesitzern die Angst um ihr Eigentum. Während des Feldzugs zur Unterdrückung eines Aufstands in Irland setzte er den Herzog von York als Statthalter ein. Henry von Lancaster nutzte die Gelegenheit zu einer Invasion in England, nahm York gefangen, erhob Anspruch auf die Krone und erklärte sich noch im gleichen Jahr als Henry IV. zum König von England. Richard wurde in den Tower geworfen und im Jahr darauf hingerichtet.

Henry IV. (1399—1413) und Henry V. (1413—1422) setzten den kräftezehrenden Krieg mit Frankreich fort, der zu einer weiteren Zerrüttung der Staatsfinanzen führte. Durch mehrere glänzende Siege über die Franzosen konnte Henry V. das Volk noch über die finanzielle Verantwortungslosigkeit des Krieges besänftigen. Nach seinem frühzeitigen Tod wurde sein neun Monate alter Sohn, Henry VI., zum Nachfolger ernannt und lange Zeit durch Regenten vertreten. Inzwischen fand der Krieg keinerlei Unterstützung mehr und 1453 befand sich nur noch Calais in englischer Hand. Der geisteskranke Henry VI. wurde zu diesem Zeitpunkt völlig wahnsinnig, was Richard, dem Herzog von York, die Möglichkeit gab, 1459 den Thron für das Haus York zurückzuerobern. Doch die bereits vier Jahre andauernden Rosenkriege (benannt nach den Rosenemblemen der Häuser York — weiß — und Lancaster — rot —) sollten noch bis 1485 ihre Opfer fordern. Richard fiel ein Jahr später im Kampf. Sein Sohn ließ sich 1461 in der Westminster Abbey als Edward IV. krönen. 1470 eroberten die Truppen des wiedererstarkten Hauses Lancaster mit französischer und schottischer Hilfe das Land und etablierten die nur achtmonatige Regierung von Henry VI. 1471 wendete sich das Blatt in den Schlachten von Barnet und Tewkesbury zugunsten von Edward. Er tötete den Sohn Henrys im Kampf und ließ Henry selbst im Tower hinrichten. Der durch Bürgerkrieg und den Krieg mit Frankreich dezimierte Adel konnte das nach dem Tod Edwards im Jahr 1483 entstandene Machtvakuum nicht füllen und einen neuerlichen Bürgerkrieg nicht verhindern. Eine der Schlüsselfiguren war jener Richard III., den Shakespeare später zu einem der unsterblichen Schurken der Weltliteratur gemacht hat. Aber Richard konnte seinen Thronanspruch nicht durchsetzen und mußte in der Schlacht von Bosworth 1485 einem Stärkeren weichen: Henry Tudor, dem Begründer der ersten großen Dynastie in der neueren englischen Geschichte.

Das Mönchtum auf dem Vormarsch

Die Macht der Kirche schrumpfte, als die Könige — oft mit stillschweigender Duldung der Kardinäle und Bischöfe — Vertreter der Kirche zunehmend aus dem Staatsdienst entfernten. Von der Kirche hatten sie die sanfte Kunst der Steuereintreibung gelernt — nun richteten sie diese Waffe gegen die Kirche selbst und verlangten deren Unterstützung im Kriegsfall. Das päpstliche Schisma schwächte den Einfluß Roms, da sich nunmehr England und Frankreich beliebig für einen der miteinander konkurrierenden Päpste entscheiden konnten.

Gleichzeitig kam es zu einem Wertezerfall innerhalb der immer reicher werdenden Mönchsorden. Kritik zielte auf Äbte, die sich mehr um weltliche Dinge als um geistliche kümmerten. Die Menschen empörten sich darüber, daß die Mönche begannen, Fleisch zu essen, Dienstboten einzustellen (ermöglicht durch die Einkünfte aus dem blühenden Wollhandel), bezahlten Urlaub bekamen und Uhren benutzten.

Unter dem Eindruck der Rosenkriege und im Bewußtsein fehlender geistiger Vorbilder wuchs im Volk die Sehnsucht nach einer neuen, reinen Frömmigkeit und mystischer Gotteserfahrung. Diese Strömung fand ihren Ausdruck in umherziehenden Bettelmönchen, die in den Dörfern in der Sprache des Volkes predigten und die Sünden des Müßiggangs, der Überheblichkeit und des Überflusses geißelten.

Eine Herausforderung ganz anderer Art waren für die Kirche die häretischen Strömungen, die in den geistigen Zentren, wie der 1220 gegründeten Universität Oxford, spürbar wurden. Wyclif und Wilhelm von Occam verwarfen die Versuche Thomas von Aquins, den Glauben in der Vernunft zu begründen, und ließen stattdessen nur die Autorität der Kirche und den Glauben selbst gelten. Die Verbreitung dieser Ideen erfolgte nur heimlich, denn noch immer kontrollierte die Kirche das Erziehungswesen und konnte alle mit der Todesstrafe belegen, die nicht auf ihrer Linie waren. Wyclifs Lehre wurde 1383 verboten, seine Anhänger, die Lollarden, oft gewaltsam unterdrückt.

Kunst und Kultur im Spätmittelalter

Chaucers *Canterbury Tales* sind eine der besten Chroniken dieser Zeit und eines der bedeutendsten Werke der englischen Literatur. Chaucer schrieb englisch, denn im Verlauf des 14. Jahrhunderts war die Zweisprachigkeit der normannischen Epoche verklungen. Die einheitliche Nationalsprache begünstigte die Entstehung einer Nationalkultur. Gleichfalls in Englisch verfaßte William Langland *Piers Plowman* — eine allegorische Reise der Seele durch das Leben, um die Lehren der Kirche aufzuzeigen.

Die Dorfbewohner besuchten gern die sogenannten *miracle and mystery plays,* wenn sie sich zum Wochenmarkt in der Stadt aufhielten. Die Stücke wurden häufig in der Nähe einer Kirche aufgeführt. Vorherrschender Baustil im 14. Jahrhundert war die englische Spätgotik (Perpendicular Style). Herausragende Beispiele sind der Chor der Kathedrale von Gloucester, die Kirchenschiffe in Winchester und Canterbury sowie die kunstvolle Eichenholzdecke der Westminster Hall.

Henry VII., Begründer einer neuen Dynastie

Um neuerlich den Thronanspruch des Hauses Lancaster zu rechtfertigen, führte Henry VII. — wenn auch nicht immer in direkter Linie — seinen Stammbaum auf Edward III. zurück. Nach seinem Sieg bei Bosworth krönte er sich selbst und ließ sich von seinem „Parlament" als rechtmäßiger König von England und als Herrscher über Wales und Irland ausrufen. Die formelle Oberherrschaft über Schottland bescheinigte er sich selbst. Er besaß die Klugheit, Elizabeth von York zu heiraten, um die Rosenkriege zwischen den Häusern York und Lancaster zu beenden.

Der Bürgerkrieg hatte das Reich in den Grundfesten erschüttert. Der noch ein Jahrhundert vorher blühende Wollhandel lag jetzt weitgehend darnieder. Henry VII. stand vor großen Problemen. Vom Krieg geschwächt, hatte der Adel Henrys Reformen jedoch wenig entgegenzusetzen. Der König ließ das gesellschaftliche Ansehen des Adels unangetastet, schränkte jedoch dessen Machtbefugnisse erheblich ein. Er hatte es zudem nicht nötig, sein „Parlament" um Finanzhilfe zu bitten. Er setzte seine Sparsamkeit und sein Finanztalent ein, zog unerbittlich Land für die Krone ein, verlieh gegen hohe Gebühren Monopole an die Überseehandelsgesellschaften und erhob Zölle. Auf diese Weise machte er das Land wohlhabend und politisch stabil. Bei seinem Tod im Jahr 1509 war England erstmals eine der führenden europäischen Mächte. Es war sein Sohn Henry VIII., der dieses Erbe beinahe verschleuderte.

Kaum auf dem Thron, zettelte der junge König Henry VIII. eine Reihe von Kriegen mit Frankreich an, die den riesigen Staatsschatz seines Vaters zusammenschmelzen ließen. 1523 stand das Land am Rand eines Staatsbankrotts.

Die Reformen Henrys VIII.

Schon in den ersten Regierungsjahren des jungen Königs gewann Thomas Wolsey dessen Vertrauen, 1515 war er bereits Kardinal. Er machte sich zum mächtigsten Kirchenmann in ganz England, und sein Reichtum aus kirchlichen Besitzungen übertraf den aller anderen — sichtbar in seinem Palast Hampton Court. Er herrschte wie ein Monarch über eine Kirche, die das Tor für jeglichen sozialen Aufstieg war. Der Reichtum des Klerus und seine Privilegien riefen mehr und mehr den Unwillen der Bevölkerung hervor. Auf diesem Nährboden wirkten die 95 Thesen eines Martin Luther wie das Fanal zur englischen Reformation.

Aber der Hauptgrund für den Bruch zwischen Henry VIII. und der römischen Kirche war eher weltlicher Natur. Wie all seine Vorgänger war auch Henry VIII. von der Idee besessen, einen Thronerben zeugen zu müssen. Denn ein fehlender Thronerbe hätte das Land in einen neuerlichen Bürgerkrieg verwickelt. Auch die Tochter Mary aus der ersten Ehe mit Catherine of Aragon konnte diesen fast verzweifelten Wunsch des Königs nicht befriedigen. Und so fiel sein Auge auf Anne Boleyn, eine der Hofdamen Katharinas. Er war entschlossen, sich scheiden zu lassen und schickte den schlauen Wolsey nach Rom. Unerwartet lehnte der Papst Clemens VII. die Scheidung ab. Warum? Clemens hatte erleben müssen, wie 1527 der fromme Kaiser des Heiligen Römischen Reiches, Karl V., sich zum Herrn über Rom aufgeschwungen hatte. Zum Unglück für Henry war Karl der Neffe Catharinas und drohte dem Papst Konsequenzen an, falls er seine

Tante in Ungnade nach Spanien zurückschicken sollte. So wurde Wolsey zum Rücktritt gezwungen, 1531 nach Abschluß einer Untersuchung nach London gerufen. Sein Tod während der Reise ersparte es ihm, geköpft zu werden — der neuen Methode, die Henry inzwischen gegen alle mißliebigen Personen anwandte.

Daraufhin rief Henry den fähigen Juristen Thomas Cranmer aus Italien zurück. Mit seiner Hilfe und der Unterstützung des Reformationsparlamentes (1529—1532) erließ er eine Reihe von antiklerikalen Gesetzen und läutete damit das letzte Kapitel des kalten Krieges gegen den Papst ein. 1533 erwartete Henry ungeduldig die päpstliche Bulle, die seine Ernennung des zweimal verheirateten Thomas Cranmer zum Erzbischof von Can-

Kontrolle zu halten, verlangte seinen Vasallen den Treueeid ab (der alte Kanzler Thomas More wurde nach seiner Weigerung 1535 hingerichtet) und reformierte die Kirchenhierarchie. Der König ließ sich zum Oberhaupt der Kirche von England ernennen. Am Ende besaß die Krone die Oberhoheit innerhalb der englischen Staatskirche. Nach der Ernennung Cromwells zum Generalvikar ließ Henry 1536 alle Klöster auflösen und ihren riesigen Landbesitz auf sich übertragen. Nachdem Anne Boleyn geköpft worden war, starb Henrys nächste Frau Jane Seymore kurz nach der Geburt des späteren Thronerben Edward VI. Als Cromwell vermehrt die Verbreitung der protestantischen Lehren förderte, fiel er in Ungnade. Der in seiner Religionsauffassung, das Verhältnis zum Papst-

terbury absegnen sollte. Unterdessen heiratete er heimlich Anne Boleyn. Cranmer annullierte die Ehe mit Catherine und erklärte Mary zum Bastard. Henrys Hoffnungen richteten sich nun auf die bereits schwangere Anne. Noch im gleichen Jahr gebar sie — zum Leidwesen Henrys — ein Mädchen, das auf den Namen Elizabeth getauft wurde. Währenddessen widerrief der Papst die Entscheidung Cranmers und exkommunizierte den König und seinen Erzbischof. Der Bruch war vollzogen.

Aber die Reformen kamen nun erst in Gang. Henry ernannte Thomas Cromwell zum Schatzkanzler, um das Parlament unter

tum außer acht gelassen, konservativ „katholische" König ließ ihn 1540 ebenfalls köpfen.

Zu diesem Zeitpunkt hatte sich die Reformationsbewegung bereits konsolidiert. In der folgenden Regierungszeit von Henry VIII. erlebte das Land einen enormen wirtschaftlichen Aufschwung. Die ehemals kirchlichen Güter kamen über den freien Markt in den Besitz des Landadels (Gentry), der dadurch den Wollhandel wiederbeleben und eine landwirtschaftliche Umstrukturierung ankurbeln konnte. 1547 starb Henry VIII., der noch unmündige Edward VI. kam unter die Fittiche mehrerer Reichsverweser.

Der kränkliche Jüngling war nicht in der Lage, das Reich zu regieren, und bis zu sei-

Links: Henry VIII. Rechts: Anne Boleyn.

nem frühen Tod im Jahr 1553 rivalisierten die Grafen Somerset und Warwick um die Macht.

Auf allgemeines Verlangen hin bestieg danach Edwards Halbschwester Mary („Die Katholische", „Die Blutige"), Tochter Catherines und eine strenggläubige Katholikin, den Thron. Unverzüglich stellte sie die frühere Macht der Kirche wieder her. Sie heiratete Philipp II. von Spanien, trat erneut in den Krieg mit Frankreich ein und ließ alle Gegner ihres Katholizismus ermorden. In ihrer kurzen Herrschaft schickte sie über 300 „Ketzer" auf den Scheiterhaufen — darunter auch Cranmer und Latimer, die Geburtshelfer der Reformen ihres Vaters. Aber sie gebar keinen Erben, und so gelangte nach ih-

stellten die private Bibellektüre in den Vordergrund ihres Glaubens.

Außenpolitisch unterstützte Elizabeth die Freibeuter Hawkins und Drake, um die Spanier zu schwächen. Selbst die aufstrebenden Niederlande wurden im Kampf gegen die Habsburger unterstützt und mit dem Sieg über die spanische Armada im Jahr 1588 war die Gefahr einer spanischen Eroberung Englands für immer gebannt.

Das elisabethanische Zeitalter gilt als die Blütezeit der englischen Literatur, untrennbar verbunden mit den Namen Spenser, Sydney und Marlowe. Scharenweise pilgerten die Einwohner Londons — inzwischen eine europäische Metropole — ins Globe Theatre,

rem Tod im Jahr 1558 ihre Halbschwester Elizabeth auf den Thron.

Kein anderer englischer Herrscher wurde so verehrt wie Elizabeth I. (1558—1603). Sie ernannte William Cecil zu ihrem Ratgeber und führte die Regierungsgeschäfte 45 Jahre lang klug und zum Vorteil Englands. Das 1559 erlassene Settlement on the Church of England war gemäßigt, und fortan war es verboten, jemanden wegen seiner religiösen Überzeugung zu verfolgen. Das ermutigte die zahlreichen Puritaner, die unter Mary nach Europa geflohen waren, zur Rückkehr, in der Hoffnung, den Calvinismus nach England tragen zu können. Sie vertraten die Lehre der Vorherbestimmung des Menschen und

um Stücke Shakespeares (1564—1616) zu sehen.

Elizabeth I. starb im Alter von 70 Jahren nach 45jähriger Regierungszeit kinderlos am 24. März 1603. Nachfolger wurde ihr Neffe James VI. von Schottland, Sohn der (1587 wegen Hochverrats hingerichteten) Königin Mary von Schottland. Als James I., König von England, Schottland und Wales ging er in die Geschichte ein.

Grauenvolle Schlacht gegen die Armada ... (oben); Elizabeth I., Inbegriff einer Renaissance-Königin.

AFFLICTORVM CONSERVATRIX

SEMPER EADEM

ELISABETHA D... ...ANGLIÆ

ÆB

ÆB

FRANCIÆ ET HIBERNIÆ REGINA

e Collectione D... E... Richardi Meade M. D.

BEATI PACIFICI

REGERE IMPERIO · POPULOS

JAMES I.
KING of GREAT BRITAIN
FRANCE and IRELAND
Defender of the Faith &c.

Paulus Vansomer p.   An Original Painting in the Palace of Hampton Court.   G. Vertue Sculp.

REBELLION UND REVOLUTIONEN (1603-1837)

James I. (1603—1625) hatte schon als schottischer König große Schwierigkeiten mit den Presbyterianern gehabt. Sie beriefen sich auf den fanatischen John Knox (16. Jh.), der wiederum von Calvin beeinflußt war. Die Presbyterianer lehnten das Episkopat ab und wollten Gemeindeälteste statt Bischöfe, die von einer landesweiten Synode kontrolliert werden sollten. James, ein schwacher Herrscher, stand so sehr unter dem Druck ihrer Forderungen, daß er zweifellos froh war, nunmehr als englischer König in einer traditionell anglikanischen Umwelt leben zu können.

Doch auch der neue Thron brachte Probleme. Ständig mußte er seine Untertanen über das Gottesgnadentum der Monarchie belehren. Als ihm einige Puritaner 1603 eine Petition überreichten, in der Kirchenreformen entsprechend dem schottischen Presbytertum gefordert wurden, erwiderte der erboste König, ihr Presbytertum passe sowenig zur Monarchie wie Gott zu Luzifer. Die Puritaner zogen sich schockiert zurück und James bemerkte zu einem Staatsrat: ,,Wenn sie sonst nichts zu sagen haben, werde ich sie entweder zwingen, sich anzupassen oder sie zur Hölle schicken!'' Als ,,klügsten Narren der Christenheit'' charakterisierte ein Diplomat den belesenen König, und in der Tat: selten war eine Prophezeiung so falsch wie die seine. Denn während seiner Regierung kündigte sich bereits die größte soziale Umwälzung Englands seit der normannischen Eroberung an.

Erste Anzeichen waren bereits zu Zeiten von Elizabeth I. erkennbar, als im Zuge der wirtschaftlichen Herausforderung durch Spanien und die Niederlande eine neue gesellschaftliche Klasse von Kaufleuten, Frühkapitalisten (vor allem in der neuen Kohleindustrie) und Akademikern immer mehr an Einfluß gewann. Entsprechend ihrer wachsenden gesellschaftlichen Bedeutung verlangte diese neue Klasse mehr politische Rechte. Gelegentlich das gnädige Ohr des Herrschers zu finden, war ihr zu wenig. Ihre gesellschaftliche Dynamik stand in erklärtem Widerspruch zur Lebensweise des englischen Landadels, die ein Squire aus Lancashire treffend charakterisierte: ,,Habe gegessen, Wein getrunken und bin zufrieden. Werde bald wieder zur Jagd gehen.''

James I., der England und Schottland vereinte.

Die Angehörigen der neuen Klasse zeigten mehr und mehr Sympathie für die Bewegung zur ,,Reinigung'' der anglikanischen Kirche von ihren papistischen Elementen wie Ritus, zeremoniellem Gepränge, Priesterweihe und Episkopat.

Druck ging auch von den mit wachsenden sozialen und politischen Problemen kämpfenden Katholiken aus — vor allem seit dem ,,Gunpowder Plot'' von 1605, bei dem unter Führung von Guy Fawkes der König und das Parlament in die Luft gesprengt werden sollten. Die Katholiken wollten Verhältnisse wie zu Zeiten der Königin ,,Bloody'' Mary.

James war das genaue Gegenteil der sparsamen Elizabeth — seine Günstlinge überschüttete er mit Geschenken, er hatte eine große Familie zu ernähren, führte Kriege (ab 1618 gegen die Habsburger) und brauchte ständig Geld für seinen aufwendigen Lebensstil. Dazu war James auf das Parlament angewiesen, das seine finanzielle Bewilligung von politischen und religiösen Zugeständnissen des Königs abhängig machte. Das Parlament sah sich in der Rolle des Wächters über die in der Magna Charta festgeschriebenen Rechte. An eine im heutigen Sinne parlamentarische Demokratie wagte damals niemand im Ernst zu denken. Daß sich das Parlament zu Zeiten von James I. auf die Magna Charta berief, war nicht ohne geschichtliche Ironie — unter König John hatten sich die englischen Barone als eine Art Institution (das heutige Oberhaus) eine politische Vormachtstellung erkämpft, die nun das von der Gentry (niederen Adel und Stände) beherrschte Unterhaus anstrebte.

Schließlich nahm James die Lösung seiner Finanznöte selbst in die Hand und nutzte das königliche Privileg, Verbrauchssteuern zu erheben — sehr zum Entsetzen der Kaufleute und des Parlaments, mit dem er bis zu seinem Tod (1625) um Geldmittel stritt.

Charles I.: Tyrannei und Bürgerkrieg

Charles I., der Sohn James' I., hatte kein Interesse an Politik. Doch er sympathisierte mit den Katholiken und ernannte deshalb 1633 John Laud zum Erzbischof von Canterbury. Laud widersetzte sich allen Reformbestrebungen der Puritaner und forderte die strikte Einhaltung der anglikanischen Liturgie und der 39 Artikel der anglikanischen Kirche. Charles mußte gleichfalls die finanzielle Belastung durch den von seinem Vater begonnenen Krieg gegen Spanien bewältigen, der mit einer Niederlage endete.

1628 empörte sich das Unterhaus über Charles' gesetzwidrige Versuche, neue Geldquellen zu schaffen und legte die Petition of Right vor, in der Steuererhöhungen, Kriegsrecht und ungesetzliche Verhaftungen verurteilt wurden. Die Parlamentarier verweigerten bis auf weiteres die Erhebung von Steuern. Der damit mattgesetzte König akzeptierte zwar die Petition, setzte aber die nächste Parlamentssitzung aus, um so eine Anklage des Herzogs von Buckingham zu verhindern. Im Jahr darauf kam es zu einer Parlamentssitzung, deren Auflösung Charles anordnete. Aber das Parlament weigerte sich, ohne eigenen mehrheitlichen Entschluß auseinander-

nant, ein Bündnis zum Schutz des Presbytertums, und marschierten nach Süden. Charles blieb nichts anderes übrig, als das Parlament einzuberufen.

Als erste beschuldigte das Parlament Thomas Wentworth, den königlichen Befehlshaber in Irland, mit seiner Armee zugunsten von Charles in England intervenieren zu wollen. Inzwischen rückten schottische Truppen immer weiter nach Süden vor.

Angesichts der bedrohlichen Lage und der immer radikaleren Forderungen des Parlamentes stellte Charles eine neue Armee zusammen und stürzte das Land 1642 in einen neuen Bürgerkrieg. Das Parlament mußte sich fortan nicht nur mit dem König, sondern auch mit den Schotten und mit radikalen Kräften in seiner eigenen Armee auseinan-

zugehen, obgleich es diesen kurz darauf fällte.

Charles betrachtete diese Entscheidung offenbar als Freibrief, ohne den Hemmschuh Parlament zu regieren. 1629 errichtete er seine elfjährige Tyrannei, während der die Finanzen nur von ihm kontrolliert wurden und Erzbischof Laud freie Bahn bekam.

Aber 1637 ging Laud entschieden zu weit, als er versuchte, die anglikanische Liturgie auch in Schottland einzuführen. Die Wirkung war verheerend. Während einer Lesung des Book of Common Prayer in der St.-Giles-Kathedrale in Edinburgh warf eine Frau einen Schemel nach dem Bischof, der ihn nur knapp verfehlte. Im Jahr darauf gründeten die Schotten den National Cove-

dersetzen. Unter der Führung des ehemaligen Parlamentsabgeordneten Oliver Cromwell und anderer wurden die königlichen Truppen vernichtend geschlagen.

Aber große Teile der Parlamentsarmee verlangten weitergehende demokratische Rechte als das Parlament selbst und der eher konservative Cromwell hatte bis 1647 alle Hände voll zu tun, um die Radikalen in Schach zu halten.

Auf dem Land jedoch ging das Leben meist seinen gewohnten Gang. Als 1644, am

Links: Die Hinrichtung Charles I., ein bis dahin noch nicht dagewesenes Ereignis. Rechts: Die Truppen Cromwells errichten die Herrschaft über das Parlament.

Vorabend der Entscheidungsschlacht von Marston Moor, ein Kundschafter einen Bauern beim Pflügen traf und ihn aufforderte, sich in Sicherheit zu bringen, rief dieser völlig überrascht: „Was, gehören König und Parlament nicht mehr zusammen?"

Die Armee nahm Charles gefangen, doch konnte er flüchten. Im Lande herrschten chaotische Zustände. Mit Rückendeckung seitens der Armee ließ Cromwell 1648 alle Gemäßigten aus dem Parlament entfernen und etablierte ein Rumpfparlament.

Charles wurde erneut verhaftet und am 30. Januar 1649 wegen Hochverrats hingerichtet. Bis zuletzt verweigerte Charles I. dem Parlament das Recht zu einem solchen Urteil und stieg als Märtyrer für Krone und Kirche aufs Schafott.

das „Parlament der Heiligen" — nur puritanische Kleriker gehörten ihm an — zusammen und ließ sich im Dezember 1653 zum Lord Protector wählen. Gestützt auf die als *Instrument of Government* bezeichnete Verfassung und die Armee, versuchte Cromwell zu regieren. Erfolgreich führte er Krieg gegen die Niederlande, aber der Bürgerkrieg hatte tiefe Wunden geschlagen. Bis zu seinem Tod im Jahr 1658 gelang es ihm nicht, die Unterstützung des Volkes für sein diktatorisches Regime zu gewinnen, so daß sein unfähiger Sohn Richard schon 1659 abdanken mußte.

Angesichts eines erneut drohenden Chaos entschloß sich General George Monk, ein Freund Cromwells, zum militärischen Eingreifen. Er besetzte London und zwang das Parlament, den Sohn Charles' I. aus Frank-

Das Interregnum (1649—1660)

Das Parlament ging daran, England ohne König zu regieren. Während man sich noch nicht darüber einig war, wie, erklärte Cromwell mit Unterstützung der Armee und im Namen puritanischer Rechtschaffenheit das Parlament mit folgenden Worten für aufgelöst: „Ihr seid kein Parlament. Ich sage, ihr seid kein Parlament. Ich werde eurer Zusammenkunft ein Ende machen. Ruft sie herein, ruft sie herein!" Daraufhin drangen Musketiere in den Saal und jagten die Abgeordneten hinaus. Selbst den Amtsstab, das Symbol der Autorität des Parlaments, ließ er mit den Worten entfernen: „Was soll dieses Spielzeug? Bringt es weg!" Wenig später rief er

reich zurückzurufen. Im Mai 1660 bestieg Charles II. den Thron.

Damit endete vorerst die Ära eines politischen Gärungsprozesses, in dem unterschiedlichste Theorien geboren wurden — das Spektrum reichte von monarchistischen bis zu sozialistischen Vorstellungen. Überall im Land bildeten sich politische und religiöse Sekten — Levellers, Seekers, Ranters, Diggers, Muggletonians, Quäkers, Anabaptists, Brownists und Adamites und andere. 1651 veröffentlichte Hobbes seinen *Leviathan,* 1656 Harrington sein *Oceana,* 1640 erschienen Miltons *Areopagitica* und 1658 *The Tenure of Kings and Magistrates.* 1660 kam die revolutionäre Bewegung zunächst zum Stillstand.

Restauration und Revolution (1660—1714)

Ganz England atmete auf, als Charles II. elf Jahre nach seinem Vater den Thron bestieg. Aber die Revolution hatte die Kräfteverhältnisse verändert — Nachlaßgerichte, Schiffsgelder, Zwangsanleihen und willkürliche Verhaftungen waren offiziell abgeschafft. Der Staatsrat war keine Rechtsinstanz mehr und das Parlament beharrte auf seinem Recht der Steuergesetzgebung. Lediglich innerhalb der anglikanischen Staatskirche kam es zu einer echten Restauration. Der Clarendon Code bestimmte finanzielle und politische ,,Bußen" für Nichtanglikaner, was die freikirchlichen Strömungen noch mehr verstärkte.

mit den Niederlanden führte 1665 zum Ausbruch eines neuerlichen Krieges. Nicht zuletzt deshalb kam es 1670 zum Geheimvertrag von Dover, in dem Ludwig XIV. sich verpflichtete, der englischen Krone eine jährliche Unterstützung von 100 000 £ zu gewähren — als Gegenleistung für eine frankreichfreundliche Außenpolitik Englands. Charles sicherte Wohlverhalten gegenüber den englischen Katholiken zu. 1672 setzte er die Strafgesetze gegen sie und die Nonkonformisten in der Declaration of Indulgence außer Kraft.

Damit hatte er jedoch das Parlament verärgert und im Jahr darauf mußte er die Declaration zurückziehen. Desweiteren zwang das Parlament den König, die Frage der Thronfolge zu vertagen.

Der Hof Charles II. wurde zum Schauplatz geistreicher neuer Theaterstücke, die ebenso Gesprächsthema des Königs und seines Hofstaates waren wie die unverhohlenen Sympathien der Krone für den Katholizismus. Wem das zu weit ging, der suchte sein Glück in den gutbürgerlichen Tugenden und erachtete das Große Feuer von London im Jahr 1666 als einen Fingerzeig Gottes. Dem großen Baumeister Christopher Wren allerdings bot es die unverhoffte Möglichkeit, London nach seinen Ideen neu aufzubauen. 1667 veröffentlichte John Milton *Paradise Lost,* in dem er keinen Hehl aus seiner Trauer darüber machte, daß die Sache der Puritaner verloren schien.

Die wachsende wirtschaftliche Konkurrenz

Das Jahr 1674 war ein Wendepunkt für Charles II. Es entwickelten sich die ersten Ansätze einer organisierten Opposition gegenüber dem Königshaus. Die Royalisten, bald als Tories bekannt, unterstützten König und Kirche. Als Gegenpartei formierten sich unter Führung des Grafen von Shaftesbury die Whigs. Sie wandten sich gegen die Verschwendung des Hofes, papistische Tendenzen und die Übermacht der Krone. Einig waren sich beide Parteien in der Forderung nach einer härteren Gangart gegenüber Frank-

Links: Das Große Feuer von London (1666) zerstörte fast die ganze Stadt. Rechts: Erfolglos blieb ein Anschlag auf das Leben von Charles II. vor seiner Flucht.

reich. Charles II. war gezwungen, der Heirat seiner Nichte Mary mit Wilhelm (William) von Oranien zuzustimmen — einem Erzfeind Ludwigs XIV., des Katholizismus und auch Frankreichs.

Die Furcht vor einer Restauration des Katholizismus erreichte ihren Höhepunkt, als 1678 Titus Oates das Gerücht in die Welt setzte, Charles sollte ermordet und sein Bruder James sein Nachfolger werden. So kam es nach den Parlamentswahlen im Februar 1679 zum Sturz Danbys und zur Berufung Shaftesburys in den Staatsrat. Das neue Parlament unternahm alles, um James vom Thron fernzuhalten. Noch ehe Charles im Juli das Parlament auflöste, billigte er jedoch den Habeas Corpus Act, der jeden Engländer vor willkürlicher Verhaftung schützte. Charles und die Tories versuchten, die politische Initiative zurückzugewinnen. Sie manipulierten Wahlkreise, um die Whigs bei den nächsten Wahlen zu schlagen. 1685 sah es tatsächlich so aus, als habe Charles mit Hilfe der Kirche seine Macht gegenüber den Whigs stabilisiert. Doch am 6. Februar starb er. Der glühende Katholik James II. (1685—1688) bestieg den Thron.

1688: ,,Glorious Revolution''

Die Rekatholisierung Englands war das erklärte Ziel des neuen Königs. Er schleuste seine Glaubensbrüder in alle Schlüsselpositionen des Staates und erließ 1687 abermals eine Declaration of Indulgence. Nach der Geburt eines Thronfolgers wuchs in der Bevölkerung die Angst vor einer strengkatholischen Dynastie, daß schließlich eine Gruppe prominenter Whigs *und* Tories eine Gesandtschaft nach Holland schickte, um den Protestanten Wilhelm von Oranien die englische Krone anzubieten. Ende 1688 landete er mit einer Armee in England und wurde begeistert empfangen. James floh nach Frankreich. Im Februar des darauffolgenden Jahres wurde James vom Parlament des Hochverrats angeklagt und Wilhelm zum englischen König William III. gekrönt. Ohne Blutvergießen — ,,glorious'' — hatte ein Machtwechsel in England stattgefunden, um die protestantische Thronfolge zu sichern.

Geistige Strömungen

Die Jahre nach der Restauration bezeichnen den endgültigen Abschied Englands vom Mittelalter. In dieser Zeit verdrängte der philosophische Empirismus ein für allemal die theologische Spekulation. Schon 1651 hatte Hobbes behauptet, daß die Welt durch und durch materiell sei. Im Anschluß daran erklärte Locke 1690, daß in der Erfahrung die Quelle allen Wissens liege. Robert Boyle widerlegte die aristotelische Theorie der Materie und Isaac Newton legte mit seinem Werk *Philosophiae naturalis principia mathematica* (1687) das Fundament der klassichen theoretischen Physik und der Himmelsmechanik.

Der Frankreichhasser William III. verwickelte England in Kriege mit Frankreich, die noch unter Königin Anne (1702—1714) andauerten. Um diese zu finanzieren, wandte sich die Krone auf Anregung des Schatzkanzlers Charles Montagu an die Bank von England. Sie gewährte dem Königshaus zu einem Zinssatz von acht Prozent 1 200 000 £, die aus öffentlichen Mitteln aufgebracht wurden. Auch die neugegründete East India

Company, die Asien für englische Waren und Importe erschließen sollte, unterstützte das Königshaus. Der Friede von Rijswijk brachte 1697 einen zeitweiligen Frieden mit Frankreich. Das Jahr 1700 sah erneut die Tories an der Macht, die Sophie von Hannover, eine Enkelin James' I., zur Thronfolgerin bestimmten, sollte Anne kinderlos sterben (Act of Settlement, 1701). Unterdessen brach Ludwig XIV. den Frieden von Rijswijk, indem er James III. als Thronprätendenten anerkannte. William III. trat in den Spanischen Erbfolgekrieg ein, um Frankreichs Hegemonialstellung in Europa zu zerschlagen. Zum Oberkommandierenden ernannte er John Churchill, Herzog von Marlborough. 1702 starb William und Anne folgte ihm auf den

Thron. Churchill, ein Whig, errang glänzende Siege über die Franzosen bei Blenheim und Oudenarde, doch brachten Intrigen 1710 die Tories wieder an die Macht.

Schottland erlebte in dieser Zeit einen neuen Aufschwung. Mit der Navigation Act von 1660 hatte man englische Häfen für schottische Waren gesperrt, 1663 war das Episkopat in Schottland wieder eingeführt worden und seit 1669 hatte primär der Staatsrat Schottland regiert. Mehrere Rebellionen im Lauf des Jahrhunderts waren blutig niedergeschlagen worden, auch jene schreckliche des MacDonald-Highlandclans, die im Massaker von Glencoe (1692) endete. 1707 wurde dann mit der Act of Union die Vereinigung von Schottland und England unter einem gemeinsamen Parlament vollzogen.

Browne. Moral galt nicht länger als Ziehkind der Religion, sondern als Frucht der Vernunft. Im August 1714 starb Königin Anne.

Der Kurfürst von Hannover, dick und geistig schwerfällig, der ihr auf den englischen Thron folgte, hat nie einen inneren Zugang gefunden zu dem Volk, das er von 1714 bis 1727 als George I. regierte.

Die Grundstrukturen der englischen Gesellschaft während seiner Regierungszeit waren die gleichen wie seit Jahrhunderten, aber ihre Widersprüche verschärften sich ständig. Das rapide Wachstum der großen Städte setzte sich fort: London hatte inzwischen 500 000 Einwohner, Bristol immerhin 50 000. Und dies, obwohl die Sterberate immer noch die Geburtenrate überstieg. Denn das absolute Bevölkerungswachstum in den

Die englische Wirtschaft hatte während der Regierungszeit von Königin Anne einen Wandel erlebt. Die englischen Stoffe wurden nicht mehr in Heimarbeit, sondern in Manufakturen hergestellt. Der expandierende Außenhandel eröffnete englischen Waren neue Märkte. Die Arbeitsethik und Morallehre der Puritaner begünstigte die wirtschaftliche Entwicklung. London war inzwischen eine der wichtigsten Metropolen der Welt und zwanzigmal so groß wie Bristol. Der religiöse Eifer des 17. Jahrhunderts ging in dem Maß zurück, wie sich der Lebensstandard der Bevölkerung steigerte. Die Essays eines Addison und Steele, der Journalismus eines Defoe und die Philosophie Lockes verdrängten die Ideen von Laud, Harrington und Thomas

Städten war vor allem das Ergebnis der Landflucht und der Einwanderung aus Irland. Für viele Engländer war London wie ein riesiger, unersättlicher Moloch. Die Armen in den Städten lebten in Bruchbuden; der für viele tödliche Gingenuß nahm solche Formen in den unteren Schichten an, daß die Regierung durch Steuern den Preis erhöhte, um Gin für die Armen unerschwinglich zu machen. Die Kindersterblichkeit im London des frühen 18. Jahrhunderts lag bei 75 %.

Die sozialen Widersprüche verschärften sich geradezu atemberaubend. Es entstand

William und Mary beim Empfang eines Boten; sie sicherten die protestantische Thronfolge in England.

eine neue Klasse von Millionären, die sich aus Handelsfürsten und ihren leitenden Angestellten zusammensetzte und zu der auch die führenden Kräfte der East India Company und die Vertreter der Bank von England zählten. Diese Klasse nutzte ihren Reichtum, um sich in den Landadel einzukaufen, der sie mit gemischten Gefühlen aufnahm. Denn einerseits blickte man auf die ,,Neureichen" herab, andererseits war man neidisch, weil man mit deren Reichtum nicht mithalten konnte. Die Angehörigen der städtischen Mittelklasse — Kaufleute und Ladenbesitzer — hielten an ihrer konservativen Grundhaltung fest. Die meisten waren Dissenters, geprägt vom Pragmatismus des Calvinismus und der Quäker, neidisch auf die neuen Handelsfürsten und nationalistischer als Walpofenleiter standen die städtischen Handwerker, die je nach konjunktureller Entwicklung zwischen Wohlstand und Armut hin- und herschwankten. Ganz unten aber vegetierten die breiten Massen der städtischen Bevölkerung: auf Gelegenheitsarbeiten angewiesen, wie Tiere behandelt und mit brutaler Gewalt zum Stillhalten gezwungen. Schon auf Taschendiebstahl stand die Todesstrafe. Auch Kinder waren davon nicht ausgenommen — erschreckend häufig endeten kindliche Diebe am Galgen.

Arm und Reich auf dem Land

Aber trotz allem gab es in den Städten mehr soziale Bewegung als auf dem Land. Die meisten Pachtbauern betrieben die Landwirtschaft noch immer wie zu Zeiten der Angelsachsen. Obwohl einige Großgrundbesitzer Anfang des Jahrhunderts neue Anbaumethoden einführten, um ihren Gewinn zu steigern, blieb der Erfolg gering. Der Widerspruch zwischen der Masse der Bauern und den Großgrundbesitzern war unüberbrückbar. Der Herzog von Newcastle hatte 1714 Besitzungen in zwölf Grafschaften und ein Jahreseinkommen von 40 000 £, den Herzögen von Bedford gehörte in Bedfordshire nahezu alles. Castle Howard, Wentworth Woodhouse und Houghton wären undenkbar ohne die Plackerei der kleinen Bauern, durch deren Arbeit sie finanziert wurden. Dazwischen stand die Gentry, der traditionelle Landadel, der mit dem neuen Geldadel in keiner Weise mithalten konnte und selten seine Töchter an reiche Kaufleute verkuppelte, um den eigenen Landbesitz halten zu können. Man war Tory und trauerte einem England nach, in dem man noch das Sagen hatte und nicht das Geld der Kaufleute den Gang der Dinge bestimmte.

In Stadt und Land bemühten sich die Unternehmer um neue Produktionstechniken. Neue Abbaumethoden erlaubten eine erhebliche Steigerung der Kohleförderung. In der Textilindustrie kam es durch die Einführung von Maschinen zu einer sprunghaften Aufwärtsentwicklung, die zu einer steigenden Nachfrage von Farbstoffen aus den amerikanischen Kolonien und an irischer Wolle führte. Zugleich wurden dadurch Tausende arbeitslos und mußten Hunger leiden. Aber diese frühindustrielle Entwicklung war noch gehemmt durch eine am längst überholten Zunftwesen orientierte Gesetzgebung, durch völlig unzureichende Verkehrswege und fehlende Kapitalmärkte, um vorhandene Gelder wirtschaftlich nutzen zu können.

Das ständig wachsende Interesse an Handels- und Wirtschaftsfragen spiegelte sich in der Zahl der Kaffeehäuser und Zeitungsklubs, in denen sich die führenden Männer der Nation trafen. Als George I. 1727 starb, gab es in England 25 Regionalzeitungen. Ein neues Kommunikationsnetz entwickelte sich an und zwischen den Akademien der Dissenters, die in Oxford und Cambridge nicht zugelassen waren. Schriftsteller wie Pope, Swift, Addison und Arbuthnot kommentierten die Tagesereignisse in satirischer Form. Etwa seit 1740 entstand — vor allem bei Smollet und Richardson — eine neue literarische Form, der Roman.

Die Verantwortung für diese wildwuchernde Nation lag in Händen des Parlaments, dessen Mitglieder sich ausschließlich aus begüterten Männern aus den Gemeinden und Grafschaften zusammensetzten. Der Delegiertenschlüssel war verwirrend, und die Zahl der Bewohner einer Gemeinde war keineswegs ausschlaggebend. Oft genug war das Wahlergebnis abhängig vom Willen des mächtigsten Großgrundbesitzers am Ort. Nur Besitz bedeutete Wahlrecht, weshalb die Radikalen eine Lockerung der Bestimmungen und die Anarchisten sogar das allgemeine Wahlrecht verlangten.

An der Spitze der Regierung stand selbstverständlich der König, der von Whitehall aus das Land regierte. Sein Kabinett mußte jedoch vom Parlament anerkannt werden. Die einzelnen Ministerien waren hoffnungslos unterbesetzt. Die zwei Staatssekretäre im Schatzamt waren nicht nur für das Steuerwesen zuständig, sondern mußten sich mit nur 26 Untergebenen auch noch um innen- und außenpolitische Belange kümmern! Kein Wunder, daß die Kontenführung beim Finanzministerium 1750 um mehr als 15 Jahre hinterherhinkte.

Beim Tod von Königin Anne hatten die

Tories keine Chancen, die Gunst des neuen Königs zu gewinnen, da sie ursprünglich einen Stuart als Thronfolger favorisiert hatten. Andererseits rivalisierten jahrelang verschiedene Whig-Gruppierungen um die Macht und das Wohlwollen von George I.

Walpoles Aufstieg und Fall (1720—1742)

Im gleichen Maß wie die Bank von England wuchs, steigerte sich auch die Staatsverschuldung. Der an der Macht befindliche Sunderland, ein Erzfeind Walpoles, schlug vor, sie durch die Ausgabe von Staatsanleihen drastisch zu senken. Die Aktion wurde von der South Sea Company durchgeführt. Sie brachte am Hof und in den Ministerien

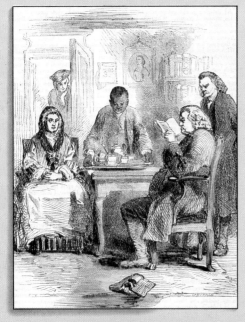

massenhaft Anteilscheine in Umlauf und heizte einen gigantischen Scheinboom an. Jedermann wollte Anteile der Company kaufen, so daß ihr Nominalwert ihren wirklichen Wert um das Tausendfache überstieg. Das Ganze funktionierte solange, wie die Anteilseigner Vertrauen in das Projekt setzten. Aber im August 1720 hatten sie dieses verloren — der anschließende Zusammenbruch des Kartenhauses kostete Tausende ihr Vermögen, die jetzt Blut sehen wollten. Der erschrockene Sunderland verschanzte sich hinter Walpole, dem es gelang, Ordnung in das Chaos zu bringen und die Staatsfinanzen zu sanieren. Dieser wurde daraufhin abermals Schatzkanzler und nach dem Tod Sunderlands im Jahr 1722 sogar „Premierminister".

Während der folgenden elf Jahre baute er mit allen Mitteln seine Macht aus, um eine Politik gemäß dem Programm der Whigs durchzusetzen. Er reformierte die Verwaltung, verringerte die Ausgaben, setzte sich für eine friedliche Außenpolitik ein und förderte den freien Wettbewerb in der Wirtschaft. Aber 1733 begann sein Stern zu sinken. Zu einem Zeitpunkt, als das Handelskapital immer lauter eine protektionistische Außenpolitik forderte, schlug Walpole Verbrauchssteuern vor und stieß damit auf helle Empörung, die ihn zwang, seinen Plan zurückzuziehen. Die nächsten acht Jahre standen im Zeichen einer verstärkt imperialistischen Politik, um die britischen Kolonien von Indien bis Amerika zu sichern und zu vergrößern. 1742 trat Walpole zurück. Wenig später begann ein neuer Krieg mit Frankreich.

William Pitt der Ältere: Morgendämmerung des englischen Imperialismus (1742—1763)

In den drei Jahren nach dem Sturz Walpoles war England in einen kostspieligen und erfolglosen Krieg in Europa und eine Rebellion der Schotten unter Führung von Prinz Charles Edward verwickelt, der die englische Krone für die Stuarts zurückgewinnen wollte. 1746 gelang es den Regierungstruppen bei Culloden Moor, ihn vernichtend zu schlagen.

1746 wurde William Pitt zum Premierminister ernannt. Er war der Enkel eines reichen Londoner Kaufmanns, Repräsentant der Londoner Kaufleute und außerdem ein hervorragender Redner. Konsequent plädierte er für eine aktive und offensive Rolle Englands in der Weltpolitik, um überall Märkte für England zu schaffen und sichern zu können. Er führte England in einen Krieg mit Frankreich, in dessen Verlauf die Franzosen aus Kanada vertrieben und von den Grenzen der amerikanischen Kolonien ferngehalten werden konnten. In Westindien, Afrika und Indien sicherte seine Politik wichtige Handelshäfen für England.

Revolutionen der Wirtschaft

Mitte des 18. Jahrhunderts erlebte England zwei Revolutionen, die nichts mit Politik zu tun hatten. Die eine vollzog sich in der

Links: So gut wie nie war Dr. Johnson ohne seinen geliebten Teekessel anzutreffen. Rechts: Das 18. Jahrhundert war die Epoche der Great Houses, kleinere mußten, wie hier gezeigt, weichen.

Landwirtschaft, die damit auf eine neue und produktivere Grundlage gestellt wurde. Die andere ist bekannt geworden als Industrielle Revolution, die in England viel früher begann als im übrigen Europa. Die Grundbesitzer zäunten ihren Besitz ein. Die Pächter profitierten davon, wenn sie härter arbeiteten als andere oder die Arbeit verbesserten. Durch Selbstverantwortlichkeit für das bebaute Land wurde die wirtschaftliche Effizienz erhöht. In der Viehzucht wurden neue Methoden angewendet und fortschrittliche Technologien führten insgesamt zu erheblichen Ertragssteigerungen.

Die Industrielle Revolution erfaßte vor allem drei Bereiche: Technik, Transportwesen und Arbeitsorganisation. Arkwrights Wasserspinnmaschine, Hargreaves „spinning

Die Städte wurden besser durchorganisiert. Die Kinder der Armen mußten in Manufakturen und Fabriken hart arbeiten. Jemand wie John Wesley behauptete allen Ernstes, daß die Seele der Menschen durch lange Arbeitstage in dreckigen Fabriken der ewigen Verdammnis entgehen könne. Aber die Fabriken nahmen den Menschen viel von ihrem Leben. Sechzehnstundentage und früher Tod waren an der Tagesordnung. Die anglikanische Staatskirche kümmerte sich so gut wie nicht um die Armen, und es dauerte noch Generationen, ehe sie sich wieder auf ihre soziale Verantwortung besann.

Die Methodisten

Nach seinem Bekehrungserlebnis im Jahr 1738 füllte John Wesley die Leere im Leben

jenny" und Cromptons „spinning mule" revolutionierten die Garnproduktion. John Wilkinson entwickelte neue Anwendungsmöglichkeiten für Eisen. James Watt baute 1769 seine Dampfmaschine. Die neugebauten Schiffahrtskanäle machten den Warentransport schneller und billiger. Unternehmer schlossen sich zusammen, um ihre Ziele besser verwirklichen zu können.

Beide Revolutionen veränderten das Leben von Grund auf. Von nun an galten die Kriterien der Nützlichkeit, Effizienz und der Selbsthilfe und die utilitaristische Philosophie eines Jeremy Bentham lieferte die Theorie dazu. Harte Arbeit und Sparsamkeit galten als Haupttugenden. Die Weltanschauung des Puritanismus erlebte eine Renaissance.

der Armen. Er predigte auf den Straßen, da es ihm in den Kirchen verboten war, und regte im Herzen der Armen die Hoffnung auf ein besseres Leben im Jenseits. Er organisierte seine Anhänger in „Klassen", deren Führer eine pyramidenförmige Hierarchie mit Wesley an der Spitze bildeten, verwarf die Prädestinationslehre seines Mitpredigers George Whitfield und forderte, daß der Einzelne sich dem Willen Gottes unterordnen müsse, ein Leben der Nächstenliebe, Sparsamkeit und der harten Arbeit zu führen habe. Wesley war ein gewaltiger Redner, und häufig kam es während der über 40 000 Predigten, die er hielt, unter seinen Zuhörern zu Ausbrüchen von Massenhysterie. Bei seinem Tod im Jahr 1791 war Wesley voller Resignation, weil er den Geist des Methodismus im Schwinden sah. Aber sein Pessimismus war unbegründet. Die Methodistenkriche blieb für Millionen Zuflucht und Hilfe.

Die Welt des Dr. Johnson

Während sich in der Literatur des 18. Jahrhunderts der Klassizismus der Augusteischen Epoche fortsetzte, wurden Musik und Architektur immer stärker vom persönlichen Gefühlsausdruck bestimmt. Unter Führung von Leuten wie Horace Walpole kam es auch zu einer Gotik-Renaissance. Manche Gutsbesitzer ließen sogar Einsiedler gegen Bezahlung in ihren Gärten vor sich hingrübeln.

In der Rolle eines „Kulturpapstes" tauschte Samuel Johnson Essays, Gedichte und Parabeln aus mit seinen Freunden James Bos-

Schon 1763 hatte John Wilkes mit seinen beißenden Satiren gegen König George in der Zeitung *The North Briton* begonnen. Als er ins Parlament gewählt wurde, sah sich der König veranlaßt, sein Haus durchsuchen zu lassen und Wilkes unter lächerlichen Vorwürfen unter Anklage zu stellen. Dieser floh nach Frankreich. Aus dem Exil zurückgekehrt, geißelte er in Versammlungen und in der Presse die Korruption des Parlaments und erwirkte schließlich, daß die Parlamentsdebatten öffentlich wurden. Damit war die Öffentlichkeit ein Faktor der Politik geworden.

Während unterdessen Dissenters wie Doddridge, Price und Priestley einschneidende Verwaltungsreformen verlangten, sorgten die Methodisten unter den Armen weiterhin für

well, Oliver Goldsmith und Sir Joshua Reynolds, dem Präsidenten der Royal Academy und Porträtisten der vornehmen Londoner Kreise.

1760 kam George III. auf den Thron. Die ersten 25 Jahre seiner Regierung wurden geprägt von der massiven Konfrontation Englands mit den amerikanischen Kolonien. Diese wehrten sich gegen die Bevormundung nach dem Leitspruch „No Taxation without Representation" („Keine Besteuerung ohne politische Vertretung in Westminster"). Nach ersten kriegerischen Auseinandersetzungen (ab 1775) erklärten sich die 13 Kolonien am 4. Juli 1776 für unabhängig, doch erlangten sie erst im Vertrag von Versailles 1783 Frieden und Anerkennung.

Unruhe. Die antikatholischen Gordon Riots des Jahres 1780 zeigten, wie sehr es in den Städten unter der Oberfläche gärte. Tagelang war London dem Wüten empörter Arbeitermassen ausgeliefert, die George nur mit Unterstützung von Wilkes wieder besänftigen konnte. Edmund Burke drängte auf einen totalen Ausschluß der Krone von der Politik, und 1780 nahm das Unterhaus Dunnings Resolution zur Beschränkung der königlichen Machtbefugnisse an.

William Pitt — England an der Wende zum 19. Jahrhundert (1783—1806)

Der neue Premierminister William Pitt ging sofort daran, das Parlament zu reformieren und schleuste ihm und König George genehme Adlige ins Oberhaus. Anschließend begann er damit, den Staatshaushalt zu konsolidieren. Er reorganisierte die East India Company und versuchte, Adam Smiths Ideen in der Wirtschaft zu realisieren. 1787 verfiel George III. dem Wahnsinn. Vorübergehend verlor Pitt seine Macht, die er jedoch schon bald wieder erlangte.

Das Jahr 1789 veränderte schlagartig die politische Landschaft. Die Ereignisse in Frankreich versetzten die herrschenden Klassen Englands in Angst und Schrecken darüber, daß der französische Revolutions-Bazillus auf die Insel übergreifen könnte. Die Hinrichtung Ludwigs XIV. rief Erinnerungen an den Tod von Charles I. wach. Eine kriegerische Auseinandersetzung mit Frankreich schien unvermeidlich, und spätestens seit der Machtergreifung Napoleons hieß die Alternative für England, Frankreich zu zerstören oder von ihm zerstört zu werden.

Während der folgenden zwei Jahrzehnte war nicht nur England, sondern ganz Europa damit beschäftigt, Napoleon niederzuwerfen. Einen Schritt auf diesem Weg machte Admiral Nelson mit seinem Sieg in der Seeschlacht bei Trafalgar im Jahr 1804. Aber erst der Sieg Wellingtons und Blüchers 1815 in der Schlacht von Waterloo bedeutete die endgültige Niederlage für den französischen Imperator.

In England selbst hatte während dieser Zeit die Industrielle Revolution an Tempo und Umfang gewonnen und das Gesicht des Landes verändert. Ganze Dörfer mußten neuen Industriestädten weichen, Banken waren die neue blühende Wirtschaftsbranche. Krieg und Mißernten hatten die Preise für landwirtschaftliche Produkte steigen lassen. Neue Agrartechniken machten Tausende von Landarbeitern brotlos. Ihr Elend war noch schlimmer als das der Armen in den Städten.

Deutlich zeigte sich der Einfluß der Französischen Revolution auf die neue geistige Strömung der Romantik, als deren Anfänge die *Lyrischen Balladen* von Wordsworth und Coleridge gelten. Ein völlig neues Bedürfnis nach Erhabenheit und der Glaube an die Fähigkeit zur Selbstbestimmung des Menschen — durchaus im Widerspruch zur Weltanschauung des Puritanismus — breiteten sich aus.

In den *Songs of Innocence* (1794) und den *Songs of Experience* (1794) eines William Blake wurden die Schrecknisse der neuen, industriellen Welt beschworen, während Wil-

liam Cobbett die Bedeutung der Werktätigen für die Gesellschaft betonte.

Die Ergebnisse des Wiener Kongresses 1815 machten England zur reichsten und wichtigsten europäischen Macht. Es kontrollierte den internationalen Handel und festigte sein weltumspannendes Empire. Aber das Elend der Armen im eigenen Land und das Unbehagen unter den Intellektuellen kündigten neue große Veränderungen an.

Das erste Drittel des 19. Jahrhunderts, in dem George IV. und William IV. regierten, war eine Zeit tiefgreifender Reformen. Sie waren das Ergebnis sowohl der Französischen als auch der Industriellen Revolution, durch die ein neues Selbstverständnis des Individuums in einer zunehmend demokrati-

schen und industriell geprägten Massengesellschaft geschaffen wurde.

Das Erbe der Revolution (1815—1837)

Um 1815 lebten in England 13 Millionen Menschen, allein in London über eine Million. Der Anteil der städtischen Bevölkerung wuchs ständig, denn immer mehr arbeitslos gewordene Landarbeiter zogen mit ihren Familien in die Städte und versuchten, sich mit den Hungerlöhnen in den Fabriken von Birmingham, Manchester, Leeds, Liverpool und Sheffield durchzuschlagen.

London war inzwischen eine der größten Städte Europas und wurde unter der Herr-

Links: Stürmischer Himmel über der Schlacht von Waterloo. Rechts: Der Tod Nelsons.

schaft von George IV. zum Schauplatz unvergleichlicher Verschwendungssucht und eines ausschweifenden Dandytums, für das der Name von Beau Brummel steht. In diese Zeit fällt auch Brightons Aufstieg zum renommierten Seebad der Könige und des Adels.

1815 erließ das Parlament ein Korngesetz (Corn Law), das die Besteuerung billiger Einfuhren vorschrieb, um die Binnenpreise zu stützen. Dieses Gesetz steigerte die Gewinne des Landadels, der noch immer das Parlament beherrschte, und stürzte die Landarbeiter und Armen in wachsende Existenzprobleme. Es führte ferner zum Entstehen von zwei politisch-wirtschaftlichen Bewegungen — die eine kämpfte für die Abschaffung des Corn Law, die andere für eine freie Marktwirtschaft. Letztere basierte auf den Theorien

von Jeremy Bentham und Adam Smith, die jedwede Einflußnahme seitens der Regierung oder des Staates auf die expandierende Industrie und den Handel ablehnten.

Die Industrialisierung hatte eine Kluft zwischen Unternehmern und Arbeitern aufgerissen und brachte zunächst nur den Unternehmern Früchte. Die sozialen Experimente (u.a. Begrenzung der Kinderarbeit und Arbeitszeit) aufgeklärter Unternehmer wie Robert Owen fanden kaum Nachahmung, prägten jedoch langfristig die Sozialismusvorstellungen in England. 1845 sprach Disraeli von dem in „zwei Nationen" gespalteten Land. Noch unvergessen waren damals das Peterloo-Massaker, in dem elf Menschen den Tod gefunden hatten, die Demonstration der

60 000 in Manchester (1819), die von der Polizei mit Schüssen auseinander getrieben worden war. Dieser Aufstand hatte eine maßgebliche Einschränkung der Presse- und Versammlungsfreiheit zur Folge.

1828 wurden die Dissenters und Nonkonformisten als politisch gleichberechtigt anerkannt — immerhin machten sie 15 % der Bevölkerung aus. Gleichzeitig forderten die Katholiken das Wahlrecht und ihre Zulassung zu Staatsämtern. Erst nach dem Wahlsieg von Daniel O'Connel, dem Gründer der Catholic Association, erkannten Wellington und George IV. die Notwendigkeit zur Gleichstellung der Katholiken, um eine Rebellion in Irland zu vermeiden. 1829 wurde die Roman Catholic Relief Act nach anfänglich heftigem Widerstand in Unter- und Oberhaus verabschiedet.

Eine der wirklich einschneidenden Reformen war die Reform Bill von 1832, in der das Wahlrecht auf gewisse Kreise der Mittelschicht ausgedehnt und endlich ein realistisches Verhältnis zwischen der Bevölkerungsdichte in den Wahlkreisen und der Sitzverteilung im Parlament hergestellt wurde. Handwerker, Arbeiter und Tagelöhner blieben jedoch weiterhin ohne Stimmrecht. Dieses Gesetz ist primär das Verdienst des Sozialpolitikers Charles Earl Grey, der 1830, wenige Monate nach der Thronbesteigung Williams IV. (1765—1837), Wellington als Premier abgelöst hatte.

In den folgenden Jahren wurden die Stadtverwaltungen reformiert. Sir Robert Peel drängte auf örtliche Polizeikräfte, um die Kriminalität unter Kontrolle zu bekommen. Häufige Unruhen in den Städten erschreckten die Ober- und Mittelklasse. Die Armengesetze schufen die Voraussetzungen für den Bau von Arbeitshäusern, in denen die Armen leben und für die Textilindustrie arbeiten mußten. Gemeinderäte sollten die Friedensrichter in sozialen Fragen unterstützen.

Die Erfolge blieben gering — ein Thema, das Charles Dickens (1812—1870) in den Mittelpunkt seines Romans *Oliver Twist* stellte.

Als 1837 die junge Königin Victoria den Thron bestieg, herrschte im ganzen Land Aufbruchstimmung. Der neue gesellschaftliche Reichtum verlangte politische Reformen. Im Geiste des Utilitarismus und Liberalismus begann das eigentlich industrielle und imperialistische Zeitalter Englands.

Königin Viktoria (rechts) drückte einer ganzen Epoche ihren Stempel auf, deren Zeitgeist und Probleme die erfolgreichen Romane von Charles Dickens (links) zum Ausdruck bringen.

VON KÖNIGIN VICTORIA BIS HEUTE

1837 — 1874

Zu Beginn von der Regierungszeit Königin Victorias (1837—1901) kam es im Zusammenhang mit dem industriellen Wachstum und der imperialistischen Expansion Großbritanniens zu mehreren Reformen, die das Schicksal einer ganzen Generation bestimmten.

Die Reform Bill von 1832 hatte das Leben der werktätigen Bevölkerung und ihre Rolle im politischen Entscheidungsprozeß kaum geändert. Selbst die sozialen Reformen Robert Owens in seinem Betrieb in New Lanark blieben ohne nennenswerten Einfluß auf die Gewerkschaftsbewegung. Nach wie vor lebten die meisten Arbeiter unter dem Existenzminimum und machten dafür die profitorientierten Korngesetze verantwortlich. Um der wachsenden Unzufriedenheit politisch zum Durchbruch zu verhelfen, gründete William Lovett 1836 die Londoner Arbeitervereinigung. Zwei Jahre später veröffentlichte er zusammen mit Francis Place die ,,Charta des Volkes'', in der das allgemeine Wahlrecht und das Recht auf Parlamentszugehörigkeit unabhängig von Privatbesitz gefordert wurde. Seine Anhänger, fortan Chartisten genannt, verlangten 1839 in einer Massendemonstration vom Parlament die Verwirklichung ihrer Reformvorschläge. Das Unterhaus weigerte sich. Zwar kam es anschließend noch zu gelegentlichen Streiks und Unruhen, aber der Einfluß der Chartisten ging stark zurück.

Mittlerweile setzten sich Intellektuelle, Liberale und Radikale gemeinsam für die Verwirklichung einer freien Marktwirtschaft ohne Einmischung des Parlaments ein. Cobden und Mill drängten auf die Annullierung der Korngesetze, die Sir Robert Peel 1846 durchsetzte, obwohl es ihn seinen Ministersessel kostete.

Auch eine neue Kirchenreform lag in der Luft. Im Geiste Lauds forderten die Vertreter des Oxford Movement die Rückbesinnung der anglikanischen Kirche auf ihr katholisches Erbe. Aus den Puritanern des 16. Jahrhunderts waren inzwischen Dissenters und Nonkonformisten geworden, die sich weniger um die Kirche von England als um

ihre eigenen Angelegenheiten als Quäker, Congregationalisten, Baptisten, Presbyterianer und Methodisten kümmerten. John Keble war einer der Wortführer für eine anglikanische Reform, zusammen mit Edward Pusey, Hurell Froude und John Newman, der 1845 sogar zum Katholizismus konvertierte und später Kardinal wurde.

In der Zeit der innerkirchlichen Auseinandersetzungen gab es zwischen 1840 und 1850 verheerende Mißernten — vor allem in Irland, wo 1846 und 1847 fast die gesamte Kartoffelernte ausfiel. Tausende sahen keinen anderen Weg, als in die Kolonien oder die Vereinigten Staaten auszuwandern. Positiv daran war nur, daß die englische Wirtschaft vom Druck des Bevölkerungswachstums entlastet wurde.

Die Zurückgebliebenen erlebten während der ersten Regierungsjahre der jungen Königin das schnell wachsende Selbstbewußtsein einer Gesellschaft, das auf dem industriellen Reichtum, dem Kolonialimperium, dem Geist der Aufklärung und dem Wirken von Männern wie Palmerston und Macaulay beruhte. Nicht zufällig hatte Prinzgemahl Albert die Idee zur ersten Weltausstellung der Industrie, in der sich die Viktorianische Epoche ein Denkmal schuf. England wurde zur ,,Werkstatt der Welt'' und zur führenden Industrie-, Wirtschafts- und Handelsmacht. Aus England kam die Hälfte der Welteisenproduktion, das Volumen seines Außenhandels war so groß wie das von Frankreich, Deutschland und Italien zusammengerechnet.

In seiner *History of England* schilderte Macaulay die Vergangenheit Englands als Vorgeschichte eines unaufhaltsamen Aufstiegs, und in der konstitutionellen Regierungsform und dem Reichtum des Landes erblickte er die Blüte des Jahrhunderts. Zigtausende von Exemplaren des Buches *Self-Help* von Samuel Smiles wurden verkauft, in dem Sparsamkeit, Rechtschaffenheit und Fleiß gerühmt wurden als Wohlstand schaffende Tugenden. In seinem Gedicht *Locksley Hall* faßte Tennyson den viktorianischen Fortschrittsglauben in Verse und Prinzgemahl Albert verkündete: ,,Wir leben in einer begeisternden Epoche des Übergangs in eine neue Zeit, in der endlich das große Ziel der Geschichte erreicht sein wird — die Einheit der Menschheit.''

Daß gemeint war: ,,Unter britischer Herrschaft", brauchte er nicht zu sagen — das machten die aggressive Außenpolitik Palmerstons und die in alle Welt ausschwärmenden Missionsgesellschaften klar.

Aber nicht alle schwelgten in satter Selbstzufriedenheit. Das viktorianische England war ebenso selbstkritisch wie selbstgefällig. In seinen großen Romanen *Bleak House, Little Dorritt, Nicholas Nickleby, Oliver Twist, The Pickwick Papers* und *Martin Chuzzlewit* prangerte Charles Dickens die gesellschaftlichen Mängel, das Geprotze des Hochadels und den platten Materialismus der Mittelklasse an. Seine Sympathien waren auf Seiten der Armen und der Zorn über ihr Schicksal führte seine Feder. Tausende erwarteten jeden Monat ungeduldig die nächste Fortsetzung seiner sozialkritischen Romane,

nämlich die Menschen der Viktorianischen Zeit, enge Verwandte der Affen seien.

Von den religiösen Reformen des Oxford Movement gingen auch soziale Reformimpulse aus. In ihren Traktaten begründeten Charles Kingsley und F.D. Maurice den christlichen Sozialismus. Religiosität bezog sich mehr und mehr auch auf wirtschaftliche und soziale Fragen, man forderte z.B. eine Verbesserung der Ausbildungschancen für Frauen und Arbeiter.

Gladstone und Disraeli

William Gladstone, der große Führer der Liberalen nach Russell und Palmerston, machte England im Ausland zum Vorreiter der Demokratie, auch wenn von echter De-

in denen er mit Werken von Anthony Trollope wetteiferte. Auch Thomas Carlyle schrieb mit beißender Schärfe über die Kluft zwischen Arm und Reich, und J.S. Mill setzte sich ein für ein erweitertes Wahlrecht, ein besseres Erziehungswesen und freie Meinungsäußerung. 1869 erschien *Culture and Anarchy* von Matthew Arnold, der den viktorianischen Materialismus verurteilte und die englische Gesellschaft in drei Klassen einteilte: Barbaren (der Hochadel), Philister (die Mittelklasse) und das Volk. Kritik übte er an allen drei. Bereits 1859 war Darwins *Origin of Species* erschienen und auf breite Empörung unter den Zeitgenossen gestoßen — wurde doch darin ernsthaft behauptet, daß die Blüte des menschlichen Geschlechts,

mokratie im eigenen Land nicht die Rede sein konnte. Daß im Krimkrieg 1854—1856 die Balkanstaaten gegen Rußland unterstützt wurden, hatte eher damit zu tun, daß Rußland gehindert werden sollte, einen Hafen im Mittelmeer zu erobern, auch wenn dadurch die Seeherrschaft Englands im Atlantik noch lange nicht bedroht war.

Zwischen 1846, dem Jahr des Rücktritts von Robert Peel, und 1867, als die zweite Reform Bill in Kraft trat, hatten weder die Liberalen noch die Konservativen eindeutig die

Links: Florence Nightingale, die sich selbstlos für die Verwundeten im Krimkrieg einsetzte. Rechts: Englische Arbeiter in einer „modernen" Munitionsfabrik.

Oberhand. 1867 jedoch kamen die Konservativen unter Benjamin Disraeli an die Macht. Angesichts des immer lauter werdenden Rufes nach einer Parlamentsreform führten die Konservativen aus taktischen Gründen die Reform durch, um zu verhindern, daß weitergehende Forderungen um sich griffen. Die zweite Reform Bill (1867) bestimmte das Wahlrecht in den Grafschaften für Hausbesitzer, deren Häuser auf mindestens 12 £, und für Pächter, deren Jahreseinkommen auf mindestens 5 £ veranschlagt wurde. Ebenso wurden in den Gemeinden alle, die länger als ein Jahr ein Hausbesitzer waren, und jene Mieter, die mindestens 10£ Jahresmiete bezahlten, wahlberechtigt. Auch die regionale Sitzverteilung im Parlament wurde geändert, entsprechend der Bevölkerungsver-

Constitutional Associations gegründet, zehn Jahre später die National Federation of Liberal Associations, und um 1880 hatten sich die Grundstrukturen der heutigen Parteien herausgebildet.

Gladstone, der sich oft mit Disraeli im Amt abwechselte, brachte eine neue Ordnung in den Staatsapparat und führte zahlreiche Reformen in der Beamtenschaft, in der Armee und der Justiz durch. Seit 1855 gab es die Civil Service Commissioners, die über die Einstellung in den Staatsdienst entschieden. Sie bedeuteten das Ende des Systems der persönlichen Schirmherrschaft, das die englische Politik seit den Sachsenkönigen so sehr geprägt hatte. Auch die Armee, die sich im Krimkrieg so lächerlich gemacht hatte, blieb von dieser Reform nicht verschont.

schiebung im industrialisierten Westen und Norden. Die zweite Reform Bill verlieh das Wahlrecht auch an städtische Handwerker und gutverdienende Arbeiter, das Wahlrecht des Mittelstandes wurde ausgedehnt. Damit waren 60 % der Männer in der Stadt und 70 % der Männer in den Grafschaften wahlberechtigt.

Mit dem Anwachsen der wahlberechtigten Bevölkerung stiegen auch die Anforderungen an die politischen Parteien. Früher hatten die Kandidaten die wenigen Wähler zu Bier und Roastbeef auf ihre Güter eingeladen. Das war jetzt anders geworden, Politik war nicht mehr Sache von wenigen und statt Roastbeef waren Parteiprogramme gefragt. 1867 wurde die National Union of Conservative and

Mit Sorge beobachtete man seit 1860 die wachsende Stärke Preußens und Bismarcks Blitzsieg im deutsch-französischen Krieg von 1870/71. Eine Modernisierung der Armee war unumgänglich, um der kontinentalen Herausforderung begegnen zu können. Im gleichen Geiste wie Edward Cardwell die Armee auf Vordermann brachte, sorgte Lordsiegelbewahrer Selborne für die Modernisierung der Justiz. Er vereinigte die jahrhundertelang getrennten ordentlichen Gerichte und die Billigkeitsgerichte und schuf die dreigliedrige Einteilung der Rechtsprechung in King's Bench, Chancery and Probate, Divorce and Admiralty unter der Aufsicht des Oberhauses, das als höchste Berufungsinstanz fungierte.

Auch das Erziehungs- und Gesundheitswesen wurden reformiert, Wasserversorgung und Kanalisation überprüft. Das Local Government Board, das spätere Gesundheitsministerium, erhielt die Aufsicht über die Hygiene in den Städten. Mit dem Education Act von 1870 wurde eine Grundschulausbildung für Kinder unter 13 Jahren vorgeschrieben und 1891 das Schulgeld an den Grundschulen abgeschafft.

Die Gewerkschaften

1871 hatte London über drei Millionen Einwohner und war von einem Ring gepflegter Vororte umgeben. Obwohl die wöchentliche Arbeitszeit bis zu 60 Stunden betrug, hatten sich die unmenschlichen Lebensbedin-

Trade Union Act garantiert wurde. Aber die Arbeiter griffen auch zur Selbsthilfe. Sie bildeten Verbrauchergenossenschaften, mit deren Unterstützung sie Konsumgüter einkauften und untereinander verteilten. Diese Genossenschaften zählten 1890 fast 800 000 Mitglieder, und sie bildeten die Basis der im gleichen Jahr gegründeten Labour Party.

Aber zu dieser Zeit begann der Glanz des Viktorianischen Zeitalters zu verblassen. Die industriellen Wachstumsraten gingen seit 1870 zurück, denn große Kapitalmengen waren in der Hoffnung auf höhere Gewinne in die Kolonien geflossen. Hinzu kam die immer stärker werdende Konkurrenz Deutschlands und der Vereinigten Staaten, insbesondere bei Eisen und Stahl.

Bereits 1875 mußte England die Hälfte sei-

gungen der meisten Arbeiter seit der Jahrhundertwende erheblich verbessert. Die Länge des Arbeitstages für Frauen und Kinder war begrenzt und die Fabrikgesetze hatten die Arbeitsbedingungen verbessert, die Dickens eine Generation vorher angeprangert hatte. Im Companies Act von 1862 wurden Aktiengesellschaften mit beschränkter Haftung zugelassen und viele Fabriken gingen in den Besitz von Aktionären über, die die Leitung der Fabriken an bezahlte Manager übertrugen. Die Privatkapitalisten alten Schlages begannen auszusterben. London wurde das Finanzzentrum der ganzen Welt.

1869 begann der Trades Union Congress (TUC) seinen Kampf um die gesetzliche Absicherung der Gewerkschaften, die 1871 im

nes Bedarfs an Weizen importieren, denn einseitig war die industrielle Entwicklung auf Kosten der Landwirtschaft gefördert worden. Diese Tendenz setzte sich fort. Die internationale Finanzkrise der Jahre 1874/75 bezeichnete einen Wendepunkt in der Entwicklung Englands.

Das späte Viktorianische Zeitalter

In der zweiten Hälfte der Regierungszeit von Königin Viktoria veränderte sich das Sozialgefüge der englischen Gesellschaft grund-

Links: Feldlager im Burenkrieg. Rechts: Sidney und Beatrice Webb, die Gründer der gegen den Krieg gerichteten Fabian Society.

legend. Der Zustrom in die Städte wurde noch stärker — 1911 lebten in London, im südöstlichen Lancashire, den westlichen Midlands, in West Yorkshire, Merseyside und dem zentralen Clydeside jeweils mehr als eine Million Menschen. Das städtische Proletariat nahm ständig zu und konnte von 1860 bis 1914 immerhin eine Verdoppelung der Reallöhne erkämpfen, die teilweise jedoch von der Inflation aufgezehrt wurde. Innerhalb der Mittelklasse kam es zu einer Differenzierung. Die Angehörigen der unteren Mittelklasse, die sich aus den kleinen Bank- und Regierungsangestellten zusammensetzte, lebten in völlig identischen Reihenhäusern in den Vororten und lasen die *Daily Mail*. Die obere Mittelklasse hingegen umfaßte zwei Schichten: die Akademiker, also Ärzte, An-

H.G. Wells und später der junge Ramsay MacDonald gehörten, verfolgte das Ziel fortschrittlicher Reformen. Je mehr die führende Position Englands in der Welt durch die Vereinigten Staaten und Deutschland bedroht wurde, desto chauvinistischer wurde die Stimmung im Land, deren literarischer Repräsentant vor allem Rudyard Kipling war. Der neue Sozialdarwinismus eines Herbert Spencer paßte in eine politische Landschaft, die vom Überlebenskampf Englands als führender Großmacht geprägt war. Diese britische Streitlust war einer der Gründe für das britische Engagement im 1899 beginnenden Burenkrieg, der große Verluste und wenig Vorteile einbrachte. Er verschärfte lediglich die Spannungen mit dem deutschen Reich, das die Buren unterstützte und sich immer

wälte, höhere Beamte und Geistliche, und daneben die Geschäftsleute, die den Lebensstil der ersten Gruppe nachzuahmen suchten. Am wenigsten veränderte sich die Lage des Adels und der Gentry in der Industriegesellschaft. Nach wie vor besetzten sie die führenden Positionen im Parlament und auch in der Armee.

Soziale Konflikte

Seit dem ausgehenden 19. Jahrhundert griff eine zunehmende Unzufriedenheit um sich, die auch während der Regierungszeit von Edward VII., dem Sohn Viktorias, nicht verstummte. Die 1884 gegründete Fabian Society, zu der unter anderem G.B. Shaw,

mehr zum europäischen Hauptkonkurrenten Englands entpuppte.

Wirtschaftsreformer forderten unaufhörlich eine liberale Neuorientierung. Auch J.A. Hobson und Arnold Toynbee stimmten ein in den Ruf nach Sozialreformen im Geist des Liberalismus, um endlich Schluß zu machen mit der Armut in einem paradoxerweise immer reicheren Land. Zwischen 1889 und 1903 beschäftigten sich auch Charles Booth und Seebohm Rowntree mit dem sozialen Elend und der Frage, wie es zu beseitigen sei. Sie stellten fest, daß 30 % der städtischen Bevölkerung unter dem Existenzminimum leben mußten. Wie ein Schock auf die Wirtschaftsreformer wirkte der *Taff-Vale*-Entscheid von 1901, der die Gewerkschaften regreßpflichtig machte für die den Firmen und Unternehmern durch Streiks entstehenden Verluste. Zwar wurde der Erlaß 1906 abgeändert, doch die Unruhe blieb.

In dieser Situation kam es 1906 im Parlament zu einer Koalition zwischen Liberalen und Labour Party. Herbert Asquith wurde 1908 Premierminister. Ihm sind die Durchsetzung kostenloser Schulspeisung, eines Rentensystems und des Development Act zu verdanken. 1911 setzte der liberale Premierminister Lloyd George die National Insurance Bill durch, mit der ein von Arbeitern, Unternehmern und dem Staat finanziertes Kranken- und Sozialversicherungswesen geschaffen wurde.

Damit war das viktorianische Selbsthilfe-Prinzip tot und auch die englischen Liberalen

Der Erste Weltkrieg

Trotz großer öffentlicher Begeisterung führte Asquith das Land nur widerstrebend in den Krieg. Die Ernüchterung folgte umgehend, nachdem die englischen Truppen bei Ypern und Mons schwere Verluste erlitten hatten. Nur Notmaßnahmen des Schatzamtes und der Bank von England konnten einen Finanzkrach verhindern. Im September schwenkte Lloyd George von der Ablehnung zur Unterstützung des Burenkrieges über. Tausende von kriegstauglichen Männern zwischen 18 und 45 meldeten sich freiwillig für den Krieg, während zuhause die Frauen in den Munitionsfabriken arbeiteten, die unter die Aufsicht eines Spezialministeriums mit Lloyd George an der Spitze gestellt wurden.

gestanden die Schwächen ihres früheren laissez-faire-Liberalismus zu. Der Glaube an die Überlegenheit des Kapitalismus blieb dennoch ungetrübt. Eine Serie von Streiks, darunter der große Eisenbahnerstreik von 1911, machte allerdings unmißverständlich klar, daß die Arbeitermassen noch lange nicht zufrieden waren. Unruhen in Irland verschärften die Lage.

Während die liberale Regierung alle Hände voll zu tun hatte, um der wachsenden sozialen Unruhe Herr zu werden, marschierten deutsche Truppen nach dem Attentat von Sarajewo in Belgien ein — der Erste Weltkrieg begann und zerschlug nicht nur das komplizierte europäische Bündnissystem, sondern auch den viktorianischen Staat.

Die gesamte Wirtschaft stand in diesem ersten weltumspannenden Krieg der Menschheit unter staatlicher Leitung.

Seit Kriegsbeginn stand England wie unter einem betäubenden Schock. In den Schützengräben Frankreichs schien der Krieg zu stagnieren; sowohl die deutschen wie die alliierten Truppen hatten sich entlang der Front eingegraben und unternahmen nur gelegentliche Angriffe, die beiderseits mit schrecklichen Verlusten endeten. In der Großoffen-

Oben: In den Schützengräben des Ersten Weltkriegs erstickte der ursprüngliche Heroismus. Rechts: Die Jahre zwischen den Weltkriegen waren erfüllt von Freiheitsutopien und Verdrängung der Vergangenheit.

sive der Briten an der Somme im Juni 1916 starben am ersten Tag 60 000 Mann, am Ende der Kämpfe waren es mehr als 420 000. Im August und September 1917 verloren die Briten in Belgien 300 000 Soldaten, bei Kriegsende waren 75 000 Gefallene und 2,5 Mio. Verwundete zu beklagen, von denen viele Kriegsversehrte blieben.

Das Blutbad des Weltkriegs kostete England fast die Hälfte der jungen Generation. Sein Grauen ist in den leidenschaftlichen und erschütternden Gedichten von Wilfred Owen und Isaac Rosenberg (beide sind im Krieg gefallen) und in denen der überlebenden Siegfried Sassoon und Robert Graves festgehalten. Ihr Antimilitarismus wurde jedoch von der Bevölkerung nicht geteilt.

Der Krieg führte zum Zusammenbruch des

1914 und 1920 von 706 Mio. £ immerhin auf 7875 Mio. £ angestiegen. Die starken Inflationstendenzen der Jahre 1918/19 — Ergebnis der Umstellungsprobleme von einer Kriegs- auf eine Friedenswirtschaft — ließ die Rufe nach einer ausgeglichenen Haushaltspolitik immer lauter werden. Die Liberalen beschuldigten Premier Lloyd George, die Prinzipien der freien Marktwirtschaft verraten zu haben. In Irland kam es zu erbitterten Kämpfen gegen die Irisch-Republikanische Armee (IRA), ehe mit der Sinn Fein Frieden geschlossen und schließlich 1922 der Freistaat Irland proklamiert wurde. Die protestantischen Grafschaften um Ulster blieben ein Teil Großbritanniens. Die Sympathien der Labour Party verscherzte Lloyd George sich endgültig durch die brutale Zerschlagung der

traditionellen Liberalismus. Labourführer Ramsay MacDonald bemerkte, der Krieg habe den Staat zu mehr wirtschaftlichen und sozialen Eingriffen veranlaßt als alle politischen Bewegungen vorher. Die Stellung der Frau in der Gesellschaft hatte eine bedeutende Aufwertung erfahren. Jetzt erhielten Frauen Zugang zu bisher nur Männern vorbehaltenen Stellen in der Verwaltung und im Klerus und 1918 wurde allen Frauen über 30 Jahren das Wahlrecht zugebilligt.

Europa in Trümmern

Die Nachkriegsjahre waren sehr schwierig für das siegreiche, aber ausgeblutete England. Die Staatsverschuldung war zwischen

Streiks der Bergarbeiter, Polizisten und Eisenbahner 1919—1921. Ferner waren viele Bürger unzufrieden mit den Ergebnissen des Friedensvertrags von Versailles, den Lloyd George mit entworfen hatte. Seine Geheimabsprachen mit den Alliierten stießen auf Ablehnung in einem Land, das sich jahrhundertelang nur in absoluten Krisensituationen mit den europäischen Kontinentalmächten eingelassen hatte. Bereits 1919 hatte der Ökonom John M. Keynes davor gewarnt, daß die ungeheuren Reparationszahlungen Deutschland in den Bankrott treiben und damit auch die Stabilität Europas gefährden würden. Nachdem Lloyd George 1922 England an den Rand eines Krieges mit der Türkei brachte, schieden die Konservativen und Linken aus der Koalitionsregierung aus und brachten ihn im Oktober zu Fall. Der Konservative Stanley Baldwin wurde Premierminister, die Labour-Party unter Ramsay MacDonald war stärker denn je.

Aber nicht nur in der Politik, auch in der Kunst kam einiges in Bewegung. Im gleichen Jahr wie James Joyces *Ulysses* (1922) erschien *Women in Love* von D.H. Lawrence und *Jacob's Room* von Virginia Woolf. Während es bei Joyce und Woolf um das Problem der Zeit ging, stellte E.M. Forster in *A Passage to India* (1924) die Frage nach dem Verhältnis von Ost und West innerhalb des Empire. In *The Waste Land* von T.S. Eliot (1922) kamen Schrecken und Trauer der Nachkriegszeit zum Ausdruck. Roger Fry, Duncan Grant, Vanessa Bell, Lytton Strachey, G.E. Moore und J.M. Keynes unterzogen das politische und kulturelle Erbe der Nation einer kritischen Überprüfung. Sitten und Gebräuche lockerten sich — die Frauen durften in der Öffentlichkeit rauchen und die akademische Jugend in Oxford und Cambridge erkämpfte sich repressionsfreie Räume innerhalb der Gesellschaft.

Als nach Kriegsende die ehemaligen Beschäftigten aus der Rüstungsindustrie den Arbeitsmarkt überschwemmten, verschlechterte sich auch die Lage der anderen Werktätigen. Die soziale Unruhe entlud sich schließlich im großen Streik von 1926. Die Baldwin-Regierung hatte sich geweigert, die kriselnde Bergbauindustrie weiterhin zu subventionieren und dadurch alle Gewerkschaften in einen neuntägigen, weitgehend gewaltlosen Generalstreik getrieben. Während des Streiks kehrten liberale Studenten der Universität den Rücken und übernahmen für die öffentliche Sicherheit wichtige Aufgaben wie Busfahren oder Verkehrsregelung. Völlig überraschend setzte der englische Gewerkschaftsverband TUC den Streik aus, der so mit einer schweren Niederlage vor allem für die Bergarbeiter endete. Der bisher schärfste Klassenkampf, den England je gesehen hatte, fand damit ein jähes und friedliches Ende. Aber der Streik hatte den Arbeitern ein tiefes Erlebnis ihrer Solidarität und das Bewußtsein der unüberbrückbaren Klassenspaltung gegenüber den Kapitalisten hinterlassen, das bis heute nachwirkt — vor allem bei den Bergarbeitern. Das restliche Jahrzehnt brachte nicht nur in den Städten, sondern auch auf dem Land noch mehr Elend für die unteren Schichten der Arbeiterklasse. Die Krise der Landwirtschaft spitzte sich zu. Sinkende Ankaufspreise für Agrarprodukte zwangen die kleinen Bauern zur Verschuldung, um sich neues Saatgut kaufen zu kön-

nen. Der Erlös aus den Ernten deckte kaum die Schulden, bei Mißernten mußten die kleinen Bauern oft ihren Hof aufgeben. Zum Elend in Industrieregionen wie Jarrow, Merthyr Tydfil und Wigan kam die zunehmende Umweltverschmutzung. Hier lag die Kindersterblichkeit, die Tuberkulosehäufigkeit und die Lebenserwartung wesentlich höher bzw. niedriger als in vergleichbaren Regionen im Osten und Süden. Eine Studie aus dem Jahr 1929 enthüllte, daß zwei Drittel des nationalen Reichtums in den Händen von nur einem Prozent der Bevölkerung lagen.

Wirtschaftskrise und Faschismus

Als Ramsay MacDonald 1929 zum zweitenmal Premierminister wurde, steckte er voller Reformideen. Aber ihre Verwirklichung platzte mit dem Börsenkrach in New York, der auch die englische Wirtschaft in seinen Strudel zog. 1932 gab es in England drei Millionen Arbeitslose; die Staatskasse litt unter der Auszehrung durch die Sozialversicherung. Die weitgehend auf Kohle, Stahl, Textilien und Schiffbau beruhende englische Industrie konnte sich auf dem internationalen Markt nicht behaupten und mußte zwischen 1929 und 1935 Arbeitsplätze abbauen. Die sozialistische Regierung MacDonald stand der Krise machtlos gegenüber, 1931 mußte ihr Premierminister zurücktreten. Wenig später jedoch stand er wieder an der Spitze einer nicht-sozialistischen Koalitionsregierung (unter Ausschluß der Labour Party), die in späteren Wahlen bestätigt wurde.

Mitte der dreißiger Jahre unternahm die neue technokratische Führungsschicht der Konservativen unter Neville Chamberlain eine politische Initiative, zu deren Verwirklichung sie in den Wahlen von 1935 beauftragt wurde. Alte Industrieregionen in Schottland, im Nordosten, in Yorkshire, Lancashire oder Südwales wurden zu ,,Sonderzonen" erklärt und aus staatlichen Mitteln subventioniert, um die Wirtschaft anzukurbeln. Welche Probleme diese Politik für die Arbeiter brachte, ist in *The Road to Wigan Pier* von George Orwell und *We Live* von Lewis Jones beschrieben.

Die Kunst der dreißiger Jahre war weniger narzißtisch als in den Nachkriegsjahren. Viele junge Dichter waren vom Marxismus angezogen und verfolgten aufmerksam die Ereignisse in der UdSSR und in Spanien. Auch W.H. Auden, Stephen Spender, C.D. Lewis und Louis MacNeice interessierten sich viel mehr für Politik als die älteren Schriftsteller.

In der Außenpolitik gewann der Isolationismus allmählich die Oberhand, vor allem seit 1935 Baldwin wieder Premier war. Er wollte jedes militärische Abenteuer vermeiden, war überzeugt, daß es aufgrund der technischen Fortschritte in der Luftkriegsführung keine Verteidigungsmöglichkeit gegen Bombenangriffe mehr gab und daß die Zivilbevölkerung in einem neuen Krieg das hilflose Opfer sein würde.

Aber die Prophezeiung von Keynes erfüllte sich. Im Deutschland der Weimarer Republik herrschte in den zwanziger Jahren Ausschweifung, während die Inflation in schwindelerregende Höhe stieg. Die Reparationszahlungen erdrückten die Wirtschaft und ein neuer Nationalismus entzündete sich an den demütigenden Bedingungen des Friedensdik-

März 1939 besetzten deutsche Truppen Prag. Die Öffentlichkeit geriet in ungeheure Erregung und verlangte, daß Chamberlain Schluß machen solle mit seiner Beschwichtigungspolitik gegenüber dem Dritten Reich. Chamberlain schloß ein Schutzabkommen mit Polen. Als deutsche Truppen am 1. September 1939 in Polen einmarschierten, sah sich England gezwungen, Deutschland zwei Tage später den Krieg zu erklären. Die Stimmung im Land war gedämpfter als im Ersten Weltkrieg. Die sozialen Spannungen wurden von nun an überlagert von gemeinsamen Anstrengungen, die Kräfte des gesamten Empire gegen die faschistische Bedrohung zu mobilisieren. Nach der Besetzung Frankreichs drohte zum ersten Mal seit Napoleon eine Invasion der Insel durch fremde Truppen.

tats von Versailles. In diesem aufgeheizten politischen Klima kamen 1933 Adolf Hitler und die NSDAP an die Macht. Nach der Okkupation Österreichs und des Sudetenlandes im Jahr 1938 war es nur noch eine Frage der Zeit, wann es zum Krieg käme.

Im September 1938 führte Chamberlain in Berchtesgaden und Bad Godesberg Verhandlungen mit Hitler. Im wesentlichen fügte er sich der expansionistischen Außenpolitik Hitlers und verkündete nach seiner Rückkehr, er habe den Frieden gesichert. Die Ereignisse straften ihn schon bald Lügen. Im

Churchill zeigt sein berühmtes „V" für *victory*, das zum Symbol wurde für die britische Hoffnung auf den Sieg.

Im Mai 1940 trat Chamberlain zurück. Winston Churchill bildete gemeinsam mit den Liberalen und der Labour Party eine neue Regierung. Er verkörperte wie sonst niemand die feste Entschlossenheit Großbritanniens, die Pläne der deutschen Faschisten zu vereiteln, und mit seinen regelmäßigen Rundfunkansprachen brachte er das ganze Volk geschlossen hinter sich. Mitte August begannen die nächtlichen Bombenangriffe der deutschen Luftwaffe, die England sturmreif machen sollten für die geplante Invasion. Die Schlacht um England war im Gang. Zunächst waren Flugplätze und Flugzeugfabriken die Ziele, später wurden auch London, Coventry, Plymouth, Liverpool, Hull, Swansea und andere Städte bombardiert. Seit dem

Herbst setzte die Royal Air Force ihre berühmten *Spitfires* und *Hurricanes* ein, um die Angreifer zu vertreiben. An Weihnachten war zwar die unmittelbare Gefahr einer Invasion gebannt, die Angriffe gingen jedoch weiter und forderten bis Kriegsende über 60 000 Tote unter der Zivilbevölkerung.

Seit 1941 sicherte ein Vertrag mit den USA die Versorgung mit Kriegsgütern für England. Zunächst versuchte England, seine Einflußgebiete im Mittleren Osten zu schützen. 1942 schlug Feldmarschall Montgomery bei El Alamein die Truppen von Feldmarschall Rommel und vertrieb die Deutschen aus Nordafrika. Im Jahr darauf gelang es, in Italien unter einem zerbröckelnden Mussolini-Regime einen Brückenkopf zu schaffen. In Burma konnten die Briten (nach dem bitteren Verlust Singapurs) die Japaner zum Halt zu bringen. Im Juni 1944 schließlich begann die Landung englischer und amerikanischer Truppen in der Normandie. Ein Jahr später, im Mai 1945, kapitulierte das Dritte Reich. England hatte bei Kriegsende ,,nur'' 270 000 Tote zu beklagen, etwa ein Drittel des Blutzolls aus dem Ersten Weltkrieg.

Auch der Zweite Weltkrieg wäre ohne weitgehende Zentralisierung der Wirtschaft undenkbar gewesen. Aber diesmal waren die staatlichen Eingriffe langfristig angelegt. Blitzkrieg und Lebensmittelrationierung hatten ein neues Gemeinschaftsgefühl geweckt. Die Vollbeschäftigung während des Kriegs verstärkte den Glauben an die Wirksamkeit staatlicher Planwirtschaft. Im Beveridge Report von 1942 wurden eine umfassende staatliche Sozialversicherung, Mutterschutz und Gesundheitsfürsorge vorgeschlagen, finanziert durch ein gestaffeltes Steuersystem, mit dessen Hilfe auch ein Renten- und Arbeitslosenversicherungssystem geschaffen werden sollte. In den Uthwatt und Barlow Reports wurden Vorschläge zur staatlichen Wiederbelebung der Industrie und Landwirtschaft unterbreitet. Das Finanzministerium folgte den Vorschlägen des mittlerweile maßgebenden Lord Keynes. Zur Debatte stand auch die Verstaatlichung der Schlüsselindustrien und der Bank von England. Mit dem Butler Education Act von 1944 wurde ein dreistufiges Gesamtschulsystem begründet. Der neue soziale Trend führte im Sommer 1945 zum Sturz der Churchill-Regierung und Labour übernahm die Regierungsverantwortung.

Neuer Wohlstand

Unter der Regierung von Clement Attlee (1945-1951) wurde begonnen, auf Grundlage einer teils privaten, teils staatlichen Wirtschaft aus Großbritannien einen demokratischen Wohlfahrtsstaat zu machen. Nicht nur die Bank von England, sondern die Wirtschaftssektoren Kohle, Eisenbahn, Luftfahrt, Gas, Telegrafie und die Elektroindustrie gingen in Staatseigentum über. 1948 wurde das 1946 von Bevin vorgeschlagene staatliche medizinische Versorgungssystem eingeführt, das alle Bürger kostenlos nutzen konnten. Bereits 1946 trat die Sozialversicherung in Kraft, das Kindergeld wurde erhöht und die schulpflichtige Zeit verlängert. Die Regierung kurbelte die Wirtschaft in dahinsiechenden Industriezonen wie Wales, Durham, Cumberland und Zentralschottland wieder an. Die auf Verbesserung des Lebensstandards bedachten Gewerkschaften nahmen das vorübergehende

Einfrieren der Löhne fast widerspruchslos hin. Vom Liberalismus der Zeit Gladstones war innerhalb der Regierung kaum noch etwas zu spüren. Natürlich waren Industrie und Wirtschaft noch einige Zeit zerrüttet und auch die Kriegsschulden stellten ein großes Problem dar. Erst neun Jahre nach Kriegsende konnte z.B. die Rationierung einer Reihe von Konsumgütern aufgehoben werden. Andererseits stiegen die Löhne für nicht gewerkschaftlich organisierte Arbeiter, es gab neue Möglichkeiten der Freizeitgestaltung.

Oben: Gandhi beim Verlassen von Downing Street Nr. 10 nach erfolgreichen Verhandlungen über die Unabhängigkeit Indiens. Rechts: Krönungszeremonie für Elizabeth II.

1951 kamen erneut die Tories unter Churchill an die Macht, die sie unter Anthony Eden, Harold MacMillan und Alec Douglas-Home bis 1964 nicht aus der Hand gaben, ohne dabei Attlees soziale Politik rückgängig zu machen. Der politische Konsens der Nachkriegsjahre hatte keine Entsprechung in der Kunst. Ihre Vertreter beschritten vielfältige Wege. Lawrence Durrell, Joyce Cary, Angus Wilson und Iris Murdoch veröffentlichten ihre neuen Roman, während Harold Pinter und Samuel Beckett auf der Bühne zukunftweisende Akzente setzten.

Abschied vom Empire

In den zwei Jahrzehnten nach Kriegsende zerfiel das britische Weltreich, eine Kolonie

Auch im Mittleren und Fernen Osten wurden ehemalige britische Kolonien unabhängig. Allmählich lehnte sich die britische Außenpolitik immer enger an die der USA an, seit 1949 war England ohnehin Mitglied der NATO.

Inzwischen wurden die Anstrengungen verstärkt, den wirtschaftlichen Zusammenschluß Europas voran zu treiben, aber die Mitgliedschaft Großbritanniens scheiterte 1963 am Nein de Gaulles (endgültiger Beitritt 1973). Die öffentliche Meinung in England selbst war nie sonderlich positiv, zu sehr verwurzelt war der jahrhundertealte Isolationismus.

Damals machten sich eher Wirtschaftswissenschaftler Sorgen um sinkende Wachstumsraten und geringere Produktivität als die

nach der anderen erkämpfte sich die politische Unabhängigkeit. Zwischen 1947 und 1949 mußte die Attlee-Regierung Indien, Pakistan, Burma und Ceylon die Unabhänigkeit zugestehen. Es war ein unvermeidlicher Schritt, denn Großbritannien sah sich in der Konfrontation mit den immer stärker werdenden Unabhängigkeitsbewegungen in den Kolonien enormen finanziellen und politischen Problemen ausgesetzt. Auch die Kolonien in Ost- und Westafrika erlangten in den fünfziger Jahren die Unabhängigkeit, gefolgt von den neuen zentralafrikanischen Staaten Sambia und Malawi. Nur Honduras, die Falkland-Inseln, Gibraltar, Hongkong und Aden, die Fidschis sowie einige abgelegene Gebiete blieben unter britischer Oberhoheit.

englische Durchschnittsfamilie, der es in der Nachkriegskonsumgesellschaft zunehmend besser ging. Viele Familien konnten sich ein Auto und Ferien an der Mittelmeerküste leisten.

Krise des Wohlfahrtsstaates

Aber diese goldenen Zeiten waren nicht von Dauer. Während der Regierungszeit des Labour-Premiers Harold Wilson (1964-1970) kamen die schwelenden Konflikte zum Ausbruch. Wie überall in Westeuropa und den USA lehnte sich in England die Jugend gegen die Gesellschaft auf. Einer der Gründe dafür war die Frage der Atomwaffen. 1958 fand eine der größten Protestdemonstrationen statt.

Sie führte vom Trafalgar Square zum 80 km entfernten Zentrum für Waffentechnologie in Aldermaston (Berkshire). Daraus entwickelte sich die Bewegung für nukleare Abrüstung, die einen einseitigen Atomwaffenverzicht Englands befürwortete. Zur gleichen Zeit forderten walisische und schottische Nationalisten mehr Raum für die Darstellung ihrer eigenen Kultur.

Mehr und mehr Menschen erkannten die verhängnisvollen Auswirkungen des Industrialismus auf Natur und Umwelt und nahmen den Kampf dagegen auf. Einwanderer aus Indien und Pakistan sahen sich bei der Wohnungs- und Arbeitssuche zunehmender Diskriminierung ausgesetzt. In Ulster wehrten sich Protestanten und Katholiken verbissen gegen Maßnahmen der englischen Regierung. Die IRA kämpfte mit Bomben, Morden und Aufständen für ihre politischen Ziele.

Mittlerweile bröckelte die ökonomische Basis des Wohlfahrtsstaates unaufhaltsam ab. Die Briten begriffen, daß sinkende Produktivität und abflachende Wachstumskurven der Wirtschaft die Finanzierung der sozialen Errungenschaften früherer Jahre nicht mehr zuließen. Zahlungsbilanzprobleme zwangen 1967 zu einer Abwertung des Pfundes. Während der Regierungszeit von Eward Heath (1970—1974) setzte man törichterweise auf eine Politik des Monetarismus, um die ungeheuren Kosten des Wohlfahrtsstaates finanzieren zu können, und heizte damit die Inflation noch mehr an.

Der ständig rückläufige Anteil Großbritanniens am Welthandel führte seit 1973 zu wachsender Arbeitslosigkeit und damit verbundenen sozialen Unruhen. Der sinkende Lebensstandard als Folge von Inflation und Kaufkraftverlust verursachte zahllose Streiks vor allem im Bergbau. Der Bergarbeiterstreik des Jahres 1974 bedeutete den Sturz der Heath-Regierung, an deren Stelle die Labour-Regierung unter Harold Wilson (1974—1976) trat.

Die exorbitante Erhöhung der Erdölpreise im Jahr 1973 beschleunigte den Niedergang der englischen Wirtschaft. Ein Hoffnungsschimmer war einzig die Entdeckung von Erdölvorkommen vor der Nordseeküste, durch deren Erschließung England zum Energieselbstversorger geworden ist.

Um Schritt halten zu können mit der rapide steigenden Inflation, forderten die Gewerkschaften Lohnerhöhungen bis zu 30 %. 1980 lag die Inflationsrate bei immerhin 20 %. Im gleichen Jahr gab es zwei Millionen Arbeitslose — eine Zahl, die seit den dreißiger Jahren nicht mehr erreicht worden war.

Die Labour-Regierung unter James Callaghan (1976—1979) versuchte, die hohen Lohnforderungen durch eine Arbeitsplatzgarantie zu entschärfen, aber eine Kette von Streiks in den Jahren 1978/79 brachte sie ans Ende ihres Lateins und die Konservation erneut an die Macht — diesmal unter Margaret Thatcher, dem ersten weiblichen Premierminister.

Frau Thatcher mußte sich auseinandersetzen mit der beängstigend hohen Arbeitslosigkeit, mit nationalistischen Strömungen in Wales und Schottland und den fortgesetzten Gewaltakten der IRA. 1981, im selben Sommer, als Prinz Charles Lady Diana Spencer heiratete, kam es in Toxteth und Brixton zu gewaltsamen Rassenunruhen.

Mit dem 1979 politisch selbständig gewordenen Zimbabwe ging eine der letzten Bastionen des britischen Empire verloren. Daß jedoch die alten Träume vom britischen Empire noch immer nicht ausgeträumt waren, zeigte sich 1982 in der breiten Unterstützung für Frau Thatcher im Krieg gegen Argentinien um die Falkland-Inselns, 12 800 km entfernt von Großbritannien. Es schien, als solle der Sieg über Argentinien einen Lichtstrahl werfen auf den dunklen Himmel der englischen Innenpolitik.

Aber der Jubel war bald verklungen und der graue Alltag meldete sich wieder zu Wort. Von einem nationalen Konsens in der Politik war nichts mehr zu spüren, als der Labourabgeordnete Tony Benn eine Rückkehr zu sozialistischen Vorstellungen forderte und die antigewerkschaftliche Politik der Thatcher-Regierung scharf angriff. Aber Frau Thatcher sah sich durch die schweren Verluste der Labour Party in den Wahlen von 1983 in ihrer Wirtschaftspolitik bestätigt und ließ es im Bergarbeiterstreik 1984/85 auf eine Kraftprobe ankommen, die die Gewerkschaft unter Führung von Arthur Scargill verlor.

Niemand weiß, wie sich die Dinge weiterhin entwickeln werden. Das bemerkenswerteste in der so reichen und vielfältigen Geschichte Großbritanniens ist wohl, daß sich politische Veränderungen — im Gegensatz zu denen auf dem europäischen Festland — im wesentlichen immer auf evolutionärem Wege vollzogen haben, so scharf die Widersprüche auch häufig waren.

Margret Thatchers Wahlsieg im Jahr 1979 leitete die neue Ära der heutigen Tory-Politik ein und damit die Krise des englischen Wohlfahrtsstaates.

DIE BRITEN

In den fünfziger Jahren gab es ein weitverbreitetes Werbeplakat, das den angeblich typischen Durchschnittsbriten zeigte: gestreifte Hosen, dunkles Jackett, Bowler auf dem Kopf und einen Schirm in der Hand. Und im Hintergrund: Houses of Parliament, Trafalgar Square oder der Tower of London — einige der Schokoladenseiten, die das Inselreich dem Touristen zu bieten hat.

Mag sein, daß sich der Bildhintergrund von Zeit zu Zeit verändert hat, aber das Klischee vom blonden Börsenmakler als dem Inbegriff eines Briten ist geblieben. Für die allmächtige Tourismusindustrie hatte es immer die Funktion, Neugier bei potentiellen Englandbesuchern zu wecken. Bei Außenseitern bestätigte es bestimmte Vorurteile über England, die seit Ende des Zweiten Weltkriegs in den Köpfen spuken. Auch einige Fernsehserien haben das Bild der Engländer im Ausland geprägt — wer sie sind, wie sie sich benehmen und sich kleiden.

Kein Wunder also, daß Neulinge überrascht sind von den ethnischen und sozialen Unterschieden innerhalb der britischen Gesellschaft. Schon nach kurzer Zeit wird dem Besucher bewußt, daß die Briten in Wirklichkeit ein Volk mit vielen verschiedenen Vorfahren sind und so gar nicht dem weitverbreiteten Klischeebild entsprechen.

Diese historische Wahrheit wird von den Briten selbst oft verdrängt. Denn seit der letzten ausländischen Invasion durch die Normannen im 11. Jahrhundert hat sich auf der Insel ein spezifischer Isolationismus erwickelt. In den vergangenen 1000 Jahren ist aus einem bunten Völkergemisch von Normannen, Kelten, Angeln, Sachsen und anderen skandinavischen Stämmen das entstanden, was heute ein Brite unter seiner ethnischen Identität versteht.

Erst in den letzten 30 Jahren sind ethnische Probleme in England wieder in den Vordergrund getreten — und zwar durch den Zustrom von Einwanderern aus den Commonwealthländern in Afrika, Asien und der Karibik. Moderne Verkehrsmittel ermöglichten ehemaligen Untertanen Ihrer britischen Majestät nach Großbritannien zu reisen, geleitet von der Hoffnung auf bessere Lebensbedingungen. Die Fremden, die Jahrhunderte vor ihnen vom europäischen Festland ins Land eingefallen waren, hatten geraubt, geplündert, aber auch gesiedelt. Nach gewisser Zeit verschmolzen sie mit der einheimischen Bevölkerung, doch blieben Unterschiede in Aussehen, Sprache und Kultur.

Die Urbevölkerung dürfte weitgehend aus Kelten bestanden haben. Archäologen glauben inzwischen aber Anhaltspunkte zu haben, daß schon vor den Kelten Iberer aus dem Mittelmeerraum auf der Insel lebten und

Orte wie Winchester, Canterbury und London gründeten. Man nimmt an, daß erst 1000 Jahre später, also etwa 2000 v.Chr., sich in England Kelten ansiedelten, die aus Frankreich, dem Alpenraum und dem Donauraum kamen. Offenbar gab es dabei zwei Volksgruppen. Die Gälen zogen nach Schottland und Irland.

Noch heute berufen sich die modernen nationalistischen Strömungen in Wales und Schottland auf diese keltische Abstammungslinie und setzen sich für die Wiederbelebung der uralten walischen und gälischen Sprache ein. Auch in Cornwall, wo die alten Traditionen noch fortleben, gibt es immer wieder ähnliche Bestrebungen, die keltische Vergangenheit aufleben zu lassen.

Vorhergehende Seiten: Viktorianische Reminiszenzen auf einer Wohltätigkeitsveranstaltung in Wales. Die Moderne lebt von der Spannung zwischen extremen Lebensstilen.

Der Überlieferung zufolge hat die Artussage in Cornwall ihren Ursprung, und immer wieder gibt es Versuche, hier die Überreste von Camelot, König Arthurs sagenumwobener Burg, zu finden.

Die Römer unterjochten die Kelten, aber ihre Herrschaft dauerte nur 200 Jahre bis zum Zusammenbruch ihres Imperiums. Ihre Nachfolger wurden die kampfstarken Angeln und Sachsen, die aus dem germanischen Raum nach England vordrangen.

Die Angelsachsen ließen es sich gut gehen auf der Insel und ihrer Herrschaft verdanken wir das Epos *Beowulf*. Sie ehelichten keltische Frauen und ließen sich für immer in der neuen Heimat nieder. Mit den Jahren wurden sie behäbiger und waren deshalb kein ernsthafter Gegner mehr für die nächsten Er-

ters haben. Niemand soll fürderhin Unrecht erleiden.''

Jedes der Eroberervölker hat Zeugnisse seiner Herrschaft hinterlassen, sei es in Form von Begräbnisstätten, Münzen, in der Baukunst, in Sprache oder Literatur. Die normannischen Burgen enthüllen viel über das Leben ihrer Bewohner. Die Ruinen von Stonehenge lassen manches ahnen von den Riten der keltischen Priester, der Druiden.

Sprache und Tradition

Vor allem die englische Sprache spiegelt das reiche und vielfältige Erbe wider. Im heutigen Englisch klingen viele teilweise verklungene Sprachen nach. Keltisch, Skandinavisch, Angelsächsisch, Lateinisch und Nor-

oberer, die Wikinger und Dänen. Beutelüstern steuerten sie ihre berühmten Langschiffe an englische Gestade. Bis zum 9. Jahrhundert beherrschten sie die Meere, hatten London erobert und die Küsten Englands zu festen Stützpunkten gemacht.

Wilhelm der Eroberer spürte den Machtverfall der Wikinger während des 11. Jahrhunderts. Seine normannischen Krieger (selbst skanidinavischer Abstammung) verhalfen ihm in der Schlacht von Hastings 1066 zum englischen Königsthron.

In seiner ersten Ansprache verkündetet er: ,,Ich, William, grüße alle Londoner, Franzosen und Engländer. Ihr alle steht von nun an unter dem Schutz des Gesetzes. Jedes Kind soll fortan das Recht auf das Erbe seines Va-

mannisch sind miteinander verschmolzen und daraus ist das heutige Englisch entstanden.

Sprache und Tradition sind eine Brücke in die Vergangenheit. Beide zusammen bilden das Fundament eines gemeinsamen Geschichtbewußtseins der Briten. Ganze Gemeinschaften sind stolz darauf, britisch zu sein und sich dadurch von nur wenig entfernten Gemeinschaften zu unterscheiden.

Noch heute existiert zwischen den Menschen in York und Lancashire eine Abnei-

Links: Die High Society stellt sich beim Rennen in Ascot zur Schau. Rechts: Kampfrichter und Teilnehmer der schottischen Highland Games sind stolz auf ihre Schottenröcke.

gung, die bis auf die Rosenkriege des 15. Jahrhunderts zurückgeht. Die Nachfahren der Kelten in Cornwall hindert wohl nur ihre geringe Zahl an Träumen nationaler Unabhängigkeit, aber sie sind noch heute stolz auf ihre Verwandtschaft mit den französichen Bretonen. Die keltischen Waliser und Schotten sympathisieren mit regionalen politischen Gruppierungen, die sich für mehr Autonomie einsetzen.

Klassenspaltung

Überlagert werden diese Nationalismen von Klassenunterschieden, die Ergebnis ungleicher Verteilung des gesellschaftlichen Reichtums sind. Staatliche Maßnahmen zur Vermögensausgleichung haben zu Verände-

länder an, denen es nicht um Eroberung, sondern um Arbeitsplätze ging. Aber schon vor der industriellen Revolution war England Zufluchtstätte für viele Fremde, häufig politische Außenseiter, die in ihren Heimatländern verfolgt wurden und Schutz suchten in der englischen Demokratie. Daß solche Hoffnungen nicht enttäuscht wurden, ist inzwischen zum Bestandteil der politischen Kultur in England geworden. So manchem politischen Exilanten ist dadurch der Tod oder eine Gefängnisstrafe in seinem Heimatland erspart geblieben.

Vor allem in einem Stadtteil Londons, in Spitalfields, spiegelt sich diese geschichtliche Tradition besonders deutlich wider. Spitalfields liegt in der Nähe des Stadtzentrums und der Londoner Docks. Heute prägen das

rungen des Klassenbewußtseins geführt. Zum Beispiel gilt Wohlstand heute nicht mehr als ausschließliches Kriterium für den gesellschaftlichen Status. Auch nicht die Kleidung. Vor allem die Jugendlichen bevorzugen alles, was gerade in Mode ist — sei es eine bestimmte Frisur oder eine martialische Punkaufmachung.

Dennoch ist die Klassenspaltung nach wie vor ein wichtiger gesellschaftlicher Faktor. Im Norden begegnet man verbitterten Menschen, denn dieses Gebiet war einst von der ganzen Wucht der industriellen Revolution mitgerissen. Geblieben sind triste, stillgelegte Fabrikanlagen und steigende Arbeitslosenzahlen.

Die Fabriken zogen generationenlang Aus-

Bild in erster Linie Menschen aus Bangladesh, die vor Verfolgung und Hunger in ihrer Heimt geflüchtet sind. Vor 300 Jahren waren es Hugenotten aus Frankreich. Sie haben die hohen, schmalen und eleganten Häuser gebaut, von denen einige erhalten sind und viele englische Familiennamen gehen auf die Hugenotten zurück.

Von 1801 bis 1901 wuchs die Bevölkerung von Spitalfields von 15 000 auf 25 000 Menschen an. Hauptgrund war der Zustrom jüdischer Einwanderer, die vor den Pogromen in Osteuropa flüchteten. Sie gründeten 1817 die ersten freien jüdischen Schulen sowie Pelz- und Textilwerkstätten, die allmählich die einheimische Konkurrenz verdrängten.

Und so wie Mitte des 20. Jahrhunderts jüdische Familien zu Wohlstand kamen und in andere Stadtteile Londons umzogen, rückten gleich unternehmungslustige Einwanderer aus Bangladesh nach und eröffneten ihre eigenen Läden. Ein Gotteshaus an der Ecke Fournier Street und Brick Lane ist ein Symbol der demographischen Verschiebungen in Spitalfields. Ursprünglich eine Hugenottenkapelle, wurde es später eine methodistische Kirche, dann eine Synagoge und schließlich eine Moschee.

Wegbereiter

Die Bangladeshi sind Teil einer größeren Gruppe asiatischer Einwanderer vom indischen Subkontinent, die seit den fünfziger Jahren nach England strömen. Diese Gruppe

schossen aus dem Boden. Suraj Khandalwal, der Sari-König von Leicester, war früher Mitarbeiter des indischen Ministerpräsidenten. Er kam 1963 nach England, wo er sich zunächst als kleiner Angestellter durchschlug, ehe er ein Sari-Importgeschäft eröffnete. Heute ist es ein kleines Imperium mit Filialen in Leicester, Coventry und Birmingham.

Derzeit bildet sich unter den asiatischen Einwanderern eine Schicht zukünftiger Millionäre heraus. Es sind die Shahs, Patels, Amins und Singhs, deren Läden Sie überall finden können und die vielleicht Gründer künftiger Geschäftsimperien sind.

Diese Familienbetriebe entstanden seit den sechziger Jahren, als über ihre Zukunft in Afrika beunruhigte indische Händler scha-

ist ethnisch nicht einheitlich — sie umfaßt Sikhs aus dem Punjab, Gujaratis aus Gujarat, Ismailiten und Inder aus Minderheitsgruppen in Kenia, Tansania, Uganda und Malawi.

Sie haben ihren Weg gefunden in Städte wie Leicester und Birmingham, wo es Arbeitsplätze für sie gab — später auch im Londoner Außenbezirk Southall, wo vor allem Punjabi und Gujarati leben und arbeiten. Schon bald eröffneten sie Schmuck-, Textil- und Gewürzläden.

Millionäre der Zukunft

Je zahlreicher die Einwanderer ins Land strömten, desto mehr Geschäfte und Läden

renweise ihre Vermögenswerte nach England transferierten — ein Vorgang, der sich rapide beschleunigte, als Idi Amin 1972 in Uganda alle Asiaten vertrieb.

,,Sie kamen als eine Mittelklasse von Fachleuten mit bemerkenswerten Fähigkeiten hier an'', sagt dazu Praful Patel, Sozialarbeiter und Sekretär der Uganda Evacuees Association. ,,Sie wurden gewaltsam vertrieben und kamen oft fast mittellos an. Aber sie hatten ein gutes Startkapital: ihr handwerkliches Geschick.''

Die zunehmende rassische Vielfalt der englischen Gesellschaft hat die britische Polizei gezwungen, sich auf die damit verbundenen Probleme einzustellen.

Mr. Patels eigener Clan verfügt vermutlich über den Löwenanteil der kleinen Lebensmittelläden vor allem in Südengland. Im Londoner Telefonbuch taucht der Name Patel häufiger auf als mancher altehrwürdige englische Name, wenn man absieht von den obligatorischen Smiths und Jones'.

Auch Bihari Lal Patel, Besitzer eines Zeitungsladens im Londoner Vorort Islington, ist ein Beispiel für viele indische Geschäftsleute, die sich in England etabliert haben. Er kam 1972 aus Kenia hierher, wo er als Ingenieur für Kühltechnik gearbeitet hatte. Schon vorher hatte sich die Familie seiner Frau, ebenfalls Angehörige des Patel-Clans und Opfer der Politik Idi Amins, in London niedergelassen.

1978 lieh sich Mr. Patel 2000 £ von dieser

Sohn zu weinen anfängt: ,,Was ist los?'', fragt der Vater. ,,Meine Mannschaft verliert'', antwortet der Sohn und meint die englische.

Chinesen und karibische Einwanderer

Auch eine andere asiatische Bevölkerungsgruppe in England zählt noch zu den ,,newcomers'', obgleich sie seit mehr als hundert Jahren im Land sind: Chinesen aus Hongkong und China selbst, die in den Innenstädten von London, Cardiff, Manchester, Liverpool und Glasgow leben.

Unter der chinesischen Bevölkerungsgruppe finden sich nur wenige Geschäftsleute vom Schlag der Patels. Die Chinesen haben ungeheuren Erfolg mit Schnellimbißstuben

Familie und 5000 £ von der Bank, um sich seinen kleinen Tabakwaren- und Zeitungsladen kaufen zu können. Fünf Jahre später hatte er das Bankdarlehen zurückgezahlt und ein Spirituosengeschäft in der gleichen Gegend eröffnet.

Wie viele britische Inder befürchtet er, daß der Zusammenhalt der Familie als gesellschaftlicher Keimzelle heute mehr und mehr gefährdet ist. Seine Kinder gehen alle gleichberechtigt in englische Schulen.

Eine bekannte Geschichte unter den indischen Einwanderern erzählt von einem Vater und seinen Sohn, die gemeinsam ein Kricketmatch zwischen Indien und England besuchen. Der Vater beklatscht jeden Punkt, den die indische Mannschaft macht, bis sein

und Restaurants, deren Küche von einfachen kantonesischen Gerichten bis zu exotischen Spezialitäten aus Sichuan reicht.

Die Londoner Chinatown liegt in Soho, dem Herzstück von Westend. Hier machen Restaurants mit Namen wie Dumpling Inn oder Jade Garden ein glänzendes Geschäft.

Die Chinesen, die im 19. Jahrhundert nach England kamen, waren meist aus Hongkong stammende Matrosen der englischen Handelsmarine und siedelten sich in den größeren Hafenstädten an. Noch heute dienen Chinesen bei der Handelsmarine, und unter den Gefallenen im Falklandkrieg von 1982 waren einige von ihnen.

Die meisten der in England lebenden Chinesen stammen aus Hongkong und emigrierten nach dem Zusammenbruch der traditionellen Landwirtschaft in den New Territories.

Viele haben große Probleme, sich an das Leben in einem kalten europäischen Land anzupassen. Es gibt kaum Kontakte zu Nichtchinesen, weil die konservativ eingestellten Familien lieber in ihren eigenen Sozialverbänden leben wollen. Immer wieder rennen Sozialarbeiter gegen das chinesische Sprichwort an: ,,Meide ein Regierungsbüro, wenn du dir nach deinem Tod die Hölle ersparen willst.''

Deshalb findet man nur selten Zugang zu einer chinesischen Familie und das Bild vom Leben der Chinesen ist hoffnungslos altmodisch. Noch assoziieren viele Engländer Chinesen mit Triangeln, Opium, Drogen und

Mädchenhandel. Diese aber doch wohl längst überholten Klischees halten sich hartnäckig, obwohl die meisten der heute in Großbritannien lebenden Chinesen davon gar nichts mehr wissen und die Insel als ihre Heimat betrachten.

Die Chinesen sind eine kleine Minderheit, die zahlenmäßig nur ein Fünftel der Kariben ausmacht, die ebenfalls seit den fünfziger Jahren nach Großbritannien gekommen sind.

Im Gegensatz zu den asiatischen Emigranten haben diese Großbritannien immer als ihr Mutterland verstanden, in dem Milch und Honig fließen. Um so brutaler erleben sie die soziale und rassische Diskriminierung in ihrer neuen Heimat.

Einige ihrer Führer haben diese Gefühle vor kurzem in einem Memorandum folgendermaßen ausgedrückt: ,,Wir, die Nachkommen ehemaliger Sklaven, deren eigene Kultur rücksichtslos zerstört und deren Traditionen geringgeschätzt werden, sind so sehr im britischen Geiste erzogen worden, daß wir uns als Briten verstehen und Großbritannien als unsere Heimat.''

Aber die Briten sehen das anders. Seit sich westindische Schwarze ebenfalls in den Innenstädten ansiedelten und Jobs im Transport-, Gesundheits- und Dienstleistungswesen annahmen, wuchsen die sozialen Spannungen. Vor allem die jungen Schwarzen rebellierten auf verschiedene Weise gegen die Rassendiskriminierung.

Der Rastafari-Kult, der oft nur verknüpft wird mit mattiertem Haar, Reggae-Musik und Marihuana, fand schnell eine wachsende Anhängerschaft. Zwar hat der Kult inzwischen an Attraktivität verloren, aber sein Grundgedanke von den Schwarzen als dem auserwähltem Volk Gottes ist immer noch politisch wirksam.

Schon lange sind die Zeiten vorbei, in denen Großbritannien von fremden Stämmen geplündert wurde. Kelten, Römer, Wikinger und Normannen — ihnen allen ging es nur um leichte Beute. Aber jedes neue Eroberervolk wurde absorbiert und Teil der britischen Gesellschaft.

Während sich die neue nationale Identität herausbildete, entstand zugleich das britische Empire. Auch wenn es heute nicht mehr existiert, so hat es doch zu engen Beziehungen mit weit entfernten Völkern geführt, die in der Gegen fortbestehen. Heute sieht sich Großbritannien als eine gemischtrassische Gesellschaft, in der auch Asiaten und Schwarze ihre politischen Rechte wahrnehmen können.

Wie alle Einwanderer vor ihnen werden sie voraussichtlich mit der englischen Bevölkerung verschmelzen und wie seit Jahrhunderten wird die Geschichte die Frage beantworten, wer die Briten sind.

Links: Der Patriotismus steht ihm ins Gesicht geschrieben. Rechts: Die Britin — stiller Charme und die Liebe zur Tradition.

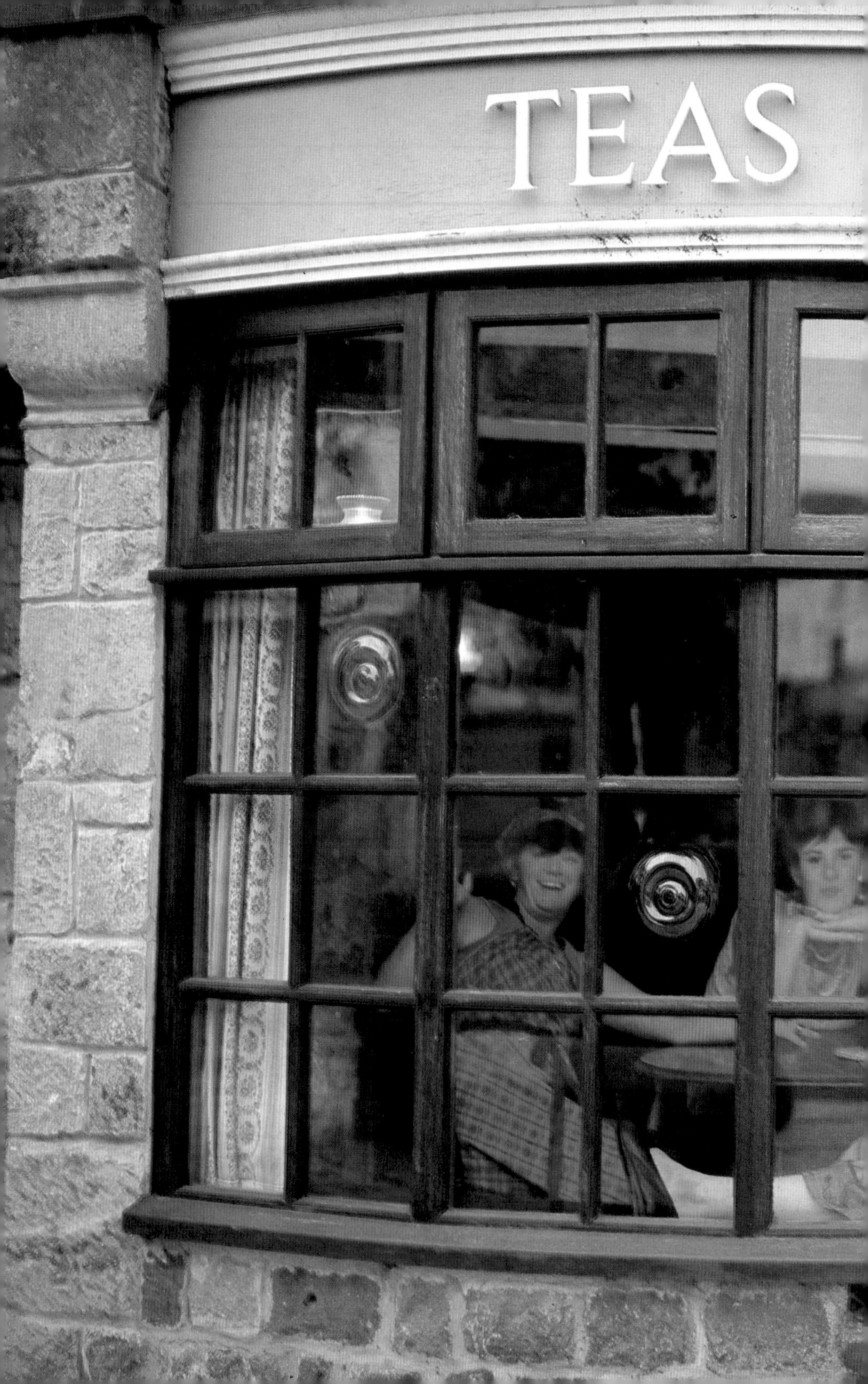
TEAS

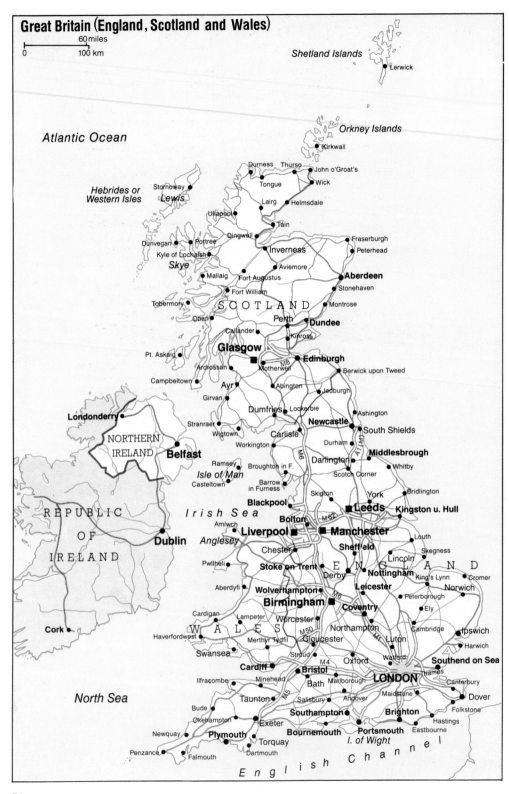

Great Britain (England, Scotland and Wales)

60 miles
0   100 km

Shetland Islands

Lerwick

Atlantic Ocean

Orkney Islands

Kirkwall

Durness   Thurso
John o'Groat's
Tongue   Wick
Lairg   Helmsdale
Stornoway
Hebrides or   Lewis
Western Isles
Ullapool
Tain
Dingwall
Dunvegan   Portree
Inverness
Kyle of Lochalsh   Fraserburgh
Skye   Peterhead
Mallaig   Aviemore
Fort Augustus
Tobermory   Fort William   **Aberdeen**
S C O T L A N D   Stonehaven
Oban   Montrose
Callander   Perth   **Dundee**
Kinross
Pt. Askaig   **Glasgow**   **Edinburgh**
M8
Ardrossan   Motherwell   Berwick upon Tweed
Campbeltown   Abington
Ayr   Jedburgh
Girvan
Dumfries   Lockerbie   Ashington
Stranraer   **Newcastle**
Londonderry   Wigtown   Carlisle   South Shields
Workington   Durham
NORTHERN   **Middlesbrough**
IRELAND   **Belfast**   Ramsey   Darlington   Whitby
Broughton in F.   Scotch Corner
Isle of Man   Barrow
Castletown   in Furness   Skipton
Skipton   Bridlington
Blackpool   York
R E P U B L I C   Irish Sea   **Leeds**   **Kingston u. Hull**
Bolton   M62
Amlwch   **Liverpool**   **Manchester**   Louth
Dublin   **Sheffield**
Anglesey   Chester   Lincoln   Skegness
O F   Pwllheli   **Stoke on Trent**   E N G L A N D
Derby   **Nottingham**   King's Lynn   Cromer
I R E L A N D   Aberdyfi   **Leicester**   Norwich
Wolverhampton   Peterborough
Birmingham   **Coventry**   Ely
Cardigan   Worcester
Lampeter   Northampton   Cambridge   **Ipswich**
Cork   Haverfordwest   W A L E S   M50   Gloucester   Luton   Harwich
Merthyr Tydfil   Stroud   Watford   **Southend on Sea**
Swansea   M4   Oxford
Cardiff   **Bristol**   Thames
Ilfracombe   Minehead   Bath   Marlborough   **LONDON**   Canterbury
North Sea   Maidstone   **Dover**
Taunton   Salisbury   Andover   Folkestone
Bude   **Southampton**   **Brighton**   Hastings
Okehampton   Eastbourne
Newquay   Exeter   **Bournemouth**   **Portsmouth**
Plymouth   Torquay   I. of Wight
Penzance   Falmouth   Dartmouth
E n g l i s h   C h a n n e l

74

REISEN IN ENGLAND, WALES UND SCHOTTLAND

Mit ziemlicher Sicherheit kennt nicht mal ein alteingesessener Engländer all die Orte und Sehenswürdigkeiten, von denen Sie auf den folgenden 214 Seiten etwas erfahren werden. Und das, obwohl wir uns in Wort und Bild auf das Wichtigste und Schönste beschränken mußten. Insgesamt acht Autoren haben zwölf Landstriche beschrieben — jeder aus seiner Sicht, auf seine Weise. Aus genauer persönlicher Kenntnis heraus schildern sie die touristischen Höhepunkte in England, Schottland und Wales. Aber auch weniger Bekanntes, noch Unentdecktes werden Sie auf den folgenden Seiten finden und mit diesem Buch in der Hand bis in verborgene Winkel vordringen können.

An die ersten drei Kapitel über London schließen sich Kapitel an über Schauplätze, die von London aus leicht erreichbar sind: das Tal der Themse, Wessex, Kent, Sussex, East Anglia und die Cotswolds. Drei weitere Kapitel befassen sich mit dem West Country, dem North Country und dem Lake District. Wales und Schottland schließen diesen Teil des Buches ab.

Die englische Landschaft zählt zu den berühmtesten der Welt und in vielen Teilen des Landes ist sie bis heute weitgehend unversehrt geblieben, verschont von dem alles verändernden Fortschrittsglauben unserer Tage, seien es die schroffen Bergtäler in Wales oder die sturmgepeitschten Moore in Yorkshire, das kahle schottische Hochland oder die Sümpfe in Cambridgeshire.

Aber selbstverständlich werden Sie auch einiges finden über die berühmten Städte und Sehenswürdigkeiten. Da ist London — kosmopolitisch, voller Geist, Kultur und architektonischer Pracht. London — die Stadt mit den vielen Gesichtern, ob Sie nun vor den unvergleichlichen Kunstschätzen des British Museum stehen, erwartungsvoll durch die Gitter um den Buckingham Palace spähen, etwas mißtrauisch skurrilen Gestalten in der King's Road ausweichen oder Schulter an Schulter mit einer berühmten Persönlichkeit an einem Ladentisch bei Harrods stehen. Da ist Edinburgh, dessen Princes Street noch heute eine Ahnung vermittelt vom Glanz und der Größe der schottischen Geschichte. Da sind Bath mit seiner harmonischen Architektur und nicht weniger bedeutend Oxford, Cambridge, Stratford, York, Chester, Canterbury, Windsor, Warwick und und ...

Jeder der Regionen haben wir einige praktische Informationen vorangestellt: Karten, Reiserouten, Adressen und vieles andere mehr. Großbritannien hat in seiner Geschichte soviele Besucher gehabt, soviele Fragen beantwortet und der Welt soviel gegeben, daß Sie eher auf zuviel an Information stoßen werden als auf zuwenig. Mit diesem Buch in der Tasche und etwas Mut zum Risiko werden Sie gut zurechtkommen in einem erstaunlich kleinen, aber vielfältigen Land.

London

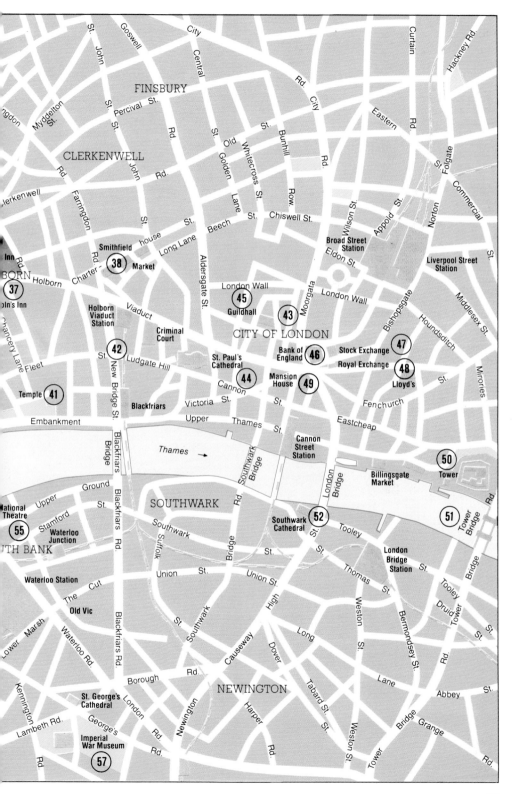

FINSBURY

CLERKENWELL

Inn

BORN Holborn

37

oln's Inn

Smithfield Market
38

45 Guildhall

43

CITY OF LONDON

Holborn Viaduct Station

Criminal Court

42

Ludgate Hill

St. Paul's Cathedral
44

Bank of England 46

Mansion House
49

Stock Exchange
Royal Exchange

47

48 Lloyd's

Blackfriars

Temple 41

Fenchurch

Eastcheap

Embankment

Thames →

Cannon Street Station

Billingsgate Market

50 Tower

SOUTHWARK

Southwark Cathedral
52

London Bridge Station

51 Tower Bridge

National Theatre
55 Stamford
Waterloo Junction

Tooley

UTH BANK

Waterloo Station

Old Vic

NEWINGTON

St. George's Cathedral

Imperial War Museum
57

Info: London

Zur Orientierung

London und Umgebung wird in drei Kapiteln behandelt: London, London bei Nacht, die Umgebung von London. Das erste und längste Kapitel (S. 84-109) konzentriert sich auf Zentral-London. Es beschreibt eine zweiteilige, im Uhrzeigersinn verlaufende kreisförmige Besichtigungstour durch London.

Teil I beginnt bei Trafalgar Square, Covent Garden und Leicester Square, führt die Pall Mall entlang nach Südwesten zum Buckingham Palace, Westminster, Houses of Parliament, Whitehall und Downing Street.

Weiter südlich folgt die Tate Gallery, Chelsea und King's Road, ehe es in Richtung Norden durch Belgravia und Knightsbridge weitergeht. Von hier führt der Weg in westlicher Richtung durch South Kensington (mit dem Science Museum und dem Victoria and Albert Museum), Holland Park, Portobello Road, ehe sich die Route wieder nach Westen, also Bayswater, Regents Park und schließlich Camden Lock und Hampstead, wendet.

Nach Durchquerung von Marylebone (Madame Tussaud's und Hereford Square's Wallace Collection) endet die erste Streckenhälfte schließlich in Oxford Street, Mayfair und Piccadilly Circus.

Die zweite Streckenhälfte beginnt in Bloomsbury (mit dem British Museum) und wendet sich zunächst nach Südosten bis Holborn, Inns of Court, Fleet Street, City of London und St. Paul's. Es geht weiter mit Barbican Arts Centre, Bank of England und Tower of London. Dann führt der Weg in südlicher Richtung über die Themse zur Southwark Cathedral, zum South Bank Complex und Lambeth Palace.

Wenn Sie die anschließend aufgelisteten „Highlights" zu Fuß besichtigen wollen, brauchen Sie nicht mehr als 1,5 km zurückzulegen.

S. 85: Trafalgar Square bis Covent Garden und Charing Cross Road.

S. 87: Pall Mall und Mall bis Buckingham Palace sowie Queen's Gallery, St. James' Park und Green Park.

S. 88: Buckingham Palace, Birdcage Walk entlang bis Westminster, Houses of Parliament, Big Ben, Westminster Abbey, Downing Street.

S. 90: Big Ben bis zur Tate Gallery.

Erläuterungen zur Karte auf S. 78-79
(Sehenswürdigkeiten in numerischer Reihenfolge; in Klammern die entsprechende Textseite)

S. 93: Harrods in Knightsbridge bis zum Victoria and Albert Museum.

S. 94: Science Museum bis Royal Albert Hall.

S. 97: Hampstead High Street bis Hampstead Heath.

S. 99: New Bond Street bis Piccadilly.

S. 102: Inns of Court, entlang der Fleet Street bis St. Paul's.

S. 105: Bank of England bis zum Tower.

S. 109: South Bank Complex entweder bis zum Lambeth Palace oder Imperial War Museum.

Verkehrsmittel

Mit Sicherheit werden Sie nicht ganz London „erlaufen" können. Überlegen Sie deshalb genau, mit welchem Verkehrsmittel Sie wohin wollen. Mit den Bussen von **London Transport** kommen Sie zu allen Sehenswürdigkeiten der Stadt und vom Oberdeck aus haben Sie darüberhinaus einen hervorragenden Ausblick. Der einzige Nachteil ist, daß eine Busfahrt in oder durch die Innenstadt selbst außerhalb der Stoßzeit Stunden dauern kann. Im Folgenden finden Sie eine Liste der wichtigsten Busverbindungen. Am besten ist es, sich ein **London Explorer Ticket zu kaufen.**

3: Camden Town, Great Portland Street, Oxford Street, Piccadilly Circus, Trafalgar Square, Westminster, Lambeth Bridge.
6: Edgware Road, Marble Arch, Oxford Circus, Piccadilly Circus, Trafalgar Square, Strand, Fleet Street, St. Paul's, Bank, Liverpool Street.
7: Tottenham Court Road, Oxford Circus, Marble Arch, Paddington (samstags und sonntags nach Richmond).

9: Bank, St. Paul's, Fleet Street, Strand, Trafalgar Square, Piccadilly Circus, Hyde Park Corner, Knightsbridge, Kensington High Street.
11: Liverpool Street, Bank, St. Paul's, Fleet Street, Strand, Trafalgar Square, Piccadilly Circus, Hyde Park Corner, Knightsbridge, Kensington High Street.
12: Marble Arch, Oxford Circus, Piccadilly Circus, Trafalgar Square, Westminster.
14: South Kensington, Knightsbridge, Hyde Park Corner, Piccadilly Circus, Tottenham Court Road.
15: Marble Arch, Oxford Circus, Piccadilly Circus, Trafalgar Square, Fleet Street, St. Paul's, Tower of London, Aldgate.
19: King's Road, Sloane Square, Knightsbridge, Hyde Park Corner, Piccadilly Circus, Shaftesbury Av., Holborn, Bloomsbury.
24: Victoria, Westminster, Trafalgar Square, Leicester Square, Tottenham Court Rd., Camden Town, Hampstead Heath.
30: Earl's Court, South Kensington, Knightsbridge, Hyde Park Corner, Marble Arch, Baker Street.
68: Chalk Farm, Camden Town, Russell Square, Holborn, Aldwych, Waterloo.
74: Fulham, Cromwell Road, South Kensington, Knightsbridge, Hyde Park Corner, Marble Arch, Baker Street, The Zoo, Camden Town.
77A: Holborn, Aldwych, Strand, Trafalgar Square, Westminster, Tate Gallery.
88: Marble Arch, Oxford Circus, Piccadilly Circus, Trafalgar Square, Westminster, Tate Gallery.
188: Holborn, Aldwych, Waterloo, Elephant and Castle, Tower Bridge Road, Greenwich (Cutty Sark and Maritime Museum).

Am schnellsten kommt man mit der **London Underground,** der Londoner U-Bahn, vorwärts, deren insgesamt zehn Linien zu allen zentralen Plätzen führen. Fahrkarten können Sie entweder an Automaten oder an Schaltern lösen. Die Fahrpreise zu den jeweiligen Stationen stehen an den Automaten.

Die folgende Liste sagt Ihnen, von welchen U-Bahnstationen aus Sie über die Kapitel die über London fettgedruckten „Highlights" erreichen können.

Charing Cross: Trafalgar Square, National Gallery und National Portrait Gallery.
Covent Garden: Covent Garden Plaza und einige Theater.
Green Park: Marlborough House, Lancaster House und Clarendon House.
Westminster: Westminster Abbey und Houses of Parliament.
Victoria: Westminster Cathedral.
Sloane Square: Chelsea Royal Hospital, National Army Museum, Ranelagh Gardens und Chelsea Physic Garden.
Knightsbridge: Harrods.
South Kensington: Victoria and Albert Museum, Natural History Museum, Royal Albert Hall und Brompton Oratory.
Holland Park: Holland Park House, Leighton House und Commonwealth Institute.
Belsize Park: Round House.
Hampstead: Keat's House, Fenton House, Kenwood und Hampstead Heath.
Camden Town: Camden Lock und Dingwall's.
Baker Street: Planetarium und Madame Tussaud's.
Oxford Circus: Oxford Street.
Russell Square: British Museum.
St. Paul's: St. Paul's Cathedral und Fleet Street.
Moorgate: Barbican Arts Centre und Museum of London.
Bank: Guildhall.
Holborn: St. Bartholomew's und Sir John Soane Museum.
Chancery Lane or Temple: Lincoln's Inn und Law Courts.
Tower Hill: Tower of London, HMS Discovery, Tower Bridge.
London Bridge: Southwark Cathedral.
Waterloo: South Bank Complex (einschließlich Queen Elizabeth Hall, Hayward Gallery and National Theatre).
Lambeth North: Imperial War Museum und Lambeth Palace.

An jeder U-Bahn-Station sind Sonderfahrscheine von London Transport erhältlich. Mit dem **London Explorer** kann man entweder für einen, drei, vier oder sieben Tage alle roten Busse und fast alle U-Bahnen benutzen — einschließlich der Fahrt von Heathrow nach London.

Mit der **Travel Card** können Sie samstags, sonntags und werktags ab 10.00 Uhr alle Busse und U-Bahnen unbegrenzt benutzen (London Explorer gilt ohne diese Einschränkung).

Am besten besorgen Sie sich an einer U-Bahn-Station den kostenlosen *Visitor's Guide to Central London*. Er ist handlich, übersichtlich, und enthält außer einem vereinfachten Stadtplan alle wichtigen Informationen über das Londoner Verkehrsnetz und die Dienstleistungen von London Transport.

Manche behaupten, das Taxinetz Londons sei das beste der Welt. Nur selten werden Sie einen rücksichtslosen Taxifahrer finden. Während der Geschäftszeiten sollten Sie sich überlegen, ob Sie mit dem Taxi fahren wollen. Denn der Verkehr ist dann so dicht, daß selbst die kürzeste Strecke viel Zeit kosten kann. Nehmen Sie lieber die Underground. Ansonsten können Sie für einen geringen Aufpreis unter folgenden Telefonnummern ein Taxi rufen:

Baker Street, Tel: 935 2553
Liverpool Road, Tel: 837 2394
Wrights Lane, Tel: 937 0736
Moorgate, Tel: 606 4526
Russell Square, Tel: 636 1247
St. George's Square, Tel: 834 1014
Sloane Square, Tel: 730 2664

Von April bis September verkehren regelmäßig Aussichtsschiffe und Wasserbusse auf der Themse, manche auch außerhalb der Saison. Zustiegsmöglichkeiten sind:

Greenwich, Tel: 858 3996
Tower Pier, Tel: 709 2000
Charing Cross, Tel: 839 5320
Westminster, Tel: 930 2074

Tutney, Tel: 788 5104
Kew, Tel: 940 3891
Richmond, Tel: 940 2244
Hampton Court, Tel: 977 5702.
Auf S. 335 des Kurzführers finden Sie Adressen von Autoverleihfirmen. Unter folgenden Telefonnummern können Sie Fahrräder mieten:
Dial-a-Bike (Victoria Station), Tel: 828 4040
On Your Bike (London Bridge), Tel. 378 6669
Back Hire Company (Covent Garden), Tel: 836 2707.

Sightseeing-Touren

Sehr zu empfehlen ist die *Official London Transport Sightseeing Tour,* bei der während einer 90-minütigen Busfahrt und teilweise mit fremdsprachigen Kommentar ein guter Überblick von London geboten wird. Zusteigen können Sie an folgenden Haltestellen: Marble Arch, Baker Street, Leicester Square, Oxford Circus, Piccadilly Circus und Victoria Station. Man bezahlt im Bus.

Wenn Sie den *Culture Bus* nehmen, können Sie eine ganze Reihe von Sehenswürdigkeiten erreichen und jederzeit aus- und wieder zusteigen. Fahrscheine sind erhältlich in Oxford Street, Marble Arch und Trafalgar Square. Tel: 834 6732.

Informationsstellen

London Tourist Board. Nirgendwo werden Sie besser informiert. Hier können Sie auch Hotelzimmer, Besichtigungstouren und Führer für London und ganz England buchen. Schreiben Sie an: London Visitor and Convention Bureau, 26 Grosvenor Gardens, London SW 1, oder suchen Sie das Tourist Information Centre in der Victoria Station auf. Aber es gibt noch zahlreiche andere **Tourist Information Centres** (TIC) in London. Beim London Tourist Board erhalten Sie die Adresse der für Sie jeweils nächstgelegenen Informationsstelle. Nachfolgend die wichtigsten:

Harrods, Knightsbridge.
Heathrow Airport, Heathrow Central Underground Station.
Greenwich, Greenwich Pier, Tel: 858 6376.
Selfridges Department Store, Oxford Street.

Keine dieser Informationsstellen hat einen Telefonservice. Telefonische Auskünfte erhalten Sie unter der Nummer 730 3488, wobei Sie warten müssen, bis die automatische Rufanlage Sie durchstellt.

Wenn Sie irgendwelche Dienstleistungen von London Transport beanspruchen wollen, erkundigen Sie sich am besten in einem der Travel Information Centres Oxford Circus, Piccadilly Circus, Charing Cross, King's Cross, Euston, Victoria, Heathrow Central.

London Transport vertreibt auch eine Serie von Broschüren und Karten mit handfesten Informationen, die teilweise kostenlos erhältlich sind. Man bekommt sie über das London Transport's Main Enquiry Office, 55 The Broadway SW 1, Tel: 222 1234, oder in den London Transport Travel Information Centres.

Unterkunft

Eines muß Ihnen klar sein: während der Hauptsaison ist es sehr schwierig, in London ein Zimmer zu bekommen, unabhängig von Ihrem Budget. Beginnend auf S. 344 des Kurzführers finden Sie eine Liste von Unterkunftsmöglichkeiten verschiedener Kategorien. Weitere Auskünfte erhalten Sie beim London Tourist Board. In den Filialen Victoria Station und Heathrow Central (aber auch in anderen) können Sie noch am selben Tag Hotelzimmer mieten, Tel: 730 3488. Auf S. 335 des Kurzführers finden Sie nähere Informationen über den „book-a-bed-ahead"-Service der Tourist Information Centres. Wenn Sie im Voraus buchen wollen, sollten Sie sich ein Exemplar von *London Hotels* beim London Tourist Board besorgen. Es enthält nahezu alle Unterkunftsmöglichkeiten in London.

Essengehen

Sie werden keine Liste von Restaurants im Kurzführer finden, aber keine Angst — das hat einen guten Grund. Er heißt *Eating Out in London,* und wird herausgegeben vom Magazin *Time Out.* Es ist ein ausgezeichnet recherchierter und aufgemachter Führer zu mehr als 1350 „dining, drinking and lunching places in town". Diese Broschüre bietet auf 178 Seiten nahezu alle gastronomischen Informationen über London, einschließlich der Öffnungszeiten und der Preisklasse. Sie kostet nur 2.50 £ und ist in nahezu allen Buchhandlungen erhältlich.

Museen und Galerien

Die bekanntesten sind: Tate Gallery, National Gallery, National Portrait Gallery, British Museum, Victoria and Albert Museum, Science Museum, Natural History Museum. Genaueres darüber finden Sie — in obiger Reihenfolge — auf den Seiten 91, 85, 86, 101, 93, 94, 93. Die jeweiligen Adressen und Telefonnummern stehen auf S. 341 des Kurzführers, ergänzt durch einige der kleineren Museen in und um London.

Unterhaltung

Das Kapitel London bei Nacht auf S. 110-111 will Ihnen eine Vorstellung vermitteln von dem, was London diesbezüglich zu bieten hat. Um jeweils auf dem neuesten Stand zu sein, empfiehlt sich ein Blick in *London Standard, The Times, The Daily Telegraph* oder *The Guardian.* Das wöchentlich erscheinende Magazin *Time Out* dürfte die beste und umfassendste Informationsquelle für Kunst und Unterhaltung sein. Das Konkurrenzmagazin *City Limits* ist ebenfalls zu empfehlen.

Wenn Sie bereit sind, eine Provision zu bezahlen, können Sie in den *Ticket Agencies* rund um Leicester Square, Piccadilly Circus, Blackfriars, Oxford Street und Charing Cross Road Eintrittskarten für Kinos, Theater, Konzerte und andere Veranstaltungen kaufen. Aber vor allem in Westend ist es kinderleicht, eines der Theater zu finden und an Ort und Stelle, ohne Provision, Karten zu besorgen. Am Kartenschalter mitten auf dem Leicester Square bilden sich meist lange Schlangen, weil man hier zum halben Preis Karten für die Tagesvorstellungen kaufen kann. Auf S. 340 des Kurzführers finden Sie eine Liste mit den Adressen und Telefonnummern der Londoner Theater.

Einkaufen

Die wichtigsten Einkaufszentren in London sind auf den Seiten 87, 93, 95, 99 und 100 im London-Kapitel beschrieben. Weitere Einkaufsmöglichkeiten finden sich auf S. 338 des Kurzführers.

Umgebung

Im Kapitel über die Umgebung Londons sind eine Reihe von Plätzen und Sehenswürdigkeiten im Umfeld von Greater London beschrieben. Um sie zu erreichen, sollte man sich ein **Triple Ticket** der British Rail kaufen, falls man kein Auto hat. Es ist preiswert und ermöglicht drei voneinander unabhängige Tagesausflüge von London aus innerhalb eines Monats. Es gibt verschiedene Möglichkeiten für Tagesausflüge in Gruppen mit jeweils neun Optionen. In Gruppe I sind vier der im Kapitel „Die Umgebung Londons" beschriebenen Orte enthalten: Greenwich, Hampton Court, Richmond und St. Albans.

Stadtauswärts

Die aus London herausführenden Hauptverkehrsadern sind: M4 nach Westen; M40 nach Nordwesten (Oxford); M1 und A1 nach Norden; M11 nach Nordosten (Cambridge); M2 nach Südosten (Canterbury); M20 nach Folkestone; M23 nach Süden und zur A23 nach Brighton; M3 nach Südwesten.

Um nicht in die Stoßzeit zu geraten, sollte man London nach Möglichkeit schon am frühen Nachmittag verlassen. Die Londoner Ausfallstraßen gelten als besonders gut ausgeschildert. Die North Circular A406 zieht sich um den Nordteil der Stadt und hat Abzweigungen zu allen stadtauswärts führenden Autostraßen. Das gilt analog auch für die South Circular A205. Außerhalb des eigentlichen Stadtgebietes zieht sich etliche Kilometer lang ringförmig die M25 um London, die gebaut wurde, um vor allem den Schwerlastverkehr von der City fernzuhalten. Sie fungiert zugleich als Verbindungsstück zwischen allen wichtigen Verkehrsadern in alle Landesteile.

Von acht Bahnhöfen aus führen Zugverbindungen aus London heraus (siehe S. 335 des Kurzführers). In jedem für Sie relevanten Bahnhof können Sie sich über Fahrpläne und -preise erkundigen. Sie können auch bei einem der British Rail Travel Offices anrufen: Regent Street; 407, Oxford Street; 170, The Strand; Heathrow Airport.

In den letzten Jahren ist ein relativ dichtes Netz von Schnellbuslinien geschaffen worden. Fahrpläne und -preise können Sie erfahren unter der Telefonnummer 730 0202 bei der National Express an der Victoria Coach Station. Auf S. 334 des Kurzführers finden Sie zusätzliche Möglichkeiten. Die Fluggesellschaften British Airways (Tel: 897 4000) und British Caledonian (668 4222) bieten Flüge nach Manchester, Glasgow und Edinburgh, die Sie unmittelbar vor Abflug buchen können.

LONDON

,,London, thou great emporium of
our isle,
O thou too bounteous, thou too fruit-
ful Nile!"

— Dryden

Nicht jeder Besucher Londons war
begeistert. Henry James nannte angesichts der verwahrlosten Slums die Stadt
,,eine gräßliche Anhäufung". Dosto-
jewski, ähnlicher Meinung wie James,
beschrieb London als ,,ein biblisches
Symbol, eine Vorahnung der Apokalyp-
se". Eher profan begründete Thomas
de Quincey seine Abneigung: ,,Es gibt
nichts Trostloseres auf Erden als einen
regnerischen Sonntag in London."

Aber es gibt auch die andere Seite der
Medaille — das London, das zwei Jahr-
tausende lang seine Bewohner und Be-
sucher bezaubert hat. Niemand hat die
Ausstrahlung dieser Stadt so gut in
Worte gefaßt wie Dr. Samuel Johnson,
der für nahezu alles ein literarisches
Heilmittel verschrieb: ,,Wer jemals
Londons müde wird, ist des Lebens mü-
de. Denn London bietet alles, was das
Leben zu bieten hat."

Auch heute, 200 Jahre später, gelten
noch immer die Worte Dr. Johnsons.
Nur wenig Städte haben soviel Sehens-
und Hörenswertes zu bieten wie London. Und wo sonst auf der Welt kann
man so freimütig selbst der absonder-
lichsten Marotte frönen? London will
genossen werden — also genießen Sie
diese Stadt.

Trafalgar Square

Am besten, Sie beginnnen mit der Eroberung Londons am taubenbevölker-
ten **Trafalgar Square,** einem der eindrucksvollsten Plätze der Welt, im Herzen der Stadt. Er wurde 1829 von Sir
Charles Berry geschaffen und dem Andenken Admiral Nelsons und seinem
Sieg über die napoleonische Flotte geweiht. Umrahmt von weißen Fassaden
ist er ein Musterbeispiel des klassizistischen Baustils. 50 m hoch ragt Nelson's
Column mit den vier Bronzelöwen in
den Himmel, hier ist der Nabel Londons. Östlich davon haben die großen
Finanzhaie ihre Büros, im Norden funk-
tioniert die Vergnügungsmaschinerie
des Westends und südwärts liegen die

Regierungspaläste Whitehall und Westminster. Trafalgar Square ist ein Verkehrsknotenpunkt, über den ein Dutzend Buslinien und fünf U-Bahnlinien
führen. Auf diesem Platz finden nicht
nur alljährlich das New Year's Eve
Bash, eine Silvesterknallerei, sondern
auch seit über 100 Jahren politische De-
monstrationen statt. Für den Fall, daß
es Probleme gibt, verfügt die kleinste
Polizeistation Englands an der Südostecke des Platzes über eine direkte Tele-
fonverbindung mit Scotland Yard.

Es heißt, unter dem Trafalgar Square
seien die französischen Kronjuwelen
vergraben. 1793 brachte sie Madame
Dubarry, die Mätresse König Ludwigs
XV., nach London und vergrub sie angeblich auf dem Gelände der ehemaligen Royal Mews, deren Platz später
Trafalgar Square einnahm. Die Dubarry
kehrte nach Frankreich zurück und
starb unter der Guillotine. Das Geheim-
nis der Kronjuwelen hat sie mit ins Grab
genommen.

An der Nordseite entlang zieht sich
die **National Gallery,** die 1838 als Aufbewahrungsort englischer Kunst gegründet wurde. Seither hat sie sich zu einer der umfassendsten und bedeutend-

Vorherige
Seiten:
König und
Königin im
East End,
Knöpfe sind
ihr Reichtum;
Mr. Punch
und sein
aufmerk-
sames
Publikum;
heitere
Teerunde;
Houses of
Parliament
und Big Ben.
Links:
Vormittag im
Hyde Park.
Rechts:
St. Martin's-
in-the-Fields,
Trafalger
Square.

85

sten Kunstsammlungen der Welt entwickelt, in der sich Gemälde von da Vinci bis zu Van Gogh finden. Um die Ecke liegt die **National Portrait Gallery** aus dem Jahr 1856. Sie zeigt eine Art illustrierter Geschichte Englands und besitzt heute mehr als 9 000 Porträts berühmter Briten. Die Kirche **St. Martin's-in-the-Field** ist das älteste Gebäude am Trafalgar Square (frühes 18. Jh.). Während der deutschen Bombenangriffe im Zweiten Weltkrieg diente sie als Zufluchtstätte und bis heute ist sie die Pfarrkirche für den Buckingham Palace.

Covent Garden

Im Nordosten des Trafalgar Square erstreckt sich ein Gewirr von engen Straßen und kleinen Gassen, das Viertel **Covent Garden.** Heute ist es ein Zentrum des Londoner Vergnügungslebens, früher wimmelte es von Bordellen und Kriminellen. Mehr als 300 Jahre lang gab es hier einen Blumen- und Gemüsemarkt, aber der Name des Viertels leitet sich her von ,,convent garden'', einem Klostergarten, der bis zur Auflösung der Klöster unter Henry VIII. in dieser

Gegend existierte. Im Zentrum von Covent Garden liegt ein gepflasterter Platz mit Markthallen aus Stahl und Glas. Lange Zeit waren sie alle geschlossen, weil der Markt 1974 nach Nine Elms verlegt wurde, und die ganze Gegend durchlebte Jahre der Vergessenheit und Armut. Aber seit den achziger Jahren pulsiert wieder das Leben, wurden zahlreiche Restaurants, Cafés und Läden neu eröffnet, zwischen denen Straßensänger bei schönem Wetter Büroangestellte und Touristen um sich scharen.

Während der letzten beiden Juliwochen findet alljährlich in Covent Garden das Londoner Straßensänger-Festival statt, zur Erinnerung an die erste Punch-and-Judy-Show im 18. Jahrhundert. An den Wochenenden bietet der beliebte Jubilee Market ein buntes Durcheinander von Kunsthandwerk, Antiquitäten, Leckereien und Puppenspielen. Aber so richtig los geht es in Covent Garden erst am Abend. Wer Sinn hat für englische Traditionen, wird sich in alten Pubs wie **Lamb and Flag** oder **Old Wine Shades** wohl fühlen. Letzteres hat als eines der wenigen Lokale 1666 sogar das Große Feuer von London überlebt. Angenehm ruhig ist es in **Tutton's Café,** während man im **Rock Garden** ohrenbetäubend lauter Live-Musik zuhören kann.

Der Name Covent Garden ist untrennbar verbunden mit dem englischen Theaterleben. Hier findet man das Beste der englischen Theaterszene, der Tanzkunst und des Musiklebens. Mit Covent Garden verknüpft sind Namen wie Sarah Bernhardt, Charlie Chaplin, Richard Sheridan, G.B. Shaw und Margot Fonteyn. Das weltbekannte **Theatre Royal** wurde 1663 in der Drury Lane erbaut und ist heute noch Schauplatz für Musicalaufführungen. Unweit davon steht das beeindruckende **Covent Garten Theatre,** Stammhaus der Royal Opera und der Ballet Companies. Bekannt ist Covent Garden auch für seine Einkaufsmöglichkeiten, vor allem in der **Neal Street** mit ihren Spezialgeschäften.

Bücherfans suchen natürlich die **Charing Cross Road** an der Westgrenze von Covent Garden auf. Hier findet man **Foyle's,** die größte Buchhandlung in England, aber auch winzige Spezialbuchläden wie **A. Zwemmer** (Kunst und Unterhaltung), **Siver Moon** (feministische Literatur), **Al Huda** (asiatische Literatur), **The Hellenic Bookshelf** (grie-

Charing Cross vom Charing Cross Hotel aus gesehen

chische Literatur) und **Collet's,** die wichtigste linke Buchhandlung Londons. Wenn Sie genug davon haben, empfiehlt sich ein Bummel durch die **Phototographer's Gallery** in der Great Newport Street mit ihren Wechselausstellungen historischer und zeitgenössischer Fotografien. Hier gibt es auch ein nettes Café, in dem Sie Ihren Durst löschen oder die müden Beine ausstrecken können.

Ein Stück hinter der Charing Cross Road liegt **Leicester Square,** auf dem sich Punker, Touristen, Betrunkene und Tauben treffen — ein Platz, umsäumt von zahlreichen Kinos und überflutet von Neonlicht und hämmernder Musik. Merkwürdig verloren steht ein Denkmal von Charlie Chaplin als Tramp an der Südwestecke des Platzes.

„High Class Clubland"

Völlig anders ist die Atmosphäre in der **Pall Mall,** der großen, ruhigen und eleganten Straße, die quer durch den St.-James-Distrikt zur Westseite des Trafalgar Square verläuft. Hier ist „Clubland", das Zentrum der vornehmen Londoner Clubs, des Atheneum, White's, Carlton und wie sie alle heißen mögen. Der Name der Straße stammt von einem französichen Rasenspiel namens *paille maille,* das seit dem 17. Jahrhundert in England gespielt wurde — unter anderem auch von Charles I. auf einem langen Rasenstreifen, den heute die Pall Mall einnimmt.

Im Karee zwischen dem westlichen Ende der Pall Mall und der lichten Waldlandschaft des Green Park stehen mehrere stattliche Gebäude. Das beeindruckendste ist zweifellos der von Henry VIII. erbaute **St.James's Palace.** Er diente als offizielle königliche Residenz bis zum Jahr 1837, als Queen Victoria den Hof in den Buckingham Palace verlegte. Heute wird er von den Angestellten Ihrer Majestät bewohnt. Aber ausländische Botschafter werden noch immer hierher bestellt. Die Gruppe königlicher Gebäude umfaßt auch **Marlborough House, Clarence House** und **Lancaster House,** in dem einst Chopin für Queen Victoria spielte.

The Mall, die Prachtstraße Londons, ist eine breite, baumbestandene Allee, die vom Buckingham Palace bis zum Admiral's Arch führt. Alljährlich im Juni findet hier das spektakuläre

Unten: Straßenkünstler in Covent Garden
Rechts: Royal Horse Guard

„Trooping the Colour" statt, bei dem Elizabeth II. an der Spitze einer Kavallerieeskorte die Straße entlangreitet — Teil einer mehr als 200-jährigen Zeremonie am Geburtstag des britischen Monarchen. Die Truppenverbände marschieren auf am **Horse Guard Parade,** einem riesigen offenen Platz hinter Whitehall, wo unter Trommelwirbel und Marschmusik die Truppenparade abgenommen wird. Jeden Tag um 11.30 Uhr kann man die königliche Leibwache auf ihrem Weg von und zur Wachablösung in Whitehall The Mall entlangreiten sehen.

Ein schöner Blick auf diese Straße bietet sich vom **Institute of Contemporary Arts** im Nash House, wo ständig wechselnde Ausstellungen der jeweils neuesten Entwicklung in Malerei und Skulptur gezeigt werden.

Die Londoner und den **Buckingham Palace** verbindet eine Haßliebe. Für manche ist es das häßlichste Gebäude der Stadt, aber selbst ihnen gilt es als Inbegriff des englischen Königshauses. Im frühen 18. Jahrhundert stand der Palast inmitten eines Maulbeerwäldchens und diente als Herrschaftssitz des mächtigen Herzogs von Buckingham. Später wurde er von George III. erworben, der aber trotzdem im St. James's Palace wohnte. Erst unter Queen Victoria avancierte der Palast zur offiziellen königlichen Residenz in London. Tagtäglich versammeln sich Besucher vor seinen Toren, um der Wachablösung zuzusehen und vielleicht einen Blick auf die Königin zu erhaschen. Nur zwei der Gebäudekomplexe sind öffentlich zugänglich: die **Royal Mews,** die königlichen Stallungen, und die **Queen's Gallery,** in der Objekte aus dem königlichen Kunstbesitz gezeigt werden.

An der Nord- und Ostflanke wird Buckingham Palace gesäumt von zwei der großen grünen Lungen Londons: St. James's Park und Green Park. Charakteristisch vor allem für **St. James's Park** ist seine üppige Vegetation und ein friedlicher See. Er ist ein Hort der Ruhe für zahllose Büroangestellte, Beamte und Wasservögel — darunter auch Pelikane, deren Vorfahren der russische Zar dem englischen König vor über 300 Jahren schenkte. Von der Holzbrücke aus hat man einen wundervollen Blick über den See auf Buckingham Palace. Ein ganz anderes Bild bietet sich im **Green Park.** Hier findet man keine gepflegten

Changing of the Guard, Buckingham Palace

Blumenbeete oder reichverzierte Springbrunnen. Hier scheint alles ungekünstelte Natur — weite Wiesen und Waldstücke, in denen schon Charles II. seinen täglichen Verdauungsspaziergang machte.

Prachtvolles Westminster

Einen kurzen Fußmarsch von der südöstlichen Ecke des St. James's Park entfernt liegt **Westminster,** das Symbol englischer Staatsgewalt seit nunmehr 1000 Jahren. Westminster ist aber auch eine heilige Stätte. Hier ließen sich die englischen Könige begraben, hier befindet sich eines der bedeutendsten Klöster des Mittelmeeralters und zeigen sich die eindrucksvollsten Beispiele gotischer Baukunst in ganz London. Bis ins 11. Jahrhundert war die ganze Gegend nichts als sumpfiges Ödland, in dem nur Aussätzige lebten. Aus irgendeinem Grund gefiel die Gegend König Edward dem Bekenner und er ließ eine große Kirche und einen Palast errichten. Die Vollendung dieses gigantischen Bauvorhabens hat er selbst nicht erlebt. Er starb am Tag vor der Weihe von Westminster Abbey und wurde hinter dem Hochaltar beigesetzt (1066). Wenige Tage später wurde der unglückliche Harold hier zum König gekrönt und nach ihm alle englischen Könige — mit der Ausnahme von zweien.

Von der ursprünglichen Kirche Edwards ist kaum etwas geblieben, denn die Normannen bauten sie völlig um und 200 Jahre später wurde sie im Stil der französischen Gotik neugestaltet. Der wertvollste Teil der Abbey ist die **Henry VII Chapel,** ein Meisterwerk des 16. Jahrhunderts mit fächerförmig gewölbter Decke aus weißem Stein, geschmückt mit den bunten Fahnen der Ritter des Order of Bath. Dahinter befindet sich die Royal Air Force Chapel. Auf ihren faszinierenden Glasfenstern sind die Feldzeichen aller an der Schlacht um England beteiligten Fluggeschwader dargestellt. **Poet's Corner** beherbergt die Gräber von Chaucer, Tennyson und Dryden, aber auch Denkmäler für Shakespeare, Milton, Keats und viele andere. Hier steht auch der **English Coronation Chair,** der 1300 für Edward I. geschaffen wurde und auf dem noch heute die englischen Könige gekrönt werden. Unter dem Krönungssessel liegt der berühmte **Stone of Sco-**

Houses of Parliament

ne, ein Felsblock, der einst als Krönungssitz der schottischen Könige diente, bis er von den Engländern geraubt und nach London gebracht wurde. 1950 entführten ihn schottische Nationalisten, aber rechzeitig zur Krönung von Elizabeth II. war er wieder an Ort und Stelle.

Östlich vom Westminster Square erheben sich die **Houses of Parliament,** eine kühne Konstruktion im neugotischen Stil, die 1860 von Charles Barry und August Pugin entworfen wurde, um nach einem Brand den alten Westminster Palace von Edward dem Bekenner zu ersetzen. Das Parlamentsgebäude ist eins der Prunkstücke des viktorianischen England. Es ist 280 m lang, hat über 1000 Räume und die Gesamtlänge seiner Gänge beträgt drei Kilometer. Am südlichen Ende erhebt sich der **Victoria Tower,** der während Parlamentssitzungen mit dem Union Jack beflaggt ist. Die Nordseite wird überragt vom majestätischen Uhrenturm, dem berühmten **Big Ben.** Die Minutenzeiger seiner Uhr sind so hoch wie ein Londoner Doppeldeckerbus und das Uhrwerk wird immer noch von Hand aufgezogen. In Westminster tragen seit dem 16.

Jahrhundert, als Henry VIII. den Palast räumte, die zwei Regierungsorgane Großbritannien, das House of Commons (Unterhaus) und das House of Lords (Oberhaus). Das Unterhaus setzt sich zusammen aus den gewählten Volksvertretern verschiedener politischer Parteien. Von der **Visitor's Gallery** aus kann man die Diskussionen und manchmal heftige Wortgefechte unmittelbar verfolgen.

Im Herbst jeden Jahres findet die pompöse Parlamentseröffnung im Unterhaus statt, in deren Verlauf die Königin von einem goldenen Thron am Kopfende des Saales aus eine Erklärung verliest. Während dieser Zeremonie sitzt der Lord Chancellor auf dem berühmten Wollsack, einem Symbol der Rolle, die Wolle für die mittelalterliche Wirtschaft Englands gespielt hat. Höhepunkt eines Rundgangs durch das Parlamentsgebäude ist ein Besuch der **Westminster Hall:** ein 72 m langer Saal mit einer Balkendecke aus geschnitztem Eichenholz, fertiggestellt im Jahr 1099. Dieser Saal hat einige der dramatischsten und kritischsten Augenblicke der englischen Geschichte erlebt — von der Gerichtsverhandlung gegen Sir Thomas

Links: Majestätisch erhebt sich der Big Ben über die Dächer der Stadt. Unten: *Die Adresse in London:* Downing Street Nr. 10

More bis zur Einsetzung Cromwells als Lord Protector. Westminster Hall eines der wenigen Überbleibsel des alten Westminster Palace, die das Große Feuer von London überstanden haben. Dazu gehört auch der **Jewel Tower** neben Westminster Abbey. Hier wurden 250 Jahre lang die Kronjuwelen aufbewahrt, ehe sie in den Tower überführt wurden. Gegenwärtig beherbergt der Turm eine Keramiksammlung und archäologische Funde aus der Umgebung.

Whitehall heißt die breite und belebte Prachtstraße, die vom Westminster Square nach Norden verläuft und heute wie ein Anachronismus wirkt. Denn einst war sie der Angelpunkt des britischen Kolonialreiches. Zwar haben hier noch immer das Außen-, Commenwealth-, Finanz- und Verteidigungsministerium ihren Sitz, und auch der Wohnsitz des Premierministers, **Downing Street Nr. 10,** liegt um die Ecke, aber die meisten Regierungsstellen haben sich inzwischen modernere Büros gesucht.

Ein verblüffender Kontrast zur eintönigen Architektur der modernen Regierungsgebäude ist **Banqueting House,** ein Relikt des alten Whitehall Palace und ein Meisterwerk des englischen Barock, das 1622 auf Anordnung von James I. entstand. Ein Jahrzehnt später malte P.P. Rubens das allegorische Deckengemälde.

Wie ein Korridor aus Glas- und Betonwolkenkratzern zieht sich **Victoria Street** von Parliament Square in südwestlicher Richtung durch das neugotische Herz von London. Versteckt zwischen Verwaltungszentralen und Bankgebäuden liegt der Backsteinbau der **Westminster Cathedral,** Englands berühmteste katholische Kirche. Sie entstand im letzten Jahrzehnt des 19. Jahrhunderts in einem bizarren neobyzantinischen Stil, der merkwürdig kontrastiert zu den gotischen Türmen der Westminster Abbey. Vom **Campanile Tower** hat mein eine herrliche Aussicht auf Westminster und Belgravia. Weiter westlich liegt **Victoria Station,** einer der größten Bahnhöfe Europas.

Millbank, die Hauptverkehrsader westlich der Themse, folgt der sanften Biegung des Flusses südlich Parliament Square, vorbei an den **Vicotria Tower Gardens** (mit der berühmten Rodinskulptur der *Burghers of Calais)* und der gewaltigen Battersea Power Station

Westminster Abbey

an der anderen Flußseite. Noch ein Stück weiter kommt man zu einem neoklassizistischen Gebäude, auf dessen Gelände eine bunt gemischte Sammlung moderner Plastiken herumsteht. Es ist die **Tate Gallery,** die berühmte Londoner Sammlung moderner Kunst des 20. Jahrhunderts. Hier finden Sie Werke von Pollock, Matisse, Munch, Picasso und vielen anderen — auch auch älterer Künstler wie Turner, Constable, Hogarth und Reynolds.

Wer genügend Ausdauer hat, sollte etwa zwei Kilometer dem Weg am Themseufer entlang folgen. Genau hinter der Grosvenor-Eisenbahnbrücke beginnt das geheimnisvolle **Chelsea,** der vielleicht interessanteste und skurrilste Stadtteil Londons. Chelsea wurde im frühen 19. Jahrhundert ein beliebtes ,,Wohndorf'' außerhalb des wuchernden London, zu dessen berühmten Einwohnern Oscar Wilde, John Singer Sargeant, Tomas Carlyle, Mark Twain und T.S. Eliot gehörten. Am beliebten **Cheyne Walk** mit seinen eleganten georgianischen Häuserreihen direkt an der Themse lebten nicht nur George Eliot, Turner und Carlyle, sondern bis vor kurzem auch J. Paul Getty und Mick Jagger. **King's Road** ist eine andere berühmte Straße in Chelsea und wohl zugleich die merkwürdigste der Metropole. Ursprünglich eine ruhige Landstraße, wurde sie später zur Privatstraße für die Kutschenfahrten Charles' II. von St.James's Palace nach Hampton Court ausgebaut. Seit den fünfziger Jahren aber erlebte King's Road einen kometenhaften Aufstieg zum Modezentrum Londons. Wenn Sie heute dorthin kommen, stoßen Sie — vor allem am Samstagvormittag — auf ein bizarres Potpourri aus Punkern, Althippies, Skinheads, Touristen und Sloane Rangers.

Unten am Fluß liegt das **Chelsea Royal Hospital,** Charles Wrens Meisterwerk des englischen Barock, das 1682 als Heim für Kriegsversehrte und -veteranen gebaut wurde. Heute noch wohnen mehr als 500 ehemalige Armeeangehörige dort und jedes Jahr am Oak Apple Day, dem 29. Mai, sieht man sie in ihren berühmten scharlachroten Gehröcken paradieren. Ganz in der Nähe befindet sich das **National Army Museum,** in dem die englische Militärgeschichte vom 15. bis zum 20. Jahrhundert dokomentiert ist. An das Royal Hospital grenzen die **Ranelagh Gar-**

Chelsea in der Umgebung des Cheyne Walk

dens, Schauplatz der alljährlichen Blumenschau von Chelsea.

In Chelsea gibt es noch zwei weitere lohnenswerte Gartenanlagen am Fluß: **Roper's Garden** am Cheyne Walk und den seltsamen kleinen **Chelsea Physic Garden,** eine botanische Forschungsstätte, in der 1673 die ersten Baumwollsamen für den amerikanischen Süden entwickelt wurden. Wenn man über die Albert oder die Chelsea Bridge geht, kommt man in die weiträumigen Anlagen des **Battersea Park** am Südufer der Themse, in denen 1951 das Festival of Britain stattfand. Sollte Ihr Gaumen nach diesem anstrengenden Stadt-Trekking ausgetrocknet sein, kehren Sie zurück nach Chelsea und ein bei **Frog § Firkin,** dem wohl einzigen in ganz London mit einer eigenen Brauerei im Kellergeschoß.

Über Sloane Square und die King's Road in östlicher Richtung gelangt man in den eleganten Bezirk **Belgravia.** Die Gegend war früher ein von Seuchen heimgesuchtes Sumpfgebiet, bis es Anfang des 19. Jahrhunderts von Thomas Cubitt trockengelegt und zum Stadtwohnsitz für Adlige umgestaltet wurde.

Im Norden von Belgravia liegt **Knightsbridge,** ein geschäftiges Viertel mit zahlreichen First-Class-Hotels Luxusgeschäften, allen voran das berühmte Kaufhaus **Harrods.** Ähnlich wie im British Museum könnte man tagelang darin herumlaufen, ohne alles gesehen zu haben. Aber der Lebensmittelabteilung sollten Sie unbedingt einen Besuch abstatten — hier finden Sie über 500 Käsesorten, 140 Brotsorten und 160 Whiskymarken! Die viktorianischen Fußbodenfliesen stehen unter Denkmalschutz. Unbedingt sehenswert ist Harrods bei Nacht. Dann erinnert seine lichtgeschmückte Fassade an einen viktorianischen Geburtstagskuchen.

Wenn Sie von Harrods aus nach links in die Brompton Road einbiegen, kommen Sie in den eleganten Stadtteil **Brompton.** Er ist bekannt wegen seiner eindrucksvollen katholischen Kirche — **Oratory** genannt — im italienischen Renaissance-Stil mit zahllosen Mosaiken und reicher Marmorausstattung.

Jede Menge Museen

Wenn Sie in South Kensington aus der U-Bahn steigen, sind Sie schnell in

Harrods —
Inbegriff des
luxuriösen
Einkaufens;
Albert
Memorial

der Exhibition Road mit ihren unzähligen Museen, das berühmteste: **Victoria & Albert Museum.** Es beherbergt eine wundervolle Sammlung von Millionen verschiedener Ausstellungsstücke aus allen Ländern, Epochen und Stilen. Hinter seinen Backsteinmauern findet sich mit Sicherheit für jeden Geschmack etwas — seien es Möbel, Rüstungen, Textilwaren oder Gemälde. Die labyrinthartigen Gänge sind immerhin über zehn Kilometer lang.

Interessieren Sie sich für Pterodaktylen? Dann gehen Sie am besten ins **Natural History Museum** in der Cromwell Road. Es besitzt eine der besten Saurier- und Echsensammlungen der Welt. Aber nicht nur das — auch faszinierende Ausstellungsstücke zur Frühgeschichte des Menschen, zur Darwinschen Evolutionstheorie, zur Anthropologie und sogar das lebensgroße Modell eines Blauwals sind zu bestaunen. Das angrenzende **Science Museum** ist eine Fundgrube vor allem für Kinder — hier findet sich von Puffing Billy, der ersten Lokomotive der Welt, bis zur Apollo-10-Mondkapsel alles aus der Wunderwelt der Technik, sogar viktorianische Toiletten. Das **Geology Museum** mit der größten

Erz- und Gesteinssammlung der Welt und einer Sonderausstellung über das prähistorische England wird nicht nur bei Mineraliensammlern auf Interesse stoßen.

In South Kensington steht auch eines der bedeutendsten Baudenkmäler des Viktorianischen England, die **Royal Albert Hall.** Den Grundstein legte Königin Victoria 1867 im Angedenken ihres verstorbenen Gemahls Prinz Albert. Mit über 6000 Sitzplätzen ist der Konzertsaal einer der größten Londons.

Am Südrand der Kensington Gardens erhebt sich über die Baumwipfel der 58 m hohe Baldachin des **Albert Memorial,** eines Denkmals im Stil der Flamboyant-Gotik; um einiges darunter die Bronzefigur von Prinz Albert, vertieft in die Lektüre des Katalogs der Weltausstellung von 1851, die er initiiert und organisiert hatte. Ein Stück weiter durch die ruhigen Parkanlagen stößt man auf **Kensington Palace,** den Wren im 17. Jahrhundert für William III. renoviert hat und der fast 100 Jahre als königliche Privatresidenz diente. Wo Königin Victoria geboren wurde, leben mittlerweile Prinz Charles und Prinzessin Diana sowie Prinzessin Margaret. Sehenswert ist

Links: Kensington Palace Gardens Unten: Royal Albert Hall

ferner die **Serpentine Gallery,** ein kleines Kunstmuseum neben dem gleichnamigen See.

Am Kensington schließt sich nach Westen **Earl's Court** an, wegen seiner fluktuierenden Einwohnerschaft aus dem fünften Kontinent oft das australische Ghetto Londons genannt, wegen seiner vielen billigen Hotels und Imbißstuben ein Eldorado für ausländische Studenten und Rucksacktouristen. Aber die Londoner denken bei Earl's Court in erster Linie an die riesige **Exhibition Hall,** in der alljährlich so große Ereignisse wie The Royal Tournament, Cruft's Dog Show, die Ideal Home Exhibition und die National Boat Show stattfinden.

Holland Park

Westlich von Kensington Palace erstreckt sich entlang der High Street der **Holland Park.** Angelegt von den Grafen von Holland, die ihren reich ausgestatteten Herrensitz Holland House mit 22 ha Gartenlandschaft umgaben, zählt der Park zu den interessantesten in London. Im Lauf der Zeit importierten sie mehr als 3000 Baum- und Pflanzenarten

aus aller Welt sowie eine Vielzahl exotischer Vögel.

Im Holland Park gibt es noch zwei weitere Prunkstücke. Eines ist **Leighton House,** heute ein Zentrum für Forschungen über die Viktorianische Epoche, über Kunst und Handwerk des ausgehenden 19. Jahrhunderts. Im völligen architektonischen Kontrast dazu steht das nahegelegene **Commonwealth Institute.** Dieses futuristische Gebäude ist der Darstellung von Wirtschaft, Gesellschaft und Kultur der ehemaligen britischen Kolonien gewidmet. Zu diesem Themenkreis findet man hier eine umfangreiche Bibliothek, ferner ein Kino und mehrer Ausstellungsräume.

Nördlich des Holland Park liegt **Notting Hill,** die längste Zeit im Jahr ein ruhiges Wohnviertel — eine architektonische Mischung aus Regency-Stil und Stadterneuerungsprogramm. Aber einmal im Jahr, im Juli, sind hier die Straßen voller Farben und Musik, dann feiern die Einwanderer aus Westindien ihren Notting Hill Carnival. Dieses Fest ist im Lauf der Zeit zu einem der beliebtesten gesellschaftlichen Ereignisse Londons geworden, zu dem Hunderttausende in bizarren Kostümen erscheinen. Ei-

Angebote auf dem Portobello Market: eine Trompete, eine Karaffe, eine Gasmaske

ne weitere ausgefallene Attraktion dieses Viertels ist der **Portobello Road Market.** Die Portobello Road war früher das Mekka der Londoner Hippies, heute hat sie sich zum Mittelpunkt für Kunsthandwerk und Antiquitäten gemausert. Montags bis einschließlich samstags kann man hier in Läden und an Ständen alles mögliche kaufen: Möbel, alte Kostüme, Schmuck, Bücher, Münzen, Spielzeug und sonstigen Krimskrams. Samstags herrscht Hochbetrieb.

An der Nordseite des Hyde Park liegt **Bayswater,** ein merkwürdig zwiespältiges Viertel, das zugleich neumodisch und piekfein, Verkehrsdrehscheibe und Einkaufszentrum ist; im Zentrum des Viertels die berühmte **Paddington Station.** Nördlich dieses Bahnhofs durchzieht die Stadt ein weites Netz von Kanälen, die früher Nordlondon mit Oxford und den Midlands verbunden haben. Am Schnittpunkt des Grand Union, Regent's und Paddington Canal liegt das exklusive Wohnviertel **Little Venice.** Hier zu wohnen ist nicht gerade billig. Aber dennoch gehen die Wohnungen weg wie warme Semmeln.

Von April bis Oktober verkehrt ein Zoo-Waterbus genanntes Kanalschiff zwischen Little Venice und Regent's Park und durchquert auf seinem Weg eine weitere noble Wohngegend, **St. John's Wood.** Bekannt geworden ist sie durch einen Song der Rolling Stones und durch das Aufnahmestudio der Beatles in der Abbey Road. Heute bevölkern Diplomaten, Schallplattenfirmen, Popstars und Porschefahrer St. John's Wood. Diese Ritter der Neuzeit unterscheiden sich beträchtlich von den zurückhaltenden Gentlemen im abseits gelegenen **Lord's Cricket Ground,** dem Mekka des Kricket + Sports und Sitz so prominenter Klubs wie Middlesex und Marylebone. Das Cricket Museum dokumentiert die Geschichte dieser überaus englischen Sportart bis zurück zu Thomas Lord, der hier 1813 das erste Spielfeld anlegte.

Östlich davon dehnt sich der **Regent's Park** aus, eine der berühmtesten Londoner Grünzonen mit einer bewegten Geschichte. Henry VIII. ließ die ursprünglich hier gelegenen Felder in ein Jagdrevier umwandeln. Cromwell verkaufte das Wild und die Holzbestände, um seine Revolution zu finanzieren. Charles II. schließlich veräußerte das Land

Lord's Cricket Ground in St. John's Wood

meistbietend an adlige Interessenten. Anfang des 19. Jahrhunderts wurde das Gelände Teil des großen Plans von George VI., zwischen Pall Mall und Primrose Hill eine riesigen Parade- und Palastkomplex zu schaffen. Zu diesem Zweck wurde keine Geringerer als John Nash in königliche Dienste genommen. Aber übriggeblieben vom ursprünglichen Traum sind nur die berühmten Regency-Terraces (Häuserreihen) am Südrand des Parks, die Nashs Genie ahnen lassen.

Im Regent's Park liegt der **London Zoo,** einer der größten und berühmtesten Tierparks der Welt, begründet 1826 durch Sir Stamford Raffles. Viele der ersten Tiere im London Zoo wurden von britischen Soldaten eingefangen und mit den nächstbesten Segelschiff nach England geschickt. Tommy, der erste Schimpanse, wurde in einer Postkutsche bis zum Eingang gefahren, während die ersten Giraffen durch die Innenstadt geführt wurden, was zu einem gewaltigen Verkehrsstau und Menschenauflauf führte. Heute ist der London Zoo auch bekannt als Forschungsinstitut und Experimentiergelände für moderne Zooarchitektur. Hervorzuheben sind das Snowden-Vogelhaus, der Charles Clore Pavilion für Nachttiere und das Raubkatzengehege.

Hampstead

Noch weiter nördlich, vorbei an Primrose Hill und Haverstock Hill, liegt ein weiteres Londoner „Wohndorf". Mehr als 300 Jahre lang hat Hampstead Künstler und Schriftsteller angelockt — darunter Keats, Constable, Shelley, Dickens, Byron, Gainsborough, D.H. Lawrence und H.G. Wells. Heute ist Hampstead Tummelplatz von Musik-, Bühnen- und Filmstars, die für das Schickeriamilieu des Viertels sorgen. Trotz der ständigen Ausbreitung der Stadtkultur hat sich Hampstead einen gewissen dörflichen Charme bewahrt, zweifellos bedingt durch die Nachbarschaft zu einer der größten Grünflächen Londons, der 310 ha großen Hampstead Heath. Hampstead sollte man am besten zu Fuß durchstreifen, um die Schaufenster in der High Street bewundern zu können und die gepflegten Herrensitze entlang Church Row, Flash Walk, Downshire Hill und Holly Mount.

Unten: Bull and Bush, ein Pub in Hampstead. Rechts: Blick auf die ländliche-Abgeschiedenheit der Hampstead Heath

In Hampstead finden sich viele bedeutende Wohnsitze, zum Beispiel **Keat Memorial House** am Wentworth Place, in dem der Dichter seine ,,Ode to a Nightingale'' schrieb — gewidmet einem Mädchen aus dem Nachbarhaus, in das er verliebt war. **Fenton House** aus dem 17. Jahrhundert ist heute ein Museum für Musikinstrumente, **Admiral's House** (18. Jh.) hingegen war einst Wohnsitz eines exzentrischen Seefahrers, der einen Teil des Hauses einem Schiffsdeck nachbaute. Wann immer er von einem britischen Seesieg erfuhr, feuerte er aus zwei Kanonen auf dem Dach Salutschüsse ab.

In Hampstead Heath waren einst Straßenräuber und Outlaws zuhause, z.B. Sixteen String Jack und Claude Duval, der sich einen Spaß daraus machte, weibliche Passagiere zu einem Menuett im Mondlicht einzuladen, nachdem er die Postkutsche ausgeraubt hatte. Im 18. Jahrhundert verabschiedete das Parlament einen Sondererlaß, der jeden Neubau auf dem gesamten Gelände verbot. Damit sollte verhindert werden, daß die weiten Wald- und Wiesengebiete Stadtpalästen oder Fabriken zum Opfer fielen. Das einzige größere Gebäude in Hampstead Heath ist das im 18. Jahrhundert erbaute **Kenwood House.** Es beherbergt heute den Lord Iveagh Bequest, eine reichhaltige Sammlung englischer und holländischer Gemälde, darunter Werke von Rembrandt, Reynolds und Vermeer. In der Nähe der Hampstead Heath liegt der **Highgate Cemetery,** der wohl bekannteste Friedhof in England, zu dem linke Studenten und Chinesen im Mao-Look pilgern, um Blumen auf das Grab von Karl Marx zu legen. Hier fanden auch so berühmte Persönlichkeiten wie Dickens, Wordsworth, George Eliot und Sir Ralph Richardson ihre letzte Ruhe.

Haverstock Hill erstreckt sich von Hampstead bis **Camden Town,** und der Weg dorthin führt aus der Vergangenheit in die grelle Gegenwart. Bekannt wurde Camden in den sechziger Jahren als Treffpunkt für Hippies; Straßenkünstler und umherziehende Kleinhändler, die um Camden Lock ihre Verkaufsstände aufbauten. Daraus hat sich **Dingwall's Market** entwickelt, eine der beliebtesten Londoner Wochenendattraktionen. Hier können Sie in Antiquitäten, alten Klamotten, Punkutensilien und Militaria wühlen oder den Straßen-

Links: Highgate Cemetery, auf dem sich auch die letzte Ruhestätte von Karl Marx befindet. Unten: Kaum eine berühmte Persönlichkeit fehlt in Madame-Tussauds Wachsfigurenmuseum

musikanten lauschen, die sich in dem Hof neben Camden Lock treffen.

Die Gegend um Camden Lock ist bekannt für ihr heißes Nachtleben. Los ging es in den Sechzigern mit dem **Round House,** einem riesigen ehemaligen Lokomotivenschuppen, der damals kurzerhand in einen Theater- und Rockpalast umfunktioniert wurde. Hier hatten Pink Floyd ihren ersten Auftritt, und heute will die Londoner Stadtverwaltung den riesigen Schuppen renovieren, um das geplante Black Culture Center darin unterzubringen. Wer auf den Sound der sechziger und siebziger Jahre steht, sollte ins **Electric Ballroom** gehen, eine überdimensionale Disko in der Camden High Street. Im **Camden Palace,** der einst führenden Diskothek Londons, dringt dagegen modernere Tanzmusik aus den Lautsprechern.

Der Regent's Park grenzt im Süden an den Stadtteil **Marylebone.** Im 18. Jahrhundert berüchtigt wegen seiner Kneipen, Boxkämpfe und Hahnenkämpfe, hat er sich seither zu einer ruhigen beliebten Gegend für Ärzte, Zahnärzte und Buchhalter gemausert. Das bekannte **London Planetarium** und **Madame Tussaud's Wax Museum** liegen dicht beieinander in der Marylebone Road. Madame Tussaud's Wax Museum wurde 1802 gegründet. Die kleine zierliche Frau hatte ihr Handwerk im nachrevolutionären Paris gelernt, ihre ersten Nachbildungen waren die Köpfe von Guillotineopfern. Hereford House am nahegelegenen Manchester Square beherbergt die hervorragende **Wallace Collection** (Kunst des 17. und 18. Jh.s).

Einkaufsparadiese

Eine der belebtesten Einkaufsstraßen Londons ist die **Oxford Street** an der Grenze zwischen Marylebone und dem vornehmen Bezirk **Mayfair.** Hier regieren das Geld, die Ölbarone und Wirtschaftsbosse, die adligen Grundbesitzer und die neureichen Nabobs. Aber nur tagsüber pulsiert das Geschäftsleben in den Straßen, am Abend versinkt das Viertel in lastende Stille, wenn sich die Finanzhaie und Fotomodelle in ihre Luxusvillen zurückgezogen haben. Früher — außerhalb der Stadtgrenzen gelegen — war Mayfair Weide- und Ackerland.

Heute ist Mayfair in erster Linie bekannt für seine schicken Geschäfte und gutsortierten Auktionshäuser — Na-

Unten: Bei Sotheby's. Rechts: Im Verkehrsgewirr der Oxford Street

men, die auf der Zunge zergehen: Cartier, Rolls Royce, Floris, Gieves & Hawkes, Yardley und Smythson's. Wenn Sie jemandem etwas schenken wollen, der schon alles hat, sollten Sie in die **Bond Street** gehen. Nur wenige Schritte sind es dann zum größten Spielzeuggeschäft der Welt, zu **Hamley's** in der Regent Street oder zu **G.B. Kent,** seit dem 18. Jahrhundert spezialisiert auf Haar- und Zahnbürsten. Mehr als 100 Jahre verkauft **Purdey & Sons** handgemachte Feuerwaffen, für deren Herstellung manchmal bis zu vier Jahre benötigt werden. Bei **Thomas Goode** in der Audley Street schließlich gibt es das schönste Porzellan von ganz Europa.

In Mayfair wimmelt es auch von typisch englischen Kaufhäusern. Wie wärs mit einem Regenmantel von **Burberry's** oder einem Sportartikel von **Lillywhite's?** Die Lebensmittelabteilung bei **Fortnum & Mason** ist fast so reichhaltig und teuer wie bei harrods, abgesehen davon, daß man am Eingang stündlich die Ablösung einer königlichen Wache bestaunen kann. Ein Streifzug durch das Kaufhaus **Liberty** wird Sie an die Tudorzeit erinnern — außen eindrucksvolles Fachwerk, im Innern schwere Ei-

chenvertäfelungen. Oder gönnen Sie sich einen ruhigen Bummel durch eine der eleganten viktorianischen Arkaden mit ihren einzigartigen Geschäften. Eine der interessantesten ist **Burlington Arcade** unweit der Royal Adacemy, die älteste **The Royal Opera Arcade,** der jedoch **Piccadilly, Prince's** und **Royal Arcades** in nichts nachstehen.

Wohl am bekanntesten dürften die Auktionshäuser von Mayfair sein. Bei **Christie's** in der King Street werden bis zu 150 000 Objekte pro Jahr versteigert, darunter auch Möbel, Rüstungen, Edelsteine und Gemälde.

Sotheby's in der New Bond Street ist berühmt wegen einer Reihe von spektakulären Versteigerungen, zum Beispiel der Robert-von-Hirsch-Sammlung für stolze 18 Mio. £.

Die von Nash angelegte Regent Street trennt wie ein Ozean die Welten von Mayfair und **Soho.** Tagsüber wirkt Soho farblos, abends erwachen seine Kinos, Theater, Jazzclubs und Diskotheken zum Leben. Hier wimmelt es auch von obskuren Live-Sex-Läden, Massagesalons und anderen Schlüpfrigkeiten. Vorsicht ist geboten!

Mehr als neun Millionen Bücher umfaßt die British Library

Piccadilly Circus

Das unbestrittene Herzstück Sohos ist **Piccadilly Circus** — einer der verkehrsreichsten Plätze Europas, ein Meer schwarzer Taxis, roter Busse, eingeschüchterter Touristen und Punks mit grell leuchtenden Haaren. Auf einem Springbrunnen in der Mitte des Platzes thront Eros, aber seine bronzefarbenen Pfeile haben keine Chance gegen die glitzernden Neonkaskaden hoch über den Köpfen der vorübereilenden Menschenmassen. Ganz in der Nähe beginnt die **Carnaby Street,** das Mekka der Subkultur der sechziger Jahre. Auch heute noch ist Carnaby Street ein Anziehungspunkt für junge Leute aus aller Welt.

Nicht ganz so bekannt — **Berwick Street,** eine andere Einkaufsstraße Sohos. Hier werden Sie weder kostbare Spitze noch Lederwaren finden, sondern jede Menge Gemüse-, Obst- und Blumenläden sowie Second-Hand-Shops. Um die Ecke, in der Dean Street, hat Karl Marx gewohnt. Von der nahegelegenen Frith Street aus gelangen 1926 John Baird die ersten kabellosen Bildübertragungen, die Frühformen unseres heutigen Fernsehens.

Intellekt in Bloomsbury

In eine ganz andere Atmosphäre tauchen Sie ein, wenn Sie am Piccadilly Circus in die U-Bahn springen und drei Stationen bis zum Russell Square fahren, nach **Bloomsbury,** dem geistigen und kulturellen Zentrum Londons.

In Bloomsbury liegt das **British Museum,** eines der größten und besten Museen der Welt. Es ist nicht nur ein einzigartiges Kunstmuseum, sondern bietet auch eine unvergleichliche Sammlung von Zeugnissen der Menschheitsgeschichte. Hier finden Sie Ausstellungsstücke aus jeder Epoche und jedem Teil der Welt, seien es ägyptische Mumien, chinesische Jaden, römische Mosaike oder Friese aus Mesopotanien. Selbst ein ganzer Tag ist viel zu wenig für das British Museum. Sie sollten hierher kommen, wann immer Sie in London sind. Im gleichen Gebäudekomplex aus dem 19. Jahrhundert ist auch die **British Library** untergebracht, in der mehr als neun Millionen Bücher auf insgesamt drei Kilometern Regalen gesammelt sind, darunter eine Gutenberg-Bibel, die Magna Charta, bebilderte mittelalterliche Texte, Originalmanuskripte von

Unten: Piccadilly Circus. Rechts: Sex und Spielhöllen: Soho

Shakespeare, Dickens, da Vinci und vielen anderen. Wenn Sie rechtzeitig um Erlaubnis nachfragen, können Sie einen Blick werfen in den Lesesaal, in dem Marx, Lenin und Trotzki ihre Studien betrieben haben.

Hinter dem Museum breitet sich der von Jahr zu Jahr wachsende Komplex der **London University** aus, der drittgrößten Universität Englands. Zwar wurde sie, verglichen mit Oxford und Cambridge, relativ spät, nämlich erst 1825, gegründet — aber sie hat sich in kurzer Zeit international einen guten Ruf erworben. Das **Courtauld Institute,** die Fakultät für Kunstgeschichte, unterhält eine öffentlich zugängliche Ausstellung mit Werken des Impressionismus und der Maler Van Gogh, Gauguin und Cezanne. Am Brunswick Square gibt es eine weitere bedeutende Kunstsammlung, **Founding Hospital Art Treasures,** in der sich auch Werke von Hogarth, Gainsborough und Kneller befinden.

In Bloomsbury hat eine ganze Reihe prominenter Kulturschaffender gelebt, darunter John Maynard Keynes und Virginia Woolf. Aber einer hat sie alle überragt: Charles Dickens. Fast zwei Jahre hat er in der **Doughty Street 48** zusammen mit seiner Familie gewohnt und während dieser Zeit Teile von *Oliver Twist, Nicholas Nickleby* und *Barnaby Rudge* geschrieben.

Östlich des Bloomsbury Square erstreckt sich der Stadtteil **Holborn** im Umkreis der gleichnamigen Straße und U-Bahn-Station. Zwei silberne Greife auf beiden Seiten der Holborn High Street markieren die Grenzen der eigentlichen City of London. Ganz in der Nähe ist **Staple Inn,** ein elisabethanischer Fachwerkbau, der einst als Herberge für reisende Wollkaufleute diente. Im Mittelalter konzentrierte sich das Leben in Holborn auf den sogenannten Smith Fields, Schauplatz des fröhlichen St. Bartholomew's Fair. Auf diesem weiten offenen Platz fanden früher Ritterturniere statt, aber auch die Verbrennung von 300 andersgläubigen Kritikern von Königin Mary. Seit 300 Jahren ist **Smithfields** der wichtigste Fleischmarkt Londons — 3 ha Fleisch und Geflügel unter einer riesigen Stahl- und Glaskonstruktion. Bis zur Mitte des 19. Jahrhunderts wurde das Schlachtvieh durch die nördlichen Straßen Londons bis zum Schlachtblock getrieben, heute werden 200 000 t Fleisch jährlich mit

Lastwagen antransportiert. **St. Batholomew's** ist eigentlich die Patronatskirche der Metzger, aber in ihrer über tausendjährigen Geschichte diente sie auch als Stall, Fabrik, Weinkeller, Kohleschuppen und sogar als Druckerei Benjamin Franklins. Das nahegelegene **St. Bartholomew's Hospital** wurde 1123 gebaut und ist heute die älteste medizinische Einrichtung Londons. Eine Gedenktafel in der Pathologie erinnert an das erste, natürlich fiktive Zusammentreffen zwischen Sherlock Holmes und Dr. Watson im Jahr 1881.

Das London der Juristen

Zwischen der Themse und Holborn liegen die berühmten **Inns of Court,** seit dem Mittelalter das Herz der englischen Rechtsprechung. Im 14. Jahrhundert waren 12 ,,inns'' geschaffen worden, Gebäude für die Unterbringung und Ausbildung von Juristen auf ,,neutralem'' Gelände zwischen den Kaufleuten in der City und Westminster. Drei davon bestehen noch. Dr. Samuel Johnson nannte sie ,,die edelsten Stätten der Menschlichkeit und Freiheit im ganzen Königreich.'' Bis heute muß jeder ange-

,,Die edelsten Pflegestätten der Menschlichkeit und Freiheit ...''

hende Londoner Jurist eine Ausbildung in den „inns" durchlaufen haben, um vor Gericht zugelassen zu werden. **Gray's Inn** hat einen von Francis Bacon entworfenen Garten, wo man sich zwischen Bäumen und auf englischem Rasen von der Hektik der City erholen kann. **Lincoln's Inn** rühmt sich einer mittelalterlichen Halle und einer Kapelle aus dem 17. Jahrhundert von Inigo Jones. Am faszinierendsten jedoch sind der **Inner** und **Middle Temple.** Ihre Namen stammen aus den Zeiten der Tempelritter, die hier bis zum frühen 14. Jahrhundert residierten. Die Gewölbe, Balkendecken und Holzvertäfelungen sind seit der Gotik kaum verändert worden. In der Middle Temple Hall aus dem 16. Jahrhundert hat Shakespeares Schauspieltruppe *Was ihr wollt* für die Höflinge Elizabeths I. aufgeführt. Die **Temple Church** aus dem 12. Jahrhundert ist eine von vier noch bestehenden Rundkirchen in England.

Fleet Street ist das Reich einer anderen „Macht" — der Presse. Ihren Namen erhielt die Straße vom Fleet River, der früher in die Themse mündete. Die von Christopher Wren im 17. Jahrhundert erbaute Kirche **St. Bride's** ist die Patronatskirche der britischen Presseleute. Den einzigartigen dreistufigen Kirchturm machte einst ein Bäcker zum Vorbild für seine Geburtstagstorten, die inzwischen überall auf der Welt kopiert werden.

In der Dachstube des Hauses Nr. 17 am **Gough Square,** einen Katzensprung von der Fleet Street, entstanden das berühmte *Dictionary* und die *Complete Works of Shakespeare* von Dr. Johnson. Im heute noch existierenden, zauberhaften Pub **Old Cheshire Cheese** feierte er fröhliche Zechgelage. Unweit davon erstrecken sich die grünen **Lincoln's Inn Fields** — einst berüchtigter Schauplatz von Duellen und Hinrichtungen, heute ein Ort zum Picknicken und Sonnenbaden. An ihrer Nordseite steht das **Sir John Soane Museum** mit einer bemerkenswert skurrilen Sammlung von Antiquitäten, Gemälden und Bauplänen. Nahe der Südostecke der Fields stoßen Sie auf den durch Dickens berühmten **Old Curiosity Shop.**

Hinter St. Bride's geht die Fleet Street über in Ludgate Hill und passiert die Grenze der **City of London,** jener geschichtsträchtigen Quadratmeile auf den Fundamenten römischer und mittelalterlicher Städte. Jahrhundertelang war die City die Welt der Kaufleute und Handwerker, von Männern, die aus der englischen Monarchie eine Demokratie gemacht und anschließend ein Handelsimperium aufgebaut haben, in dem die Sonne nie unterging. Trotz des sichtbaren Vordringens der Moderne hat die City etwas von ihrem mittelalterlichen Gepräge bewahrt, und bis heute besitzt sie eine eigene Stadtverwaltung innerhalb der Londoner Gesamtverwaltung — ein Relikt aus der Zeit der mittelalterlichen Zünfte und Gilden.

Christopher Wrens Meisterwerk

Oben auf der Ludgate Hill thront **St. Pauls's Cathedral.** Sie prägt wie kein anderes Gebäude die Skyline der City mit ihrer 110 m hohen Kuppel inmitten einer Vielzahl hoher Bauten, die seit dem Krieg hier entstanden sind. Nach der Zerstörung des ursprünglichen gotischen Baus durch das Große Feuer von 1666 beauftragte der König Christopher Wren mit dem Bau einer neuen Kathedrale, um der Bedeutung Londons gerecht zu werden. Sein erster Entwurf wurde als zu „modernistisch" abge-

Die alles überragende St. Paul's Cathedral

lehnt. Sein zweiter bildete eine geniale Verknüpfung klassischer und barocker Stilelemente — eine riesige kreuzförmige Konstruktion mit einem dem Petersdom nachempfundenem Kuppelbau aus Stein. Der Bau dauerte von 1675 bis 1710 — dann war die erste, dem protestantischen Glauben geweihte Kathedrale fertig, der Höhepunkt im Schaffen Christopher Wrens. Viele der entscheidenen Szenen englischer Geschichte haben hier stattgefunden: 1897 die Feierlichkeiten zum diamantenen Regierungsjubiläum von Queen Victoria, 1965 die Beisetzung Winston Churchills und 1981 die Heirat von Prince Charles und Lady Diana Spencer. Wie durch ein Wunder überstand St. Paul's sogar die deutschen Bombenangriffe, die alles in der Umgebung in Schutt und Asche legten. In der Kathedrale sind zahlreiche bedeutende Persönlichkeiten beigesetzt, darunter Wellington, Nelson, Reynolds, Turner und Wren selbst. Das Innere wurde ausgestaltet von den besten Künstlern und Handwerkern des späten 17. Jahrhunderts. Auf der berühmten **Whispering Gallery** hoch oben in der Kuppel versteht man selbst das leiseste Flüstern eines Menschen auf der gegen-

überliegenden Seite. Über eine Wendeltreppe gelangt man zur Außenseite der Kuppel, von der aus sich ein überwältigendes Panorama der Londoner Innenstadt bietet.

Von St. Paul's nach Norden erstreckt sich das futuristische **Barbican** und bildet einen reizvollen Kontrast zum Labyrinth der gewundenen Straßen und ehrwürdigen Gebäuden rund um die Kathedrale. Dieses vor einiger Zeit erst begonnene Sanierungs- und Erneuerungsprojekt ist entstanden aus den Trümmern eines im Weltkrieg zerstörten Stadtviertels, ein Musterbeispiel für modernes Bauen nach Kriegsende. Viele Londoner halten die 40-stöckigen Bürohochhäuser und zubetonierten Plätze für Schandflecke im Londoner Stadtbild, nicht jedoch das außergewöhnliche **Museum of London,** eine hervorragende Sammlung von Dokumenten der Geschichte Londons von der Frühzeit bis zum 20. Jahrhundert. Hier gibt es Modelle alter Gebäude und Ladenfronten, audioviseulle Vorführungen, eine Sachbibliothek, längst veraltete Verkehrsmittel und andere historische Objekte. Barbican ist auch Sitz der Guildhall School of Music and Drama, der Royal Shakespeare

City of London

Company und des London Symphony Orchestra.

Im Schatten der Wolkenkratzer von Barbican steht die **Guildhall,** eines der wenigen Gebäude, die das Große Feuer überlebt haben. Heute ist es Amtssitz des Oberbürgermeisters und der Londoner Stadtverwaltung. Dieser weitgehend restaurierte gotische Bau wurde 1411 begonnen und aus Geldmitteln der Zünfte und Gilden der City of London finanziert. Im Innern befindet sich eine Bibliothek aus dem 15. Jahrhundert mit zahllosen Dokumenten zur Geschichte Londons. Sehenswert ist auch die berühmte **Great Hall,** die geschmückt ist mit den Fahnen der zwölf Zünfte und den 92 Schildern der Gilden von London. Alljährlich im November ist Guildhall Schauplatz des Lord Mayor's Banquet, einem gesellschaftlichen Großereignis, an dem der Premierminister und der Erzbischof von Canterbury teilnehmen. Das opulente Festmahl steht in der Tradition der etwas unzivilisierten Festessen des Mittelalters.

Wenn man die Gresham Street in östlicher Richtung entlanggeht, kommt man zur **Bank of England,** einem mächtigen Gebäude im klassizistischen Stil.

Nach wie vor stellt die Bank of England alle Geldnoten und Münzen her, drückt die Staatsverschuldung und schützt die Goldreserven des Landes. Ganz in der Nähe ist die alte Londoner Börse, **London Stock Exchange,** die 1773 gegründet wurde und heute in einem Wolkenkratzer an der Ecke Threadneedle und Old Broad Street untergebracht ist. Von den Besucherrängen aus können Sie in aller Ruhe die Hektik der über 4000 Börsenspekulanten beobachten. Weiter östlich zeichnet sich die dunkle Silhouette der **National Westminster Bank** ab. Das Gebäude wurde erst 1981 fertiggestellt und ist mit einer Höhe von 180 m der höchste Büroturm in England.

Genau gegenüber stehen die dem Parthenon nachempfundene **Royal Exchange** und **Mansion House,** seit 1750 offizieller Amtssitz des Lord Mayor of London. Viele der wertvollen Schätze Londons sind in diesem Prunkbau untergebracht, u.a. die Insignien des Bürgermeisters. Am Mansion House beginnt im November Lord Mayor's Show. Hier setzt sich der Oberbürgermeister in seine goldene Kutsche, um an Tausenden von Schaulustigen vorbei durch die City zur Guildhall zu fahren.

Die Bank of England, gegenüber Royal Exchange

Vom Bankenviertel aus führt die King William Street nach Süden zur London Bridge und der Themse. Kurz vor dem Fluß ragt das 67 m hohe **Monument** über das Dächergewirr — Wrens Gedenksäule für all die Männer, die im Kampf gegen das Große Feuer von 1666 ihr Leben ließen. Von der Spitze des Monument aus hat man einen herrlichen Blick über die Innenstadt.

Tower of London

Die Lower Thames Street folgt dem Flußlauf der Themse, vorbei am alten Billingsgate Fish Market und dem Custom House bis in den südöstlichen Teil der City. Dieser wird geprägt vom düstergrauen Komplex des **Tower of London**. In den Jahrhunderten seines Bestehens hat der Tower alle möglichen Aufgaben erfüllt — er war Festung, Palast, Gefängnis, Museum, Arsenal und auch Schatzkammer. Zweifellos ist er eines der verlockendsten touristischen Ziele und zieht alljährlich Millionen von Besuchern an.

Der **White Tower** steht in einem Innenhof und wurde von Wilhelm dem Eroberer als Festungsanlage erbaut. Die Bauzeit dauerte von 1078 bis 1098, dann war das damals größte Gebäude in England fertig, bald in ganz England der Inbegriff der fast unumschränkten Herrschergewalt. Der Tower blieb bis zum 16. Jahrhundert die königliche Residenz, als es der Hof vorzog, in die bequemeren Räumlichkeiten von Westminster umzuziehen. Zu dieser Zeit wurde der Tower zum Aufbewahrungsort für den Kronschatz, aber auch zu einem berüchtigten Gefängnis und Hinrichtungsort. Nur bedeutenden Persönlichkeiten wurde das „Privileg" zuteil, im Tower hingerichtet zu werden — zum Beispiel Sir Thomas More, Anne Boleyn, Lady Jane Grey, Catherine Howard, Edward IV. und seinem Bruder, dem Herzog von York. Die letzte Hinrichtung im Tower fand 1747 statt. Danach wurde er zur königlichen Münzanstalt, zum Archiv und zur Menagerie, bis ein Jahrhundert später die Elefanten, Löwen und Bären in den neuen Regent's Park Zoo umgesiedelt wurden.

Beefeaters

Im White Tower befindet sich heute eine eindrucksvolle Sammlung königlicher Waffen und Rüstungen, aber auch

Ein vielleicht sogar vegetarischer Beefeater

106

die kleine **St. John's Chapel** aus dem Jahr 1080, die älteste Kirche Londons. In einem Gewölbe unterhalb der Waterloo Barracks werden die Kronjuwelen aufbewahrt. Dazu gehört vor allem die Imperial State Crown mit ihren 3000 Edelsteinen und das **Royal Sceptre** mit dem berühmten „Star of Africa", einem 530 Karat schweren Diamant. Das Wachpersonal des Tower, die Yeomen Wardens, ist unter dem Namen Beefeaters berühmt geworden. Das hat nichts mit den Eßgewohnheiten zu tun, sondern stammt aus den Zeiten von Henry VIII., der 1485 eine Garde von *boufitiers,* Wächter der königlichen Tafel, gründete. In dem Tower Green genannten Teil des Innenhofes können Sie Ihren Kopf auf einen früheren Hinrichtungsblock legen und sich fotografieren lassen. Die schwarzen Vögel, die um die Türme des Tower ihre Kreise ziehen, sind Raben, deren Vorfahren sich vor über 900 Jahren hier niederließen. Es heißt, wenn sie jemals wegfliegen, wird der Tower zerfallen. Jedenfalls ist der Tower in diesen 900 Jahren kein einziges Mal erobert worden.

Vom Tower aus, die Mansell Street entlang in Richtung Norden, gelangt man in ein Gewirr enger Straßen, die den Anfang des berüchtigten **East End** signalisieren. Es ist ein Stadtteil, der touristisch kaum etwas zu bieten hat. Hier gibt es fast nur Arbeiterwohnungen und Slums. In einem wohltuenden Konstrast zur Trostlosigkeit des East End stehen die Bezirke **Whitechapel** und **Spitalfields** am nördlichen Ende der Mansell Street. Hier befindet sich das Zentrum des früheren Judenghettos und noch heute stößt man auf alte Synagogen und Läden für koschere Spezialitäten. Wenn man die Aldgate High Street hinunterbummelt, kommt man zur alten **Spanish an Portoguese Synagogue,** die 1701 erbaut wurde und heute die älteste religiöse Stätte des Judentums in England ist. Es lohnt sich auch, einen Blick zu werfen in die Sammlung moderner Kunst in der **Whitechapel Art Gallery.**

Petticoat Lane ist der berühmteste Markt im East End und heißt so, weil er früher ein Umschlagplatz für gebrauchte Kleidung war. Die Verkaufsstände entlang der Middlesex Street bieten heute ein farbenfrohes Bild von Kleidungsstücken, Antiquitäten, Lebensmitteln und wirklich allem, was sonst noch von

Tower Bridge

Menschen hergestellt wird. Aber am faszinierendsten ist die buntgemischte Schar der Händler, die sich aus Cockneys, Asiaten und Schwarzen aus der Karibik zusammensetzt. Jeden Sonntagvormittag beweisen sie, daß ein friedliches Nebeneinander verschiedener Rassen möglich ist. Ein Nebenmarkt von Petticoat Lane ist **Club Row,** wo man am Sonntagvormittag einheimische und exotische Haustiere erwerben kann. Der täglich geöffnete Markt in der **Wentworth Street** hingegen ist auf Lebensmittel für den jüdischen und westindischen Geschmack spezialisiert. Ebenfalls in East End befindet sich das wenig bekannte, aber ausgezeichnete **Museum of Childhood** in der Cambridge Heath Street. Weiter nordöstlich, in der Forest Road, ist die **William Morris Gallery.**

Tower Bridge und die Docks

Eines der bekanntesten Wahrzeichen Londons ist zweifellos die **Tower Bridge** mit ihren zwei neugotischen und 66 m hohen Türmen, die 1894 fertiggestellt wurden. Ihren dunkelsten Augenblick erlebte Tower Bridge 1954, als wegen eines Defekts der Warnlichter ein Doppeldeckerbus zwischen den hochklappenden zwei Zugbrücken eingeklemmt wurde. Heute ist das Innere der Brückenkonstruktion öffentlich zugänglich. Man hat ein Museum der Brücken Londons eingerichtet und von den eingeglasten Laufstegen bietet sich ein ausgezeichnetes Panorama Londons. Der riesige Komplex flußeinwärts ist **St. Katherine's Dock.** Er wurde 1828 als Verladezone für Wolle und Wein errichtet, aber vor kurzem umgewandelt in ein schickes Wohn- und Geschäftsviertel. Heute gibt es hier ein Welthandelszentrum, Einkaufsarkaden, einen Jachthafen, ein Hotel und moderne Wohnungen und Büroräume in renovierten ehemaligen Lagerhäusern. Außerdem gibt es ein Schiffsmuseum, in dem u.a. die **Discovery,** das berühmte Polarschiff Captain Scotts, ein ausrangiertes Feuerschiff und seltene Themse-Barkassen zu bewundern sind. Stromaufwärts zeichnet sich die Silhouette der **H.M.S. Belfast** ab, eines ehemaligen Schlachtschiffs der Royal Navy, das man in ein Museum für Seefahrt umfunktioniert hat.

Im Süden der Tower Bridge Road am Bermondsey Square liegt **New Caledonian Market,** eine Fundgrube für Anti-

St. Katherine's Dock

108

quitäten (nur Samstagvormittag geöffnet).

London südlich der Themse

Am Südufer der Themse ragt der majestätische Komplex der **Southwark Cathedrale** empor, der bedeutendsten gotischen Kirche Londons nach Westminster Abbey. Die ursprüngliche Kirche wurde im 13. Jahrhundert erbaut, aber im Lauf der Jahrhunderte mehrere Male umgestaltet. Heute ist sie eine seltene Kombination von Elementen der englischen und französischen Gotik.

Gemischte Gefühle haben die Londoner für den **South Bank Complex.** Das bedeutendste Kunstforum Europas ist leider ein trister Beton- und Stahlklotz, der das Auge eher beleidigt. Wie auch immer — die **Royal Festival Hall** ist berühmt für ihre Akustik und Schauplatz der Konzerte des London Symphony Orchestra und des Philharmonic Orchestra. Nicht weit davon stehen die **Queen Elizabeth Hall** und der **Purcell Room,** die beide für vielfältige Veranstaltungen genutzt werden — von Dichterlesungen bis zu Big-Band-Konzerten.

Im Schatten der Waterloo Bridge liegt das **National Film Theatre,** in dem jeden November das London Film Festival stattfindet. Das riesige **National Theatre** mit seinen insgesamt drei Bühnen ist bekannt für die hohe Qualität seiner Aufführungen und seiner Offenheit gegenüber neuen Dramatikern. Nicht wegzudenken aus dem South Bank Complex ist auch die **Hayward Gallery** mit ihrer Vorliebe für das Ausgefallene und Bizarre, wie zum Beispiel ein U-Boot aus alten Autoreifen.

Mehr als 700 Jahre lang war **Lambeth Palace** die Londoner Residenz des Erzbischofs von Canterbury. Er ist eines der wenigen Überbleibsel von all den herrlichen Wohnsitzen, die sich seit dem Mittelalter und der Tudorzeit an beiden Ufern der Themse entlangzogen. Viele halten die Great Hall mit ihrer 22 m hohen, gotischen Decke für den schönsten Teil des Palastes. Mehr als sehenswert sind aber auch die Krypta (13. Jh.) und der Lollards Tower (15. Jh.). Ein weiteres Wahrzeichen von South Bank ist das **Imperial War Museum** auf dem Gelände des ehemaligen „Bedlam", des alten Bethlehem Hospitals für Geistesgestörte. Hier sind alle möglichen Erinnerungsstücke der Kriegsgeschichte vom 17. Jahrhundert bis heute gesammelt.

Lambeth Place

LONDON BEI NACHT

In jeder Weltstadt schwärmen, sobald es dunkel wird, die schnellebigen Geschöpfe der Nacht aus. In London bestimmt das Geschehen eine Art Verwandlungskünstler, den man das Chamäleon nennt. Will man da mithalten, muß man anpassungsfähig und bereit sein, Farben und Kostüme von einem Augenblick zum anderen zu wechseln.

Der Startschuß ertönt etwa um 17.30 Uhr, wenn die Arbeit endet, das Spiel beginnt und die Pubs ihre Tore für durstige Büroangestellte und Touristen öffnen. Die Atmosphäre des jeweiligen Lokals prägt seine Gegend. Die Weinschenken und Pubs rund um die Fleet Street sind mit Zeitungs- und Medienleuten überfüllt, während in Soho Musiker und Filmemacher überwiegen. In der King's Road wiederum geben Punks und die Asphaltcowboys des Sloane Square den Ton an.

In den letzten Jahren hat sich die Drehscheibe für Büroschluß-Geselligkeit westwärts verlagert, hin zu den Schickeria-Vierteln von Kensington und Chelsea. Ein Lokal nach dem anderen schießt hier aus dem Boden. Derzeit „in" ist das **L.A. Cafe** in Knightsbridge. Mit seiner „kalifornischen" Atmosphäre wird es auch von Pop-Stars wie Rod Stewart und Sting bevorzugt.

Sehr populär ist auch **The Roof Garden** in Kensington, ein kleines Paradies unter der Leitung von Richard Benson, dem Verleger von Virgin Records. Inmitten 5000 verschiedener Pflanzen kann man an tropischen Drinks nippen und die Aussicht über West London genießen. Eine ganz andere Atmosphäre und Kundschaft bietet **Henry J. Beans** in der King's Road. Mehr ein texanischer Saloon als ein Londoner Ausgehlokal vergnügen sich eine „gesunde" Mischung aus Punks, Skinheads, Touristen und anderen Neulingen.

In der von Musikern und Filmleuten frequentierten **Soho Brasserie** findet man mit das beste Publikum im Westend. Anders im **French House**, gleich um die Ecke, wo sich Zuhälter, Rausschmeißer und Stipperinnen ein Stelldichein geben. Gegenüber in der Monmouth Street liegt das Top-Schickeria-Lokal **Stringfellows**. In zweiter Reihe geparkte Ferraris und Porsches sowie die Tatsache, daß über der Straße EMI-Records seinen Sitz hat, erübrigen weitere Hinweise auf Stringfellows Klientel.

Die mehr als 7000 Londoner Pubs bieten

zwar weniger In-Leben, dafür aber mehr Vielfalt. Für Jedermann ist hier etwas geboten: dem Krimiliebhaber das **Sherlock Holmes** in der Nähe des Trafalgar Square, dem Historiker **Spaniards Inn** im Hampstead und den Jugenstilliebhabern **Black Friar** in der City.

Meist ist der Besuch eines Pubs nur der Auftakt zu einem Abend mit Theater, Tanz, Musik oder einem gepflegten Essen. Der Ruf der Westend-Theater, die in den letzten Jahren einen großen Aufschwung erfahren haben, spricht für sich. Die Erfolgsstücke *Evita* oder *Cats* haben weit über London hinaus

Bekanntheit erlangt. Karten verkaufen die Theaterkassen oder eine der vielen Vorverkaufsstellen. Reduzierte Karten sind nachmittags am hölzernen Kiosk auf dem Leicester Square zu haben.

Weniger bekannt ist, daß es in London eine Reihe prosperierender Experimentierbühnen und Freier Theater gibt. Herausragende Beispiele für solche Vororttheater sind: **The Orange Tree** in Richmond, spezialisiert auf Neuinszenierungen bekannter Stücke; **The Bush Theatre** in Shepherds Bush, das für seine sozial engagierten Aufführungen und sein linkes Polit-Kabarett bekannt wurde; **Latchmere** in Battersea hat den Ruf, Maßstäbe für experimentelles Theater gesetzt zu haben; und im **Half Moon** in der Mile End Road wurde der Grundstein für einige der Erfolgsstücke des Westends, z.B. Pal Joey, gelegt. In diese Kategorie fällt auch der neue **Comedy Store** am Leicester Square. Um den Humor würdigen zu können, muß man jedoch einige Kenntnisse britischer Sozial- und Innenpolitik mitbringen.

An drei Punkten der Stadt konzentriert sich das offizielle Kulturleben. In **Covent Garden** ist das **Royal Opera House** Sitz der Königlichen Oper und des Balletts. Im nahegelegenen **Coliseum** führt die English National Opera Company Opern ausschließlich in Englisch auf. In **Barbican** sind das **Sadler Well's Theatre** mit seiner Oper und den Mitgliedern des Balletts sowie das London Symphony Orchestra und die Royal Shakespeare

Company zu Hause. An der **South Bank** schließlich liegt das **National Theatre**, dessen Produktionen zu den wichtigsten im Land gehören. In der **Queen Elizabeth Hall** dirigiert André Previn die Königliche Philharmonie, während in dem intimeren **Purcell Room** Dichterlesungen und Kammermusik gegeben werden.

In London schlägt auch immer noch das Herz der Rockmusik, z.B. zu Großveranstaltungen in **Wembley Stadion** mit über 70 000 Plätzen. Bruce Springsteen und die Rolling Stones sind nur einige Namen, die die Liste der Auftretenden anführen. In den kleineren Theatern Hammersmith Odean und Dominion finden dagegen regelmäßig Pop- und Rockkonzerte statt.

Schickeria-Nachtlokale und Top-Diskos fehlen natürlich auch in London nicht. Das **Hippodrome** in der Nähe des Leicester Square hält in dieser Kategorie immer noch die Spitze, aber man sollte nicht erwarten, am Türsteher vorbeizukommen, wenn man nicht wenigstens einmal die Titelseite des Magazins *Rolling Stone* geziert hat. Im **Empire Club** (einen Häuserblock weiter) ist es weniger schwierig, Einlaß zu finden.

Die meisten anderen Londoner Diskotheken sind auf bestimmte „Stammes"-Kulturen, sprich Publikum, ausgerichtet. Im **Embassy Club** in der Bond Street sind schicke Punks, im **Le Beat Route** in Soho der Neue Romantische Stil („Amadeus") — Netzstrümpfe und gelatineschwarzes Haar — zu bewundern. **Xenon's** bevorzugen die Leute vom Sloane Square, während das halbseidene **Ritzy Park** in der Wardour Street Stammlokal der East-End-Mafia ist. Dienstag Nacht ist in **Henry Africa's** (Kensington) Leder und Gummi bei „Corset Club" gefragt. Das riesige **Camden Palace** dagegen wechselt zwischen der psychedelischen Musik der sechziger und dem Funk der siebziger Jahre.

Und außerdem gibt es natürlich immer noch **Annabel's** (Berkeley Square), seit 1963 der exklusivste Nachtclub in London. „Posh city" („Stadt der Vornehmen und Reichen") wird es genannt, und Aristokraten, Filmstars und Superreiche geben sich die Klinke in die Hand. Prinz Charles ging hier vor seiner Heirat ein und aus, so wie es heute seine jüngeren Brüder und Vettern tun. Einlaß aber findet in Annabel's nur, wer dem Türsteher bekannt ist. Für den Fremden bedeutet dies, mit einem Mitglied aufzukreuzen oder es gar nicht erst zu versuchen.

Eine Reihe von Vorortlokalen haben sich der Pub-Rock-Konzertreihe angeschlossen und bieten aufsteigenden Bands — vom neusten Punk bis zu englischer Country-music — Auftrittsmöglichkeiten. Zu erwähnen sind: **Half Moon** in Putney, **Tunnel Club** in Greenwich, **Marquee** in Soho, **Cricketers** in Kennington und **Dingwalls** in Camden Lock.

Jazz gibt es bei **Ronnie Scott's** in Soho, dem wohl bekanntesten Jazz-Club in Europa. Hier treten regelmäßig auch die amerikanischen Jazz-Größen auf. Dixie und traditioneller Jazz werden im **Palookaville** in Covent Garden gespielt, während der **Club 100** in der Oxford Street Funk, Salsa und Reggae aus Afrika und der Karibik auf dem Programm hat. Anfang der siebziger Jahre trat hier auch schon einmal Mr. Acker-Bilk auf.

DIE UMGEBUNG
VON LONDON

Dr. Johnson würde sich zwar im Grabe umdrehen, doch es gibt Zeiten, in denen es in London tatsächlich langweilig werden kann. Dann heißt es, in die Londoner Vororte auszuweichen. Sie strecken sich über eine Fläche von 1570 ha und zählen über 10 Mio. Einwohner. Hier gibt es genügend Parks, Museen, Paläste und andere Sehenwürdigkeiten, die ein Abschalten von der Betriebsamkeit und Hektik der Großstadt ermöglichen. Die interessantesten Vororte diesbezüglich sind Greenwich im Osten und Richmond-upon-Thames im Westen, aber nahezu jeder Vorort hat einen eigenständigen Charakter und einzigartige Anziehungspunkte aufzuweisen.

Königliches Greenwich

Seit der Zeit der Tudorkönige war Bella Court Palace am Themseufer in Greenwich Rückzugsort der Königsfamilie. In Greenwich wurde Henry VIII., Elizabeth I. und Mary Tudor (,,die Katholische") geboren, und hier vollführte Sir Walter Raleigh seine berühmte Geste der Galanterie, als er seinen Mantel über eine Pfütze legte, um Elizabeth I. den Weg durch den Schmutz zu ersparen. James I. ließ Teile des Palastes niederreißen und beauftragte Inigo Jones, eine neue Residenz für Königin Anne zu errichten. Es entstand das erstaunliche **Queen's House,** ein Meisterwerk im klassizistischen Palladio-Stil. Heute bildet es den Mittelpunkt des **National Maritime Museum.** Zur Vervollkommnung von Navigationstechnik und Astronomiekunde ließ Charles II. 1675 das königliche Observatorium in Greenwich erbauen. Seitdem richten sich die Zählung all der Längengrade und die Zeitzonen nach dem (Null-) Meridian von Greenwich, der durch die Mitte von **Flamsteed House** verläuft. Flamsteed House enthält heute ein Museum mit Zeitmeß- und Astronomieinstrumenten.

In den letzten 500 Jahren war Greenwich zudem eng mit der britischen See-

Die *Cutty Sark*, die letzte der großen chinesischen Klipper

fahrt verbunden. So befinden sich hier die **Docks der königlichen Marine (Royal Navy Dockyard)**, die schon zu Zeiten von Henry VIII. und Elizabeth I. in Betrieb waren. Ebenfalls in Greenwich steht das **Royal Hospital für Seamen**, das, von Christopher Wren erbaut, heute als **Royal Naval College** dient.

An den Kais von Greenwich ankern zwei der berühmtesten Schiffe Englands: *Cutty Sark,* der letzte der großen schnellen China-Klipper, die einst mit Tee vom Orient nach Europa segelten. Daneben die kleine *Gipsy Moth IV,* mit der Sir Francis Chichester 1966 allein die Welt umsegelte.

Ländliches Themseufer

Am entgegengesetzten Ende von London liegt der Stadtbezirk von Richmond-upon-Thames, dem Richmond, Kew, Twickenham und Hampton zuzurechnen sind. Auch hier lohnt sich die Fahrt mit der Fähre vom Westminster Pier aus (mit Halt in Kew, Richmond und Hampton Court). Wem das zu lange dauert, kann mit der U-Bahn (District Line) nach Kew und Richmond, mit British Railways von Water-loo aus nach Richmond, Twickenham und Hampton fahren.

In **Richmond** tragen Buchläden, Antiquitätenläden und gemütliche Pubs (insbesondere The Three Pigeons und White Cross) zum dörflichen Charme bei. Von Charles I. als Jagdrevier abgegrenzt, ist **Richmond Park** heute der einzige königliche Park, der noch eine ansehnliche Anzahl von Rotwild aufweist. Auf dem Weg zum Park liegt Richmond Hill, von dem sich ein ausgezeichneter Blick nach Westen und auf die Themse eröffnet. Am Ortsrand schließlich liegt **Richmond Theatre**, das für seine Produktionen bekannt ist, die später oft auch im Westend zu sehen sind.

Die Brücke von Richmond führt nach **Twickenham,** berühmt für seine prächtigen Herrenhäuser und — das Mekka des britischen Rugby. Internationale Begegnungen finden im großen Twickenham Rugby Football Ground statt. **Marble Hill House,** das George II. und George IV. für ihre Mätressen einrichteten, enthält eine ausgezeichnete Gemäldegalerie; in den Sommermonaten ist der Garten Schauplatz der Freiluftaufführungen von Shakespeare-

Der Richmond Park wurde von Charles I. als Jagdrevier abgegrenzt

Stücken. Auch das überreich geschmückte **Ham House** (17. Jh.; Teil des Victoria & Albert Museum) auf der anderen Seite des Flusses enthält eine reichausgestattete Sammlung von Gemälden (u.a. Reynolds und Van Dyck), Tapisserien, Möbeln, Teppichen und Kleidungsstücken. Im Frühling finden auf dem Gelände im Rahmen des dreiwöchigen Richmond-Festivals Ritterspiele statt. Besuchenswerte Pubs an der Themse Twickenham sind **White Swan, Eel Pie** und **Barmy Arms.**

Palmenhaus in Kew

In Kew liegt der königliche Botanische Garten, kurz **Kew Gardens,** der sich über eine Fläche von 120 ha ausdehnt und Pflanzen aus der ganzen Welt enthält. Die Mutter von George III., Fürstin Augusta, legte den Garten an, der jedoch erst in Viktorianischer Zeit unter der Ägide des Botanikers Sir Joseph Banks und des Gärtners William Aiten zu voller Blüte gelangte. Spezielle Abteilungen sind Orchideen, Rosen, Rhododendren, Berg- und Wüstenpflanzen vorbehalten, am bekanntesten jedoch ist das **Palmenhaus.**

Weiter flußaufwärts liegt **Hampton Court Palace,** die englische Ausgabe von Versailles und Inbegriff der Tudorarchitektur. Von Kardinal Wolsley erbaut, galt es damals als das üppigste und hervorragendste Bauwerk Britanniens. Als Wolsley in Ungnade fiel, machte er Hampton Court Henry VIII. zum Geschenk, in dem vergeblichen Versuch, erneut königliche Gunst zu erlangen. Henry VIII. fand daran soviel Gefallen, daß er Hampton Court sofort zu einer seiner Residenzen erkor und zusammen mit Anne Boleyn (seiner zweiten Frau) einzog. Er ließ den Park vergrößern und gab den Bau der Großen Halle, des Uhrenhofes und der Bibliothek in Auftrag. Von Elizabeth I. wird behauptet, daß sie den Palast für geheime Treffen mit ihren Liebhabern — abseits der neugierigen Augen von Westminster — benutzte. Sie ließ den Park mit exotischen Bäumen und Blumen bepflanzen, die Drake und Raleigh von ihren Seereisen mitbrachten.

Die aufwendigen **State Appartments** wurden für William III. (von Oranien) und seine Frau Mary eingerichtet. Sie waren auch Auftraggeber der berühmten Irrgärten und des Tijou-Gitterwerks

Hampton
Court Palace

114

über den Eingangstoren. Die über 1000 Räume des Baus sind heute mit Gemälden, Tapisserien und Möbeln aus den vergangenen 450 Jahren angefüllt.

Ein weiterer Botanischer Garten, **Syon Park,** befindet sich auf der anderen Themseseite bei Kew. Im 16. Jahrhundert ließ hier der Herzog von Northumberland einen Herrensitz errichten, dem Lancelot Brown später den großzügigen Park hinzufügte. Syon hat heute dem Besucher einiges zu bieten: **National Gardening Centre, Living Butterfly Museum, Heritag Collection of British Automobiles** und **Syon House** selbst, das sich durch ein verschwenderisches Inneres und einen Wintergarten auszeichnet (British Railways ab Waterloo bis Station Syon Lane).

Einige interessante Sehenswürdigkeiten finden sich auch in den westlichen Stadtteilen. **Osterley Park,** ein Herrenhaus der Tudorzeit mit Park wurde von Sir Thomas Gresham, einem der reichsten Männern des 16. Jahrhunderts, als Landsitz erbaut (U-Bahn Piccadilly Lane, Station Osterley). Das **Royal Air Force Museum** liegt in Hendon (Northern Line, Station Colidale). **Wimbledon** ist alljährlich im Juni Austragungsort der Internationalen Tennismeisterschaften (District Line, Station Southfield oder Wimbledon). Der nahegelegene Gemeindepark von Wimbledon lädt übrigens geradzu zu einem Spaziergang ein. Mit British Rail von Waterloo bis Chiswick Station oder mit der District Line bis Turnham Greene gelangt man nach **Chiswick,** wo Hogarth, der berühmteste Maler des 18. Jahrhunderts, 15 Jahre lebte. Hogarth's House ist angefüllt mit Gemälden, Mobiliar und persönlichen Gegenständen des Malers.

Eine der wichtigsten historischen Stätten Englands ist das alte und ehrwürdige **St. Albans** (36 km nördlich von London). Von den Römern vor mehr als 2000 Jahren gegründet und Verulaneum genannt, leitet die Stadt ihren heutigen Namen von Alban, einem römischen Legionär aus dem 3. Jahrhundert, ab. Dieser hatte einem christlichen Priester Zuflucht gewährt, wofür er enthauptet und zum ersten Märtyrer Britanniens wurde. Auf den römischen Ruinen entstand später ein Kloster, dem zwischen dem 11. und 15. Jahrhundert die mächtige Backsteinkathedrale hinzugefügt wurde. Die engen Gassen von St. Albans waren im 15. Jahrhundert blutiger Schauplatz der ersten Kämpfe während der Rosenkriege.

Heute geht es weniger hektisch zu. Von der industriellen Revolution verschont geblieben, ist St. Albans ein ruhiger, mittelalterlicher Anachronismus am Rande der betriebsamen Metropole. Hauptattraktion bleibt die Kathedrale, aber mindestens genauso interessant sind der **Roman Archeological Park** (Museum, berühmte Bodenmosaiken) oder die **French Row,** eine originalgetreu erhaltene mittelalterliche Straße (15. Jh.). Auch die georgianischen Häuser der **Fishpool Street** oder von **Holywell Hill** lohnen einen Besuch. 3 km westlich von St. Albans steht das herrschaftliche Haus von Sir Francis Bacon (Wegbereiter des Empirismus unter Elizabeth I.). Nach dem Rundgang kann man **Ye Old Fighting Cock** aufsuchen, eines jener Pubs, die für sich in Anspruch nehmen, das älteste Englands zu sein. Ursprünglich eine Fischerhütte der Mönche von St. Albans, wurde es in späteren Zeiten als Arena für Hahnenkämpfe genutzt (British Rail ab King's Cross St. Pancras Station).

Osterley House: Vorstädtische Eleganz

Info: Das Tal der Themse und Oxford

Zur Orientierung

Die folgenden vier Kapitel behandeln Gebiete, die von London aus leicht erreichbar sind: das Tal der Themse, Wessex, Kent und Sussex, East Anglia und die Cotswolds. Ausgangspunkt für den Teil über die Themse ist Staines zwischen der M3 und M4. Behandelt werden außer anderen Orten auch Windsor, Eton, Henley und Dorchester. Im Schlußteil ist die Rede von etlichen an der Themse gelegenen Städten und Ortschaften, ehe der Weg nach Oxford und zum Blenheim Palace führt. Schwerpunkte in diesem Kapitel sind selbstverständlich Windsor und Oxford, die Sie von London aus unbedingt besuchen sollten. Die unten folgenden Informationen beziehen sich vor allem auf Oxford und das Tal der Themse, aber mit Hilfe einer Straßenkarte und etwas Zeitaufwand werden Sie mühelos alle anderen erwähnten Zielorte finden.

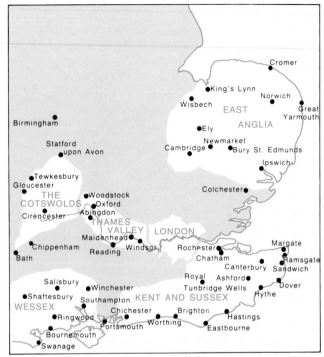

Anreise

Entlang der M4 sind Staines, Windsor, Eton und Maidenhead gut ausgeschildert. Henley und Dorchester liegen an der A423, die weiterführt bis nach Oxford. Schneller kommt man von London nach Oxford allerdings auf der Autostraße M40, einer Direktverbindung.

Mit der Eisenbahn kommt man am schnellsten nach Windsor von Waterloo Station, nach Oxford von Paddington Station aus. Viele Zielorte sind gut mit Bussen erreichbar, darunter auch Windsor, Maidenhead, Henley und Oxford.

Flußaufwärts

Zwischen dem Quellgebiet der Themse bei Lechlade und Staines liegen etwa 160 km Flußlänge, die die Themse zur wichtigsten Schiffahrtsstraße des Inselreiches gemacht haben.

In Thames Ditton nahe Hampton Court und in Walling-

ford einige Kilometer südlich von Oxford kann man sog. Maidboats mieten, die man selbst fahren und an verschiedenen Anlegeplätzen wieder abgeben kann. Im Folgenden einige Adressen für Boots- und Schiffsreisen auf der Themse.

Abingdon Boat Centre, Nags Head Island, Abingdon, Oxon, Tel: Abingdon 21125.
Boat Enquiries, 43 Botley Rd., Oxford, Tel: Oxford 727288.
Bushell's of Maidenhead, Ray Mead Road, Maidenhead, Berks, Tel: Maidenhead 24061.
Hobbs and Sons Ltd., Station Road, Henley, Oxon, Tel: Henley 572035.
Eurocruisers, Lloyds Bank Chambers, High Street, Haslemere, Surrey, Tel: Haslemere 54329.
Maidboats, Ferry Yacht Station, Thames Ditton, Surrey, Tel: 01 398 0271.
Wallingford Marina, Wallingford, Oxon, Tel: Wallingford 36163.
Salter Brothers Ltd., Folly Bridge, Oxford, Tel: Oxford 243421.

Die Thames Hire Cruiser Association hat zusammen mit dem Thames and Chiltern Tourist Board einen ausgezeichneten Reiseführer veröffentlicht: *The Thames. A Royal River.* Er ist unter folgender Adresse erhältlich: THCA, 17 Chudleigh Court, Clockhouse Road, Farnborough, Hants, Tel: Farnborough 514410.

Das „boat hotel" bietet komfortable Unterkunftsmöglichkeiten. Wenden Sie sich an.:
Another Britain, 34 Bridge Street, Walton-on-Thames, Surrey, Tel: Walton-on-Thames 48105.
River Days, Bridge Close, Riverside, Marlow, Bucks, Tel: Marlow 72805.

Wer eine Fahrt auf einem der Passagierschiffe buchen will, kann sich an folgende Adressen wenden:
French Brothers, Runnymede Boathouse, Windsor Road, Berks, Tel: Windsor 51900. (Regelmäßige Fahrten von Runnymede nach Hampton Court.)
Salter Brothers Ltd., Folly Bridge, Oxford, Tel: 243421. (Im

Sommer ab Oxford, Abingdon, Windsor, Reading, Henley, Marlow, Staines.)
Thames Cruises, Tel: Clanfield 313. (Ausflugsfahrten zu weniger bekannten Flußabschnitten oberhalb von Oxford. Abfahrt bei Radcot Bridge, nördlich von Faringdon an der A4095.
Thames River Cruise, D & T Scenics Ltd., Mapledurham Village (bei Reading), Berks, Tel: Reading 724123. (Ausflüge ab Thameside Promenade in Reading nach Mapledurham House und anderen Zielorten.)

Unterkunft

Auf S. 345 des Kurzführers finden Sie Unterkunftsmöglichkeiten in Windsor, Henley, Maïdenhead, Oxford, Woodstock und Minster Lovell. Entlang des Tals der Themse gibt es eine erstaunliche Vielzahl von Gasthäusern, die Zimmer ver-

mieten. Wenn Sie die Augen offen halten und rumfragen, können Sie einen schönen Aufenthalt genießen. Die folgenden Tourist Information Centres bieten auch den Spezialservice „book-a-bed-ahead", der auf S. 335 des Kurzführers genauer erläutert ist.
Abingdon, 8 Market Place, Tel: Abingdon 22711.
Oxford, Oxford Information Centre, St. Aldates, Tel: Oxford 726871.
Wallingford, 9 St. Martin's Street, Tel: Wallingford 35351.
Windsor, Windsor and Eton Central Station, Tel: 52010.

Oxford

S. 127-131 des Kapitels über das Tal der Themse sind Oxford gewidmet. Auf der unten abgedruckten Karte finden Sie die meisten der im Text erwähnten Sehenswürdigkeiten.
Die schnellste Autoverbin-

dung mit London bietet die M40. Von Paddington Station aus kommt man auch mit der Bahn schnell nach Oxford. Eine weitere Alternative bieten die modernen, billigen und häufig verkehrenden Busse der **Oxford Citylink.** Zwischen der Victoria Coach Station in London und Oxford verkehren außerdem die Schnellbusse der **Citylink 190,** während **Citylink 70** Oxford mit den Flughäfen Heathrow und Gatwick verbindet. Während der Sommersaison verkehren Sonderbusse zwischen Oxford und Windsor.
Oxford ist für Fußgänger ideal. Für längere Aufenthalte und Ausflüge in der Umgebung empfiehlt sich allerdings ein **Freedom Ticket** (erhältlich bei National Travel World, 138 High Street), mit dem man eine Woche lang unbegrenzt fahren kann. Für Ausflüge nach Blenheim Palace, Henley und anderen Orten empfiehlt sich das **Compass Ticket.**

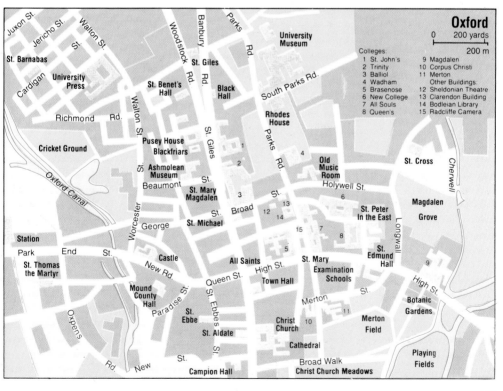

Thames Water
Thames Conservancy Division

When the Lock-keeper
is off duty

THE LOCK MAY BE HAND OPERATED AS
FOLLOWS:

(1) Ensure that both pairs of gates are properly closed.

(2) Fill the lock as necessary by lowering the selector lever (on the left of the operating pedestal) to 'SLUICE' position and winding handwheel (clockwise) to open or (anticlockwise) close the sluice.

(3) When water levels are correct raise the selector lever to 'GATE' position and rotate the handwheel (clockwise) to open or (anti-clockwise) close the gate.

PLEASE LEAVE THE LOCK EMPTY
WITH THE GATES CLOSED.

DAS TAL DER THEMSE UND OXFORD

Auf ihrem Weg durch die westlichen Home Counties, die Grafschaften um London, windet sich die Themse durch Landstriche, die zu den sanftesten und ausgeprägtesten englischen Gegenden überhaupt zählen. Die Ufer dieser geschichtsträchtigen Wasserstraße sahen Zivilisationen aufblühen und niedergehen. Schon 1500 v.Chr. errichteten die keltischen Britannier auf den Zwillingshügeln von Sinodun (,,Dun'' bedeutet im Keltischen Festung), südlich von Dorchester an der Themse, ein Hauptlager. Die Römer taten das gleiche, und die Überreste beider Siedlungen sind heute zu sehen.

Die Themse ist ein Fluß der Fülle, der fruchtbares Ackerland schuf und im Mittelalter so reich an Lachsen war, daß sogar die Armen diese als ein Hauptnahrungsmittel aßen. An den Ufern wuchsen große Klöster empor, und Könige und Königinnen erkoren das Tal zu ihrem Zuhause. Sein Hauptanziehungspunkt aber taucht erst 62 Schleusen und 89 Brücken nördlich der Hauptstadt auf: Unverändert ragen die Türme Oxfords in den Himmel.

Wer heute das Themsetal besucht, muß, wenn er Lachs will, wohl zum Fischhändler gehen. Wie auch immer Sie reisen, z.B. auf dem Fluß stromaufwärts von London durch Schleusen und Dörfer, deren Stimmung Jerome K. Jerome in seiner Erzählung ,,Drei Mann in einem Boot'' eingefangen hat, Sie werden noch weitaus köstlichere Dinge finden.

Wo das eigentliche Tal beginnt

Für die Sportangler — und die wissen Bescheid! — beginnt das Themsetal bei Bell Weir Lock, rund 1,5 km nördlich von **Staines**. Von hier bis zu seiner ,,Quelle'', einem Netz von Flüßchen und Bächen, die in der Umgebung von Lechlade entspringen, ist der Fluß beinahe ununterbrochen von Hügeln umrahmt. Staines war in römischer Zeit ein bedeutender Flußübergang auf der Straße nach London. Der 1285 errichtete London Stone, bezeichnet die frühere Grenze der Rechtshoheit der Stadt London und heute das Ende der Zuständigkeit der Thames Water Authority.

Staines hat eine hübsche Pfarrkirche mit einem Turm aus dem 17. Jahrhundert, doch besitzt **Runnymeade** (stromaufwärts) größere historische Anziehungskraft. Hier unterzeichnete König John am 15. Juni 1215 die Magna Charta. Nach der Überlieferung lagerten die Barone am einen, die Truppen des Königs am anderen Themseufer. Magna Carta Island, die größere der beiden Flußinseln, war der neutrale Boden, auf dem sie sich trafen.

Oberhalb davon erhebt sich der im 18. Jahrhundert von Alexander Pope besungene **Cooper's Hill**, von dem aus man einen Panoramablick auf Windsor Castle im Norden genießen kann. Am Fuß des Hügels liegen das Magna Carta Memorial und in der Nähe, auf einem von der Königin 1965 den Vereinigten Staaten auf Dauer überlassenen Gelände, das John F. Kennedy Memorial. Weiter landeinwärts steht auf Egham Hill das zur University of London gehörende **Royal Holloway College**, in dessen Gemäldegalerie hervorragende Beispiele der britischen Malerei des 19. JahrHunderts hängen.

Ein netter Abstecher führt am Fluß entlang von Staines nach **Datchet**, auf jener in Shakespeares ,,Lustigen Weibern von Windsor'' erwähnten Datchet Lane, die Falstaff in einem Korb voll schmutziger Wäsche entlanggetragen wurde.

Das Königsschloß von Windsor

Auf einem Kreidefelsen bei Datchet thront über der Themse **Windsor**, Englands berühmtestes Schloß, seit Henry I. im 12. Jahrhundert der Hauptsitz der englischen Herrscher. Wilhelm der Eroberer gründete die ursprüngliche, vermutlich aus einem Holzbau und zwei großen, von Palisaden umschlossenen Höfen bestehende Anlage. Die Steinbefestigungen wurden im 12. und 13. Jahrhundert errichtet. Zur heutigen Gestalt des Schlosses haben Generationen englischer Herrscher beigetragen. Im 19. Jahrhundert gaben George IV. und Königin Victoria fast 1 Mio. £ für Erweiterungsbauten aus, und in unserem Jahrhundert erfolgten große Restaurierungsarbeiten im Innern, besonders in der **St. George's Chapel.**

Vorherige Seiten: Windsor Castle Links: Mill End Lock an der Themse

Diese liegt im Lower Ward, dem unteren Burghof, und ist eines der schönsten Beispiele englischer Spätgotik, des sogenannten Perpendicular Style (vergleichbar nur der King's College Chapel in Cambridge und der Henry VII Chapel in Westminster). Über dem Chorgestühl, der dem Schutzpatron des Hosenbandordens *(Order of the Garter)* geweihten Kapelle, hängen die Schwerter, Helme, Umhänge und Banner der jeweiligen Ordensritter. Ebenfalls im Chor liegen die Gräber von Henry VIII., Jane Seymour und Charles I.: Windsor ist die bedeutendste königliche Ruhestätte; weitere Königsgräber beherbergt die von Henry VIII. errichtete, doch später von Victoria zu einem Denkmal umgestaltete **Albert Memorial Chapel.**

Die **State Apartments** im Upper Ward dienen der Unterbringung ausländischer Staatsgäste und sind dann für die Öffentlichkeit geschlossen. In den verschwenderisch ausgestatteten Räumen hängen viele bedeutende Gemälde aus der königlichen Sammlung, darunter Werke von Rubens, Van Dyck, Canaletto und Reynolds sowie Zeichnungen von Holbein, Michelangelo, da Vinci und Raphael.

Doch genug der Kunst. Beim Namen Windsor Castle denkt jeder vor allem an den Round Tower. Ein weiter Talblick belohnt den, der die 220 Stufen erklimmt. Nicht zugänglich sind die Privatgemächer von Königin Elizabeth II. an der Ostseite des oberen Hofes, dafür aber der **Great Park** im Süden des Schlosses, über 800 ha üppigen Grüns, die einen Spaziergang wert sind. Die **Savil and Valley Gardens** (mit der größten Rhododendrenpflanzung der Welt) gleichen im Sommer einem Blütenmeer von exotischer Farbenpracht. Ein letzter Rat: Versuchen Sie, Windsor vor 10.30 Uhr zu erreichen, denn die Wachablösung ist reizvoller als die am Buckingham Palace.

Eton

Windsor gegenüber am anderen Ufer der Themse liegt **Eton College,** die wohl berühmteste englische Privatschule. 1440 vom 18jährigen Henry VI. gegründet, bestand sie ursprünglich aus einer Stiftskirche mit angeschlossener Lateinschule und einem Armenhaus. Henry wollte Kirche und Schule zu einem Ort der Marienverehrung machen. Die Ro-

Links: Auf den Zinnen von Windsor Castle
Unten: Kricketplatz in Eton

senkriege beendeten sein Vorhaben, er wurde im Tower ermordet; aber noch immer legt ein „Etonian" jedes Jahr an seinem Todestag einen Lilienkranz in der Zelle nieder, in der er starb.

Dem Besucher zeigt sich Eton als Ansammlung roter Backsteinbauten der Tudorzeit mit kleinen Türmen und massigen Schornsteinen. Der **School Yard** genannte äußere Hof, das **Long Chamber** und die **Lower School** stammen aus dem 15. Jahrhundert, ebenso wie die wunderschönen Wandmalereien mit Mariendarstellungen in der im Perpendicular Style erbauten Kapelle, die zu den bedeutendsten in England zählen. Die meisten Fenster wurden 1940 durch einen Bombenangriff beschädigt, doch ist einiges des modernen Inventars interessant; großartig auch der um 1450 entstandene Kreuzgang, hinter dem sich jene Spielfelder erstrecken, auf denen, nach Wellingtons berühmter Bemerkung, Waterloo gewonnen wurde. Diese Sportplätze hatte auch Thomas Gray in seiner *Ode on a Distant Prospect of Eton College* im Sinn, in der er die Sorglosigkeit der Schüler in der typisch melancholischen Art des 18. Jahrhunderts beklagt.

Ein weiteres Gray-Denkmal findet sich in **Stoke Poges** (nördlich von Eton auf der anderen Seite von Slough, einer Stadt, die man meiden sollte). Hier wurde Gray zu seinem anderen berühmten Gedicht, *Elegy in a Country Churchyard,* inspiriert. Die 1799 errichtete Statue erinnert an ihn mit einer sentimentalen Inschrift; so ist es eher die stille Schönheit des Kirchhofs mit seinen alten Toren und Rosensträuchern, die Besucher anlockt. Die Kirche stammt aus dem 14. Jahrhundert und das eigentümliche „Bicycle Window" im Kreuzgang, das einen auf einem Schaukelpferd reitenden Engel zeigt, aus dem 17. Jahrhundert.

Dörfer an der Themse

Flußaufwärts liegt das im Mittelalter als „Maydenhythe", der „Landeplatz der Mädchen", bekannte **Maidenhead.** Im 18. Jahrhundert eine wichtige Kutschenstation zwischen London und dem damals modischen Bath, besitzt der Ort heute ein bißchen die Atmosphäre einer Pendlerstadt, deren interessantestes Charakteristikum ihre Brücken sind; Brunels Eisenbahnbrücke weist die mit

Die Themse bei Sonning

38 m Spannweite größten je konstruierten Backsteinbögen auf. Ebenfalls in Maidenhead befindet sich der am Fluß gelegene Landsitz **Oldfield,** der heute den Henry Reitlinger Bequest, eine umfangreiche Sammlung orientalischer Keramik und Zeichnungen, beherbergt.

Abseits der von Maidenhead direkt nach Henley führenden Hauptstraße drängen sich zu beiden Seiten der Themsemäander malerische Dörfer und Städtchen. Das sich in eine Biegung des Flusses schmiegende **Bray,** unmittelbar südlich von Maidenhead, hat eine wunderschöne Kirche (1293). In ihrer Architektur verschmelzen Elemente der englischen Frühgotik und des Perpendicular-Style miteinander. Interessant ist auch das 1627 gegründete **Jesus Hospital,** das aus der ursprünglichen Stiftung noch immer für 26 ältere Bürger sorgt. Von **Taplow,** einem weiteren hübschen Dorf am Nordufer der Themse, führt eine Straße durch Burnham in das Gebiet **Burnham Beeches** — 150 ha idyllischen Buchenwaldes.

Ein anderes Waldgebiet, **Cliveden Reach,** stromaufwärts von Maidenhead gelegen, gehört dem National Trust, jener Ende des 19. Jahrhunderts gegründeten privaten Treuhandgesellschaft zum Schutz erhaltenswerter Gebäude und Landschaften. Das auf nahezu 90 m hohen Felsen thronende Herrenhaus **Cliveden,** einst Wohnsitz von Lord Astor, war vor dem Zweiten Weltkrieg häufiger Treffpunkt von Politikern und berühmten Persönlichkeiten. Heute benutzt die amerikanische Stanford University den von ihr gemieteten Besitz als überseeischen Campus, doch ist der mit römischen Sarkophagen, Brunnen, Tempeln und in Form geschnittenen Bäumen verschwenderisch ausgestattete Park zugänglich.

Vor allem als Heimat des naiven Malers Stanley Spencer (1891—1959) bekannt, gibt sich auch **Cookham** sehr pittoresk. Spencers Bild der Cookham Bridge hängt in der Londoner Tate Gallery. Die Spencer-Galerie wurde in der King's Hall untergebracht, wo der Maler die Sonntagsschule besuchte, und seine Darstellung des ,,Letzten Abendmahles'' hängt in der in Teilen aus dem 12. Jahrhundert stammenden Pfarrkirche (sie wird bereits im *Domesday Book* erwähnt). Der Turm aus dem 15. Jahrhundert gehört zu den wenigen, die sowohl eine Turm- als auch eine Sonnen-

Cockham Bridge über die Themse

uhr aufweisen. Die hübsche Reihe von Bootshäusern entlang der Themse beherbergt u.a. das Büro des „Keeper of the Royal Swans", denn in Großbritannien ist fast jeder Schwan Eigentum der Königin!

9 km flußaufwärts liegt **Marlow**, jene Stadt, in der Mary Wollstonecraft *Frankenstein* schrieb und ihr Ehemann Shelley seine Dichtung *The Revolt of Islam* verfaßte. Unter dem Namen „Merelaw" war Marlow schon zur Zeit der Angelsachsen bekannt, doch ist vieles, was heute zu sehen ist, verhältnismäßig neu, wie die Hängebrücke und die **All Saints Church** aus den 30er Jahren des 19. Jahrhunderts. Erholsame Wanderwege ziehen sich entlang der Themse unterhalb von Marlow Lock und durch **Quarry Wood,** ein 10 000 ha großes Buchenwaldgebiet auf der zur Grafschaft Berkshire gehörenden Uferseite.

Auf der gleichen Flußseite liegt 1,5 km stromaufwärts **Bisham** mit seiner Dorfkirche direkt am Ufer. In dem leider nicht zugänglichen, gut erhaltenen Tudorwohnsitz **Bisham Abbey** hielt sich die spätere Königin Elizabeth I. während der Herrschaft ihrer Halbschwester Mary auf.

Ein mindestens ebenso interessantes historisches Erbe kennzeichnet die von Sir Francis Dashwood vor 300 Jahren an der Stelle eines Klosters aus dem 13. Jahrhundert schon als Ruine erbaute **Medmenham Abbey** (stromaufwärts in Buckinghamshire). Dashwood gründete hier den Hell-fire-Club, eine nach dem Motto „Fay ce que voudras!" („Tu, was dir gefällt!") handelnde ausschweifende Gesellschaft.

Hauptstadt der Ruderer

Seine Berühmtheit erlangte **Henley-on-Thames** 1839, als er Gastgeber der ersten Ruderregatta auf einem Fluß war. Die nun jedes Jahr, gewöhnlich in der ersten Juliwoche, veranstaltete viertägige Henley Regatta zieht Teilnehmer aus der ganzen Welt an. Ebenso interessant wie die Mannschaften sind die Zuschauer, ein Publikum von fast edwardianischer Eleganz — überall weißes Leinen, Strohhüte und Champagner. Henley war und ist ein Treffpunkt der großen Welt, mit Bällen in der Saison und Parties auf der Themse. Weniger bekannte und weniger groß aufgezogene Regatten finden den ganzen Sommer

Jedes Jahr Anfang Juli ist diese Strecke auf der Themse Schauplatz der bedeutendsten Regatta der Welt

über an den Wochenenden statt. Zu jeder Jahreszeit vornehm weit und georgianisch zeigt sich die Hauptstraße der Stadt. Das **Chantry House**, ein Fachwerkbau aus dem 14. Jahrhundert, steht neben der Kirche im Perpendicular-Style, und das 1805 errichtete **Kenton Theatre** in der New Street ist eines der ältesten Theater in Großbritannien.

Unter den prächtigen Villen in der Umgebung ist **Greys Court**, an der Straße nach Peppard, die erlesenste. Das gut erhaltene Tudorhaus weist Überreste eines befestigten Herrenhauses aus dem 14. Jahrhundert auf, darunter einen Turm mit Schießscharten und ein riesiges, von einem Esel angetriebenes Schöpfrad.

Das Dorf **Shiplake** ist wegen der hervorragenden, aus der Abteikirche Saint-Bertin im französischen Saint-Omer stammenden Glasfenster (15. Jh.) in seiner 1689 umgebauten Kirche beachtenswert. 1850 wurde hier der Dichter Tennyson getraut. Shiplake wird viel besucht, da es auf der Strecke nach **Sonning,** dem vielleicht hübschesten aller Themsedörfer, liegt. Die kleinen Inseln im Fluß machen den Ort, der in sächsischen Zeiten das Zentrum einer großen

Diözese mit Kathedrale, Bischofspalast und Dekanat war, besonders idyllisch. Nur die Reste der Gartenmauer des Dekanats stehen noch, doch enthält die heutige Kirche Fragmente sächsischer Arbeit. Zu den gut erhaltenen alten Häusern zählt das 500jährige **White Hart Inn** mit einem zauberhaften Rosengarten. Die Brücke bei Sonning ist eine der ältesten über die Themse, und auf der anderen Flußseite liegt eine von Bäumen umgebene malerische Mühle.

Reading, die einzige Industriestadt im unteren Themsetal, ist ein eher trister Ort, der mit Biskuitherstellung das große Geschäft macht. Interessantes bietet dem Besucher lediglich die **Museum and Art Gallery** (Blagrave Street) mit einer ständigen Ausstellung von Funden aus der römischen Stadt Calleva, dem heutigen Silchester, 16 km südwestlich von Reading.

Die Themse trennt **Streatley** in Berkshire von **Goring** in Oxfordshire. Das am Fuß der Berkshire Downs gelegene Streatley ist der hübschere Ort. 8 km nordwestlich davon, in **Blewbury,** einer alten Stadt mit sächsischen strohgedeckten Häuschen und krummen Gäßchen, steht der Herrensitz **Hall Barn,** der eines

Dorchester-on-Thames

der Jagdhäuser Henrys VIII. gewesen sein soll. Um die Jahrhundertwende lebte hier Kenneth Grahame, der Autor von *The Wind in the Willows*.

Ewelme, ein Stückchen landeinwärts, ist wie Sonning, ein typisch pittoreskes Dorf des Themsetales, auch wenn es genau genommen bereits in den Chiltern Hills liegt. Der älteste Teil des Dorfes umfaßt die Schule, die Kirche und die Armenhäuser gleich daneben, die alle aus dem 15. Jahrhundert stammen und vom Earl of Suffolk und seiner Frau Anne Chaucer, der Enkelin des Dichters, gebaut wurden. Im „neueren" Teil des Dorfes gibt es eine Zeile strohgedeckter Häuser und einen Herrensitz, in dem Henry VIII. seine Flitterwochen mit Catherine Howard verbrachte.

Dorchesters römisches Erbe

Unmittelbar an der Themse, dort wo der Thame einmündet, liegt die alte Stadt **Dorchester-on-Thames,** einst der römische Handelsposten Durocina und später Bischofsstadt. Im 16. Jahrhundert bewahrte ein Bürger die Abteikirche vor der Zerstörung in der Dissolution (Säkularisation) indem er sie für 140 £ von der Krone kaufte. Die Glasfenster im Hauptschiff stammen aus dem 14. Jahrhundert, und das Jesse-Fenster im Chor zeigt den Stammbaum Christi. Dorchesters kopfsteingepflasterte High Street, die dem Verlauf der alten römischen Straße nach Silchester folgt, säumen historische Fachwerkhäuser.

Clifton Hampden und **Sutton Courtenay** sind Flußdörfer mit mächtigen, tief über die Ufer hängenden Weiden; im Sommer kann man hier gut schwimmen. Interessant ist vor allem Sutton Courtenay mit einer gut erhaltenen normannischen Kirche und mittelalterlichen Häusern. Der als George Orwell *(1984)* nicht nur in die Literaturgeschichte eingegangene Eric Blair fand hier auf dem Friedhof seine letzte Ruhestätte.

Hinter Sutton Courtenay macht die Themse einen Knick nach Norden auf **Abingdon** zu, eine alte Stadt, die im 7. Jahrhundert um eine mächtige, mit der Bischofswürde ausgestattete Benediktinerabtei entstand. Im 14. Jahrhundert erhoben sich die vom Bürgermeister und den Studenten von Oxford unterstützten Stadtbewohner gegen die

Das alte Stadtzentrum von Oxford

127

Mönche, doch verlor die Abtei erst mit der Säkularisation ihre Vormachtstellung, als die meisten kirchlichen Gebäude zerstört wurden. Neben den künstlichen Ruinen aus dem 19. Jahrhundert gibt es auch einige authentische Überreste: die Klosterpforte, **Checker House** (13. Jh.) mit seinem eigentümlichen Schornstein und die **Long Gallery** (15. Jh.). Eine Lateinschule aus dem Jahr 1563 befindet sich in der **Guildhall.**

Oxfords unvergleichliche Schönheit

Einige Kilometer hinter Abingdon bildet die Themse mit dem von Norden kommenden Fluß Cherwell ein „Y", aus dessen Schoß die Türme jener legendären Stadt aufsteigen. Von welcher Seite man Oxford auch erreicht, sie wird man immer sehen: den Turm der Christ Church Cathedral, Tom Tower und Magdalen Tower. Dies ist Oxford, die Stadt, deren Name eine Orangenmarmelade ebenso wie eine religiös-philosophische Bewegung tragen, die Stadt, in der der honigfarbene Stein aus den Cotswold Hills nach einem mittäglichen Regenschauer feucht in der Sonne schimmert und die Roben um die Ecke radelnder Studenten im Wind flattern. Doch bevor man allzu romantisch wird, sollte man daran denken, daß Oxford nicht nur mindestens sechs der ersten Folioausgaben von Shakespeare besitzt, sondern auch Sitz der ersten Fabriken von Morris Motors ist. Seit dem Zweiten Weltkrieg ist Oxford ebensosehr Industrie- wie Universitätsstadt und Traditionen sitzen hier fest wie Kletten.

Ein Rundgang durch Oxford ist im wesentlichen ein Rundgang durch die Colleges und ein guter Ausgangspunkt dazu **Carfax** — vom französischen *Quatre Voies* —, das alte Zentrum der Stadt, wo sich die vier Hauptstraßen kreuzen: Cornmarket, High Street, Queen Street und St. Aldate's. Der allein von der St. Martin's Church übriggebliebene Turm an der Nordwestecke von Carfax stammt aus dem 14. Jahrhundert; von oben hat man einen guten Überblick über die Stadt. Die St. Aldate's entlang, am Verkehrsbüro zur Rechten vorbei, kommt man zum größten der Colleges, **Christ Church,** das allerdings nie College genannt wird, sondern nur „The House", vom lateinischen *Aedes Christi.*

Oxfords High Street im 20. Jahrhundert

Christ Church wurde 1525 von Kardinal Wolsey, dessen Spitzhut das Wappen ist, an der Stelle einer alten Propstei gegründet. In dem von Sir Christopher Wren 1681 errichteten **Tom Tower** hängt die sieben Tonnen schwere Glocke Great Tom, die jeden Abend um 21.05 Uhr, wenn es in dem 1° 15′ westlich von Greenwich liegenden Oxford tatsächlich 21.00 Uhr ist, mit 101 Schlägen, entsprechend der ursprünglichen Anzahl der College-Mitglieder, läutet. Im ebenso mächtigen wie anmutigen **Tom Quad,** dem größten Hof Oxfords, findet sich jener mit einer Merkurstatue geschmückte Teich, in den Anthony Blanche in Evelyn Waughs Roman *Revisiting Brideshead* getaucht wurde.

Der Dekan von Christ Church wird von der Königin auf Lebenszeit ernannt; die Kapelle des Colleges ist die **Cathedral** von Oxford, ihr 43 m hoher Turm (13. Jh.) einer der ältesten in England. In der **Picture Gallery** hängen hervorragende italienische Renaissancegemälde und Zeichnungen.

Hinter den College-Gebäuden erstreckt sich die berühmte **Meadow,** auf der Kühe weiden, bis hinab zum Zusammenfluß von Themse und Cherwell.

Merton College und andere

Vom Broadwalk, dem ,,breiten Pfad", der in Ost-West-Richtung über die Meadow führt, zweigt ein Weg nach Norden zum **Merton College** ab. 1264 gegründet, weist dieses einige der ältesten Bauten Oxfords auf. Seine Bibliothek im Mob Quad, dem hinteren Hof, wurde 1371—1378 als erste Renaissancebibliothek Englands erbaut, mit in Regalen anstatt in Schränken aufgestellten Büchern.

Merton gegenüber liegen **Corpus Christi** (in der Kapelle ein Rubens zugeschriebenes Altarbild) und **Oriel,** beides kleinere, doch nicht weniger malerische Colleges. Über die nach links abknickende Merton Street gelangt man zur **High Street,** Oxfords berühmter, in einem Bogen hinab zum Cherwell führenden Hauptverkehrsstraße. Zur Rechten erhebt sich der den Turm von Christ Church noch um einige Zentimeter überragende **Magdalen Tower** (,,maudlin" ausgesprochen).

Das 1458 von William of Wynflete gegründete Magdalen College besitzt eine schöne Kapelle im Perpendicular-Style und einen wundervollen Kreuzgang,

hinter dem sich der **Grove,** Magdalens berühmter Wildpark, und die **Water Walks,** ein idyllisches Labyrinth von Uferpfaden, erstrecken. Jenseits der High Street liegt der **University Botanic Garden** mit seiner unendlichen Vielfalt von Rosen.

Nach Westen zu passiert man auf der High Street die **Examination Schools** (links), ein Verwaltungsgebäude im Stil der Neorenaissance, und **St. Edmund Hall,** auch Teddy Hall genannt (rechts, Eingang Queen's Lane).

Weiter westlich liegen an der High Street links **University College** mit seinem Shelley-Denkmal und rechts **All Souls,** das einzige College ohne Studenten. Ein Bummel durch die kurvenreiche Queen's Lane führt zur Rückseite des **New College,** dessen Kapelle und Kreuzgang bemerkenswert sind. Nach einer weiteren Biegung der Queen's Lane steht man unvermittelt unter der tatsächlich erst 1903 gebauten venezianischen Brücke, die die neuen und alten Gebäude des Hertford College verbindet.

Von hier hat man einen hübschen Blick auf die runde Radcliffe Camera zur Linken und geradeaus auf Wrens **Sheldonian Theatre.** Die Szene beherrscht jedoch die **Bodleian Library.** Diese im Jahr 1602 von Sir Thomas Bodley gegründete Bibliothek beherbergt unter ihren 4,3 Mio. Bänden 50 000 der kostbarsten Manuskripte der Welt. Allerdings bekommt man nur das, was gerade im Erdgeschoß ausgestellt ist, zu Gesicht. Die Bodleian Library ist keine Leihbibliothek; die meisten Bücher lagern unter der Broad Street in höhlenartigen Magazinen, zu denen nicht einmal die Universitätsmitglieder Zutritt haben.

Wer nach all diesem Reden über Bücher das Bedürfnis verspüren sollte, welche zu kaufen, wird bei Blackwell's in der Broad Street sicher zufriedengestellt. Von dort kommt man, am **Trinity** und **Balliol College** vorbei, zur St. Giles Street. Vor einem liegt die Kirche **St. Mary Magdalen** und nördlich davon das neugotische, 1841 zu Ehren der drei Bischöfe Cranmer, Ridley und Latimer errichtete **Martyr's Memorial.**

Das **Ashmolean Museum,** jenes neuklassische Gebäude schräg gegenüber dem Martyr's Memorial, ist Großbritanniens ältestes öffentliches Museum und besitzt prächtige Sammlungen.

Die venezianische Brücke in der Queen's Lane

130

Weiter nördlich erstreckt sich an der St. Giles das 1555 gegründete **St. John's College,** dessen liebliche, von „Capability" Brown angelegte Gärten mit jenen von Wadham und Trinity darum wettefern, die schönsten in Oxford zu sein. An der Parks Road hinter St. John's steht das den Einfluß John Ruskins verratende neugotische Gebäude des **University Museum.**

Die Umgebung von Oxford

Mehrere Dörfer in der Umgebung Oxfords lohnen einen Besuch. In **Iffley,** südwestlich der Stadt, erhebt sich die gut erhaltene normannische Kirche von 1170 anmutig und zeitlos über dem Fluß. Das strohgedeckte Haus daneben ist die alte Pfarrschule.

Das malerische Dorf **Eynsham** an der A 40 westlich von Oxford weist Überreste einer einst berühmten Abtei auf. Noch dahinter liegt **Minster Lovell** mit seiner kreuzförmigen Kirche aus dem 15. Jahrhundert und den in düsterer Schönheit über dem Fluß Windrush stehenden romantischen, von einem Burggraben umgebenen Ruinen von Minster Lovell Hall.

13 km nördlich von Oxford liegt **Blenheim Palace,** das Ziel nicht nur von Churchill-Fans, sondern auch jener, die die Landschaftsgärten von Lancelot, genannt „Capability", Brown bewundern. Ein Nachmittagsspaziergang in Blenheim und danach eine Tasse Tee im Ort Woodstock ist ein urenglischer Landausflug.

Das 1722 fertiggestellte Blenheim ist das Meisterwerk Sir John Vanbrughs. Königin Anne schenkte den Palast John Churchill, dem ersten Herzog von Marlborough, für seinen Sieg über Ludwig XIV. in der Schlacht bei Höchstädt, die die Engländer nach dem kleinen Ort „Blenheim", der eigentlich Blindheim heißt, nennen. Doch hielt das Parlament die meisten Gelder zurück, und der Herzog mußte einen Großteil des barocken Prachtbaus selber bezahlen. Im Innern findet sich außer einem Labyrinth von Prunkräumen auch das kleine Schlafzimmer im Erdgeschoß, in dem 1874 Winston Churchill geboren wurde. Wenn das bewohnte Schloß im Herbst und Winter für Besucher geschlossen ist, kann man aber trotzdem den mehr als 1000 ha großen Park genießen.

Blenheim Palace

Info: Wessex

Zur Orientierung

Der Name Wessex ruft Erinnerungen wach an das alte Königreich der Westsachsen, das einst die heutigen Grafschaften Berkshire, Hampshire, Wiltshire, Dorset und Somerset miteinschloß. Später wurde Devon und Cornwall den Walisern entrissn und dem Königreich Wessex einverleibt. Heute verknüpft sich im öffentlichen Bewußtsein der Name Wessex untrennbar mit den Romanen von Thomas Hardy — was dem folgenden Kapitel seine Überschrift gegeben hat. Wessex wird darin verstanden als das ebiet zwischen Lyme Regis in Dorset und Southampton in Hampshire. Ebenfalls behandelt werden die Grafschaften Wiltshire und Somerset, sowie die Isle of Wight und die Channel Islands.

Unsere Reiseroute beginnt in Winchester und führt zunächst nach Westen durch Salisbury und Salisbury Plain, Wilton, Shaftesbury, Sherborne und Lyme Regis. Von hier aus geht es wieder in östlicher Richtung durch Bridport, Weymouth (Fährhafen zu den Channel Islands), Dorchester, Swanage, New Forest und Southampton. Im ersten Streckenabschnitt hält man sich am besten entlang der A 30. Für den zweiten Teil der Strecke empfiehlt sich die A35 und A31, weil sie näher zur Küste liegen. Viele der im Text beschriebenen Schauplätze liegen abseits der ausgetretenen Pfade, aber gerade in Wessex birgt eine Erkundungsfahrt nach Lust und Laune erfreuliche Überraschungen.

Anreise

Die Auffahrt zur A30 liegt in der Nähe Londons und ist von der City aus am schnellsten über die M25 erreichbar. Eine etwas schnellere Alternative ist die M3, die Sie ebenfalls über die M25 erreichen.

Von Waterloo Station aus kommt man mit der Bahn nach Winchester, Salisbury und Dorchester. Lokale Einzelheiten können Sie im Waterloo British Rail Büro erfragen.

National Express betreibt zwei Hauptbuslinien nach Wessex. Die erste führt nach Winchester und von dort weiter nach Salisbury, die zweite nach Southampton und dann weiter nach Bornemouth. In diesen Städten können Sie jeweils in Busse nach anderen Orten umsteigen. Fragen Sie bei National Express nach.

In Waterloo Station können Sie eine Fahrkarte kaufen für eines der **Sealink**-Fährschiffe zur Isle of Wight, nach Jersey und Guernsey. Diese Fahrkarte gilt sowohl für die Bahnfahrt nach Portsmouth, dem Fährhafen zur Isle of Wight, als auch für die Fähre selbst. Das gilt auch für die Fahrt nach Weymouth und die Fähren nach Jersey und Guernsey. Die Schiffsreise nach Jersey und Guernsey dauert sieben bis acht Stunden.

Ganzjährig besteht eine weitere Fährverbindung zwischen Lymington und Yarmouth auf der Isle of Wight (siehe S. 145). Für eine der zwischen Southampton und Cowes verkehrenden Auto- und Passagierfähren können Sie unter der Telefonnummer Southampton 33042 buchen. Von Portsmouth (Southsea) aus können Sie mit einem Hovercraft zur Isle of Wight fahren. Rufen Sie an bei Hovertravel, Tel: Ryde 65241.

Billig und angenehm ist das Reisen zwischen den Channel Islands. Das Fährschiff Condor fährt nach Sark und Alderney, die **Trident** nach Herm. Aurigny bietet preiswerte Charterflüge von Guernsey nach Alderney und Jersey.

Sowohl auf Jersey wie Guernsey sind die jeweiligen Tourist Information Centres zu Fuß leicht erreichbar, falls man dort irgendetwas erledigen will. Auf Jersey fahren alle Busse an der Weighbridge in der Stadtmitte ab. In der Nähe sind einige Autoverleihfirmen: **Falles Car Hire**, Tel: 77011; **Godfrey Davis**, Tel: 43156. Die Büros für Condor, Trident und Silverline Car Hire auf Guernsey liegen am Crown Pier.

Guernsey und Jersey sind günstige Sprungbretter hinüber nach Frankreich. Zwischen Jersey und St. Malo in der Bretagne verkehrt regelmäßig ein Tragflügelboot.

Unterkunft

Auf S. 346 des Kurzführers finden Sie eine Liste von Unterkunftsmöglichkeiten in folgenden Orten: Winchester, Salisbury, Amesbury, Sherborne, Lyme Regis, Weymouth, Bournemouth, Dorchester, Isle of Wight, Southampton, Wimborne Minster, Poole.

Die Tourist Information Centres in Dorchester, Salisbury und Winchester bieten den „book-a-bed-ahead"-Service.

Informationsstellen

Tourist Information Centres gibt es in folgenden Orten: **Dorchester,** Antelope Yard, South Street, Tel: Dorchester 67992. **Winchester,** The Guildhall, The Broadway, Tel: Winchester 68166. **Salisbury,** 10 Endless Street, Tel: 334956. **Sherborne,** Hound Street, Tel: Sherborne 815341. **Weymouth,** Pavilion Theatre Complex, The Esplanade, Tel: Weymouth 72444. **Portsmouth,** Civic Offices, Guildhall Square, Tel: Portsmouth 834092/3 (Fährverbindungen zur Isle of Wight). Southampton, **Above Bar Precinct,** Tel: Southampton 21106 (**Fährverbindungen zur Isle of Wight**). Neport (Isle of Wight), 21 High Street, Tel: 524343. **St. Peter Port** (Guernsey), Crown Pier, Tel: (0481) 23552. **St. Helier** (Jersey), Weighbridge, Tel:(0534) 78000.

Reiserouten

Fast alle Reiserouten, die von Reisebüros angeboten werden, berücksichtigen die Schauplätze in den Romanen von Thomas Hardy, denn nicht umsonst wird Wessex oft „Hardy Country" genannt. Southern Tourist Board und West Country Tourist Board haben gemeinsam sogar eine Broschüre mit dem Titel *Discover the Hardy Trail* herausgebracht, die den Hardy-Kult etwas übertreibt. Aber die darin vorgeschlagene Reiseroute deckt sich in etwa mit dem westlichen Teil unseres Wessex-Kapitels, das allerdings wesentlich mehr Sehenswertes über Wessex enthält.

„Hardy-Country" bezeichnet ein Gebiet mit einer Fläche von 65 x 49 km, in dessen Mittelpunkt natürlich Dorchester liegt. Deshalb beginnt die Reiseroute auch in Dorchester und führt von hier nach Stinsford, Puddletown, Higher Bockhampton, Puddletown Heath, Lower Bockhampton, West Stafford, Moreton und Lulworth Cove. Dann geht es landeinwärts nach Wool, Bere Regis, Blandford Forum und Shaftesbury, ehe wir uns in östlicher Richtung nach Marnhull, Sherborne, Melbury Osmond und schließlich nach Süden auf Weymouth zu bewegen.

Die Reiseagenturen, die den „Hardy Trail" kreiert haben, geben sich große Mühe, die jeweiligen Zielorte zu begründen. Das ist eigentlich überflüssig, denn der von ihnen empfohlene Reiseverlauf führt durch den schönsten Teil der Grafschaft Dorset.

Salisbury

Im Süden der Stadt, an einem abgelegeneren Ort am Fluß Avon, liegt **The Close** und die **Cathedral,** von der aus alle unten erwähnten Sehenswürdigkeiten mühelos erlaufen werden können.

An der Nordwestseite von The Close liegt **Mompesson House,** ein Gebäude im Stil des 18. Jahrhunderts, dessen Innenausstattung aus der Zeit von Queen Anne während der Sommermonate besichtigt werden kann. Ebenfalls im Close der Kathedrale ist das **Salisbury and South Wiltshire Museum** untergebracht, dessen kleine, aber gepflegte Sammlung zur Lokalgeschichte und Archäologie einen Besuch wert ist — vor allem wegen einem geistreichen Erklärungsversuch für Stonehenge. Nördlich der Kathedrale, am St. Thomas Square, befindet sich die **Church of St. Thomas A' Becket.** Es ist die Pfarrkirche von Salisbury und ihre Baumeister waren die gleichen wie die

der Kathedrale. Die Kirche **St. Martin's** östlich von The Close ist sogar älter als die Kathedrale. Ebenfalls östlich des Close, in der Trinity Street, liegt das **Trinity Hospital** aus dem 14. Jahrhundert. Heute dient es als Altersheim; der Innenhof und die Kapelle sind täglich geöffnet.

Falls Sie kein Auto haben, fahren Sie am besten mit dem Bus durch Wessex. Das Büro von **Wiltshire and Dorset Motor Services** ist in: 8 Endless Street, Tel: 336855. Dieses Unternehmen unterhält Buslinien nach Weymouth, Southampton, Winchester, Bournemouth und Poole. Am zentralsten von allen Autoverleihfirmen liegt **Godfrey Davis,** St. Edmunds Church Street, Tel: 335625. Weniger günstig als die Buslinien sind die Zugverbindungen der British Rail. Die wichtigste Strecke führt von Salisbury nach Exeter. Weitere Verbindungen gibt es nach Portsmouth und Bristol. Stationen auf der Fahrt nach Exeter sind Gillingham, Temple Combe, Sherborne und Yeovil.

Von Salisbury aus erreicht man in kurzer Zeit Stonehenge und Wilton. Das auf S. 137 näher beschriebene herrliche Haus in Wilton liegt nur fünf Kilometer westlich von Salisbury an der A30 und ist von April bis Oktober geöffnet.

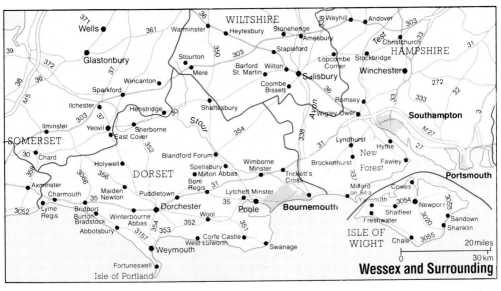

Wessex and Surrounding

135

MIT THOMAS HARDY DURCH WESSEX

Kein anderes literarisches Werk trägt so stark den Stempel einer Gegend wie die Romane Thomas Hardys, und kein anderer Dichter enthüllte in gleichem Maße wie er den Charakter einer Gegend und ihrer Menschen. Hardy *ist* Wessex. In Winchester stößt man aus dem Kraftfeld Londons hinaus gleichsam in einen Raum der Schwerelosigkeit, bis die Anziehungskraft des West Country zu dominieren beginnt. Hier ist Wessex, wildes Land der Wälder und Jagdgebiete, der Küsten mit mächtigen Klippen und Landzungen, der Hügel, auf denen Menschen lebten, kämpften und starben, Jahrtausende bevor die Normannen kamen.

In Wessex kennt man keine Hast. Der Lebensrhytmus dieser weitgehend landwirtschaftlich strukturierten Region wird vom Kreislauf bäuerlichen Lebens bestimmt; die wenige Industrie bleibt unaufdringlich. Wessex ist wie geschaffen zum Wandern: Auf Straßen, die fast ausschließlich Nebenstraßen sind und den Umweg dem direkten Weg vorziehen, entdeckt man die Schönheit der Dörfer und die Attraktionen der Städte, erklimmt Hügel und gelangt an Strände, an denen Könige badeten. Und man besucht die Herrensitze des Landadels, deren Schätze dank des National Trust jedem zugänglich sind.

Wenn es Wessex auch an großer Architektur mangeln mag, Ruinen besitzt es zuhauf — wie Corfe, über das der Maler Paul Nash schrieb, daß keine Laune der Natur und kein menschliches Eindringen diese „ungeheure Persönlichkeit" berühren könne. Wessex' Küste gehört größtenteils zur Grafschaft Dorset — eine reizvolle Küste, die wie das Land dahinter große Wirkungen zu erzielen weiß: beruhigend bei Lyme Regis oder Weymouth, erschreckend an der Chesil Beach und auf Portland, überwältigend bei den Klippen von Lulworth und auf Purbeck.

Englands mittlerer Westen

Winchester war nicht nur die Hauptstadt von Wessex, sondern auch von England — neben London —, bis sich in der Zeit Charles' II. das Machtzentrum endgültig an die Themse verlager-te. Wilhelm der Eroberer und auch spätere Herrscher ließen sich an beiden Orten krönen. Unter der mittelalterlichen und modernen Stadt liegt das römische Venta Belgarum. In normannischer Zeit ersetzte eine neue Kathedrale die sächsische. Sie ist älter als die von Canterbury und die längste erhaltene mittelalterliche Kirche Europas; ihre normannischen Querschiffe und der Turm stehen noch, während Hauptschiff und Chor gegen Ende des 14. Jahrhunderts von Bischof William of Wykeham im Perpendicular-Style erneuert wurden. Einzigartig sind die Gebäude des alten Bischofspalastes (Wolvesey Palace), das Winchester College (1382 von William of Wykeham gegründet) sowie die City Mill, und der große Saal in der Burg Henrys II. wird nach allgemeiner Auffassung nur noch von Londons Westminster Hall übertroffen.

Von Winchester in westlicher Richtung stößt man in **Stockbridge,** einer reizenden ehemaligen Postkutschenstation am Fluß Test, auf die Hauptstraße nach **Salisbury,** dem „Melchester" der Romane Hardys. Im 13. Jahrhundert war es in dem etwa 1,5 km entfernten Old Sarum zu Streitigkeiten zwischen

Vorherige Seiten: Die Kathedrale von Salisbury von den Flußwiesen aus gesehen

Unten: Das Innere der Kathedrale von Winchester

dem Burghauptmann und Bischof Roger gekommen. Dieser verließ schließlich die Stadt, gefolgt von der Stadtbevölkerung, und gründete New Sarum, aus dem sich Salisbury entwickelte. In weniger als 40 Jahren, von 1220 bis 1258, entstand die neue Kathedrale, mit „so vielen Fenstern wie das Jahr Tage hat, so vielen Säulen wie Stunden und Türen wie Monate". Der etwas später vollendete Turm ist der höchste Englands und inspirierte John Constable zu seinem berühmtesten Bild. **The Close,** eine von schönen, meist georgianischen Häusern begrenzte Grünfläche, hält die Betriebsamkeit der modernen Stadt ab.

Das Rätsel von Stonehenge

Ungefähr 16 km nördlich von Old Sarum bei Amesbury liegt **Stonehenge,** jene mysteriöse Ansammlung aufrechtstehender Steine, die auf den ersten Blick enttäuschend wirken mag. Für den Philosophen und Dichter Emerson sah sie „wie eine Gruppe brauner Zwerge inmitten der Weite" aus. In der Nähe enthüllt sich trotz sich drängender Touristenmassen ihre Schönheit. Das Grundmuster besteht aus einem äußeren Ring und einem inneren Hufeisen von Sandsteinblöcken, die aus den Marlborough Downs herbeigeschafft wurden. Auch die Überreste eines zweiten Ringes und eines zweiten Hufeisens aus Blaubasaltsteinen (aus Pembrokeshire) sind noch vorhanden. Der größte der stehenden Trilithen ist 6 m hoch und reicht mehr als 2,5 m in die Erde. Nach wie vor unbekannt ist der Zweck der Anlage. Viele glauben, daß er eine Stätte alter Sonnenanbetung war. Am Tag der Sommersonnenwende geht die Sonne über dem Heel Stone in der Achse des Eingangsweges auf. An diesem Tag zelebrieren heute noch Druiden ihre Riten: In weiße Kapuzengewänder gehüllt, mit einem Mistelzweig in der Hand und Fahnen schwingend, singen sie in den Stunden vor Tagesanbruch. Die zahlreichen Grabhügel um den Platz weisen wohl auf eine gewisse alte Bedeutung als Totenkultstätte. Einige Gelehrte glauben sogar, daß die Steine zur Vorhersage astronomischer Ereignisse benutzt wurden.

Direkt im Westen Salisburys liegt das große Herrenhaus von **Wilton,** der Sitz der Earls of Pembroke. Der prächtige Eingangsbogen bereitet den Besucher

auf die Lieblichkeit und Kraft der von Inigo Jones gestalteten Räume vor, deren Sammlungen von Werken Rembrandts und Van Dycks bis zu einer Haarlocke Elizabeths I. und der Aktentasche Napoleons reichen. Die Renaissance-Brücke (Palladian Bridge, 1737) im Park verbindet Funktionalität mit großer Eleganz.

Herrenhäuser und Parks

Hinter Wilton begrenzt die Straße die Wildnis des alten Jagdforstes von Cranbourne Chase und führt dann hinauf zu einer der wenigen Hügelstädte Englands, **Shaftesbury**, von Thomas Hardy in seinem Roman *Jude the Obscure* in ,,Shaston" umbenannt. Die Zeit scheint um Jahrhunderte zurückgedreht beim Spaziergang entlang der Stadtmauern hoch über dem Jagdgebiet des Blackmore Vale oder bergauf den kopfsteingepflasterten **Gold Hill**, den Pilgerweg zum Grab von St. Edward the Martyr.

Im Dorf Stourton nördlich von Mere steht das bereits 1720—24 für den Bankier Henry Hoare errichtete Landhaus **Stourhead** mit einem herrlichen, um einen See herum angelegten Park.

Weiter südlich liegt **Sherborne**, einst Hauptstadt von Wessex und Begräbnisstätte zweier sächsischer Könige, mit seiner mittelalterlichen Atmosphäre vor allem in den Straßen um die Abteikirche (Perpendicularstyle). In **Compton House** gibt es eine ungewöhnliche — Englands einzige — Schmetterlingsfarm und eine Seidenraupenzucht. Von Yeovil aus führt ein Abstecher in die Grafschaft Somerset nach **Montacute**, einem wunderschönen elisabethanischen Herrenhaus mit Miniaturschlößchen.

In der Kirche von **East Coker**, 5 km südlich, ruhen die sterblichen Überreste von T. S. Eliot, dessen Vorfahren von hier nach Amerika auswanderten. ,,In my beginning is my end", schrieb er in dem Gedicht, das den Namen des Dorfes trägt. Außerdem gibt es hier ein Denkmal für den Piraten und Forscher William Dampier, der den Originaltext von Defoes *Robinson Crusoe* von einer verlassenen Insel rettete. In **Forde Abbey** kann man die berühmten Mortlake-Gobelins nach den Vorlagen Raphaels bewundern. Der Duke of Monmouth wohnte in dem als Zisterzienserabtei errichteten und von Inigo Jones umgebauten größten privaten Herrenhaus.

Shaftesbury, Gold Hill

Wundervolles Dorset

Eine warme, salzige Brise weht in **Lyme Regis**, unmittelbar östlich der Grenze zu Devon. Diese alte Fischerstadt war einst ein ebenso modischer Badeort wie Bath und schon rund hundert Jahre beliebt, ehe von Bournemouth überhaupt die Rede war. Erkerfenster im Regency-Stil und Glasveranden an viktorianischen Villen säumen die **Parade** hinunter zum winzigen Hafen und seiner gekrümmten Mole, dem **Cobb,** wo 1685 der nach der englischen Krone trachtende Duke of Monmouth landete. ,,Granny's Teeth'', die zur Mole hinaufführenden Steinstufen, beschreibt Jane Austen in ihrem Roman *Persuasion* (,,Anne Elliot''); Louisa Musgrove stürzte hier. Es heißt, daß der Dichter Tennyson, als ihm der Landeplatz des Herzogs gezeigt wurde, sagte: ,,Erzählen Sie mir nichts von Monmouth, zeigen Sie mir die genaue Stelle, wo Louisa Musgrove fiel!'' Jane Austens Haus **Bay Cottage** liegt nahe dem unteren Ende der Parade.

Dicht am Meer entlang hoch über den Steilabbrüchen führt eine Straße nach Osten, die sich hinabsenkt nach Charmouth und zu dem Platz, an dem Jane Austen am liebsten den Wechsel der Gezeiten beobachtete. In dieser Gegend bergen die Klippen die Versteinerungen früherer ,,Bewohner'', von Elefant und Rhinozeros. 1811 wurde hier ein Ichthyosaurier freigelegt. Trotzdem das Meer 3 km von **Bridport,** dem ,,Port Bredy'' bei Hardy, entfernt ist, kann der Ort seinen maritimen Charakter nicht leugnen. Tau und Seil, Netz und Takelwerk bildeten die Grundlage für Bridports Wohlstand. Lange, schmale Gärten hinter den hübschen roten Backsteinhäusern waren einst Seilerbahnen, und man baute Flachs zum Seilmachen an. ,,Mit einem Bridport-Dolch erstochen'' werden, bedeutete ,,gehängt'' werden. **West Bay** ist Bridports Hafen, ein enger, in das Kiesufer gegrabener Kanal, der einlaufenden Schiffen höchste Präzisionsarbeit abverlangt. Legen Sie ihren Besuch auf einen Samstag und genießen Sie den Wochenmarkt.

Burton Bradstock, noch etwas weiter östlich, zeigt ein anheimelndes Bild mit seinen Strohdächern, vielen Blumen und dem Bach, der das Rad der letzten Flachsmühle drehte, die 1930 stillgelegt wurde.

me Regis

Von Schwänen und Schiffswracks

Hier beginnt die gefürchtete Chesil Bank, die die schmale Verbindung zur **Isle of Portland** bildet — die mithin in Wahrheit nur eine Halbinsel ist. Die Kiesel der steil abfallenden Bank werden auf Portland zu immer größer, und die einheimischen Fischer können nachts, wenn sie an irgendeinem Punkt des 25 km langen Rückens anlanden, aufgrund der Größe der Kiesel genau sagen, wo sie sich befinden. Die Bank kennt keine Gnade: Hier ein Schiff hineinzusteuern, bedeutet fast sicheres Verderben. Eine Orientierungshilfe bietet die bei Abbotsbury auf einem grünen Hügel über der Bank gelegene **St. Catherine's Chapel**. Sie schaut auf der Landseite hinab auf ein höchst faszinierendes Gemisch aus Klosterruinen, einem Schwanenteich und subtropischen Gärten. Während des Bürgerkriegs diente die Benediktinerabtei als Pulverlager, und die Explosion, die aus den meisten Gebäuden Ruinen machte, belieferte die ganze Nachbarschaft mit Baumaterial. Die aus dem 15. Jahrhundert stammende Scheune der Abtei ist stattlicher und prächtiger als viele Pfarrkirchen! Weiter entlang der gleichen Straße liegen in der Lagune von Fleet das im 14. Jahrhundert gegründete Schwanengehege und auf der geschützten Leeseite der Bank die Gärten.

Königlicher Sport

George III. leistete **Weymouth** einen großen Dienst, als er es 1789 zur Rekonvaleszenz nach einer ernsten Krankheit aufsuchte. Die dankbaren Bürger errichteten dafür die auffallende, kunterbunte Statue am Ende der fast 1 km langen Promenade. Eine Kammerzofe der Königin Charlotte berichtet in ihrem Tagebuch, daß der König von seinem Badewagen aus schwimmen ging zur Musik seiner eigenen Hymne: „Gott schütze unsern großen König George." George ist noch einmal zu sehen, auf einem Pferd und als Kreidezeichnung diesmal auf einem benachbarten Hügelabhang. Offensichtlich besaß er Sinn für Situationskomik. Trotz manchen Beiwerks unserer Zeit hat sich Weymouth den Charakter des Seebades des 18. Jahrhunderts in vielem erhalten. Noch immer reihen sich stuckverzierte Häuserzeilen an der Promenade, ist der

Mont Orgueil Castle, Jersey

Strand golden und das Meer blau. Weymouth' Heimatmuseum liegt in der Westham Road. Vom Landesteg aus verkehrt ein regelmäßiger Fährdienst zu den Kanalinseln.

Das französisch sprechende England

Die **Channel Isles** besuchen, bedeutet, ins Ausland zu fahren und doch in Großbritannien zu bleiben. Bis 1066 waren diese Inseln Teil des Herzogtums Normandie, und die Eroberung brachte sie mit diesem unter die Krone Englands. Als König John die Normandie verlor, blieben sie Teil Englands, obgleich sie nur 13 km von der französischen Küste entfernt liegen. Viele Male versuchten die Franzosen vergeblich eine Invasion in den 500 Jahren, bevor die Deutschen im Zweiten Weltkrieg Erfolg hatten und die sofortige Kapitulation der Kanalinseln erzwangen.

Jersey ist die größte der Inseln, mit Selbstverwaltung und offiziell französischsprachig. Außer den naturgegebenen Attraktionen von Klima und Landschaft bietet sie, gleich den anderen Inseln, billigeren Tabak und Alkohol als im übrigen Großbritannien. Ihre Mar-

kenzeichen sind die Jersey-Kuh und der „Pullover". Im 17. Jahrhundert ließen soviele Männer die Landarbeit im Stich, um zu Hause zu stricken, daß ein Gesetz ein Strickverbot für den Sommer erteilen mußte. Im Haupthafen **St. Helier** war Sir Walter Raleigh von 1600 bis 1603 Gouverneur. Aus seiner Zeit stammt die bei Ebbe über einen Damm zu erreichende Burg. Das **Bunker Museum** birgt Relikte der deutschen Besatzung.

Unter Glas gehalten wird der Wohlstand des sich selbst verwaltenden Gemeinwesens **Guernsey** — der Tomatenanbau —, der ihm den Namen „Insel der Gewächshäuser" einbrachte. Guernsey ist ebenfalls für Pullover bekannt. In der Hafen- und Marktstadt **St. Peter Port** gibt es eine Kirche aus dem 12. und das **Castle Cornet** aus dem 13. Jahrhundert. 15 Exiljahre verbrachte Victor Hugo im **Hauteville House**, das er mit Bildern, Möbeln und Porzellan und vielen Beispielen seines Könnens als Holzschnitzer ausstattete. In seinem Studio auf dem Dach schrieb er *Die Arbeiter des Meeres* und seinen größten Roman, *Die Elenden*.

Schmuggel und Piraterie gehören zur

Geschichte Guernseys wie **Alderneys.** Der **Marais Square** des Hauptortes **St. Anne** erinnert an das 15. Jahrhundert, doch zeugen Befestigungen und Bunker, von denen einige mit rührender Phantasie zu Ferienwohnungen umgestaltet wurden, allzu deutlich von den Kriegsjahren. Aber es gibt auch ruhige Buchten, in die man sich zurückziehen kann. An einem klaren Tag sind von Alderney aus die Häuser auf dem französischen Festland zu erkennen. **Sark,** Europas kleinster Staat, ist ein ,,Feudalparadies" unter einer Lehnsherrschaft, ohne Autos, nur mit Pferdewagen — ein Paradies in der Tat. Bewohnt sind **Herm** und **Jethou,** nicht aber die zahlreichen anderen Schären und Felsen, von denen viele bei Flut überspült sind.

Thomas Hardys Dorset

Die Fähre zurück nach Weymouth passiert **Portland,** die Insel, die keine ist. ,,Das Gibraltar von Wessex" nannte sie Thomas Hardy und beobachtete, daß ihre Bewohner eigene Sitten und Bräuche besaßen. Allein schon seine Struktur macht Portland zu einem besonderen Ort: Gebäude, Mauern, Steinbrüche — alles ist Stein, ,,Portland Stone", das Material der meisten berühmten Bauten Londons. Der Leuchtturm an der Südspitze der Insel schaut auf das unruhige Wasser der berüchtigten Portland-Strömung, die Sportsegler sogar bei gutem Wetter meiden.

Nach so viel Stein tut das Grün der hohen Hügel landeinwärts von Weymouth gut. Dorchester erreicht man am besten vom großen Hügel — dem *Mai Dun* — von **Maiden Castle** her. In einer Länge von 820 m und einer Breite von 360 m erstrecken sich die an manchen Stellen 18 m hohen, mit den primitivsten Werkzeugen errichteten Wälle und die Gräben dieser prähistorischen Hügelbefestigung, des vermutlich größten Erdwerks der Welt.

Ein jenseits der schnellen Fernstraßen geruhsames Lebenstempo und eine sich ihrer Vergangenheit wohl bewußte Stadt findet der Besucher in **Dorchester,** der Hauptstadt der Grafschaft Dorset, einer Stadt voller historischer Bezüge. Die Statue Thomas Hardys beherrscht sein ,,Casterbridge", wie Dorchester in einem seiner Romane heißt, von der Höhe der High Street aus. Dort, wo Judge Jeffries, der Richter des Blutgerichts

Durdle Door
bei Lulworth

von 1685, wohnte, kann man heute Tee trinken, und der Gerichtssaal in die **Shire Hall**, in der 1834 jene gewerkschaftlich orientierten Arbeiter aus Tolpuddle in Dorset, die Tolpuddle Martyrs, zur Deportation nach Australien verurteilt wurden, ist fast unverändert. Vor allem den Einfluß Hardys, der in Dorchester bei einem Architekten in die Lehre ging und hier auch 1928 in seinem selbstentworfenen Haus **Max Gate** an der Wareham Road starb, spürt man noch überall. Erinnerungsstücke an ihn finden sich neben erstaunlichen Funden aus Maiden Castle im **Dorset County Museum**, einem Bau von 1880 mit gußeisernen Säulen und Bögen, freundlich in klaren Farben gehalten. Noch eine Verbindung zur Literatur besitzt Dorchester in dem mit einer Statue geehrten Mundartdichter William Barnes.

Nördlich von Dorchester, in **Higher Bockhampton**, steht Thomas Hardys Geburtshaus, in dem er *Far from the Madding Crowel* und *Under the Greenwood Tree* schrieb. Mitte des 18. Jahrhunderts störte das Dorf **Milton Abbas** den Viscount Milton, da es ihm die Aussicht von seinem umgebauten Herrenhaus **Milton Abbey** versperrte. 1786 ließ

er es kurzum ein paar hundert Meter entfernt in traditioneller ländlicher Bauweise neu errichten. Immerhin besaßen die zwangsumgesiedelten Dorfbewohner damit die ersten, überraschend modern wirkenden Doppelhäuser.

Die Küste östlich von Weymouth bis Swanage erreicht man mit dem Auto nur bei Lulworth, Kimmeridge und Worth Matravers. Sie ist ein Paradies für Geologen und voller Überraschungen, wie etwa die winzige kreisrunde Bucht zwischen steilen Klippen in **Lulworth Cove** und das benachbarte **Stair Hole**, die durchlässigen schwarzen Schiefertonschichten bei **Kimmeridge**, lange Zeit eine Ölquelle, und die große Klippe von **Worbarrow**.

Dort, wo die Kreidhügel der **Isle of Purbeck** abbrechen, erhebt sich die wildromantische Ruine einer von Verrat, Grausamkeit und Mord heimgesuchten Burg. Hier in **Corfe Castle** wurde 978 König Edward (the Martyr) von seiner Stiefmutter getötet; französische Gefangene verhungerten in den Kerkern, und im 17. Jahrhundert lieferte Verrat die Burg den Roundheads aus. Kein Wunder, daß sie bei den Touristen so beliebt ist.

orfe Castle

Bei Thomas Hardy ist **Swanage** — sein „Knollsea" — „ein behaglich zwischen zwei Landzungen wie zwischen einem Finger und einem Daumen liegendes Dorf am Meer". Einen Anziehungspunkt bildet auch ein 3 m im Durchmesser großer und 40 t schwerer steinerner Globus auf den Klippen von Durlston Head; Tafeln links und rechts informieren über die Natur des Universums. **Old Swanage** oben auf dem Hügel verbirgt zwischen seinen Steinhäusern einen Mühlteich.

Buchten, Watt und Inseln — das ist Poole Harbour. **Poole** selbst wirkt am schönsten unten am Kai, mit dem Blick auf Schiffe, Werften und Lagerhäuser. Gewundene Straßen treffen unter dem Säulengang des **Custom House** zusammen, des Zollamts, mit seinem Wappenschild einer von Dorsets Schmugglern niemals akzeptierten Obrigkeit. Zwei Orte in der Umgebung lohnen einen Zwischenstop: In der Kirche von **Wimborne** hängt eine Uhr aus dem 13. Jahrhundert; statt Zeigern drehen sich die Planeten in Begleitung geflügelter Engel. Die alte Hafenstadt **Christchurch** besitzt eine wunderschöne normannische **Priory,** die heute Pfarrkirche ist.

Sehenswertes Hampshire

Außergewöhnlich ist die Kirche von **Beaulieu** („Bewley" ausgesprochen): Sie ist das ehemalige Refektorium der größtenteils zerstörten Zisterzienserabtei. Heute kein Hafen mehr ist das von 1749 an im Schiffsbau berühmt gewordene **Buckler's Hard,** 3 km den Beaulieu River flußab. Viele von Nelsons Kriegsschiffen liefen hier vom Stapel zwischen den beiden Reihen von Schiffsbaumeisterhäuschen. Mit dem Ende der Napoleonischen Kriege hörte dies alles jäh auf, doch atmet man im **Maritime Museum** noch den Duft jener glorreichen Tage.

Das wilde, dichte Waldland des **New Forest** als „neu" zu beschreiben, hieße, den althergebrachten Glauben untermauern, daß Wilhelm der Eroberer mit seiner Entstehung zu tun hatte. Aber hier war schon immer Wald. Wilhelm schützte lediglich dessen Wildbestand, und die wenigen Dörfer und Kirchen in diesem Gebiet sind noch kein Beweis, daß er um seines Zieles willen welche zerstörte. In jedem Geschichtsbuch findet sich die Erzählung von William II., wegen seines roten Haares „Rufus" ge-

Der Kornmarkt in Wimborne Minster

144

nannt, der auf der Jagd durch einen Pfeil getötet wurde. Ein eisernes Denkmal, der **Rufus Stone,** kennzeichnet die Stelle im Wald, wo der Mord oder Unfall — was nie geklärt wurde — im Sommer 1100 geschah. Vom Hauptort Lyndhurst führt die Straße durch den Wald nach Lymington und zur Fähre, die bis Yarmouth 30 Minuten benötigt.

England im Kleinen

Die **Isle of Wight** besitzt die Gestalt eines Spielzeugdrachens, und die Hauptstadt Newport liegt genau dort, wo man die Schnur befestigen müßte. Ganz in der Nähe erhebt sich **Carisbrooke Castle,** von Elizabeth I. als Befestigungswerk gegen die Armada gebaut und vor allem als Gefängnis Charles' I. bekannt, der von hier zu Prozeß und Hinrichtung gebracht wurde. An den tragischen Tod der 15jährigen Prinzessin Elizabeth, Charles' Tochter, in der Gefangenschaft erinnert ein Denkmal in der Kirche von Newport. In Carisbrooke sorgt ein Esel, der willig das Wasserrad des 1150 gebohrten Brunnens dreht, für Unterhaltung. **Cowes,** an der Mündung des Medina River, lebt nur einmal

sle of Wight, The Needles Lighthouse

im Jahr — im August — zur Cowes Week, dem Ascot der Segler. Durch und durch viktorianisch und weitestgehend belassen wie zu ihren Lebzeiten, ist Königin Victorias Lieblingsresidenz **Osborne House** mit dem von Rudyard Kiplings Vater entworfenen **Durbar Room.** Am westlichen Ende der Insel zersplittern die Kreidefelsen spektakulär in spitze Zinnen, die **Needles.** Hinter ihnen verborgen liegt **Alum Bay,** wo Sand in allen Farben des Regenbogens vorkommt und als Andenken in Flaschen weggetragen wird. Dem Dichter Tennyson galt die Luft auf den Kreidehügeln über Freshwater, wo er 30 Jahre lang lebte, so viel wie Champagner. Sein Kollege Keats holte sich Inspiration aus den Wäldern bei **Shanklin,** und zahllose Urlauber zieht es zum Pier von Sandown.

Der beste Weg von Cowes zurück führt durch den langen Meeresarm Southampton Water nach **Southampton.** Die in den Schlachten von Crecy und Agincourt siegreichen Heere schifften sich hier ein, die winzige **Mayflower** segelte nach Amerika, viele Ozeandampfer folgten seither — ringsherum lebt Geschichte in den Mauern.

Info: Kent und Sussex

Zur Orientierung

Das folgende Kapitel über den Südosten behandelt vor allem die Grafschaften Kent und Sussex. Es beginnt mit Chichester im Westen und führt — nach einem Streifzug durch etliche Sussex-Dörfer auf dem Weg nach Arundel — in östlicher Richtung nach Brighton, Eastbourne, Hastings und Rye. Dann geht es weiter in nordwestlicher Richtung nach Tunbridge Wells und Dartford, von dort nach Canterbury und schließlich in einem südlichen Bogen nach Margate, ehe wir wieder nach Rye zurückkehren. Für die meisten Menschen bedeutet Canterbury den Höhepunkt der Reise durch diesen Landesteil. Leider ist es aber auch oft das einzige, das Reisende von Kent zu sehen bekommen. Viel besucht sind auch Brighton und Chichester. Sissinghurst Castle bei Cranbrook sieht Jahr für Jahr Scharen von Besuchern.

Unser Vorschlag ist, die Strecke zu teilen. Am besten beginnen Sie Ihre Fahrt in Chichester und bewegen sich von dort entlang der Küste bis Rye. Von hier aus können Sie über Tunbridge wells zurück nach London fahren. Eine Alternative dazu ist, von London in östlicher Richtung nach Canterbury zu fahren und von dort aus einige der zwischen Margate und Rye gelegenen Küstenorte zu besuchen, die im Text beschrieben werden.

Anreise

Sobald man eine der südöstlichen Autostraßen M23, M20 oder M2 erreicht hat, kommt man schnell zur Küste. Wesentlich zeitraubender ist die Anfahrt durch die Londoner Vororte. Chichester erreicht man am besten über die A3 und dann die A286.

Zugverbindungen ab Victoria Station gibt es nach: Chichester, Brighton, Eastbourne, Hastings, Ashford, Dover, Canterbury, Margate und Ramsgate. Ab Charing Cross Station gibt es Direktverbindungen nach Folkestone, Ashford und Hastings. Wer will, kann auch die Küste entlang fahren mit Nahverkehrszügen, die Margate, Ramsgate, Folkestone, Ashford, Hastings, Eastbourne, Brighton und Chichester miteinander verbinden. Es dauert natürlich etwas länger als mit den Intercityzügen.

Das **Triple Ticket** der British Rail (siehe die Info-Seiten über London) schließt Fahrten nach Rochester, Canterbury, Tunbridge Wells, Hastings, Brighton und Chichester ein.

Ab Victoria Coach Station unterhält National Express, Tel. 7300202, Schnellbuslinien nach Brighton, Canterbury, Dover und Folkestone. Es gibt zwar noch andere Busverbindungen von London aus, aber die vielen Haltestellen ziehen die Fahrtzeit sehr in die Länge.

Unterkunft

Auf S. 347 des Kurzführers finden Sie eine Liste von Unterkunftsmöglichkeiten in folgenden Städten: Chichester, Guildford, Petworth, Brighton, Hastings, Cranbrook, Tunbridge Wells, Rochester, Canterbury, Sandwich, Folkestone, Arundel und Dover. Den „book-a-bedahead"-Service bieten die Tourist Information Centres in Canterbury, Dover, Brighton, Eastbourne und Rye.

Informationsstellen

Die Hauptinformationsstelle für ganz Südostengland ist erreichbar unter der Adresse:
1 Warwick Park, Tunbridge Wells, Kent, Tel. (0892) 40766.
Canterbury, 13 Longmarket, Tel. Canterbury 66567.
Dover, Townwall Street, Tel. Dover 205108.
Brighton, Marlborough House, 54 Old Steine, Tel. Brighton 23755.

Chichester, St. Peter's Market, West Street, Tel. Chichester 775888.
Eastbourne, Cornfield Terrace, Tel. Eastbourne 27474.
Rye, 48 Cinque Ports Street, Tel. Rye 222293.
Lewes, Lewes House, 32 High Street, Tel. Lewes 471600.
Bognor Regis, Place St. Maur des Fosses, Belmont Street, Tel. Bognor 823140.

Canterbury und Umgebung

Auf S. 158-159 des folgenden Kapitels ist Canterbury beschrieben. Wie so viele der alten Bischofsstädte in England, kann man auch Canterbury ohne Mühe zu Fuß erkunden. Wenn Sie aber lieber mit dem Fahrrad herumfahren wollen, wenden Sie sich an die Adresse: **The Cycle Mart,** Stour Street, Tel. 61488.

Ab Longmarket finden Besichtigungsfahrten statt — im August um 19.30 Uhr, im Sommer um 14.30 Uhr. Ein gutgemeinter Ratschlag: bummeln Sie lieber am Abend durch die Stadt, wenn sie nicht mehr von Touristen überlaufen ist. Außer an Sonntagen kann die Kathedrale besichtigt werden zu folgenden Zeiten: Mo-Fr 11.20 und 14.30 Uhr, Sa 11.20 und 13.30 Uhr.

Wer einen herrlichen Ausflug in die Umgebung von Canterbury machen will, nimmt am besten den **North Downs Way** bei Chilham oder Canterbury. Diese alte Straße erstreckt sich von Surrey im Süden von London bis nach Dover. Am schönsten ist wohl das letzte, 42 km lange Teilstück zwischen Chilham und Dover. Das Tourist Information Centre hat Prospekte mit dem Titel *The North Downs Way.* Wem ein Fußweg von zehn Kilometern bis nach Chilham nicht zu weit ist, kann dort nicht nur die Burg und den Park bewundern, sondern sich bei einem mittelalterlichen Bankett, einem Turnier und einer Falkenjagd vergnügen.

Umgebung von Brighton

Brighton hat zwar noch immer einen schlechten Ruf wegen seiner eigenartigen Touristenatmosphäre, aber es eignet sich hervorragend als Ausgangspunkt für einen Ausflug in die ländliche Szenerie der Grafschaft Sussex. Man sollte allerdings unbedingt ein Auto haben, weil viele der zauberhaften Dörfer nur schwer erreichbar sind. Falls Sie kein Auto haben, sind Sie angewiesen auf die Nahverkehrsbuslinien von Brighton aus. Es gibt zwei Busunternehmen in Brighton: **Brighton Borough Tours,** Tel. 60641 und **South Down Bus Company,** Tel. 606711.

Sie unterhalten gemeinsam ein Busnetz im Gebiet zwischen Portsmouth, Rye, Hastings, Eastbourne, Littlehampton, Chichester, Arundel und Lewes. In jeder dieser Städte gibt es noch lokale Busverbindungen.

Eine andere Möglichkeit, die Landschaft von Sussex zu erkunden, ist eine Wanderung entlang des **South Downs Way** einem hügeligen Weg, der sich von Eastbourne durch Sussex bis nach Petersfield in Hampshire zieht. Er ist insgesamt 130 km lang und außerhalb der Sommerzeit teilweise recht beschwerlich. Im vom Southeast England Tourist Board herausgegebenen Prospekt *The South Downs Way* finden Sie Erläuterungen zum Streckenverlauf und Hinweise auf Unterkunftsmöglichkeiten. Kurze Teilstrecken sind von Brighton aus zu bewältigen. Beliebt ist die Wanderung zum **Devil's Dyke** nordöstlich von Brighton und von dort in östlicher Richtung bis Falmer. Zu den anderen sehenswerten Ortschaften entlang des South Downs Way gehören auch Pyecombe und Fulking.

Von London aus

Kein anderer Landesteil ist von London aus so gut erreichbar wie die Grafschaften Kent und Sussex. Falls Sie eine Unterkunft südlich der Themse haben, ist es gewissermaßen nur ein Katzensprung nach Kent oder Sussex. Selbst der von der Londoner City am weitesten entfernte Ort im folgenden Kapitel ist nur 112 km weg.

Ein „concession ticket" der British Rail ermöglicht unbeschränktes Fahren für eine ganze Woche, ist aber so teuer, daß sich eventuell eher ein Mietwagen empfiehlt. Auch die Angebote an Bussondertickets sollte man prüfen. East Kent Motor Bus, Tel. Canterbury 66151, deckt das Gebiet zwischen Maidstone, Canterbury und Hastings ab und bietet den **Explorer Pass,** mit dem man ab 9.00 Uhr unbegrenzt reisen kann. Mit dem **Bus Ranger Ticket** können Sie entweder einen ganzen Tag oder eine ganze Woche herumfahren. Die South Down Bus Company, Tel. Brighton 606711, bietet das Ein-Tages-Ticket **Explorer** und das Wochen-Ticket **Master Rider** an, und deckt vor allem das Gebiet zwischen Tunbridge Wells, Rye und Porthmouth ab. Während des Sommers gibt es auch Buslinien nach Salisbury.

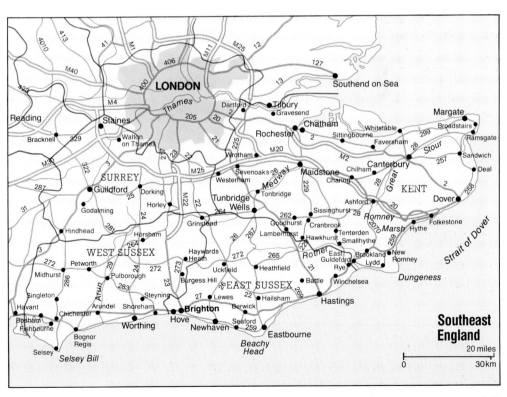

Southeast England

KENT UND SUSSEX

Niemand mag vor Captain Webb daran gedacht haben, die Entfernung zwischen Kent und dem Kontinent schwimmend zurückzulegen, doch wirkte diese Nähe seit Menschengedenken wie eine Einladung. Und so kamen und eroberten sie — Angeln, Sachsen, Dänen, Jüten, Römer und Normannen. Später blieb es bei Drohungen, durch das katholische Frankreich etwa und die Deutschen unter Hitler. Nirgendwo sonst in England gibt es so viele Zeugnisse jener früheren Besucher wie in Kent und Sussex: Befestigungen, Burgen, Villen und alte Straßen und — dank Christianisierung und Normannen — Kathedralen und Kirchen, die zu den schönsten Englands zählen. Nicht umsonst ist das Datum 1066 das bedeutendste in der Zeitrechnung der Insel.

Die beiden Grafschaften besitzen eine gemeinsame geologische Struktur, in der alle Schichten in ost-westlicher Richtung verlaufen und spiegelbildlich in den North Downs in Kent und den South Downs in Sussex erscheinen. Auf engem Raum bietet sich eine Vielfalt von Landschaften — spektakulären wie die weißen Klippen von Dover und Beachy Head, intimen wie der Weald mit seinen Heckenwegen, Dörfern und Waldgebieten und einzigartigen wie die South Downs selbst.

Sussex rühmt sich zu Recht seiner See, und Kent ist, wie schon Dickens' Mr. Jingle feststellte, für ,,Äpfel, Kirschen, Hopfen und Frauen'' bekannt. Zusammen bieten die beiden Grafschaften, was das Herz begehrt: einen Liegestuhl an einem sonnigen Strand, Höhen- oder Wattwanderungen und reichlich Gelegenheit, Ruinen, Kirchen und Landsitze zu besuchen und Kunst und Architektur zu genießen.

König Knuts Küste

Englands einzige vom Meer her sichtbare Kathedrale, ein großer romanischer Bau mit den South Downs im Hintergrund und den Buchten und Marschen eines Jachthafens zu seinen Füßen, ist ein guter Ausgangspunkt: Wie ein lockender Finger erhebt sich ihr Turm über **Chichester**, dieser typisch englischen ländlichen Kapitale in Sussex. Zwei normannische, dem Geist

nach jedoch sächsische Steinreliefs im südlichen Chorgang zählen zu den beeindruckendsten plastischen Darstellungen, die es gibt. Besichtigen sollte man unbedingt auch den Glockenturm aus dem 15. Jahrhundert, das **St. Mary's Hospital** und das **Market Cross** am Treffpunkt römischer Straßen. Erquickung bietet das **Dolphin and Anchor,** eine Kutschenstation aus dem 15. Jahrhundert, und amüsant ist das wegen der seltsamen Vögel — wohl Strauße — auf den Eingangspfeilern so genannte **Dodo House.** Chichester Harbour zählt zu den größten und prominentesten Jachthäfen Englands.

In **Bosham** (,,Bozzam'' ausgesprochen) baute ein irischer Mönch in einem fruchtlosen Versuch, den Südsachsen das Christentum zu bringen, eine Kirche. Jahrhunderte später, so erzählt die Legende, gehorchten dem dänischen König Knut in seiner Residenz am Meer die Wogen, so daß er seine Tochter in jener auch auf dem berühmten Wandteppich von Bayeux dargestellten Kirche bestatten konnte. In **Fishbourne** findet sich für Liebhaber von Mosaiken eine römische Villa.

Nördlich in Richtung auf die Downs

Vorherige Seiten: Landschaft in Kent mit Hopfendarren
Links: Beachy Head in der Nähe von Eastbourne
Rechts: Ein Strohdachdecker bei der Arbeit

zu liegen die prähistorische Hügelfestung **Trundle** und **Goodwood House** mit seiner Pferderennbahn und dem **Shell House,** einer im 18. Jahrhundert von der Herzogin von Richmond und ihren Töchtern mit Muscheln von den Westindischen Inseln erlesen verzierten Grotte im Park. Weiter nördlich, in **Singleton,** zeigt das **Weald & Downland Museum** in einem Landschaftspark wiederaufgebaute Bauernhäuser. Hoch oben in den Downs an der Grenze zu Hampshire steht **Uppark,** ein Haus aus dem Jahr 1690 mit viel originaler Einrichtung. Hier lebte H.G. Wells, als seine Mutter Haushälterin war.

Land der Angler

Midhurst an der Straße nach Guildford, 16 km von Chichester entfernt, ist ein gewinnender, altertümlicher Marktflecken auf sandigen Höhenzügen. Die Tudorruine in **Cowdray Park** erinnert an den Fluch, den die von Sir Anthony Brown, dem Günstling Henrys VIII., aus Battle Abbey vertriebenen Mönche ausstießen: daß das Geschlecht durch Feuer und Wasser untergehen solle. Bald nach dem Brand von 1793 ertrank

der letzte Viscount im Rhein. **Petworth'** enge, winklige Straßen umgeben die Mauern eines Herrenhauses aus dem 17. Jahrhundert. **Petworth House,** Sitz der Percys, Earls of Northumberland, besitzt einen von „Capability" Brown entworfenen Wildpark und eine einzigartige Kunstsammlung mit Werken Turners, der hier 1810 und 1830 malte, und einer staunenswerten Schnitzerei Grinling Gibbons'. Unterhalb des Zusammenflusses von Rother und Arun liegt **Pulborough,** die für Arundel-Seebarbe und Amberley-Forelle' berühmte Fischereihauptstadt von Sussex. **Amberleys** Burg überblickt die weißgekalkten Cottages und Strohdächer des unverfälschten Dorfes. **Parham,** östlich des Flusses, ist ein versteckt gelegenes und sorgfältig restauriertes Tudorherrenhaus.

Lord Thurlow legt ein Ei

Dort, wo der Arun die South Downs verläßt, findet man das von der imposanten Burg der Herzöge von Norfolk und Oberhofmarschälle Englands beherrschte **Arundel.** Burg und Kirchen — eine davon die einzige Simultankirche

Arundel Castle, West Sussex

des Landes für Anglikaner *und* Katholiken — wirken mehr französisch als englisch. Leider machte der Wiederaufbau im 19. Jahrhundert aus der Burg eine — wenn auch in großer Gala sich darbietende — Nachbildung, prächtig anzusehen vor allem vom Swanbourne Lake im Park aus. Einige der einst den Bergfried bewohnenden Eulen trugen die Namen berühmter Leute, und so meldete der Diener: ,,Euer Gnaden, Lord Thurlow, hat ein Ei gelegt.'' Lord Thurlow, die Eule, starb 1859.

In Felpham, heute ein Vorort von **Bognor** (nach der Genesung Georges V. 1928 erhielt er den Namenszusatz ,,Regis''), steht das strohgedeckte Haus, in dem von 1801 bis 1804 der Malerpoet William Blake lebte. **Somptings** normannischer Kirchturm würde im Rheintal nicht weiter auffallen. Die Downs dahinter, von früheren Völkern der Ebene vorgezogen, sind übersät mit Hügelfestungen, Flintsteinminen, Grabhügeln und Pfaden, die schon 2000 Jahre bevor den Römern benutzt wurden. Chanctonbury mit seiner Krone aus Buchen und Cissbury lohnen eine Besteigung. Das große Dorf **Steyning** unterhalb von Chanctonbury mit seiner im 8.

Jahrhundert von St. Cuthman gegründeten Kirche war bis zur Versandung des Adur ein Hafen. **Shoreham-by-Sea** lag früher an der mittlerweile nach Osten verlagerten Mündung des Adur. Anziehungspunkte des Ortes sind die einst großartige und noch immer beeindruckende normannische Kirche und **Marlipins,** ein Haus aus dem 12. Jahrhundert. Alt-**Shoreham** besitzt eine weitere große normannische Kirche. Die neugotische Kapelle des **Lancing College** an der erneuerten Holzbrücke wird in der Höhe nur von der Westminster Abbey, dem York Minster und der Liverpool Cathedral übertroffen.

Brighton

Die Geschichte von **Brighton** ist die einer armen Fischerstadt, die der Rat eines Arztes zum bekanntesten Seebad des Landes machte. Dr. Richard Rusell aus Lewes verschrieb seinen Patienten das Baden im Meer und eröffnete unter dem Patronat des damaligen Prinzen von Wales und späteren George IV. eine Badeanstalt. Und die Londoner Gesellschaft kam. Das Landhaus am Old Steine, in dem der Prinz 1785 wohnte, wur-

Brighton
Pavilion, East
Sussex

de 20 Jahre später von John Nash umgebaut zu jenem außen indischen, im Innern orientalischen **Royal Pavilion,** einem Weltwunder üppiger Dekoration. Seine Regency Exhibition ist eine beliebte Kunstausstellung im Sommer. Gleich nebenan laden die engen Gassen zur Jagd auf Antiquitäten oder zu einer Erfrischung im bezaubernden **Cricketers' Arms** (18. Jh.) ein. Plätze, Häuserzeilen und sichelförmige Straßenzüge mit Stuckfassaden dehnen sich bis ins moderne **Hove** und nach Osten bis **Kemp Town** — ein Augenschmaus, an dem man sich nie sattsieht.

Die weißen Klippen hinter **Brighton Marina** fallen zu jener Schlucht hin ab, die landeinwärts nach **Rottingdean** mit seinem Dorfanger und Teich führt. Gegen Ende des 19. Jahrhunderts lebten in dieser Künstlerkolonie unter anderen Sir Edward Burne-Jones und Rudyard Kipling. Bei **Newhaven,** wo heutige Besucherinvasionen vom Kontinent landen, beginnt das Tal der Ouse, in deren Fluten Virginia Woolf ihr Leben ließ; in **Rodmell** lebte sie. Überreich an Geschichte ist **Lewes,** Hauptstadt von Ost-Sussex und seit den Zeiten der Sachsen Schauplatz von Schlachten. Hier im

Bull House lebte im 18. Jahrhundert der Autor der ,,Menschenrechte'', Thomas Paine. Die Straße nach **Eastbourne** führt nahe vorbei an **Glyndebourne,** John Christies berühmtem Opernhaus.

Von **Berwick,** dessen alte Kirche interessante moderne Dekorationen aufweist, gelangt man über das malerisch am Chuckmere gelegene **Alfriston** mit seinem strohgedeckten Old Clergy House und alten Schmugglerkneipen zu den ,,Seven Sisters'', mächtigen Kreideklippen, und nach **Beachy Head,** der höchsten Klippe der Südküste. **Pevensey,** in der gleichnamigen Ebene östlich von Eastbourne, besitzt das bedeutendste römische Bauwerk in Sussex, eine Burg mit einem unter Wilhelm dem Eroberer hinzugefügten Bergfried.

Schlacht um Britannien

Hastings mit seiner normannischen Burg, einst der führende jener ,,Cinque Ports'', die den Kanal sicherten, war lange Zeit wenig mehr als ein Fischerdorf. Erst als im 18. Jahrhundert das Baden im Meer in Mode kam, erwachte es zu neuem Leben. Am **Stade** stehen noch die bizarren Netzspeicher der Fi-

Eastbourne

scher, hohe, geteerte Holzschuppen. In **Battle,** der Stadt auf dem Schlachtfeld von Wilhelm dem Eroberer, findet man die Ruinen einer Abtei mit einem imposanten Eingangstor aus dem 14. Jahrhundert. Dort, wo der sächsische König Harold fiel, stand einst der Hochaltar. Weiter nördlich liegen **Bodiam Castle,** eine gut erhaltene Ruine, die letzte große Wehranlage, die von einem malerischen Burggraben umgeben wurde, und in der Nähe von Burwash, der 1634 für einen Eisenhüttenbesitzer erbaute Landsitz **Batemans,** in dem Rudyard Kipling von 1902 bis 1936 lebte.

Wie eine mittelalterliche Gartenstadt sieht heute **Winchelsea** östlich von Hastings aus, da von den 1283 unter Edward I. für den Weinhandel mit Bordeaux errichteten Häusern nur noch die Kellergewölbe erhalten sind. **Rye,** jenseits des Brede auf einem Hügel, gehörte ebenfalls zu den ,,Cinque Ports'', verlor aber seinen Hafen ans Meer. Edward III. umgab die Stadt mit Mauern und Toren, von denen das **Landgate** und der **Ypres Tower** neben vielen alten Fachwerkbauten die Zeit überdauerten — wie die kopfsteingepflasterte Mermaid Street entlang dem **Mermaid Inn.**

Tunbridge Wells

Der Weald

In **Smallhythe** an der Straße nach Tenterden steht ein Gutsbesitzerhaus aus dem 15. Jahrhundert, in dem die berühmte Shakespearedarstellerin Ellen Terry lebte. Die ganz von Windmühlen umgebene Kathedrale von **Cranbrook** ragt auf über ziegelgedeckten Häusern flämischer Weber, die kentisches Tuch berühmt machten. Daniel Defoe schrieb hier ,,Robinson Crusoe''. Unter den jungen Offizieren, die im 3 km entfernten **Sissinghurst Castle** während des Siebenjährigen Krieges französische Gefangene bewachten, war auch Edward Gibbon, der spätere Verfasser der ,,Geschichte des Verfalls und Untergangs des Römischen Reiches''. 1930 kauften Vita Sackville-West, Dichterin und leidenschaftliche Gärtnerin, und ihr Ehemann Harold Nicolson das Schloß als Ruine; zusammen gestalteten sie die Gebäude um und schufen den wunderschönen Garten.

Hoch oben im Herzen des Weald liegt das heute so friedliche **Goudhurst** mit seinen Fachwerkhäusern und wunderbaren Ausblicken nach Süden über das Hopfen- und Obstland. In unruhigeren

Tagen lieferten sich hier Schmuggler und Bürgerwehr regelrechte Schlachten. Zu den besuchenswerten Herrenhäusern in der Umgebung gehören: **Finchcocks** mit seinen frühen Musikinstrumenten; **Pattyndenne Manor,** das der Bannerträger Henrys VIII. und Elizabeth' I. bewohnte; schließlich **Scotney Castle,** das wie ein Gemälde in der Tradition des 18. Jahrhunderts wirkt, und **Owl House,** ein Fachwerkbau aus dem 16. Jahrhundert mit schindelähnlich übereinandergeschobenen Flachziegeln und einem Garten. Das **Lamberhurst,** weiter nördlich, lag um 1600 im Zentrum der Eisenindustrie des Weald. Die Gitter für Londons St. Paul's Cathedral wurden hier angefertigt und angeblich auch Kanonen für die Schiffe der Spanischen Armada.

Trinkkuren

Einen Lord, der 1606 zufällig die Quelle entdeckte, zum Vater und bald auch königlichen Besuch hatte **Tunbridge Wells.** Henrietta Maria, die Gemahlin Charles' I., kampierte noch in einem Zelt. Noch heute trinkt man das eisenhaltige Wasser am Brunnen an den **Pantiles,** einer in Terrassen angelegten und nach der ursprünglichen Pflasterung mit Pfannenziegeln benannten Promenade mit Geschäften in einem Kolonnadengang. In der Nähe locken die bizarren Sandsteinfelsen **Toad Rock** und **High Rocks** Romantiker und Kletterer an. Kents schönstes mittelalterliches Herrenhaus ist **Penshurst,** lange Zeit Sitz der Sidneys, deren berühmtester Sproß der elisabethanische Dichter Sir Philip Sidney war.

Tonbridge am Medway, mit Burg und berühmter Privatschule sowie dem Zentrum der Kricketschläger- und -ballherstellung, gab dem Kurort Tunbridge Wells den Namen und mußte selbst zur besseren Unterscheidung das „u" durch ein „o" ersetzen. 5 km südöstlich von Edenbridge liegt das verschwiegene Dorf Hever mit dem von einem Graben umschlossenen und von Geistern heimgesuchten **Hever Castle** aus dem 14. Jahrhundert, dem Vaterhaus Anne Boleyns. Nach ihrer Hinrichtung nahm Henry VIII. Hever ein und ermordete auch ihren Bruder. Der amerikanische Millionär Lord Astor schuf See und Park.

Auf dem Dorfanger von **Westerham**

Der Ballsaal in Knole, Kent

156

stehen die Statuen Churchills und General James Wolfes, des Siegers von Quebec, der im **Quebec House** am Fuß des Hügels seine Kindheit verbrachte. Andenken an ihn finden sich auch im **Squerrys Court** unmittelbar außerhalb des Dorfes. Das weiter westlich liegende **Chartwell,** 40 Jahre lang das Heim Winston Churchills, ist angefüllt mit Kriegserinnerungen, aber zeugt auch von dem Frieden, den ihm sein Hobby Malen schenkte.

Am Stadtrand von Sevenoaks liegt eines der größten Privathäuser Englands, der überaus weitläufige, um mehrere Höfe erbaute Tudorsitz **Knole.** Im Innern findet man hervorragende Familienporträts der Sackvilles von Gainsborough und Van Dyck und seltene Möbel, darunter einige aus Silber. Ein typisches ,,Folly``, eine Narretei, ist das gotische Vogelhaus im 400 ha großen Wildpark. In dem aus dem 14. Jahrhundert stammenden **Long Barn** soll Englands erster Buchdrucker William Caxton geboren sein.

Ein besonders gut erhaltener alter, von einem Wassergraben umgebener Landsitz ist **Ightam Mote** am Ortseingang von **Wortham** (,,Rootam`` ausgesprochen) an der Pilgerstraße am Fuß des Hügels. Hier scharte 1450 Jack Cade 20 000 Mann zum Aufstand gegen Henry VI. um sich, und ein Jahrhundert später unterlagen die Anhänger Wyatts den Truppen der Königin Mary.

Dickens überall

Unweit der Straße von Wrotham nach Farningham liegt das 500 Jahre lang von der Familie Hart bewohnte **Lullingstone Castle,** in dessen Park eine römische Villa mit einem schönen Mosaikboden aus dem 4. Jahrhundert zu besichtigen ist. Weiter nördlich durchfließt der Darent den Garten des von einem Burggraben umgebenen Ordensrittersitzes **St. John's Jerusalem.** Trotzdem **Dartford,** an der zum Meeresarm verbreiterten Themse, den Saum des Londoner Stadgebietes berührt, hat es sich die Atmosphäre einer Marktstadt erhalten. 1381 begann hier der Bauernaufstand unter Wat Tyler von dessen Haus nahe der Kirche aus, und 1590 hielt die Industrie ihren Einzug mit dem ersten Eisenwalzwerk und der ersten Papierfabrik. Im Mündungsbereich der Themse liegt **Gravesend,** die Stadt der

Leeds Castle, Kent

Hafenanlagen, Lotsen und Piers. In der Pfarrkirche ist die indianische Häuptlingstochter Pocahontas bestattet. An Cobham Hall, einem typischen Tudorbau, vorbei nach Rochester bewegt man sich auf den Spuren Charles Dickens': In **Chalk** verbrachte er seine Flitterwochen, und in **Gad's Hill Place** lebte er von 1857 bis zu seinem Tod 1871. Cobhams Leather Bottle Inn taucht in den *Pickwick Papers* auf.

Die normannische Burg mit ihrem Bergfried beherrscht die Bischofs- und Hafenstadt **Rochester** am Schnittpunkt der alten Watling Street mit dem Medway. Dickens-Territorium auch hier: Das **Bull & Royal Victoria Hotel** wird in den *Pickwick Papers* gelobt, im **Eastgate House** ist des Dichters Chalet von Gad's Hill wiederaufgebaut und in **Eleven Ordnance Terrace, Chatham,** verbrachte er einen Teil seiner Jugend. **Gillingham** vervollständigt das Städtetrio an der Medway-Mündung.

Auf dem Weg ins Mekka der Pilger

Am Bluebell Hill in Rochester, an der Maidstone Road, findet man **Kit's Coty House,** Überreste von Grabhügeln aus der Jungsteinzeit. Durch **Maidstone** zogen im Mittelalter Hunderttausende von Pilgern auf dem Weg nach Canterbury. An der Strecke liegen **Leeds Castle,** ein „Märchenschloß" auf drei Inseln in einem See, das erzbischöfliche Palais in **Charing,** in dem heute ein Landwirt lebt, der den Schloßhof als Wirtschaftshof und die Great Hall als Scheune benutzt, und **Chilham,** das viele für das schönste Dorf Kents halten.

Christliches Canterbury

Canterbury ist die Wiege des englischen Christentums, und das **Conqueror's Castle,** die **Cathedral** und **Thomas Beckett's Shrine** waren 300 Jahre lang das Mekka der Pilger. Trotz der Bombenangriffe von 1942 blieb viel des mittelalterlichen Charakters der Stadt erhalten. Der älteste Teil der heutigen Kathedrale, die Krypta, entstand um 1100, doch gibt es Spuren aus noch früherer Zeit. 602 errichtete der Apostel der Engländer, Augustinus, die erste Kirche an dieser Stelle. Das prächtige Schiff wurde um 1400 neu erbaut und ein Jahrhundert später der Bell Harry Tower hinzugefügt.

Canterbury in der Abenddämmerung

158

Eine Besichtigung lohnen die freigelegten Fundamente der **St. Augustine's Abbey** in der Nähe des Geländes des **St. Augustine's College,** das heute anglikanische Geistliche ausbildet. Weiter östlich an der Longport Street liegt die schon vor Augustinus genutzte **St. Martin's Church.** Im 4. Jahrhundert standen hier die Villen reicher Römer, von denen noch einige Reste zu sehen sind.

Die verkehrsreiche Straße nach London führt heute durch das einzige erhaltene Stadttor, das am Stour gelegene **Westgate** mit seiner Zugbrücke. Lange Jahre Gefängnis, stellt es seit 1906 als Museum die Zeugnisse einer gewaltsamen Vergangenheit.

Zwischen Canterbury und **Whitstable** — von wo schon die Römer ihre Austern bezogen — fuhr Englands erste Dampfeisenbahn, die Personen beförderte. Hier, an der Nordküste Kents, wo Somerset Maugham bei seinem Onkel, dem Vikar, lebte, als er die King's School in Canterbury besuchte, bekommt man in holzverschalten Pubs die saftige ,,Bivalve", eine zweischalige Muschel, serviert.

In **Faversham** geschah 1551 jener Mord, der dem unbekannten Autor des

Arden of Feversham, der ersten bürgerlichen Tragödie der elisabethanischen Zeit, als Vorlage diente. Ostwärts, hinter **Reculver** mit seinem römischen Fort und den Ruinen der Kirche, deren Zwillingstürme als Seezeichen erhalten werden, liegen **Margate** und das **North Foreland,** der östlichste Punkt Englands. Mehr als einen Wallfahrtsort finden Dickensianer in **Broadstairs** mit dem fälschlich als ,,Bleak House" identifizierten **Fort House,** dem Lieblingswohnsitz des Dichters seit 1850. In **Ebbsfleet** in der Nähe Ramsgates landeten im Jahr 449 die Angelsachsen.

Das zurückweichende Meer nahm auch **Sandwich,** wie den übrigen ,,Cinque Ports", den Hafen und ließ ein einzigartiges Überbleibsel des mittelalterlichen Englands zurück. Seit Caesar war der Strand bei **Deal** ein bevorzugter Landeplatz. **Walmer Castle** ist bis heute die offizielle Residenz des Lord Warden — des Gouverneurs — der ,,Cinque Ports". Die große, den Hafen beherrschende Burg von **Dover** beherbergt einen römischen Leuchtturm aus dem Jahr 43 und die von den Sachsen aus römischem Baumaterial errichtete, vermutlich älteste Kirche Englands, **St. Mary-in-Castro.** Unter dem normannischen Bergfried, dem schönsten in England, verbirgt sich ein Netz unterirdischer Gänge, geheimer Räume und Falltüren.

In **Folkestone** findet man eine ,,**Folkestone Beef**" genannte Haifisch-Delikatesse, außerdem die Zeugnisse der Angst vor einer napoleonischen Invasion: die Martello Towers. Auf dem Royal Military Canal bei **Hythe,** einem weiteren der ,,Cinque Ports", findet jedes Jahr ein ,,Venezianisches Fest" statt. Von Hythe startet die kleinste öffentliche Dampfeisenbahn in Richtung Dungeness, der in den Ärmelkanal hinausragenden Kiesbank. Hinter ihr liegt die **Romney Marsh,** eine eigenwillige Gegend mit weißgesichtigen, schwarznasigen Schafen, mit Sumpfpflanzen und Stelzvögeln und ganz besonderen Kirchen — einer Scheune gleichend wie in **East Guldeford** oder, wie in **Brookland,** mit einem hölzernen Glockenturm, der aussieht wie drei aufeinandergestülpte Kerzenlöscher. Ihr Anblick verheißt dem Besucher, so sagt man, daß er zurückkehren wird in diesen Landstrich, der angeblich, eine ,,fünfte Himmelsrichtung" sei.

Eine der engen mittelalterlichen Straßen in Canterbury, im Hintergrund die Kathedrale

Info: East Anglia

Zur Orientierung

Das folgende Kapitel über East Anglia beginnt mit Cambridge, der London nächstgelegenen Stadt von größerem Interesse. Von dort führt der Weg nach Norden in die Cambridgeshire Fenlands und weiter nach Ely, Wisbech und King's Lynn an der Nordküste von East Anglia. Anschließend geht es nach Norwich und zu den Norfolk Broads, einem Gebiet mit künstlichen Seen in der nordöstlichen Ecke von East Anglia. In beträchtlicher Entfernung von Norwich, an der nördlichen Norfolk-Küste, liegen Sheringham und Cromer — im Südosten Yarmouth. Weiter südlich, in Suffolk, liegen Southwold und Aldeburgh. Wenn man landeinwärts auf Cambridge zufährt, kommt man als nächstes in die Orte, die der Landschaftsmaler Constable berühmt gemacht hat: die bis ins 16. Jahrhundert zu-rückreichenden Ortschaften Kersey, Hadleigh, Lavenham sowie Bury St. Edwards.

Anreise

Entweder über die M25 oder über die A406 North Circular Road kommt man zur M11, der kürzesten Straße nach East Anglia, die bis nach Cambridge führt. Nach Norwich nimmt man am besten die A11. Alternativen sind die A12 und A45 nach East Anglia.

Züge nach Cambridge fahren ab Liverpool Station (1 Stunde), Peterborough (1 Stunde) und Doncaster (4 Stunden). Züge nach Norwich fahren nur ab Liverpool Station 2 1/4 Stunden). Die Fahrt von London nach Ipswich dauert 1 1/4 Stunden. Der Kauf der Sonderfahrkarte **Anglia Ranger** ist zu empfehlen, weil man damit eine Woche lang in East Anglia unbegrenzt fahren kann.

Ab Victoria Coach Station fahren stündlich Busse nach Cambridge.

Fast alle Orte in East Anglia sind von London aus sowohl mit der Bahn wie dem Auto leicht erreichbar. Norwich verfügt über einen Flughafen mit Anschluß nach Aberdeen, Edinburgh, Leeds, Jersey, Guernsey und sogar nach Amsterdam.

Da East Anglia nur dünn besiedelt ist, hat das regionale Busnetz etliche Lücken.

Unterkunft

Auf S. 347 des Kurzführers finden Sie eine Liste von Unterkunftsmöglichkeiten in folgenden Orten: Cambridge, Ely, Great Yarmouth, Wisbech, Norwich, Sheringham, Cromer, Southwold, Aldeburgh, Colchester, Dedham, Kersey, Hadleigh, Lavenham, Bury St. Edwards. Den Spezialservice „book-a-bed-ahead" bieten die Tourist Information Centres in

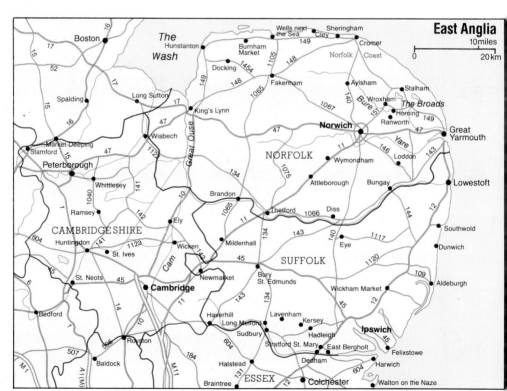

den Städten Cambridge, Norwich, Bury St. Edwards und Aldeburgh.

Informationsstellen

Im folgenden die Adressen der in Frage kommenden Tourist Information Centres:
Aldeburgh, Foundation Office, High Street, Tel. Aldeburgh 3637.
Cambridge, Wheeler Street, Tel. Cambridge 358977/353363.
King's Lynn, Saturday Market Place, Tel. King's Lynn 63044.
Norwich, Augustine Steward House, 14 Tombland, Tel. 666071.
Southwold, Town Hall, Market Place, Tel. Southwold 722366.

Cambridge

Das Zentrum von Cambridge eignet sich hervorragend für einen Bummel. Bei schönem Wetter können Sie es auch machen wie die meisten Studenten — nämlich mit dem Fahrrad. Ein Fahrrad können Sie mieten bei:
Ben Hayward's, 69 Trumpington Street, Tel. 352294.
Howes Cycles, 104 Regent Street, Tel. 350350.
University Cycle and Electrical, 9 Victoria Avenue, Tel. 355517.

Das hervorragende Tourist Information Centre ist in der Wheeler Street, Tel. Cambridge 322640.

In der Bridge Street und Silver Street können Sie Stechkähne mieten.

Gerade in Cambridge sollte man sich einen Führer bei Besichtigungen nehmen. Das Tourist Information Centre ist Ihnen gerne behilflich.

Historische Gebäude

Im Kapitel über East Anglia sind drei bekannte Gebäude näher beschrieben.
Audley End House: Geöffnet dienstags bis sonntags von 13.00 — 17.30 Uhr (April bis September). Telefonische Auskunft: Saffron Walden 22399.
Sandringham: 13 km nördlich von King's Lynn (siehe S. 164). Geöffnet von April bis September. Einzelheiten beim Tourist Information Centre Norwich.
Melford Hall: Ebenfalls von April bis September geöffnet mittwochs, donnerstags und sonntags (siehe S. 174).

In Norfolk, Suffolk und Cambridgeshire gibt es eine stattliche Reihe adliger Wohnsitze, darunter:
Blickling Hall, ein ansehnlicher roter Backsteinbau mit einem schönen Garten in der Nähe von Aylsham an der Straße Norwich — Cromer.
Holkham Hall, drei Kilometer westlich von Wells-next-the-Sea. Der Bau stammt aus dem 18. Jahrhundert und beherbergt eine umfangreiche Sammlung von Gemälden, Tapeten, Möbeln und Statuen. Nur zeitweise geöffnet.

Weitere Einzelheiten erfragen Sie am besten im Tourist Information Centre Norwich.

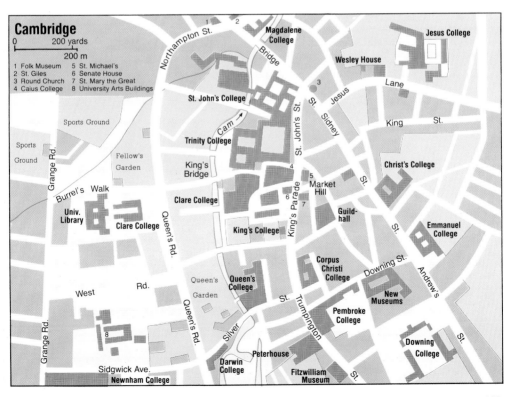

Cambridge

0   200 yards
200 m

1 Folk Museum
2 St. Giles
3 Round Church
4 Caius College
5 St. Michael's
6 Senate House
7 St. Mary the Great
8 University Arts Buildings

Northampton St.

Magdalene College

Jesus College

Bridge

Wesley House

St. John's College

Jesus Lane

Cam

Sports Ground

Trinity College

King St.

St. John's St.

Sidney St.

Sports Ground

Fellow's Garden

King's Bridge

Christ's College

Grange Rd.

Burrel's Walk

Clare College

Market Hill

King's Parade

Univ. Library

Clare College

Queen's Rd.

King's College

Guildhall

Emmanuel College

Corpus Christi College

Downing St.

Andrew's St.

Queen's Garden

Queen's College

New Museums

West Rd.

Pembroke College

Grange Rd.

Queen's Rd.

Silver St.

Trumpington

Downing College

Sidgwick Ave.

Darwin College

Peterhouse

Fitzwilliam Museum

Newnham College

EAST ANGLIA

East Anglia — das sind die vier Grafschaften Suffolk, Norfolk, Cambridgeshire und Essex, eine Region welliger Hügel und kleiner Täler, einer unversehrten Fauna und der geringsten Niederschläge in ganz Großbritannien. Blumenstände säumen im Frühjahr und Sommer die Straßen dieser vor allem für ihre Orchideen bekannten Gegend. Doch die Schönheit des sehr flachen East Anglia ist nicht repräsentativ. Über Yarmouth ließ Charles Dickens seinen jungen Helden David Copperfield vermerken: ,,Alles schaute recht matschig und durchweicht aus ... und ich konnte nicht umhin, mich zu fragen, wie ein Teil dieser Welt, sollte sie wirklich so rund sein, wie es in meinem Geografiebuch hieß, so flach sein konnte.''

Zur Zeit des *Domesday Book* zählten die vier Grafschaften East Anglias zu den reichsten und dichtest besiedelten im Land. Heute ist die Bevölkerungsdichte nicht halb so hoch wie im Durchschnitt, und die Region scheint ihre Eigengesetzlichkeit zu entwickeln.

Ein riesiges Waldgebiet im Süden, von dem nur mehr ein Teil, der Epping Forest, existiert, und ein Streifen unpassierbaren Marschlandes im Norden, die Fens, trennten im Mittelalter East Anglia vom übrigen Land, das sich in den Geburtswehen des Königreiches zerrüttete. Das Erbe der vielen Zuflucht suchenden Orden prägt heute noch in Gestalt von Kirchen, Kathedralen und Abteien die Region: Allein in Norfolk gibt es 600 mittelalterliche Kirchen.

East Anglia war auch eine Region des Landadels, dessen Herrensitze in gleichem Maße wie die Kirchen die Landschaft kennzeichnen. Das für einen Lordkämmerer erbaute **Audley End** nächst Cambridge nannte James I. ,,zu groß für einen König''. Was seit dem Umbau durch Vanbrugh 1721 steht, ist noch immer groß, auch wenn es nur ein Bruchteil des ursprünglichen Komplexes ist. Die Räume gestaltete Robert Adam, die makellosen Gartenanlagen schuf ,,Capability'' Brown — beides klassische Beispiele des englischen ,,country design''.

Sandringham in Norfok dagegen wurde von 1861 von Edward VII. gebaut und wird noch als königlicher

Vorherige Seiten: *The Hay Wain* von Constable
Unten und rechts: Great Court, Trinity College, Cambridge, einst und heute

164

Landsitz genutzt. Von Jacobean bis Regency sind hier alle Stilarten vertreten. Das Haus mit der beeindruckenden Auffahrt ist geschlossen, wenn ein Mitglied der königlichen Familie anwesend ist, doch bleibt der 2800 ha große Park offen.

Bei aller Provinzialität ist East Anglia noch immer eine wohlhabende Region. Die Bauern hier fahren Luxusautos, und der moderne Landadel, salopp, aber dennoch teuer gekleidet, veranstaltet Moorhuhnjagden für die Verwandtschaft aus dem Süden, die nicht die Zeit hat, nach Schottland zu fahren. Doch verläßt den Besucher East Anglias niemals das Gefühl der Abgeschiedenheit. East Anglia steht abseits vom übrigen Großbritannien.

Durchgangsverkehr kennt East Anglia nicht, denn jenseits liegt nur das Meer, und jahrhundertelang praktizierte Inzucht brachte der Gegend den Ruf ein, die meisten Dorftrottel zu haben. Einige Kilometer weg ins nächste Dorf zu ziehen, bedeutet für East Anglians schon auswandern.

Verschont von der Industriellen Revolution wie von den Bomben des Zweiten Weltkriegs, blieben viele Dörfer und Städte unbeschädigt — wie **Lavenham** in Suffolk, dessen Häuser alle mindestens 400 Jahre alt sind. Um das aus der Tudorzeit stammende Erscheinungsbild des Dorfes zu bewahren, entfernten die Einwohner die Telegraphenmasten und verlegten die Leitungen unterirdisch. Das einzige Element, das East Anglia zerstört, ist das Meer, das nach und nach die östlichen Küsten verschlingt. Von der alten Hauptstadt Dunwich mit ihren acht Kirchen ließ es nichts als einen Grabstein zurück.

East Anglia — das ist auch eine unendliche landschaftliche Vielfalt, von der flachen Wildnis in North Norfolks bis zum stillen Meer der welligen Grasländer South Suffolks. Die Schönheit der Landschaft Suffolks — ihre gewundenen Heckenwege, ansteigenden Felder und friedlichen Gewässer — war es, die Gainsborough wie Constable zum Malen drängte.

Ruhmreiches Cambridge

Ein elisabethanischer Geschichtsschreiber charakterisierte einst die Marschbewohner als ,,brutal, unzivilisiert und ungebildet". Oxfordstudenten

nehmen heute darauf Bezug, wenn sie die Universität in **Cambridge** verächtlich die „Fenland Polytechnic" nennen, doch reiften in dieser Stadt des Marschlandes einige der hervorragendsten Denker, Künstler und Architekten der Welt heran.

Cambridge entstand im 12. Jahrhundert aus einer Reihe von Klosteransiedlungen. 1209 dann ließen sich einige Gelehrte aus Oxford, die dort mit den Stadtbehörden in Konflikt geraten waren, in Cambridge nieder. Dies — und die Gründung des ersten Colleges, Peterhouse, durch Hugh de Balsam, dem Bischof von Ely — war der Beginn der Universität.

Bald wurden weitere Colleges unter dem Patronat des örtlichen Adels und der jeweiligen Monarchen errichtet. Henry VI. gründete 1441 das **King's College,** und fünf Jahre später begann der fast 70 Jahre dauernde Bau der **King's Chapel,** die als schönstes gotisches Bauwerk Europas gilt. Die Gottesdienste in der Kapelle sind zugänglich, und es bleibt ein unvergeßliches Erlebnis, in den alten Bänken im Angesicht von Rubens' „Anbetung der Weisen" zu sitzen und den zu dem herrlichen Fä-

chergewölbe aufsteigenden Stimmen des Chores, des wohl besten im ganzen Land, zu lauschen. Zu bestaunen gibt es auch eine Folge von 25 farbigen Glasfenstern aus dem 16. Jahrhundert, die die Geschichte des Neuen Testaments darstellen.

Vom Turm der mit dem gleichen Glockenspiel wie Big Ben ausgestatteten Kirche **St. Mary's the Great** kann man ganz Cambridge einschließlich des fernen dünnen Turms der **University Library** sehen. Gleich der Bodleian in Oxford erhält die Universitätsbibliothek in Cambridge per Gesetz ein Exemplar jedes im Vereinigten Königreich veröffentlichten Buches. Gegenüber St. Mary's liegt das ehrwürdige **Senate House,** das von James Gibb zwischen 1722 und 1730 erbaute Universitätsparlament. Cambridges Kompaktheit macht die Stadt so schön; auf Schritt und Tritt stößt man auf ein Stück Geschichte — ob es der angelsächsische Turm der winzigen, von den Collegegebäuden überragten, aber 250 Jahre älteren Kirche St. Bene't ist oder das Cavendish Laboratory, die Stätte der ersten Atomspaltung.

In den Gartenanlagen des **Christ's**

Links: Trinity Gate, Cambridge Rechts: Ein Rubens im King's College, Cambridge

166

College steht noch der angeblich von Milton gepflanzte Baum; seine *Hymn of Christ's Nativity* verfaßte der Dichter hier am Christ's als Übungsarbeit. Der größte Universitätshof der Welt ist der große Hof des **Trinity College,** dessen Bibliothek Christopher Wren erbaute. Die Statue des Gründers Henry VIII. über dem Eingangstor des Trinity schwingt anstelle eines Szepters ein Stuhlbein. Weiter nördlich liegt das 1511 von Lady Margaret Beaufort gegründete **St. John's College** mit seinem prächtigen dreistöckigen, mit Skulpturen von Wappentieren geschmückten Torhaus. Dahinter führt die berühmte **Bridge of Sighs** (,,Seufzerbrücke'') — 1831 ihrer Namensschwester in Venedig nachgebildet — über den Fluß Cam. St. John's College gegenüber auf der anderen Seite der Bridge Street erhebt sich die 1130 vom Templerorden anläßlich der Kreuzzüge errichtete, dem Heiligen Grab in Jerusalem nachgestaltete **Holy Sepulchre Round Church.**

Die President's Lodge des hinter dem St. Catherine's College verborgenen **Queen's College** ist ein ungewöhnlicher, wackelig aussehender Fachwerkbau. Erstaunlich stabil ist die ebenfalls hölzer-

ne, 1749 ohne einen einzigen Nagel gebaute berühmte **Mathematician's Bridge** (des Colleges), die ein neugieriger Viktorianer 1867 zerlegte und ohne Eisenstifte nicht wieder zusammenzusetzen vermochte.

Etwas außerhalb des Stadtzentrums an der Trumpington Road steht das älteste und traditionsreichste der Colleges, **Peterhouse.** Seine Gönner blicken aus ihren Rahmen von den Wänden der dunklen und prächtigen Halle herab auf die an Tischen aus dem 17. Jahrhundert sitzenden Studenten. Nebenan liegt das **Fitzwilliam Museum** mit einer spektakulären Gemäldesammlung und einer erlesenen Auswahl von Handschriften mit mittelalterlichen Miniaturen. Ein Hafen der Ruhe sind die **Botanical Gardens** hinter dem Fitzwilliam; in der Castle Street gibt es ein reizendes **Folk Museum,** und die **Kettle's Yard Art Gallery** besitzt eine ausgewählte Sammlung moderner Werke.

Am besten mietet man sich von **Scudamore's Boatyard** am Ende der Mill Lane einen jener breiten Nachen und treibt gemächlich die ,,Backs'' hinunter vom Charles Darwin's House zur Bridge of Sighs.

Bridge of Sighs, Cambridge

Die Marschen

Wie flach, matschig und durchweicht die Gegend um Yarmouth dem jungen Cooperfield auch erscheinen mochte, noch flacher, matschiger und durchweichter ist das Marschland. Schon die Namen der Dörfer verraten es — Landbeach, Waterbeach, Gedney Marsh, Dry Drayton. Heirate niemals eine Frau aus dem Marschland, sagt das Sprichwort, denn du könntest in der Hochzeitsnacht entdecken, daß sie Schwimmhäute zwischen den Zehen hat. Jahrhundertelang versuchte niemand, die Sümpfe zu überqueren; heute jedoch ist dieser Boden sehr fruchtbar.

Die Römer versuchten als erste, die 175 qkm große, sich von Lincoln bis Cambridge erstreckende Marsch trockenzulegen, doch gelang dies erst unter Charles I., als der holländische Ingenieur Vermuyden Kanäle durch die Sümpfe legte und das Wasser mit 700 Windmühlen abpumpte. Das Land sackte daraufhin bis zu drei Metern ab. In **Wicken Fen** (von der A 10 nördlich Cambridge aus begeschildert) bewahrt heute der National Trust ein kleines Gebiet der Fens im einstigen Zustand.

Vor Ely wird der unendlich weite Horizont durchbrochen von der das Fenland beherrschenden **Ely Cathedral,** auf der nach der Hauptkost der Dorfbewohner benannten Isle of Eels. Aale erhält man zwar im Restaurant Old Fire Engine House in Ely nicht mehr, dafür aber Spezialitäten wie geräucherten Hechtauflauf, Spargel und Meerfenchel aus der Marsch.

Die hl. Aethelreda wählte 673 die „Insel", eine Kuppe trockenen Landes, als Ort für eine Kathedrale aus. 400 Jahre später fand Hereward the Wake hier eine ideale Zufluchtsstätte vor der Verfolgung durch Wilhelm den Eroberer, bis die belagerten Mönche schließlich selbst den Männern Wilhelms den geheimen Pfad durch die Sümpfe zeigten.

Ihre ungewöhnliche Lage und der einzigartige Laternenaufsatz des Vierungsturms, ein Meisterwerk der Baukunst, machen die 1351 vollendete Kathedrale so großartig.

Nördlich Ely quert man auf der A 1101 den 100 Foot Drain und gelangt zwischen Getreidefeldern zu beiden Seiten nach **Wisbech,** einer Marktstadt, die sich selbst als Hauptstadt der Fens be-

Links:
Wicken Fen
Rechts:
Norwich
Castle
Museum

zeichnet. Southbrink und Northbrink, zwei eindrucksvolle georgianische Straßenzüge, zeigen den Wohlstand, der aus der Entwässerung der Marsch resultierte, und der Market Square ist voll der Produkte, die diesen Wohlstand erzeugten. Im ungewöhnlichen Museum finden sich Bilder aus der Blütezeit Wisbechs und die vollständige Einrichtung eines viktorianischen Postamtes.

Während Wisbech sein Aussehen infolge eines Mangels an wirtschaftlicher Entwicklung bewahrte, blieb das nordöstlich an der Küste liegende **King's Lynn** nicht stehen. Seit 1958 wurde hier viel umgebaut, auf den großartigen Plätzen des Dienstags- und Samstagsmarktes parken während des Rests der Woche Autos, und das Stadtzentrum rühmt sich einer gesichtslosen Einkaufsstraße. Um 1600 war King's Lynn der drittgrößte Hafen Englands, und das zum Teil deutsche Aussehen mehrerer Stadtbezirke rührt von den einstigen Handelsbeziehungen mit den Hansestädten her. Viele der sehenswerten Gebäude liegen in den an den Ouse grenzenden Straßen mit der **King Street** als Herz der alten Stadt. Die flintsteinverkleidete **Guildhall** erhebt den Anspruch,

das letzte erhaltene Gebäude in Großbritannien zu sein, in dem Shakespeare in einem seiner Stücke auftrat. Hier findet in der letzten Juliwoche das **King's Lynn Festival** statt. Gleich neben dem Marktplatz steht die **St. Margaret's Church** aus dem 13. Jahrhundert. An ihrem Westportal eingekerbte Hochwassermarken erinnern an East Anglias Verwundbarkeit durch Überschwemmungen. Einen Besuch wert sind auch das von Henry Bell 1683 entworfene **Customhouse** und das zeitgenössische, höchst phantasievolle **Femoy Arts Centre.**

Kirchen in Hülle und Fülle

Norwich ist eine Ausnahme — eine Stadt, die trotz wirtschaftlichen Erfolgs ihren Sinn für Geschichte bewahrt hat. Sie besitzt für jede Woche des Jahres eine Kirche und für jeden Tag ein Pub, sagt man. Ein Blick auf diese überraschend hügelige Stadt, von welcher Seite auch immer, bestätigt dies. 32 mittelalterliche Kirchen stehen noch innerhalb der Stadtmauern, wenn auch einige mittlerweile weltlichen Zwecken dienen. **St. James'** ist ein Puppentheater, aus ei-

Das Innere
der
Kathedrale
von Ely

ner Kapelle und einem Kaufhaus ging das **Elizabethan Theatre** am Maddermarket hervor, und **St. Peter Hungate** am oberen Ende von Elm Hill beherbergt ein Museum für Kirchenkunst.

119 runde sächsische Türme aus Flintstein gibt es in Norfolk, doch eignete sich der einheimische Stein nicht für den dramatischen Bau der **Norwich Cathedral;** man schaffte das Material aus der Normandie heran, damit ihr Turm mit dem in Salisbury wetteifern konnte. Außer der Kathedrale und den **Cloisters,** dem schönen Kreuzgang, sind die **Cathedral Houses** im Dombezirk und die bis 1939 zur Überfahrt über den Wensum benutzte **Pull's Ferry** sehenswert. Der Tombland Square vor den Toren der Kathedrale leitet seinen Namen vom angelsächsischen „toom", einem offenen Marktplatz, ab.

Die einst drittreichste Stadt Englands, in der im 18. Jahrhundert 30 000 Weber lebten, wurde von der Industriellen Revolution übergangen, da sie keine leicht erreichbare Energiequelle besaß. Norwich wurde bescheiden und profitiert heute von einem kontinuierlichen Wachstum mit verhältnismäßig geringer Arbeitslosigkeit, denn der Einzelhandel blühte hier, und Generationen begüterter Kaufleute trugen über Jahrhunderte zur **Stranger's Hall** bei, die heute ein bezauberndes Museum mit 23, in einer verwirrenden Stilvielfalt ausgestatteten Räumen ist. Die frühesten Teile des Hauses stammen von 1320. Und die wohlhabenden Kaufleute von heute dokumentieren, daß sie nicht weniger freigiebig sind: Das **Sainsbury Arts Centre** an der Universität, das mehrere Architekturpreise gewann, besitzt eine umfangreiche Kunstsammlung. Die Werke der von den Holländern beeinflußten impressionistischen Norwich School hängen im einfallsreich umgestalteten Bergfried im **Castle** (12. Jh.).

Norwich bietet ausgezeichnete Einkaufsmöglichkeiten: reich bestückte Antiquitätenläden säumen **Elm Hill,** und **Colman's Mustard Shop** in der Bridewell Alley verkauft Senf in allen nur erdenklichen Variationen und für jeden Zweck. Die Straße Elm Hill ist nicht so alt, wie sie aussieht; bis auf das Briton's Arms wurden alle Gebäude nach einem Feuer im 18. Jahrhundert wieder aufgebaut. Und auch die Ulme, die ihr den Namen gab, mußte mittlerweile durch eine Platane ersetzt werden.

Kanallandschaft in der Nähe von Southwold in Suffolk

170

Nordöstlich von Norwich zweigt die A 1161 zu dem kleinen Dorf **Woodbastwick** ab. Hier umfängt den Besucher ländliche Stille. Nieselregen kräuselt die moordunklen Wasser der Marschen des Flusses Bure, und irgendwo steigt der krächzende Alarmruf eines Bläßhuhns auf, als das weiße Dreieck eines Seglers durch das braune Riedgras gleitet.

Das Vogelparadies der Broads

Für den Vogelkundler ist der Winter auf den **Norfolk Broads** eine fesselnde Zeit, doch kommen die meisten Besucher erst mit der Sonne in diese vermutlich aus mittelalterlichen, im Laufe der Jahrhunderte überschwemmten Torfgruben entstandenen Seenkette. Die auf dem Landweg weitgehend unzugänglichen Broads erkundet man am besten auf einem der rund zehntausend Fahrzeuge, die es auf den 320 km schiffbarer Wasserwege gibt. **Wroxham** und **Horning,** beide am Bure, etwas abseits der A 1151 gelegen, eignen sich besonders zum Mieten eines Bootes. Mit 20 Bootsverleihern mag Wroxham zwar der Hauptort der Broads sein, doch ist Horning mit den seine Hauptstraße säumen-

den strohgedeckten Häusern und ihren an Venedig erinnernden Anlegestellen reizvoller. Aus der ganzen Umgebung kommen Segler, um am Wirtshaus Morning Ferry festzumachen zu einem beschaulichen Dämmerschoppen.

Nur vom Wasser aus sieht man diese Landschaft aus Kirchtürmen, Windmühlen, Schilf und die Felder durchschneidenden Segeln. Die hier *staithes* genannten Anlegestellen in den Dörfern stammen aus der Zeit, als die meisten Waren auf dem Wasser transportiert wurden. Noch im frühen 20. Jahrhundert befuhren mit Zuckerrüben beladene Frachtsegler den Yare von Norwich bis zum Meer; einer dieser Kähne ist in Horning zu sehen.

In **Ranworth,** wo das **Broadlands Conservation Centre** zu Haus ist, hat man vom Turm der **St. Helen's Church** einen wundervollen Blick auf das Netz der Wasserwege. Ein Stück weiter den Bure abwärts stehen die durch den Stumpf einer Windmühle verunzierten Ruinen der **St. Benet's Abbey.**

An manchen Stellen sind die Broads den Gezeiten unterworfen, und das leicht salzige Wasser zieht ungewöhnliches Tierleben an. Reiher, Rohrdom-

Das Brodlands Conservation Centre in Ranworth

meln und Schwalbenschwänze, die größte Schmetterlingsart des Landes, gibt es in diesen Riedgebieten. Seit kurzem haben sich einige aus einer nahen Pelzfarm entlaufene Nutrias derart vermehrt, daß Naturschützer sie als große Plage betrachten. Schlimmer aber ist das Verschwinden des pflanzlichen Lebens von den Wassern fast aller Broads im Laufe der letzten Jahrzehnte. Manche machen die Düngemittel der Bauern für das Ansteigen des Nitratgehalts im Wasser verantwortlich, doch ist die Ursache noch ungeklärt.

Die See gibt und nimmt an den Küsten East Anglias: In North Norfolk liegen heute **Cley** und **Wells-next-the-Sea** fast 2 km vom Meer entfernt, während in Suffolk **Dunwich,** einst Sitz eines Bischofs und eine Stadt mit Kirchen, Klöstern und Spitälern, ganz und gar verschwunden ist. 1326 riß ein einziger Sturm 400 Häuser mit sich fort, und Jahr für Jahr rückt der letzte Grabstein im Kirchhof von All Saints' näher an die abbröckelnde Klippe heran.

Ende des letzten Jahrhunderts erschloß ein neues Eisenbahnnetz ein Dutzend Erholungsorte an der sonnigen Küste. Heute jedoch, da viele Bahnstrecken stillgelegt sind und die Engländer verstärkt ins Ausland reisen, kommen nur wenige Urlauber an die ostenglische Küste. Einige der kleineren Badeorte sind nahezu vergessen und haben so ihre viktorianische Atmosphäre bewahrt, wie **Sheringham** und **Cromer** in North Norfolk, einem von Winterstürmen gepeitschten Küstenstrich. Allein 1855/56 gab es hier 500 Schiffsunglücke. Heute noch besitzt fast jedes Dorf sein eigenes Rettungsboot, das mit einem Traktor auf die Klippen gezogen wird.

Yarmouth

Nach wie vor beliebt bei Touristen ist das etwa in der Mitte der Küste East Anglias gelegene **Great Yarmouth.** In seinem Hafen, der heute voll von Versorgungsschiffen für die Ölindustrie vor der Küste ist, ging es einst geschäftig zu bei der Ankunft der Heringsschwärme und der ihnen nach Süden folgenden schottischen ,,Heringsmädchen'', die den Fisch säuberten und verpackten. Mit Heringen zahlten im 11. Jahrhun-

Bowling in Great Yarmouth

dert Fischer ihre Steuern. Als die Heringsindustrie in den dreißiger Jahren zum Erliegen kam, verkaufte sich Yarmouth an die Touristen — mit allen negativen Folgen eines Massenvergnügens; sogar der goldene Sandstrand ist ein großer Rummelplatz, verschandelt von den Aufbauten der Rutschen und Achterbahnen.

So verändert ist Yarmouth, daß 1969 der „David Copperfield"-Film im 32 km südlich gelegenen **Southwold** gedreht werden mußte, einem gepflegten Ferienort, der die Würde und Kultiviertheit besitzt, die dem heutigen Yarmouth fehlen.

Southwold ist die Heimat der **Adnams,** traditionsreicher Brauer starker Biere. Pferd und Karren der Brauerei besorgen noch Auslieferungen am Ort. In der herrlichen Kirche im Perpendicularstyle läutet eine Gestalt in voller Rüstung, Southwold Jack genannt, die Gottesdienste ein, indem sie mit dem Schwert eine Glocke anschlägt. Trotz der Vorherrschaft des Tourismus' besitzt Southwold einen der wenigen Häfen an einer Flußmündung, die noch von Fischern benutzt werden.

Die Festspiele von Aldeburgh

Jenseits der breiten Mündung des Blyth führt ein lohnender, wenn auch langer Wanderweg nach **Aldeburgh,** dem Fischerstädchen, das Benjamin Britten zu seiner Heimat erkor und durch das seit 1948 jeden Juni zwei Wochen lang stattfindende Musikfestival berühmt machte. Aldeburgh ist auch der Geburtsort von George Crabbe, dessen Gedichte Britten unter anderem zu seiner Oper „Peter Grimes" anregten. Crabbe haßte das rauhe und rohe Leben in der Fischergemeinde, und es entbehrt nicht der Ironie, daß indirekt auch Crabbe dazu beitrug, daß die in Mode gekommene Stadt heute so kultiviert ist — 150 Jahre zu spät für den Dichter.

Nördlich von **Colchester** — der ältesten beurkundeten Stadt Englands, in der jedoch nur wenig römisches erhalten ist — durchquert die A 12 nach Ipswich das Tal des Stour. **Ipswich** selbst bietet nicht allzu viel, außer einem viktorianischen Hafenviertel voller Atmosphäre, authentisch bis hin zu Leuchtschiff und Segellastkähnen, am River Orwell, der dem Verfasser des utopischen Romans *1984* den Namen gab.

Aldeburgh,
Suffolk

Constables Muse

Noch berühmter durch das Werk eines höchst beliebten britischen Malers ist ein anderer Fluß: der Stour. Sein Tal in Suffolk wird mit vollem Recht Constable Country genannt. John Constable malte den Fluß, die Bäume und Dörfer mit einer Liebe, die diese Landschaft auch jenen vertraut gemacht hat, die nie hier waren. Der Künstler wurde 1776 in dem stattlichen Dorf **East Bergholt** geboren, wo heute noch die Glocken des niemals vollendeten Kirchturms in einem Schuppen auf dem Friedhof lagern. Den Hügel hinab, in **Flatford,** war sein Vater Mühlenbesitzer; in dem Gemälde *The Hay Wain* ließ Constable diesen Ort seiner Kindheit wiedererstehen, der ihm so viel bedeutete, daß er sogar seine Hochzeit verschob, um das Bild zu beenden. Ein weiteres Lieblingsmotiv waren die Wassermühlen von **Stratford St. Mary.**

Wenig verändert hat sich das Dorf **Dedham,** einige Kilometer flußaufwärts von Flatford gelegen und am besten von dort zu erreichen.

Noch unverdorbener als Dedham präsentieren sich die Dörfer landeinwärts. Viele der Fachwerkhäuser in **Kersey, Hadleigh** und **Lavenham** stammen aus dem frühen 16. Jahrhundert. Hier ist das Land der Wolle und des Wollhandels, und diese Dörfer waren 700 Jahre lang nach der normannischen Eroberung bekannt und wohlhabend. Die reichen Besitzer der Manufakturen lebten in großen Herrenhäusern und beteten in herrlichen Kirchen, erbaut mit ihren Gewinnen. Schöne Beispiele finden sich in **Long Melford,** nördlich von Sudbury. Unter den Tudorhäusern des Dorfes mit ihren Türmchen und Wassergräben ragen **Melford Hall** und **Kentwell Hall** hervor.

Von Holz zu Stein

Während den Dörfern Fachwerkhäuser ihre Schönheit verleihen, dominiert in **Bury St. Edmunds,** der Bischofsstadt dieses Bezirks, der Stein. Schon Thomas Carlyle lobte das freundliche Erscheinungsbild dieser ,,blühenden Backsteinstadt'', die auch heute alles andere als rückständig ist. In den engen Straßen um den **Buttermarket** herrscht ebenso drangvolle Enge wie in der **Nutshell,** dem angeblich kleinsten Pub Englands. Das im 12. Jahrhundert erbaute **Moyse's Hall Museum,** das in der Gegend gefundene bronzezeitliche und sächsische Gegenstände zeigt, gilt als das älteste normannische Haus in East Anglia. Keinen Beweis gibt es dafür, daß es das Haus eines jüdischen Kaufmanns oder eine Synagoge gewesen ist. Im Stadtzentrum liegt die wunderschöne Market Cross Galery, ein Robert Adam-Gebäude mit wechselnden Ausstellungen.

Der Glanzpunkt Burys aber sind die alte **Abbey** und die **Cathedral.** Unterhalb der im 12. Jahrhundert erbauten Kathedrale liegen die Reste der im 7. Jahrhundert gegründeten Abtei, die zu einem bedeutenden Wallfahrtsort aufstieg, nachdem um 900 hier der letzte, von den Dänen getötete König East Anglias, Edmund, bestattet worden war. 1214 schwor eine Gruppe von Baronen vor dem Altar, gegen König John die Waffen zu erheben, falls er sich weigern sollte, sein Siegel unter die Magna Charta zu setzen. Ein Jahr später unterzeichnete er, und noch heute feiert Bury dieses Ereignis und Edmunds Beisetzung mit dem Leitspruch: Heiligengrab eines Königs, Wiege des Rechts.

Links: Der Eingang der Kathedrale von Bury St. Edmunds Rechts: Am Fluß in Stratford St. Mary

Info: Cotswolds

Zur Orientierung

Die Cotswolds sind eine Hügelkette zwischen Bath und Chipping Cambden südlich von Stratford-upon-Avon. Die im Text erwähnten Ortschaften ergeben in ihrer Abfolge eine Route, die in Lechlade (bis hierhin ist die Themse schiffbar) beginnt. Viele der erwähnten Orte sind kleine Dörfer, so daß genügend Zeit für andere Ziele bleibt.

Bevor der Text nach Tetbury im Süden gelangt, streift er Kelmscott (östlich von Lechlade), Fairford, Arlington, Chedworth, Northleach, Cirencester und Malmesbury (westlich von Lechlade). Castle Combe ist der letzte „Halt" vor Bath. Bath zählt eigentlich nicht mehr zu den Cotswolds, steht aber als südlicher Schlußpunkt des Kapitels und ist selbst sehr sehenswert.

Ab Nailsworth orientiert sich der Text nach Norden über Chalford, Sapperton sowie Stroud, während Gloucester, Cheltenham und Tewkesbury (in der Nähe der walisischen Grenze) das westliche Ende der Cotswolds markieren.

Bevor die Rede von Stratford-upon-Avon ist, werden einige Dörfer der Umgebung, wie z.B. Broadway, dem „Ausstellungs"-Dorf der Cotswolds, vorgestellt. Am Ende des Kapitels sind Orte im Nordosten erwähnt, unter anderem Chipping Campden, Moreton-in-Marsh und Bourton-on-the-Water. Bath und Stratford sind sicherlich die populärsten Orte in diesem Kapitel, wobei Bath günstig auf dem Weg ins West Country liegt (im nächsten Kapitel beschrieben).

Einige Gebiete der Cotswolds liegen in der Grafschaft Oxfordshire. Wer zum Beispiel Blenheim Palace besucht (siehe das Kapitel „Das Tal der Themse"), befindet sich bereits in der Nähe von einigen sehr schönen Cotswold-Dörfern. Es kann deshalb angebracht sein, bei der Wegplanung — etwa im Dreieck Oxford, Gloucester und Stratford — sowohl das Kapitel „Das Tal der Themse" als das Kapitel „Cotswolds" zu Rate ziehen.

Anreise und Verkehrsmittel

Auch hier gilt, daß ein Auto die größte Bewegungsfreiheit verschafft. Oxford, Cheltenham, Stroud, Gloucester, Tewkesbury, Stratford und Stow-on-the-Wold sind gut ausgeschildert, und es ist unproblematisch, einfach quer durchs Land zu fahren.

British Rail hat der Verbindung Oxford-Worchester den Beinamen „Cotswold Line" gegeben. In der Tat ist auf der Strecke über Charlbury, Stow-on-the-Wold, Moreton-on-Marsh, Evesham, Worchester und Hereford schöne Cotswold-Landschaft zu sehen. Wer einige Zeit in der Gegend verbringt und der Autoperspektive

Bath

Das ungebrochen populäre Bath zieht weiterhin viele Touristen an. In den Sommermonaten kann es deshalb, wie in anderen beliebten Städten Englands, schwierig sein, eine Unterkunft zu finden. Man sollte sicherheitshalber den „book-a-bed-ahead" Service in Anspruch nehmen. Wer bereits in den Cotwolds ist, kann das bei den TICs von Cheltenham, Cirencester oder Stratford erledigen. Die entsprechenden TICs außerhalb der Cotswolds findet man auf den jeweiligen Info-Seiten.

Bath konzentriert sich in einer Biegung des Flusses Avon. Für den Besucher am interessantesten ist die Gegend zwischen Royal Crescent und Pulteney Bridge. Außer den Sehenswürdigkeiten, die auf Seite 184 und 185 des Cotswolds-Kapitels erwähnt sind, sei noch auf folgende verwiesen: Die **Victoria Art Gallery** in der Nähe der Pulteney Bridge zeigt Arbeiten lokaler Künstler aus dem 19. Jahrhundert; das **Burrows Toy Museum** in der Nähe des Römerbads, stellt eine kleine Sammlung alter Puppen aus; und das **Holburne of Mentrie Museum** hat Gainsborough in seiner Sammlung.

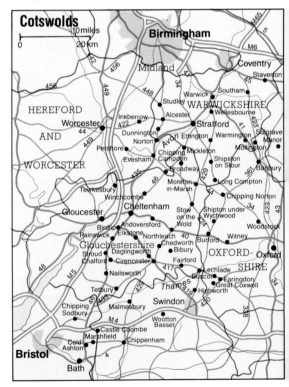

entfliehen will, kann sich in Oxford ein Fahrrad mieten und es mit in den Zug nehmen. Zwischen Oxford und Moreton kann er beliebig aussteigen und nach Oxford zurückfahren. Die Fahrkarte **Cotswold Ring** gestattet den unbegrenzten Gebrauch aller Züge zwischen Oxford, Swindon, Gloucester und Worcester.

Zwar geben die TICs der Cotswolds den Führer *Cotswold Bus and Rail Guide* heraus, am besten fragt man jedoch vor Ort, welcher Bus wann wohinfährt.

Die Hügel der Cotswolds eignen sich natürlich ausgezeichnet zum Wandern, vor allem auf dem **Cotswold Way,** einem Wanderweg, der zwischen Bath und Chipping Sodbury auf einer Strecke von 160 km verläuft. Er führt entlang der steilen Böschung, die zu den Ebenen von Severn und Avon hin abfällt und streift Orte wie Stroud, Painswick, Birdlip, Winchcombe, Stanway und Broadway. Auch ein nur kurzer Abschnitt des Weges — etwa von einem der erwähnten Orte aus — vermittelt die landschaftliche Schönheit der Cotswolds.

Wer nur kurz bleiben will: das **British Rail Triple Ticket** (siehe Info: London, S. 81) umfaßt auch Bath und Cheltenham.

Unterkunft

Auf S. 348 des Kurzführers sind Unterkünfte für folgende Orte aufgeführt:
Stradford, Bath, Gloucester, Cheltenham, Bibury, Bourton-on-the-Water, Burford, Chipping Campden, Cirencester, Tewkesbury, Broadway, Stow-on-the-Wold, Tetbury, Moreton-in-Marsh.

In fast allen Dörfern der Cotswolds findet man Pensionen, „Bed-and-Breakfast"-Zimmer und natürlich Pubs. „Book-a-bed-ahead"-Service bieten die TICs von Cirencester, Cheltenham, Bath, Stroud und Stratford.

Informationsstellen

In folgenden Orten gibt es Tourist Informations Centres:
Bath, Abbey Church Yard, Tel. Bath 62831
Cheltenham, Municipal Offices, Promenade, Tel. Cheltenham 522878
Cirencester, Corn Hall, Market Place, Tel. Cirencester 4180
Stratford, Judith Shakespeare's House, 1 High Street, Tel. Stratford 293127

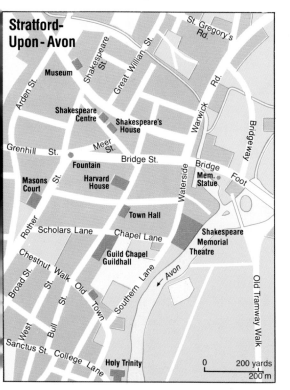

Stratford-Upon-Avon

Umgebung von Bath

Bath ist nicht nur eine der Hauptattraktionen Englands, sondern auch ein guter Ausgangspunkt für Touren. Zwar haben wir Bristol zum Ausgangspunkt für das West Country gemacht, Bath (das nur 16 km entfernt ist) würde sich aber ebenso gut eignen. Die im Kapitel West Country erwähnten Wells, Glastonbury und Cheddar Gorge sind höchstens 35 km von Bath entfernt.

Abreise

Von den Cotswolds aus kann man gut das benachbarte Wales oder West Country erreichen. An Swansea vorbei führt die M4 nach Wales. Westlich von Bristol kommt man auf die M 5, Richtung Süden nach Taunton und Exeter.
Von Bristol Temple Meads fahren Züge nach Exeter, Plymouth, Liskeard, Bodmin, St. Austell, Truro, Redruth und Penzance; von Bristol Parkway fahren Züge nach Swansea. Abends fahren National Express Busse nach Exeter, Plymouth und Penzance ab. National Express bedient zudem die Strecke nach Newport, Cardiff, Swansea, Carmarthen, Pembroke und Haverfordwest. National Express in Bristol, Tel. 541022.

DIE COTSWOLDS UND STRATFORD

„Am Anfang anzufangen", wie der König in *Alice in Wonderland* anordnete, ist auch im Fall des hügeligen Heidelandes der Cotswolds schwierig. Wo sie genau beginnen und enden in der Kette von Kalksteinhügeln, die sich in einem diagonalen Band von der Küste von Dorset bis nach Lincolnshire erstrecken, wird immer heftig umstritten sein. Entscheidend ist das Vorkommen des echten Ooliths, jenes wie Fischlaich aussehenden und deshalb „Eierstein" genannten grauen, feinkörnigen Mauersteins, der Kirchen und Häusern, Scheunen und Schweineställen vom äußersten Rand der Hügel oberhalb von Chipping Campden bis zum südlichen Ende bei Bath einen besonderen Charakter verliehen hat.

Stärker als in jeder anderen Gegend Englands sind die Gebäude der Cotswolds organisch, wie aus der Erde selbst gewachsen und von Männern gestaltet, die hier lebten. Cotswold-Stein kommt in verschiedenen Farben vor, von Gold bis Blaugrau, und reagiert in höchst bemerkenswerter Weise mit unterschiedlichen Tönungen auf wechselnde Wetterbedingungen. Das Cotswold-Gebäude steht in einer vollkommenen Beziehung zur Landschaft, und die Dörfer wirken aus sich selbst.

Durchbrochen von steilen, bewaldeten Tälern und rauschenden Wasserläufen — Coln und Churn, Windrush, Dikler, Leach und Evenlode —, ragen die Kalksteinhügel der Cotswolds heraus wie Finger, sondern sich zu alleinstehenden Buckeln ab. Hoch und leicht zu verteidigen, siedelte sich der prähistorische Mensch auf ihnen an. In römischer Zeit sorgten ihre Schafweiden und Flüsse für den Lebensunterhalt der Bevölkerung, und im Mittelalter, als hier Wolle und Tuch produziert wurden, erzeugten sie Wohlstand. Cirencester wurde im römischen England an Größe nur von London übertroffen, und Burford besaß schon vor der normannischen Eroberung eine Wollhändlerzunft.

Die Gewinne der Tuchindustrie förderten den Bau von Dörfern, Kirchen und Kathedralen. Als sie zusammenbrach, versanken die Wolds in einen Dornröschenschlaf, bis der Tourismus

Vorherige Seiten: Castle Combe Unten: Wolle spielte in der Wirtschaft der Cotswolds jahrhundertelang eine wichtige Rolle

sie zu neuem Leben erweckte. Doch gibt es noch immer neben Orten wie Bourton-on-the-Water, das vom Massenbesuch erdrückt zu werden droht, liebliche, verborgene Plätze, die sich nicht von selbst anbieten.

Am Ursprung der Themse

Die Themse ist ein Kind der Cotswolds, wenn auch nicht ganz klar ist, welcher der Quellflüsse der wahre Vater der Isis ist. Den Lehmboden des Tales von Oxford hinter sich lassend, steigen die nach Westen führenden Straßen allmählich hinauf zu den dem Severn und den entfernten Bergen von Wales zugewandten Höhen.

Ein guter Ausgangspunkt ist **Lechlade** an der oberen Themse, mit seinen aus Kalkstein gebauten Häusern ein typischer Cotswold-Ort. Die Kirche besang 1815 der Romantiker Shelley in seinen *Stanzas in Lechlade Churchyard*. Unter der St. John's Bridge fahren Wohnboote hindurch, und am **Trout Inn** aus dem 13. Jahrhundert ist die Themse voller Forellen. Hier schaute sicherlich ab und zu William Morris vorbei, der Dichter, Maler und Sozialreformer, der ein Stück flußab im **Kelmscott Manor** wohnte. Das Dach aus Spaltsteinen bereitete Morris ,,in seiner wohlgeordneten Schönheit die gleiche Art von Freude wie die Schuppen eines Fisches oder die Federn eines Vogels". Morris mietete das Haus 1871 zusammen mit dem Maler und Schriftsteller Dante Gabriel Rossetti, für den der Ort Kelmscott allerdings ,,der schläfrigste Haufen alter grauer Bienenstöcke" war.

Morris zeigte Freunden gern seine lokale ,,Sehenswürdigkeit", die Zehntscheune in **Great Coxwell,** die ihre Bedeutung den Mönchen des 13. Jahrhunderts aus der Beaulieu Abbey in Hampshire verdankt. Drinnen ruhen die das Dach tragenden großen Eichenständer auf übermannshohen Steinpfeilern. Seitenschiffe und ein Querschiff lassen diese Kathedrale unter den Scheunen tatsächlich als Gotteshaus erscheinen. Kelmscott gegenüber auf der anderen Flußseite liegt **Buscot Park.** Lord Farringdon erweiterte das im Stil Robert Adams erbaute Haus im späten 19. Jahrhundert; der bei Morris weilende Präraffaelit Burne-Jones malte Holztafeln für den Saal und entwarf das Ostfenster in der Kirche.

Typisches Haus aus Cotswold-Stein

Meisterliche Kirchenfenster

Geheimnisse, die man „durchschauen" kann, sind die herrlichen Fenster der Kirche von **Fairford,** deren Herkunft unbekannt ist. Der im Auftrag Henrys VIII. an der King's College Chapel in Cambridge arbeitende Meister, holländische Künstler und sogar Dürer wurden mit ihnen in Zusammenhang gebracht, doch bleibt dies alles Spekulation. Auch weiß man nicht, wie sie der Zerstörung im Bürgerkrieg entgingen. Sicher ist nur, daß das „Letzte Gericht" ein Meisterstück ist und daß die roten und blauen Teufel den Schrecken wert sind, den sie dem Betrachter einjagen.

8 km weiter nördlich, den Coln hinauf, liegt das wunderschöne Dorf **Bibury.** Die Giebel und steilen Dächer der **Airlington Row** zeigen den Cotswold-Stil in reinster Form. In diesen steinernen Häuschen neben dem Mühlbach wohnten einst Weber, die das Tuch auf Rack Isle (heute ein Vogelschutzgebiet) trockneten. Die Mühle aus dem 17. Jahrhundert in der Nähe besitzt noch ihr funktionierendes Mahlwerk und ist, recht passend, ein lebendiges Kunstgewerbezentrum.

Entlang der A 429 zwischen Cirencester und Northleach, die der alten Römerstraße, dem Fosse Way, folgt, finden sich Überreste aus römischer Zeit. **Chedworth** Häuser liegen verstreut auf Terrassen über dem Fluß und unterhalb des Waldes; hier stößt man auf die vermutlich besterhaltene römische Villa Englands, aus der Zeit um 180 n. Chr. In erstaunlichem Zustand sind die Bäder. Das Material für die Mosaike stammt nicht aus Italien, sondern wurde aus zwei Arten des einheimischen Cotswold-Steins ausgewählt.

Streifzüge durch das Land der Wolle

Mächtig erhebt sich der Turm der Kirche von **Northleach** über den Dächern der Stadt. Mit dem Geld von Wollhändlern erbaut, zeigt er die Kraft religiösen Eifers wie die hohe Vollendung des Perpendicularstyle. In der Kirche erinnern die schönen Messinggrabplatten aus dem 15. und 16. Jahrhundert an die Stifter: Hier ruhen Füße auf Wollsäcken, ein Wollhändler hat den linken Fuß auf einem Wollsack und den rechten auf einem Schaf und die Füße eines Schneiders sind durch eine große Northleach

Schere getrennt. Einblick in die Landwirtschaft vermittelt die **Cotswold Countryside Collection,** ein neues Museum für Wagen und landwirtschaftliche Geräte.

Von Northleach führt der Fosse Way nach Süden und vereinigt sich mit der Ermine Street und der Akeman Street, ebenfalls römische Straßen, in **Cirencester,** das einst „Cissiter" und unter den Römern „Corinium" hieß und damals an Größe und Bedeutung nur hinter London zurückstand. Die Stadt, die ihren mittelalterlichen Charakter bis heute bewahrt hat, gedieh mit dem Wollhandel und erlebte erst im 19. Jahrhundert einen Niedergang. Die Kirche besitzt einen reich verzierten Turm und eine riesige Eingangshalle, die einst auch als Rathaus diente. Der Herrensitz **Cirencester Park** wendet der Stadt eine grüne Mauer zu — eine hufeisenförmige Eibenhecke, so hoch, daß es einer Feuerwehrleiter bedarf, um sie zu schneiden. Außerhalb des **Corinium Museum** zeugt einzig in der Kirche der von den Normannen wiederverwendete Teil einer römischen Säule vom römischen Cirencester.

Auf Gloucester zu liegen links und rechts der Ermine Street zwei Dorfkirchen, die man nicht versäumen sollte: In **Daglingworth** finden sich sächsische Skulpturen, darunter eine Kreuzigungsgruppe von bezwingender Schlichtheit, und in **Elkstone** sieht das Ostfenster der Kirche unter niedrigen normannischen Bögen wie eine Kalksteinhöhle aus. Die **Thames Head Bridge** an der Quelle der Themse südwestlich von Cirencester am Fosse Way wird all jene interessieren, die gerne „am Anfang anfangen".

Seltsame Ereignisse

Ein Stück weiter liegt das Cotswold-Dorf **Malmesbury.** Zwei betrübliche Dinge geschahen hier: Ein Tiger aus einer Tierschau tötete 1703 eine Frau; ihr Grabstein überliefert ihre Geschichte. Und die Benediktinerabtei wurde in der Säkularisation äußerst billig von einem reichen Tuchfabrikanten als „Weberei" erworben; nur das Hauptschiff der Kirche blieb der Gemeinde für ihre Gottesdienste.

In **Tetbury** erinnert der von Säulen umgebene offene Platz neben der Markthalle aus dem 17. Jahrhundert an die einstige Geschäftigkeit des Wollhan-

trohdachecker bei er Arbeit in hipping ampden

183

dels. Westlich der Straße von Tetbury nach Bath, in der Nähe von Chipping Sodburry, liegt **Dodington House,** einer der größten Familiensitze Englands. James Wyatt, der berühmte Architekt des 18. Jahrhunderts, schuf das großartige Treppenhaus und ,,Capability'' Brown den schönen Landschaftspark. Für drei Tage im Jahr machen die *Three Day Event Horse Trials* **Badminton House,** östlich der A 46, zum Wallfahrtsort für Pferdeliebhaber von der Königin abwärts. Auch sonst ist der in der Zeit Charles' II. erbaute und von William Kent im 18. Jahrhundert zu einem Palast umgestaltete Sitz des Duke of Beaufort interessant. Die berühmte Reihe alter giebelständiger Steinhäuser des malerischen **Castle Combe,** das an einem bewaldeten, tief eingeschnittenen Wasserlauf nahe der Autobahn liegt, wurde 1966 für die Verfilmung des *Doktor Doolittle* zum Seehafen.

Eine formvollendete Stadt

Bath sieht nur so aus, als ob es zu den Cotswolds gehörte. Seine Schönheit verdankt es dem Muschelkalk und dem Genie zweier Männer, des älteren und des jüngeren Wood, die seinen Straßen, Plätzen und halbmondförmigen Straßenzügen ihre Harmonie verliehen. Leider ist sie heute von den Problemen einer modernen Stadtentwicklung, die auch Bath nicht verschonen, bedroht. Ihr Stil ist nicht englisch, nicht ,,Cotswold'', sondern klassisch und griechisch, und der Kalkstein paßt sich wundervoll an. Der Sage nach begann alles mit Prinz Bladud, dem königlichen Schweinehirten und Vater Lears, den das Moorbad von der Lepra heilte. Erwiesen ist, daß die Römer die heißen Mineralquellen genossen. König Offa gründete die Abtei, in der 973 Edgar gekrönt wurde. Im 18. Jahrhundert leitete Ralph Allen, ein ehemaliger Postmeister, Bath' Glanzepoche ein. Beau Nash sollte ihr Zeremonienmeister werden, der Badebetrieb, Glücksspiel und Sänftentragen organisierte und der Gesellschaft die Theater und Kursäle verschaffte, nach denen sie verlangte. Zu dem vielen, das man in Bath sehen sollte, gehört die **Pulteney Bridge** über den Avon, am besten von den **Parade Gardens** aus. Auf diesem einzigen Werk Robert Adams in Bath, geschaffen zwi-

Royal Crescent in Bath

schen 1769 und 1774, stehen wie auf der alten London Bridge Häuser. Ein Muß sind daneben die **Royal Crescent,** der **Circus, Assembly Rooms,** das dem Haus Beau Nashs nachempfundene **Theatre Royal,** der **Queen Square** und das **Cross Bath.** Das dampfende Herz all dessen sind die nur wenig unter dem Niveau der modernen Stadt liegenden **Roman Baths** und der **Pump Room.**

Das American Museum in Britain im **Claverton Manor** hoch über dem Avon-Tal, 6 km östlich von Bath, zeigt die häusliche Seite des amerikanischen Lebens zwischen dem 17. und 19. Jahrhundert. In den schluchtenähnlichen Tälern des Stroudwater um Nailsworth, wo sich Häuschen an Terrassen über steilen Straßen schmiegen, stehen die meisten Räder und Webstühle schon lange still; nur ein paar Tuchfabriken gibt es hier noch. Der Abstieg ins „Golden Valley" beginnt in **Chalford;** hier wie flußaufwärts in **Sapperton** finden sich einige Kuriositäten, so ein rundes Haus mit kegelförmigem Dach und gotischen Fenstern an den Ufern des Kanals, der 1789 eröffnet wurde, um Themse und Severn zu verbinden. In Sapperton verschwindet er unter einem

Triumphbogen im Abhang. Dort, wo der Frome durch die westliche Wand der Cotswolds bricht, blickt **Stroud** auf seinem Hügel hinüber zu den Bergen von Wales. Hier im Stroudwater-Tal war im 16. Jahrhundert die Tuchindustrie des Landes konzentriert.

Links der Straße von Stroud nach Painswick findet sich eine „kleine Schweiz" mit flinken Bächen und bewaldeten Schluchten. Laurie Lee, der Autor des Romans *Cider With Rosie,* lebte in **Slad,** am alten Weg nach Cheltenham. Sein Cottage und Pub sind noch vorhanden, aber die Schule hat ihre Pforten geschlossen. In **Painswick** wob man, meißelte Grabsteine und stutzte Eiben. In **Cooper's Hill** hält man noch den Traum aufrecht, am Maifeiertag siebenpfündige Käselaiber den Hang hinunterzurollen — wer immer sie fängt, behält sie.

Könige zuhauf

Die Ermine Street führt hinab nach **Gloucester,** Bischofssitz, Binnenhafen und strategisches Zentrum seit römischer Zeit. König Alfred hielt hier 896 ein Parlament ab, Knut unterzeichnete

Links:
Skulptur vom Temple Pediment in Bath
Rechts: Glasfenster der Kathedrale von Gloucester

einen Vertrag, und Wilhelm der Eroberer ordnete die *Domesday*-Vermessung an. Henry I. starb an einer Mahlzeit Neunaugen, Henry III. wurde gekrönt, und der bucklige Richard III. befahl, seine Neffen zu ermorden. Charles II. ließ die Mauern Gloucesters zerstören, weil es sich seinem Vater widersetzt hatte. Und Königin Victoria besuchte hier ein Pub! Erhalten sind Überreste der römischen Mauer, aber nur sehr wenig der mittelalterlichen Stadt. Für Industriearchäologen interessant sind die Lagerhäuser aus dem 19. Jahrhundert am Kanal. Vor allem sehenswert aber ist die Kathedrale: das normannische Hauptschiff, die Fenster im südlichen Querschiff im frühen Perpendicularstyle, das größte Ostfenster Englands mit farbigem Glas aus dem 14. Jahrhundert, das unglaubliche Kreuzrippengewölbe über dem Chor. Zum reichverzierten Grab des im benachbarten Berkeley Castle ermordeten Edward II. kamen einst Wallfahrer. In der Stadt gibt es das **Beatrix Potter Museum** und ein Volkskundemuseum in jenem Haus, in dem einst Bischof Hooper seine letzte Nacht verbrachte.

In **Birdlip**, südöstlich von Gloucester,

wieder auf den Höhen der Cotswolds, eröffnen sich spektakuläre Ausblicke. Ein Paradies für Kletterer ist der bizarre Felspfeiler **Devil's Chimney** in **Leckhampton Hill**.

1718 wurde in **Cheltenham Spa** eine Mineralquelle entdeckt, doch erst als 70 Jahre später George III. und seine Gemahlin den Kurort besuchten, kam er als Sommerfrische in Mode. Wie Bath hatte er Glück mit seinen Architekten — Papworth und Forbes wählten den Stein der Cotswold-Gebäude und Stuck, gestaltet in der Leichtigkeit und Fröhlichkeit des neugriechischen Stils. Diese elegante Regency-Stadt kennt keine Last der Geschichte, nur jenes Erbe schöner Bauten inmitten von Parks und Gärten. **Lansdowne Terrace, Place** und **Crescent, Suffolk Square** und **Pittville Estate** bilden die Bühne für den großen Auftritt von **Rotunda** und **Pittville Pump Room**. Überall an Balkonen und Geländern finden sich schöne Schmiedearbeiten. Einen Schauder des Surrealen erzeugen die Karyatiden des **Montpellier Walk**. Von ganz anderer Art ist die **Promenade** — viele Bäume, Sträucher, Blumen und Läden, Orchester spielen und Brunnen plätschern.

Der Pittville Pump Room in Cheltenham

Am Westrand der Cotswolds

Tewkesbury liegt im Tal, nicht auf den Hügeln, ist aus Holz, nicht aus Stein gebaut. Avon und Severn fließen hier zusammen und bezeichnen die westliche Grenze der Cotswolds. Auf der Bloody Meadow tobte 1473 die letzte Schlacht der Rosenkriege so erbittert, daß selbst die Mönche der Abtei eingriffen.

Falls Geister spuken, tun sie es sicherlich in **Sudeley Castle.** Dieser große, wehrhafte Herrensitz genau südlich von Winchcombe sah Tudor-Geschichte wie einen Festzug an sich vorbeiziehen. Hier lebte Catherine Parr nach dem Tod Henrys VIII. und verheiratete sich wieder mit Thomas Seymour, weilte Lady Jane Grey und war Elizabeth I. häufiger Gast. Es ist sorgfältig restauriert und zeigt eine faszinierende Sammlung königlicher Andenken und Gemälde.

Der Wohlstand von **Winchcombe** schwand, als der Wollhandel zusammenbrach. Einem erneuten Aufblühen durch den Anbau von Tabak setzten Regierungsmaßnahmen zum Schutz der neuen amerikanischen Kolonie Virginia ein Ende.

Abgelegenes und Bekanntes

Stanway und **Stanton** sind zwei besuchenswerte Dörfer abseits der Straße nach Broadway. Nahezu jedes Haus hier stammt aus der besten Periode der Cotswold-Architektur, von der Mitte des 16. bis zur Mitte des 17. Jahrhunderts. **Snowshill Manor,** ein Tudorhaus in einem Tal südlich von Broadway, gehörte ebenfalls Catherine Parr. Es beherbergt eine kunterbunte Sammlung von Musikinstrumenten bis hin zu Spielzeug.

Über einen Streifen Grün hinweg stehen sich die Häuser und Cottages von **Broadway,** dem Vorzeigedorf der Cotswolds, gegenüber (an der Straße von London nach Worcester), alle im gleichen Stil und, mit wenigen Ausnahmen, aus dem gleichen honigfarbenen Stein: **Abbot's Grange** stammt aus dem 14., **Lygon Arms,** in dem Charles I. wie Cromwell — wenn auch nicht gleichzeitig — weilten, aus dem 16. Jahrhundert. In Broadway fand auch Gordon Russels moderne Wiederbelebung der Möbelherstellung statt. Atemberaubend ist der **Broadway Tower** auf dem Broadway Hill, dem zweithöchsten Punkt in den Cotswolds.

Huldigung an Shakespeare

Von der nördlichsten Ecke der Cotswolds bei Aston führt die Straße hinab nach **Stratford-upon-Avon.** Wenn man auch kaum die Veränderungen, die die Shakespeare-,,Industrie" dieser mittelalterlichen Marktstadt gebracht hat, ignorieren kann, ist doch die Atmosphäre der Zeit Shakespeares (1564—1616) an vielen Orten stark zu spüren. Die Kraft seiner Persönlichkeit mag dabei eine Rolle spielen. Im oberen Raum des Fachwerkhauses, in dem er geboren wurde, bezeugt eine illustre Gesellschaft seinen Ruhm: Wände und Decken sind übersät mit Inschriften, Sir Walter Scott, Thomas Carlyle und Isaac Watts versahen das Fenster mit ihrem Namenszug. Ein sehr gutes Bild Shakespeares am Ende seines Lebens vermittelt eine Büste in der aus dem 15. Jahrhundert stammenden Kirche: Gerald Janssini schuf die Skulptur nach der Totenmaske in seinem nur ein oder zwei Höfe vom Globe Theatre, dem Ort des Triumphes des Dichters, entfernten Atelier.

Tudorhäuser in Stratford-on-Avon

In **Shottery**, ungefähr 2 km westlich der Stadt, liegt **Ann Hathaway's Cottage**. In diesem strohgedeckten, gut restaurierten Fachwerkhaus lebte Shakespeares Frau, die Tochter eines Bauern, während der 16 Jahre, die der Dichter in London verbrachte. Nach seiner Rückkehr erwarb Shakespeare das Haus **New Place** in Stratford. Seine Tochter Judith heiratete einen Weinhändler und bewohnte mit ihm zusammen das **The Cage** genannte Haus an der Ecke der Bridge Street, das einst das Stadtgefängnis gewesen war. Transatlantische Verbindungen dokumentiert das 1596 erbaute **Harvard House,** das Heim Katherine Rogers, deren Sohn John Harvard die amerikanische Universität gründete. Das **Royal Shakespeare Memorial Theatre** erweckt die Dramen des großen Dichters auch heute zu prallstem Leben.

Olympische Spiele

Chipping Campdens Markthalle aus dem 16. Jahrhundert posiert für Fotoaufnahmen in der Mitte der langen, wie Oxfords High Street geschwungenen Hauptstraße, die von schönen Steinhäusern aus der Zeit vor dem 17. Jahrhun-

dert gesäumt ist. Besonders interessant sind die Armenhäuser, die Kirche, das Rathaus und das Haus des 1401 gestorbenen Wollhändlers William Grevel, an den eine schöne Grabplatte in der Kirche erinnert.

Auf **Dover's Hill,** einem freien Gelände 1,5 km von Campden entfernt, veranstaltete Robert Dover 1604 erstmals seine ,,Olympick Games". Er erhielt nicht nur die Unterstützung des Königs, sondern auch einige seiner alten Kleider, um sich damit auszustaffieren. Zu den Disziplinen zählten Stockkämpfen, Schwertfechten, Lanzenstechen und Volkstanz — und vermutlich kam Shakespeare aus Stratford zum Zuschauen.

Moreton-in-Marsh an der A 429 verlegte sich auf die Leinweberei, als die Tuchindustrie niederging. Sein Bahnhof von 1834 ist heute mit neuem Leben erfüllt als Museum für frühe Eisenbahngeschichte. Rund 2 km westlich liegt **Sezincote**, ein Haus im indischen Stil.

Das Wort ,,chipping" in **Chipping Norton** bedeutet Markt. Die Stadt mit vielen Häusern aus dem 18. Jahrhundert und der wie ein Landsitz mit einem Fabrikschornstein aussehenden **Bliss Tweed Mill** eignet sich gut für einen

Shakespeares Geburtshaus in Stratford

188

Ausflug zu den **Rollright Stones.** Diese sind ein großer Kreis von ungefähr 70 stehenden Steinen auf einem Hügel sowie zwei kleinere Gruppen, des „Königs Männer", der „König" und fünf „Flüsternde Ritter" — wie Stonehenge unbekannten Ursprungs, wenn auch sicherlich aus der Bronzezeit stammend. Gemäß der Sage nahm eine Hexe schreckliche Rache an einem König und seinen Rittern. Verschwunden ist der winzige Bahnhof in **Adlestrop,** den Edward Thomas (1885—1917) in einem Gedicht verewigte.

Verschwiegene Täler

Die Hügelstadt **Stow-on-the-Wold** war einst Schauplatz großer Schafmärkte. Daniel Defoe berichtete, daß bei einer solchen Gelegenheit nicht weniger als 20 000 Schafe verkauft wurden. Wie Schafe eingepfercht wurden 1646 nach der letzten Schlacht des Bürgerkrieges 1000 royalistische Soldaten in der Kirche der Stadt. Die beiden unverfälschten Cotswold-Dörfer **Upper Swell** und **Lower Swell** am Dikler verdanken ihren seltsamen Namen der „Our Lady's Well". Fast zu vollkommen sind die in dichten Wäldern am Windrush gelegenen Dörfer **Guiting Temple** und **Guiting Power.** Selten gewordene einheimische Tiere vom Bauernhof, „Cotswold Lions" genannte Schafe mit Fellen wie Löwenmähnen oder Tamworth-Gingers-Schweine, gibt es im zwischen beiden Orten gelegenen **Cotswold Farm Park** zu sehen. Flußabwärts auf den Feuchtwiesen von **Naunton** prunkt ein gewaltiges Hotel.

Über den Hügel hinüber liegt ein weiteres Dorfpaar, das eine Entdeckung lohnt — **Upper Slaughter** und **Lower Slaughter,** mit Furten durch den winzigen Slaughterbrook, Taubenschlägen und Mühlen.

Bourton-on-the-Water am Windrush, eines der schönsten Steindörfer der Cotswolds, besitzt alle Eigenschaften eines Märchenlandes.

Eine Wollstadt war **Burford.** Hier gibt es einen Friedhof mit Grabmälern in der Gestalt von Wollballen und viele hinter späteren Fassaden versteckte Wollhändlerhäuser aus dem 14. bis 16. Jahrhundert. Eines von ihnen heißt „Wilde Katze" — und ist wohl nicht das einzige Rätsel, das die Cotswolds dem Fremden aufgeben.

Lower
Slaughter

WARWICK

Nur wenige Kilometer nördlich von Stratford liegt Warwick, die Hauptstadt der Grafschaft Warwickshire. Sie entwickelte sich rund um ihre Burg, und trotz eines Brandes im Jahr 1694 besitzt sie noch viele Gebäude aus der Tudorzeit. Das 914 unter Aethelfled, der Tochter Alfreds des Großen, angelegte Warwick Castle hat eine lange und reiche Geschichte. Vom ursprünglichen sächsischen Bau ist nur ein Erdwall erhalten, doch gilt die heute stehende Anlage mit ihren Türmen aus dem 14. Jahrhundert als schönste mittelalterliche Burg Englands. Das Innere der Burg begann Fulke Greville im frühen 17. Jahrhundert zum ,,fürstlichsten Sitz in den mittelländischen Teilen des Königreiches'' auszugestalten. Es beherbergt eine Gemäldesammlung mit Werken von Rubens, Van Dyck und Holbein sowie eine Kollektion von Waffen und Rüstungen. Die Kratzinschriften in Verlies und Folterkammer sollen von royalistischen Soldaten aus dem Bürgerkrieg stammen.

In makellosem Zustand präsentieren sich die an den Avon grenzenden, von ,,Capability'' Brown angelegten Burggärten. Vom über den Fluß zur River Island führenden Steg aus erblickt man die Burg in voller Größe vor sich.

Warwick Castle gehört seit Anfang der 70er Jahre dem Londoner Wachsfigurenkabinett Madame Tussaud's, das in einigen der Privatgemächer historische Wachsfiguren aufstellte. Im Freien gibt es Nachmittagskonzerte, Tanz und Ritter in Rüstung zu Pferde, die die genauen Regeln mittelalterlicher Turnierspiele erklären.

Schiff und Turm der **St. Mary's Church** zwischen Jury Street und den Butts wurden nach dem Feuer von 1694 errichtet; die erhalten gebliebene **Beauchamp Chapel** beherbergt eines der vollendetsten mittelalterlichen Grabmäler überhaupt.

Das **Lord Leycester's Hospital** neben dem West Gate wurde ursprünglich als Zunfthaus gegründet im Jahr 1383. 1571 ließ Robert Dudley, Earl of Leicester, die Gebäude als Armenhäuser wiederherstellen. Heute ist das Spital ein Heim für Veteranen.

Lord Leycester's Hospital

COVENTRY CATHEDRAL

Seit dem 14. Jahrhundert ist Coventry eine bedeutende Stadt, doch liegt das Ereignis, das man am stärksten mit ihr in Verbindung bringt, noch weiter zurück: Im 11. Jahrhundert, so berichten Chroniken, bat Lady Godiva ihren Ehemann Leofric, Earl of Mercia, die Steuerlast seiner Untertanen zu mindern, und erfüllte dafür sogar seine Bedingung, nackt durch die Straßen Coventrys zu reiten, mit nichts als ihrem üppigen Haar „bekleidet".

Das andere Geschehen, das sich dem kollektiven Gedächtnis einprägte, war die deutsche Bombardierung am 14. und 15. November 1940; vieles wurde zerstört, doch nicht der 80 m hohe Turm der **Coventry Cathedral.** Diesen erhielt die Stadt nach dem Krieg als Denkmal für jene, die im Bombenhagel umkamen. Der moderne Bau der neuen Kathedrale zwischen 1954 und 1962 von Sir Basil Spence neben den Ruinen der alten errichtet, hat nichts von dem kalten Funktionalismus vieler Bauwerke der Epoche. Riesige bunte Glasfenster lassen das Innere in leuchtenden Farben erstrahlen, und das lange offene Hauptschiff lenkt das Auge auf den außergewöhnlichen Wandteppich von Graham Sutherland über dem Altar.

Das **Cathedral Visitor's Centre** zeigt von einer Multivisionsschau begleitete Ausstellungen und Exponate über die Geschichte Coventrys. Die Ruinen der Kathedrale werden in jedem Jahr mit gerader Jahreszahl während der beiden ersten Augustwochen zur Bühne für Coventrys *mystery plays.*

Trotz der Bomben des Zweiten Weltkriegs stehen noch einige sehenswerte mittelalterliche Gebäude: Die **St. Mary's Hall,** die einmal ein Zunfthaus war, die **Church of the Holy Trinity** und die Fachwerkhäuser der **Priory Row.** Aber so erfreulich es auch ist, daß Coventry aus den Trümmern neu erstand, hat doch seine moderne Architektur in weiten Teilen eine wenig lebendige Stadtlandschaft hervorgebracht, und die darniederliegenden Industrien der Stadt und die permanente Arbeitslosigkeit verdüstern die Atmosphäre zusätzlich.

Coventry Cathedral

Info: West Country

Zur Orientierung

Unser Kapitel über das West Country umfaßt die drei westlichsten Grafschaften: Somerset, Devon und Cornwall. In Bristol aus Gründen der Übersichtlichkeit und des Maßstabs ist Bristol nicht in der West Country Karte enthalten) beginnend, führt der Text durch Cheddar Gorge, Wells, Glastonbury und den Exmore National Park. Im Anschluß daran folgen einige Ortschaften an der Nordküste von Devon und Cornwall: Porlock Bay und Dunster, Westward Ho!, Buck's Mills, Bude, Tintagel, Padstow und Newquay. Mit Ausnahme des Dartmore National Park liegen viele der beschriebenen Orte auf dem Weg zurück ostwärts von Land's End nach Exeter, an der Südküste von Devon und Cornwall.

Anreise

Von Norden und Midlands aus führt die M6 und M5 bis über Exeter hinaus, wo sie auf die A38 (nach Plymouth und Bodmin) trifft. Kommt man mit dem Wagen aus London, nimmt man am besten die M4 nach Bristol, um dort auf der M5 weiterzufahren. Eine direktere Verbindung ist die A30, die mitten durch Devon und Cornwall führt; da es sich jedoch um eine ältere Straße handelt, ist sie dementsprechend langsam.

Alle größeren Orte im West Country werden direkt von British Rail bedient. Von Schottland, North Country und den Midlands aus fahren InterCity 125 Züge. Von London (Paddington) fahren InterCity Züge nach Swindon, Bath, Bristol und Weston-super-Mare sowie nach Taunton und Penzance. Zwischen Devon bzw. Cornwall und London, Bristol, Glasgow und Edinburgh werden auch Schlafwagen eingesetzt.

Busse von National Express bedienen 28 Orte im West Country, unter anderem Penzance, Minehead, Taunton, Torquay, Barnstaple, Westward Ho!, Bridgewater, Paignton, Bournemouth und Exeter. Von London und Birmingham aus fahren auch Schnellbusse von Rapide Service (Info: National Express in der Victoria Coach Station, London, Tel. 7300202).

Flughäfen gibt es in Bristol, Exeter, Bournemouth, Plymouth, Newquay und auf den Scilly Inseln, wo eine Hubschrauber-Verbindung nach Penzance eingerichtet worden ist.

Umherreisen

Das Straßennetz um West Country ist weniger ausgebaut als in anderen Teilen Großbritanniens. An der Nordküste sind es meist nur „B" Straßen, während im Süden viele Küstenstraßen lediglich den Charakter von landwirtschaftlichen Wegen haben. Auf jeden Fall kann es Spaß machen, hier herumzufahren.

Wer ohne Wagen reist, kann mehrere örtliche Verbindungen von British Rail in Anspruch nehmen. So zwischen:

Plymouth und Gunnislake (südlich von Tavistock),

Exeter und Barnstaple (an der Nordküste),

Exeter und Exmouth (an der Südküste),

Looe und Liskeard (landeinwärts westlich von Plymouth), Bodmin und Padstow (Bahnbus),

Par und Newquay (Par liegt östlich von St. Austell),
Truro und Falmouth (an der Südküste),

St. Erth und St. Ives (St. Erth ist ein Bahnhof auf der Hauptstrecke südlich von St. Ives Bay).

Jeder Bahnhof an der Hauptstrecke (sogar Paddington in London) hält detaillierte Informationen über diese Nebenstrecken bereit.

Die örtlichen Busunternehmen im West Country bedienen auch noch das kleinste Dorf. Allerdings sind Abfahrtszeiten und Verbindungen nicht immer auf Reisende ausgerichtet. Hauptsächlich sind es sechs Busunternehmen in der Gegend, die jeweils einen Umkreis von 30-Kilometer abdecken:

Cornwall Bus and Coach Ways (in Truro) Tel. Truro 40404,
Western National (in Plymouth) Tel. Truro 40404,
Red Bus (in Barnstaple). Tel. Barnstaple 76524,
Devon General (in Exeter), Tel. Exeter 56231,
Southern National (in Taunton) Tel. Taunton 72033,
Bristol Omnibus (in Bristol), Tel. Bristol 558211.

Die vier erstgenannten Unternehmen bieten ein **Key West Special Ticket** an, mit dem für eine Woche unbeschränkt auf Bussen dieser Linien gefahren werden kann.

Unterkünfte

Auf S. 349 führt der Kurzführer Übernachtungsmöglichkeiten in folgenden Orten auf:
Wells, Glastonbury, Exmoor Park, Tintagel, Dunster, Bude, Clovelly, Newquay, Truro, Isles of Scilly, Penzance, Falmouth, Plymouth, Dartmouth und Exeter.

Die folgenden TICs unterhalten einen „book-a-bed-ahead" Dienst: Bideford, Bodmin, Brixham, Dartmouth, Exeter, Scilly Isles, Newquay, Penzance, Plymouth, St. Ives und Teignmouth (siehe Abschnitt Informationsstellen weiter unten). Der West Country Tourist Board hat die Broschüre *Where To Stay In The West Country* veröffentlicht, das in jedem Tourist Information Centre erworben werden kann.

Informationsstellen

Tourist Information Centre gibt es in folgenden Orten:
Bideford, The Quay, Tel. Bideford 77676.
Bodmin, Shire House, Mount Folly Square, Tel. Bodmin 4159.
Bristol, Colston House, Colston Street, Tel. Bristol 293891.
Dartmouth, Royal Avenue Gardens, Tel. Dartmouth 4224.
Exeter, Civic Centre, Tel. Exeter 72434.
Falmouth, Town Hall, The Moor, Tel. Falmouth 312300.
Fowey, Albert Quay, Tel. Fowey 3320.
Isles of Scilly, Town Hall, St. Mary's, Tel. Scillonia 22536.
Newquay, Cliff Road, Tel. Newquay 71345/6.
Penzance, Alverton Street, Tel. Penzance 62207.
Plymouth, Civic Centre, Royal Parade, Tel. Plymouth 264849.
St. Ives, The Guidehall, Street-an-Pol, Tel. St. Ives 797600.
Teignmouth, The Den, Sea Front, Tel. Teignmouth 6271

Exmoor

Exmoor ist die kleinere der beiden großen Moorlandschaften in der Region (siehe das Kapitel West Country auf Seite 199). Jedes TIC hält eine Broschüre bereit — *Exmoor Visitor* —, die ausführliche Angaben über Unterkunft, Verkehrsverbindungen, Orte von Interesse und Freizeitangebote enthält. Die Hauptverwaltung des Exmoor National Park befindet sich in Dulverton (ein kleiner Ort drei Kilometer abseits der A396), Tel. Dulverton 23665.

Der westliche Zugang zum Nationalpark befindet sich bei **Blackmoor Gate** (nordwestlich von Barnstaple), das auch ein guter Ausgangspunkt für Wanderungen ist. An der Küste entlang führt der **Coastal Path** (siehe S. 199). Beginnend in Ilfracombe führt er über Combe Martin (8 km), Trentishoe (weitere 13 km), durch Lynton und Porlock Weir nach Minehead (eine Strecke von insgesamt 40 km).

Dartmoor

Dartmoor ist die meistbesuchte Moorlandschaft im West Country (siehe S. 206). Auch hier kann man laufen oder fahren, um in das eigentliche Moor vorzudringen. Während der Sommermonate fährt allerdings ein Bus sechsmal die Woche zur Mitte des Nationalparks. Die örtliche Broschüre *Dartmoor Visitor* ist ebenfalls sehr ausführlich.

South West Peninsula Coast Path

An der Nordküste von Somerset beginnt Englands längster Küstenwanderweg. Über die Nordküste von Devon windet er sich entlang der gesamten Cornwall Küste und führt über die Südküste von Devon nach Dorset.

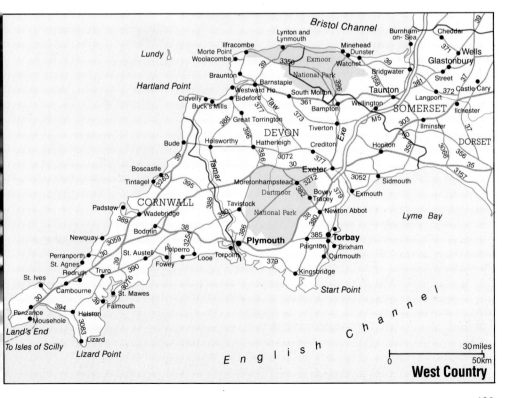

West Country

DAS WEST COUNTRY

Mystik umgibt das West Country und steigert noch seinen Ruf als Großbritanniens beliebteste Ferienregion. Somerset, Devon und Cornwall sind ländliche, abseits liegende Grafschaften mit versteckten Fischerdörfchen und Englands wärmstem Winterwetter. Es ist eine uralte Region mit bronzezeitlichen stehenden Steinen und Höhlenwohnungen des Steinzeitmenschen und ein mit Sagen durchtränktes Land — das Land von König Artus, Camelot und dem Heiligen Gral, von Jack the Giant Killer und dem Mythos von einem Druiden, der erschöpften Reisenden Wasser aus einer goldenen Schale zu trinken gab. Dichter und Maler inspirierte das West Country, wo Geschichte romantische, schwer erfaßbare Züge annimmt, mit von der Zeit verdunkelten Tatsachen und Erzählungen, die sich um Piraterie, Schmuggel und Schiffbrüche ranken.

Die Menschen des West Country prägen der Stolz auf ihre keltischen Ursprünge und ein unerschütterliches Selbstvertrauen, getragen von dem Bewußtsein, etwas Besonderes zu sein — eine Art Inselmentalität; und zumindest Cornwall ist durch den die Grenze zu Devon bildenden Fluß Tamar beinahe eine Insel. Altes Brauchtum gedeiht hier, etwa der Furry Dance Anfang Mai in Helston, wo die Einwohner durch die mit Blumen geschmückte Stadt tanzen.

Durch seine geographische Lage wie aus eigener Wahl war das West Country immer abgeschnitten vom Hauptstrom britischer Kultur. Die die Halbinsel besiedelnden Kelten aus der Bretagne und Irland arbeiteten hart, um ihr Leben mit Hilfe dessen, was das Land zu bieten hatte, zu fristen. Sie gruben nach Zinn und Kupfer, weideten ihre Schafe und Rinder auf windgepeitschtem Heideland und trotzten beim Fischfang tückischen Meeresströmungen. Gleich ihrer sagenumwobenen Landschaft sind die Bewohner Cornwalls, Devons und Somersets eine Mischung aus rauher Kraft und stiller Heiterkeit.

Bristol, ein lohnender Ausgangspunkt für Streifzüge durch das West Country, war in der Vergangenheit Startplatz vieler Abenteuer. Als Bristols Kaufleute einst von einem fernen Land im Westen hörten, schickten sie, tatkräftige Unternehmer, die sie waren, Schiffe über den Atlantik. Der 1897 errichtete Cabot's Tower erinnert an John Cabots Entdeckung Neufundlands im Jahr 1497. In Bristol schifften sich viele der Kolonisatoren Nordamerikas ein, und ebenso wickelte sich ein Großteil des Sklavenhandels über die Stadt ab. Vornehmes Erbe einer kaufmännischen Vergangenheit ist die **Exchange** (Börse) in der Corn Street.

Zu den Schätzen, die das schwere deutsche Bombardement des Zweiten Weltkriegs überstanden, gehört die aus dem 13. Jahrhundert stammende Kirche **St. Mary Redcliffe**, die Elizabeth I. „die heiterste, anmutigste und berühmteste Pfarrkirche in England" nannte. Rund um Bristol finden sich mehrere Werke des Ingenieurs Isambard Kingdom Brunel aus dem 19. Jahrhundert: Die *Great Britain,* das erste Hochseeschiff mit Schraubenantrieb, wurde 1970 von den Falklandinseln geborgen und an seinen Geburtsplatz zurückgebracht, und Brunels großartige, auch im 20. Jahrhundert noch majestätisch wirkende **Clifton Suspension Bridge** überspannt die Schlucht des Avon.

Vorherige Seiten:
Land's End
Unten:
Wells
Cathedral

Die Mendip Hills in Somerset, südlich von Bristol, markieren das unvermittelte Ende der flachen, bebauten Landschaft des Avon-Tales und den Beginn der verlassenen, urtümlichen Weiten des West Country. Über den Kamm der Hügel läuft der **West Mendip Way,** ein beliebter Wanderpfad, der sich von Wells zum Bristol Channel schlängelt und nach allen Seiten hin herrliche Blicke in die Landschaft eröffnet.

Die Natur bietet hier Atemberaubendes: Die von einem heute unterirdisch verlaufenden Fluß eingegrabene **Chaddar George** (Schlucht) durchschneidet mit ihren steilen, 135 m über das Dorf Cheddar aufragenden Kalksteinklippen die Mendios auf einer Länge von fast 2 km. Im Dorf finden sich die Eingänge zu mächtigen Höhlen. Die schönste und unverdorbenste Schlucht der Mendips, **Ebbor Gorge,** vor 270 Mio. Jahren durch gewaltigen Druck aus dem Erdinnern gebildet, liegt südlich von Cheddar an der A 371 auf dem Weg nach Easton. Hier wachsen Ulmen, Eichen und Eschen, Moose, Pilze und Farne und sogar das Große Hexenkraut in einer üppigen und prächtigen Mischung. Überreste der Steinzeit gibt es in den um

Das Innere der Kathedrale von Wells

3000 v.Chr. bewohnten Höhlen zu sehen: Gefäße und Äxte, Rens und Lemminge.

Der hinreißendste Ort in den Mendip Hills ist für viele **Maesbury Castle,** ein eisenzeitliches Festungswerk auf einem Hügel nordöstlich von Wells und westlich von Chilcompton, mit einer unwiderstehlichen Aussicht. Der mit Gras bedeckte ovale Erdwall zeigt den Umriß der ursprünglichen Befestigungen.

Wells

Der Stolz und die Freude von **Wells,** an der Südspitze der Mendip Hills am Schnittpunkt von A 371 und A39, ist die mächtige gotische **Cathedral Church of St. Andres,** um 1185 begonnen und vier Jahrhunderte später fertiggestellt. Die beiden an der Nord- und Südseite des Schiffes errichteten Haupttürme verbreitern die Westfassade zu einer gewaltigen Galerie für ursprünglich 400 Einzelstatuen. Noch heute, nach Zerstörungen vor allem durch bilderstürmende Puritaner im 17. Jahrhundert, schaut eine stattliche Phalanx von rund 300 Bischöfen und Königen, Heiligen und Propheten, Engeln und Aposteln auf

die große Grünfläche zu ihren Füßen herab. Nicht weniger aufsehenerregend ist das Innere, besonders die einer riesigen Sanduhr gleichenden Bögen an der Verbindung von Haupt- und Querschiff, die im 14. Jahrhundert eingezogen wurden, als die Kathedrale unter dem Gewicht eines neuen Vierungsturmes einzustürzen drohte. Vor der erstaunlichen astronomischen Uhr aus dem 14. Jahrhundert im nördlichen Querschiff entbrennt jede Viertelstunde ein heftiger Kampf zwischen vier Rittern zu Pferde, von denen jeweils einer aus dem Sattel gestoßen wird, bevor die Gruppe in ihr Gehäuse zurückkehrt.

Die **Vicars' Close** außerhalb des Dombezirks mit seinen Gebäuden aus dem 14. Jahrhundert ist die einzige vollständig erhaltene mittelalterliche Straße in Großbritannien, ursprünglich gebaut für die dem Domkapitel unterstellten Vikare. Der gemeinschaftliche Speisesaal über dem Chain Gate ist noch weitgehend original eingerichtet. Sehenswert sind auch die **St. Cuthbert's Church** aus dem 15. Jahrhundert mit ihrem imposanten Turm und insbesondere der **Bishop's Palace** südlich der Kathedrale, der Sitz des Bischofs von Bath und Wells und eines der ältesten bewohnten Häuser in England, von einer hohen Mauer aus dem 13. Jahrhungert umgeben. Die Schwäne im breiten Wassergraben sind seit der Viktorianischen Zeit abgerichtet, eine Glocke zu läuten, um ihr Futter zu bekommen, Gipsabdrücke der Statuen von der Westfassade der Kathedrale beherbergt das im Dombezirk gelegene Wells Museum.

Die Ruinen von Glastonbury

Noch das wenige, das von dem großen Komplex der Abtei in **Glastonbury,** der einst reichsten und schönsten Englands, übriggeblieben ist — ein paar zerfallene Pfeiler und Mauern —, ist ein eindrucksvolles Denkmal der Macht der Kirche vor der Säkularisation. Gleich vielem in der Geschichte des West Country sind auch die Anfänge der Abtei von Glastonbury in Mythos und Legende gehüllt. Einer zufolge gründete der hl. Patrick die Abtei und tötete der hl. Georg in der Nähe den berühmten Drachen; am verbreitetsten ist jedoch die Legende von Joseph von Arimathäa, dem Mann, der Christus sein Grab gab: Joseph segelte im Jahr 60 nach Britan-

Die Ruinen der Abtei von Glastonbury

198

nien, um die Heiden zu bekehren. Auf dem Wearyall Hill — dort, wo der Stab, auf den er sich lehnte, wunderbarerweise Wurzeln schlug und blühte — gründete er die Abtei. Joseph brachte auch den Kelch vom Letzten Abendmahl mit, und auf der Suche nach diesem Heiligen Gral kam Artus nach Glastonbury und soll zusammen mit Genoveva unter dem Boden der Abtei bestattet sein.

Ein kurzer Spaziergang zu dem steilen, kegelförmigen Hügel **Glastonbury Tor,** der aus der flachen Ebene von Somerset aufsteigt, lohnt sich wegen des phantastischen Blicks von der Höhe. Hier stehen die Überreste der St. Michael's Church aus dem 15. Jahrhundert, und am Fuß des Felsens liegt **chalice Well,** wo Joseph gemäß der Legende den Gral vergrub.

Die Wildnis von Exmoor

Die Grenze zwischen Somerset und Devon verläuft innerhalb des **Exmoor National Parks,** einer 690 qkm großen Wildnis, Schauplatz von Richard Doddridge Blackmores berühmter Räuber- und Liebesgeschichte *Lorna Doone.* Rotwild, Schafe und das Devon Red

Cattle bevölkern das Moor und vor allem die Exmoor-Ponies, direkte Abkömmlinge des prähistorischen Pferdes. Windgepeitschte, mit Farn und Heidekraut bedeckte Hügelrücken wechseln mit von schäumenden Bächen ausgewaschenen bewaldeten Schluchten. Der **Somerset and Devon Coast Path** ist der bezauberndste der vielen Wanderwege des Exmoors, ein Auf und Ab mehr als 48 km dicht entlang an Klippen und Buchten mit herrlichen Ausblicken auf den Bristol Channel und den fernen Atlantik.

Kleine Abschnitte sandiger Strände wie **Morte Pointe** — wo man, wie der Name schon andeutet, lieber nicht schwimmen sollte — und **Porlock Bay,** 10 km westlich von **Minehead,** eignen sich gut zum Beobachten von Vögeln. Seit sächsischen Zeiten ein befestigter Platz ist das abseits der A 39 liegende Dorf **Dunster.** Von der Burg aus dem 13. Jahrhundert wurde das meiste nach der Hinrichtung Charles' I. 1649 zerstört. Die heute zu sehenden anmutigen Türme und Türmchen sind das Werk Anthony Slavins, eines Architekten des 19. Jahrhunderts. Das Dorf selbst gehörte 600 Jahre lang (bis 1950) der Fa-

Dunster

199

milie Lutrell und gilt deshalb noch als vollkommenes Abbild der Feudalzeit. Warmer rosa Sandstein macht die Pfarrkirche zu einer der schönsten im West Country.

Auf nach Cornwall

Entlang der nach Süden führenden Hauptstraße A 39 liegt in Richtung Cornwall eine Reihe von Fischerdörfern. Das nach dem Roman von Charles Kingsley benannte **Westward Ho!** nördlich von Bideford, ein beliebter Badeort mit einem kilometerlangen Sandstrand, gehört zu diesen verborgenen Schönheiten ebenso wie **Buck's Mill,** ein an einen waldigen Talgrund geschmiegtes unverfälschtes Dorf mit strohgedeckten Cottages. Das vermutlich bekannteste dieser Dörfchen ist **Clovelly.** Autos sind verbannt, dafür tragen Esel das Gepäck der Urlauber. Die steile, kopfsteingepflasterte Straße fällt in Stufen 120 m zum Meer hinab. Vom Hafen nach Westen führt ein romantischer, 3 km langer Spazierweg zu einer prächtigen Kette 120 m hoher Klippen.

Weiter südlich nach Cornwall hinein, in **Bude,** zieht die Brandung seit langem die Wellenreiter an. Ruhiger schwimmen kann man in **Summerleaze Beach,** einer geschützten Sandbucht nördlich des River Neet.

Die Sage von König Artus wird lebendig in **Tintagel,** einer wild-romantischen Burg an der nördlichen Küste Cornwalls. Nach der Überlieferung wurde Artus in Tintagel geboren oder an Land gespült und erbaute hier für Genoveva und die Ritter der Tafelrunde eine feste Burg, unter der in einer Höhle der Zauberer Merlin lebte. Doch fehlt ein archäologischer Beweis; alles, was in Tintagel noch vorhanden ist, sind die Ruinen eines keltischen Klosters aus dem 6. und einer Bastion aus dem 12. Jahrhundert, von der große Teile vom Meer fortgeschwemmt wurden. In der Stadt selbst ist das alte schiefergedeckte Postamt interessant, ein ehemaliges Herrenhaus aus dem 14. Jahrhundert, das heute dem National Trust gehört.

Weiter südlich an der von der A 39 nach Westen abzweigenden A 389 liegt das nach dem keltischen Missionar Petroc benannte **Pastow,** seit über tausend Jahren ein bedeutender und der einzig sichere Hafen im nördlichen Cornwall. 981 plünderten die Wikinger Padstow,

Tintagel
Post Office

200

das sich später zu einem Fischfangzentrum und Erzhafen entwickelte. Heute ist der Fremdenverkehr die Haupteinnahmequelle, vor allem während des Sommers, wenn Padstow von Familien und jungen Paaren überquillt, die Cornwalls reichlicher Sonnenschein anlockt. Um den malerischen Hafen zusammengedrängt liegen das historische **Abbey House,** die **St. Petroc Major Church,** das **Harbour Master's Office** und das **Raleigh Cottage,** wo Sir Walter als Royal Warden of Cornwall Hafengebühren kassierte. Karnevalsstimmung herrscht am 1. Mai bei dem seltsamen Hobby-Horse-Fest.

Entlang der Küste weiter nach Süden erreicht man **Newquay,** Cornwalls Paradies für Wellenreiter. Der im 18. und 19. Jahrhundert berühmte Sardinenhafen exportierte Dörrfisch nach Spanien und Italien. Wenig ist aus vergangenen Fischertagen übriggeblieben, doch kann man noch die **Huar's Hut** besichtigen, eine Hütte auf einer benachbarten Klippe, von der aus der scharfsichtige ,,huar'' den Bristol Channel nach Sardinenschwärmen absuchte und den Fischern mit seinem Horn das Signal zum Ausfahren gab. Newquay besitzt im

übrigen Cornwalls einzigen Zoo, **Trenance Park.** Lohnende Ausflüge führen in südlicher Richtung nach dem einst als Schmugglerdorf berüchtigten **Crantock** mit einer normannischen Kirche und einem ebenfalls wunderschönen Strand, nach **Cubert,** dessen Kirche einen kurios wie einen Bischofshut geformten Turm und im Innern schöne normannische sowie aus dem 14. Jahrhundert stammende Schnitzerein und einen Taufstein aufweist, und nicht zuletzt nach dem südöstlich von Newquay liegenden **Trerice Manor** aus dem 16. Jahrhundert.

Jener Streifen Landes zwischen Redruth und Camborne, im Südwesten ein Stück landeinwärts gelegen, war über 200 Jahre lang das Zentrum des kornischen Zinnberghaus. Heute ist fast nichts mehr in Betrieb, doch vermittelt ein Bergbaumuseum, das **Tolgus Tin Streaming,** eine Vorstellung davon, was Zinn einst für die Wirtschaft der Region bedeutete. In **Moreton House** lebte Richard Trevithick, der ,,Vater der Lokomotive'', der 1797 die erste Hochdruckdampfmaschine herstellte.

Truro, Bischofssitz und inoffizielle Hauptstadt von Cornwall, war im 18. Jahrhundert sowohl ein Zentrum der

Zinnverhüttung als auch ein mit Bath konkurrierender Treffpunkt der Gesellschaft. Die um 1795 angelegte **Lenion Street** mit schöner georgianischer Architektur wird vom halbmondförmigen Straßenzug des **Walsingham Place** aus dem frühen 19. Jahrhundert ergänzt. Eine der ältesten und berühmtesten Töpfereien Cornwalls, **Lakes,** findet man in der Chapel Street. Edward VII., damals noch Prince of Wales, legte 1880 den Grundstein der Kathedrale an der Stelle der **Church of St. Mary** aus dem 16. Jahrhundert.

Über die A 390 gelangt man wieder an die Küste. Hier bietet **St. Agnes Beacon,** außerhalb des Dorfes St. Agnes, aus 190 m Höhe einen Blick auf 32 Kirchtürme und 40 km Küste. Die alten Industriegebäude und Narben, die der Bergbau hinterließ, verleihen der heute dem National Trust gehörenden Gegend eine melancholische Schönheit.

Spartanisches Penwith

Penwith heißt jener öde, vom Wind gepeitschte Landrücken, der das Ende Cornwalls markiert, mit kahlen Hügeln und weiten offenen Flächen, umgeben von tiefblauem Meer und dicken atlantischen Nebeln. Seine gesamte Küste entlang führt der **Cornwall Coastal Path,** vorbei an überfluteten Riffen und von den Wellen zerfressenen Klippen, geschützten Buchten und unheimlich geformten Felsen mit fremdartigen keltischen Namen wie The Carracks, Pendeen Watch und Gwennap Head. Von beklemmender Schönheit ist **Land's End,** der westlichste Punkt des britischen Festlandes. In **Sennen (Cove)** gibt es ein winziges Pub und eine Royal Naval Lifeguard Station, die in ständiger Alarmbereitschaft ist. Mehr als 250 Klafter tief unter dem Meeresboden erstrecken sich die Stollen der vier noch arbeitenden Zinnminen in **Geevor.** Ein kleines Bergbaumuseum ermöglicht die Besichtigung der Betriebsanlage.

Die nebelumwogten, Schiffe verschlingenden **Isles of Scilly** (,,silly" ausgesprochen) liegen genau westlich von Land's End. Schon vor Christi Geburt landeten hier phönizische Händler auf der Suche nach kornischem Zinn, Kupfer und anderen wertvollen Metallen. Im Mittelalter wurden die Inseln zum

St. Agnes Beach

Schlupfwinkel von Piraten, Schmugglern und Plünderern von Schiffswracks, und einmal suchte auch der spätere Charles II. Zuflucht. Fünf der Inseln sind heute bewohnt, und alle bis auf **Tresco** gehören zum Herzogtum von Cornwall, das dem Prinzen von Wales untersteht. Regelmäßige Fähr- und Hubschrauberdienste verbinden sie mit Penzance. Sehenswert sind die **Abbey Gardens** und das **Valhalle Maritime Museum** auf Tresco sowie das **Scilly Museum** und die sommerlichen Gig-Rennen auf St. Mary's.

Zwei malerische Dörfer liegen nebeneinander an der Südküste von Penwith. Das nach dem „Mauseloch", einer alten Schmugglerhöhle, benannte **Mousehole** ist so klein wie der Name vermuten läßt, eine winzige Gruppe von Häuschen aus Granit und Fachwerk-Pubs. Das **Keigwin Arms**, ein Pub aus dem 16. Jahrhundert, lockt ebenso wie ein Spaziergang zu den majestätischen **Merlin** und **Battery Rocks.** In **Newlyn**, einem der wenigen in Cornwall noch existierenden echten Fischerdörfern, werden täglich Hummer, Makrelen, Weißfisch und Krabben gefangen; viel davon wird an Ort und Stelle eingedost.

Die Attraktionen von Penzance

Penzance, dank seiner, die **Mount's Bay** beherrschenden Lage lange die bedeutendste Stadt des westlichen Cornwalls, erfüllte im Laufe der Jahrhunderte eine Reihe wichtiger Funktionen: Es verschiffte Zinn für das römische Weltreich und das mittelalterliche Europa, war Grenzstation für Auswanderer auf ihrem Weg in die Neue Welt, versandte Blumen und Fisch nach London und Mittelengland und ist heute Urlaubs- und Touristenzentrum.

In der Stadt findet man den zu einem mit Leben erfüllten Kunstgewerbezentrum umgestalteten **Barbican**, einen Fischmarkt aus dem 18. Jahrhundert, die von Stadthäusern des 18. und 19. Jahrhunderts gesäumte **Western Promenade** und das faszinierende Herzstück von Penzance, ein uraltes, kopfsteingepflastertes Viertel an der Nahtstelle von Chapel Street und Market Jew, durchzogen noch vom Duft der vergangenen Seefahrerzeit. Zu den historischen Gebäuden gehört das **Union Hotel** aus dem 18. Jahrhundert, von dem aus zuerst die Nachricht von Nelsons Sieg und Tod bei Trafalgar verkündet wurde, das **Victo-**

rian **Market House** und das **Penlee House Museum** mit Zinnbergbau-Exponaten. Einen Schatz von Waffen, Fernrohren und Zinngerät aus den Wracks von vier britischen Kriegsschiffen birgt das **Museum of Nautical Art** in der Chapel Street. Die **Movab Gardens** mit einer Vielfalt exotischer Pflanzen werden noch von den **Trenqwainton Gardens** des National Trusts 3 km landein, wo die ersten Magnolien in England blühten, übertroffen.

Die riesige mittelalterliche Burg und Abtei **St. Michael's Mount** beherrscht einen Granitfelsen in der Mount's Bay, den man bei Ebbe über einen Sanddamm erreichen kann, während man sonst auf die kurze Fährverbindung vom Festland angewiesen ist. Historiker datieren die Klostergründung auf das 8. Jahrhundert — jene Zeit, als keltische Mönche auf dem Mont St. Michel in der Bretagne einen gleichartigen Bau errichteten.

Falmouth, als berühmter Hafen und Fischereizentrum eine der interessantesten Städte in Cornwall, war ein winziger Weiler, ehe es 1699 die westlichste Postpaketstation Englands wurde. Linienschiffe aus Amerika, Westindien und dem Mittelmeerraum liefen von da an Falmouth an, um ihre Post in schnellen Postkutschen nach London bringen zu lassen. **Pendennis Castle** schützte Falmouth drei Jahrhunderte lang gegen spanische und französische Überfälle und gegen Cromwells Truppen während einer 23wöchigen Belagerung im Bürgerkrieg. Im **King's Pipe,** einem Ziegelschornstein, wurde einst geschmuggelter Tabak verbrannt. Gut zu Mittag essen kann man im **Pandora Inn** in der Nähe, einer weißgekalkten, strohgedeckten Schenke aus dem 17. Jahrhundert. Entlang der Boscamen und der Lemon Street stehen schöne georgianische Häuser und die Cornwall County Library aus dem 18. Jahrhundert.

Das nördlich an der von der A 390 abzweigenden A 3082 gelegene **Fowey** ist in feinen weißen Staub gehüllt, Zeugnis seines Rangs als Cornwalls größter Hafen für die Verschiffung von Porzellanerde. Mit dem Rückgang von Cornwalls anderen wichtigen Mineralien wurde Kaolin zum bedeutendsten Wirtschaftsprodukt und Exportartikel, der die weltweite Nachfrage nach Rohmaterial für Porzellan zu mehr als 80 % deckt.

St. Michael's Mount

Große Lastkähne und Schlepper beherrschen den Hafen, doch bietet er auch zahlreichen Jachten und Fischerbooten Platz. Das intakte alte Stadtzentrum mit der Town Hall aus dem 18. und dem Toll Bar House aus dem 14. Jahrhundert läßt noch das kornische Dorf erkennen.

Plymouth und Sir Francis Drake

Plymouth ist ein Relikt aus dem Zeitalter der Entdeckungen, die Stadt Drakes, Raleighs und der Pilgerväter, eine Stadt des Aufbruchs zu vielen Abenteuern auf See — ein lebendes Geschichtsbuch, zugleich aber eine blühende Hafen-, Industrie- und Marktstadt. Die frische Seeluft füllt dem Spaziergänger die Lungen, und von der berühmten grünen Anhöhe, dem **Hoe,** 37 m über dem Meer, schweift der Blick über den weiten Sund.

Drake war lange Plymouth' liebster Sohn. 1577 startete er von hier zu seiner Weltumsegelung und wurde später zum Bürgermeister gewählt. Sein größtes Heldenstück aber gelang ihm 1588 mit dem Sieg über die Spanische Armada.

Die von Southampton kommenden Pilgerväter mußten in Plymouth ihre durch schlechtes Wetter beschädigte Mayflower reparieren lassen und fanden Unterschlupf in den Weinkellern der heute noch existierenden Firma James Hawker. Von der West Pier segelten sie 1620 nach der Neuen Welt.

Noch wie zu Drakes Zeit beherrscht der Hoe Plymouth. Vom rot-weiß-gestreiften Leuchtturm **Smeaton's Tower** überblickt man den ganzen Sund; die **Royal Citadel** in der Nähe wurde im 17. Jahrhundert unter Charles II. errichtet, um künftig jede republikanische Regung zu unterbinden. Unten am Hafen liegt ein **Barbican** genanntes elisabethanisches Viertel, eine Mischung aus kopfsteingepflasterten Straßen, mittelalterlichen Häusern und geschäftigen Piers.

Im **Island House** aus dem 16. Jahrhundert verbrachten die Pilgerväter ihre letzte Nacht in England, und in der New Street nebenan steht das authentische **Elizabethan House.** Jeden Morgen ist hier Fischmarkt, und den Rest des Tages kann man in den vielen Lokalen, Geschäften und Ateliers zubringen.

Drake-Statue, Plymouth

Wildes West Country

Ein weiterer berühmter Hafen des sich der **Dartmoor National Park, mit** 915 qkm Wald- und Moorgegend das größte der unberührten Gebiete des West Country. Unter Heidekraut und Farn verbirgt sich ein Felsenkern, eines der fünf Granitmassive, die das geologische Herz des West Country bilden. Schätzungsweise 8 Mio. Menschen wandern jährlich auf Hunderten von Kilometern öffentlicher Pfade und Wege durch das Moor. Die vom Besucherstrom fast erdrückten 30 000 Dörfler, die in und um den Naturschutzpark leben, besitzen noch das Recht, das offene Grasland auf dem Moor zu beweiden und sich Torf, Steine und Ried zum Decken ihrer Häuser zu holen. Größter Landbesitzer ist Prinz Charles, dem als Herzog von Cornwall mehr als 28 000 ha des Naturschutzgebiets unterstehen. Ansonsten hat sich Dartmoor seit 1000 Jahren kaum verändert: eine rauhe nebelige Moorlandschaft, nur dann und wann von einem Dorf oder Gehöft unterbrochen. Sie beherbergt Galloway- und Highland-Rinder, schwarzgesichtige Schafe und die berühmten, vom Steinzeitpferd abstammenden Dartmoor-Ponys.

Landeinwärts von Plymouth erstreckt West Country ist **Dartmouth.** Dort, wo sich im 12. Jahrhundert Kreuzfahrer zum zweiten und dritten Kreuzzug sammelten, bereiteten sich 900 Jahre später die Alliierten auf die Landung in der Normandie vor. Viel ihres Seefahrtserbes bewahrte die Stadt in Form des **Britannia College,** das Royal Navy-Offiziere wie Prinz Charles und den Herzog von Edinburgh ausbildete. Auch Chaucers Pilger ,,Shipman'' *(Canterbury Tales)* kam aus Dartmouth. Der Hafen von Dartmouth ist gesäumt von Handelshäusern und Fachwerk-Tavernen aus dem 16. Jahrhundert. Am Freitagmorgen bietet der **Pannier Market,** sonst ein Gewirr von Kunstgewerbeständen, noch frisches Obst und Gemüse an.

Nur einen Steinwurf weit die Küste hinauf liegt das aus Torquay, Paignton und Brixham zusammengewachsene **Torbay,** das sich wegen seines milden Klimas und seiner langgestreckten, palmenbestandenen Strände gern selbst als Englische Riviera bezeichnet. Das mit der Fähre erreichbare **Brixham** ist der

Dartmoor
National
Park

einzige der drei Orte, der etwas von der Atmosphäre eines Fischerdorfes bewahrt hat. Von hier nahm 1688 mit der Landung von Wilhelm von Oranien die Glorious Revolution ihren Ausgang. James II. wurde abgesetzt und die bis heute gültige Grundlage der britischen Regierung, die konstitutionelle Monarchie, eingeführt — alles ohne einen Tropfen Blut zu vergießen. Westlich von Torbay und nahe genug, daß man zu Fuß hingelangen kann, liegt **Cockington,** ein hübsches Dorf mit riedgedeckten Häusern. In 5 km Entfernung stößt man auf **Marldon** mit einer wunderschönen alten Kirche und noch 1,5 km weiter auf den ursprünglich 1320 erbauten Herrensitz der Familie Gilbert, **Compton Castle.** Sir Humphrey Gilbert (1539—83) war der Gründer Neufundlands, der ersten britischen Kolonie in Nordamerika, und Halbbruder Sir Walter Raleighs.

Die Bischofsstadt Exeter

Exeter ist vieles zugleich: Universitätsstadt, Bischofsstadt der Grafschaft Devon und nach Plymouth bedeutendste Stadt im West Country. Ihre Silhouette wird beherrscht von der großartigen **Cathedral,** dem schönsten Bauwerk ganz Devons, vom 11. bis 14. Jahrhundert in normannisch-gotischem Stil errichtet. Englands größte erhaltene Skulpturengruppe aus dem 14. Jahrhundert ziert die Westfassade, und das reich geschmückte Innere besitzt ein eindrucksvolles, wie die Fächer einer Palme gemeißeltes Gewölbe. Zu den Kostbarkeiten der Kathedrale zählen der Bischofsthron aus dem 14. Jahrhundert und das von 950 bis 1000 n.Chr. zusammengestellte *Exeter Book of Old English Verse.*

Nur wenig vermag in Exeter im Vergleich zur Kathedrale zu bestehen. Interessant ist das neue **Maritime Museum** mit mehr als 100 historischen, in zwei Lagerhäusern und entlang beider Ufer des Exe ausgestellten Schiffen — von der arabischen Dhau und dem polinesischen Einbaum bis zum chinesischen Sampan und dem peruanischen Schilffloß. In der Nähe steht das schöne, 1681 in dem für Exeter typischen Mauerwerk erbaute Custom House. Sehenswert sind auch die aus dem 11. bis 16. Jahrhundert stammenden Räume der **St. Nicholas Priory,** das **Rougemont Museum** und die Burgruinen.

Details der Kathedrale von Exeter

Info: North Country

Zur Orientierung

Unser Kapitel über North Country umfaßt Orte in Derbyshire, South Yorkshire, North Yorkshire, Humberside und Northumbria. Derby im Süden, Berwick-upon-Tweed im Norden, Hawes im Westen und Hull an der Ostküste Englands markieren die Endpunkte.

Der Text ist in vier Abschnitte gegliedert, beginnend mit dem Peak District National Park (siehe S. 214-217). Ausgangspunkt ist Derby, von wo aus eine Route in nördlicher Richtung kreisförmig über Ashbourne, Buxton, Chatsworth House, Chapel-en-le-Frith und Edale führt, und dann über Hathersage, Eyam und Bakewell (in der Nähe liegt Haddon Hall, eines der besterhaltensten Herrenhäuser Englands) nach Süden abschwenkt.

Der nächste Abschnitt beginnt in Leeds (siehe S. 218-221) und führt nordwärts durch das Land der Bronte Familie (Haworth und Ponden Kirk), um über die Yorkshire Dales Hawes und schließlich Richmond zu erreichen.

Eine zweite Nordroute von Leeds aus orientiert sich zunächst über Harewood House nach Harrogate, Ripley, Ripon und Thirsk (siehe S. 221-223), um südlich in York zu enden.

Der letzte Abschnitt (siehe S. 223-226) beschreibt die Küste zwischen Hull und Berwick-upon-Tweed. Zugegebenermaßen ist das einer der weniger attraktiven Teile des North Country.

Busse von National Express, der **Rapide Service,** bedienen alle großen Orte, u.a. York, Leeds, Sheffield, Hull und Newcastle. Jede dieser Routen führt über die Hauptorte hinaus. Der Bus nach Leeds etwa fährt bis nach Harrogate, der nach Newcastle bis Blyth. In der Regel fahren diese Busse einmal täglich.

Anreise

Für Autofahrer empfiehlt sich die Anreise über die M1 oder die A1, falls man von Süden kommt.

British Rail unterhält ein ausgedehntes Angebot für Bahnreisen in das North Country. Viele InterCity 125 Züge fahren von London aus Ziele in der Region direkt an. So von King's Cross: Leeds, Hull, York, Newcastle, Berwick und Durham. Von St. Pancras aus: Derby und Sheffield.

Der Peak District ist durch öffentliche Verkehrsmittel sehr gut erschlossen, wenn auch ein Auto mehr Freiheit gibt, um insbesondere die ausgetretenen Touristenpfade zu verlassen. **Hope Valley Line** bedient die Strecke Sheffield — Manchester mit Halt in Hathersage, Edale und Chapel-en-le-Frith. Ein weiterer Bus verbindet Sheffield und Manchester auf der A625 und hält an den glei-

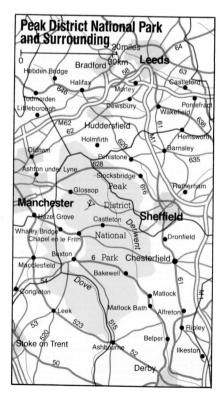

chen Orten wie der Zug. Das größte Busunternehmen der Gegend ist **Trent Bus Company,** zu erreichen an der Busstation von Derby (Tel.: Derby 372078).

Wer beabsichtigt, den Peak District mit öffentlichen Verkehrsmitteln zu bereisen, sollte den Kauf der Sonderfahrkarte **Peak Wayfarer** erwägen, die für einen Tag auf nahezu allen Zügen und Bussen Gültigkeit hat.

In den **Yorkshire Dales** (siehe S. 219-221) gibt es keine Zugverbindungen und die Busse, wie zwischen Ripon und Hawes oder Leeds und Ingleton, fahren unregelmäßig und langsam.

Die im letzten Abschnitt erwähnten Orte (siehe S. 223-226) erreicht man am einfachsten mit dem Auto. Die 240 km lange Strecke zwischen Hull und Berwick-upon-Tweed wird jedoch ausreichend von Bus und Bahn bedient. Näheres erfrägt man am besten im jeweiligen Tourist Information Center.

Unterkunft

Im Kurzführer sind Unterkunftsmöglichkeiten in folgenden Orten aufgeführt: Matlock, Howsley, Castleton, Buxton, Bakewell, Dovedale, Newcastle-upon-Tyne, Durham, Berwick-upon-Tweed, York, Leeds, Halifax, Bradford, Sheffield, Whitby, Scarborough und Ravenscar.

Folgende TICs bieten den ,,book-a-bed-ahead''-Service an:Alnwick, Berwick-upon-Tweed, Buxton, Durham, Harrogate, Haworth, Hull, Leeds, Newcastle-upon-Tyne, Ripon, Scarborough, Thirsk, Whitby und York.

Informationsstellen

Tourist Information Centers gibt es in folgenden Orten:

Alnwick, The Shambles, Tel. Alnwick 603120.

Bakewell, Old Market Hall, Tel. Bakewell 3227.

Berwick-upon-Tweed, Castlegate Car Park, Tel. Berwick 307187.

Buxton, The Crescent, Tel. Buxton 5106.

Durham, 13 Claypath, Tel. Durham 43720 **Hawthorn,** West Lane, Tel. Haworth 42329.

Hull, Central Library, Albion Street, Tel. Hull 223344.

Leeds, Library Buildings, Calverley Street, Tel. Leeds 462454.

Newcastle-upon-Tyne, Central Library, Princess Square, Tel. Newcastle 610691.

Thirsk, Thirsk Museum, 16 Kirkgate, Tel. Thirsk 22755.

Whitby, New Quay Road, Tel. Whitby 602674.

York, De Grey Rooms, Exhibition Square, Tel. York 21756.

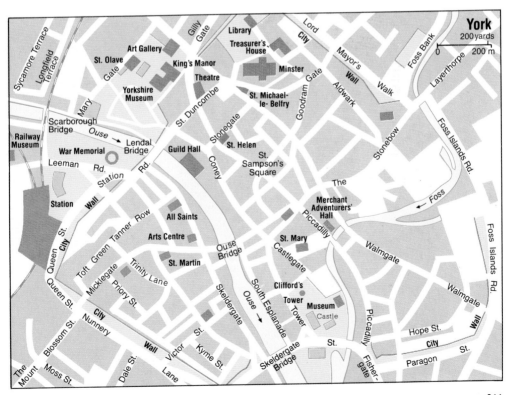

York

NORDENGLAND

In einer Gegend, die mit Überbleibseln historischer Kriege geradzu übersät ist, findet man keine Hinweise auf jene Auseinandersetzung, die in den dreißiger Jahren die faszinierend schöne Landschaft Yorkshires erschütterte. Es sei denn, man nimmt das Schild „Öffentlicher Zugang zu diesem Privatgrund vom Eigentümer gestattet" als einen solchen Hinweis. Diese Erlaubnis war damals keineswegs selbstverständlich und wurde von den erholungsuchenden Arbeitern der Industriestädte von Manchester und Sheffield in blutigen Auseinandersetzungen mit dem bewaffneten Forstpersonal erkämpft.

Heute drohen dem Moorwanderer nicht Knüppel und Gewehr, sondern vielmehr das wechselhafte Wetter. Innerhalb des **Peak District National Park** sind die Rechte des Wanderers gewahrt, und die Beliebtheit von langen Fußmärschen straft die Behauptung Lügen, Engländer seien eine Nation von Sesselsportlern. Der längste solcher Märsche ist der **Pennine Way,** der sich über 400 Kilometer entlang der Pennines Chain, dem Rückgrat Englands, erstreckt. Beginnend im Peak District, durchquert er Yorkshire und Northumbria, um nördlich der schottischen Grenze zu enden. Nur wenige Leute sind ehrgeizig genug, diese Wanderung, die zwei Wochen in Anspruch nimmt, über wetterausgesetztes und entlegenes Gelände an einem Stück anzugehen. Aber seit der Einweihung 1965 hat dieser „Everest für Jedermann" regen Zuspruch erfahren. Zuviel fast, denn stellenweise ist die Moorlandschaft so zertrampelt, daß sich Naturschützer manchmal wünschen, es hätten damals die Forstleute gesiegt. Früher dröhnte der Boden Nordenglands unter dem Stampfen der Armeen. Zwar lag das Zentrum der Macht auch in alten Zeiten schon immer in London, dennoch suchten fast alle Herrscher, sich ihre Macht im Norden zu beweisen.

Bereits der römische Kaiser Hadrian ließ 120 einen Limes quer durchs Land bauen (117 km lang), der die barbarischen Skoten abhalten sollte. Vom Mittelalter bis zu Elisabethanischen Zeiten war das Grenzland als das „Umstrittene Land" bekannt und in einem Zustand ständigen Aufruhrs. Hier nahm die Christianisierung von Lindisfarne (vor der Küste von Northumbria) 634 ihren Ausgang, bekämpften sich die Häuser York und Lancaster in den Rosenkriegen (1455—1485) hinterließ der Bürgerkrieg (17. Jh.) tiefe Wunden und regte die Industrielle Revolution neue Hoffnung.

Nord und Süd

Die Industrielle Revolution zog auch eine bis heute andauernde Trennung zwischen Nord und Süd nach sich. Die Menschen Nordenglands sahen sich selbst als sparsam, mit gesundem Menschenverstand ausgestattet. Menschen, die die besten viktorianischen Werte verkörperten und nicht erwarteten, etwas geschenkt zu bekommen. Sie betrachteten die Südengländer als weich, schwach und nicht vertrauenswürdig. Ein Nordengländer war gerade heraus, ein Südengländer ausweichend. Erstere arbeiteten schwer für ihr Geld, letztere gaben es aus.

Manchmal drängt sich der Eindruck auf, daß die Engländer heute ein weniger homogenes Volk sind, als sie es vor der normannischen Eroberung waren.

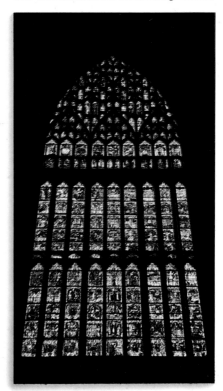

Vorherige Seiten: Aire Valley, Farnhill (Yorkshire). Links: Hadrianswall. Rechts: Ein Fenster in York Minster

213

Dennoch scheint ein post-industrielles Phänomen, der (auch starke Binnen-) Tourismus, hier einen Ausgleich der Temperamente einzuleiten. Mit dem Niedergang der traditionellen Beschäftigung in der Textilindustrie, im Kohlebergbau und in den Werften haben sich viele Engländer aus dem Norden darauf verlegt, ihre Traditionen zu vermarkten und besichtigen zu lassen.

Fabriken werden zu Museen, örtliche Vergnügungen zu Folklore-Festivals umfunktioniert, und Kramläden verwandeln sich zu ,,Zentren traditionellen Handwerks''.

Reisende auf der Suche nach dem ,,echten'' Nordengland mögen angesichts der zunehmenden Menschenansammlungen auf den Trutzwällen von York oder in der Pfarrei der Familie Brontë verzweifeln. Man hat es jedoch nicht weit, um sich allein in einem dunklen Moor, an einem einsamen Strand (der Generationen von Schmugglern Zuflucht gewährte) oder bei einer geisterhaften Burgruine (die einst auf hohen Klippen gegen Invasoren schützte) wiederzufinden — ohne daß ein Reisebus in Sicht wäre.

Von Derby nach Sheffield

Von Derbyshire bis nach Yorkshire hinein erstreckt sich der **Peak District**, ein ,,Felsengarten'' von 48 km Länge und 32 km Breite. Er bietet einem halben Dutzend Städte ausreichend Erholungsmöglichkeiten, und seine bis zu 660 m hohen Berge ziehen Drachenflieger und Bergwanderer vom Anfänger bis zum Experten an; auch Höhlenforscher kommen auf ihre Kosten. Sir Arthur Canon Doyle, der Schöpfer des Sherlock Holmes', bezeichnete die Gegend einst als völlig unterhöhlt: ,,Würde man mit einem riesigen Hammer draufschlagen, ertönte das Land wie eine Trommel oder fiele gar in sich zusammen.''

Einesteils ist der Peak District von sanft gewellten, torfbedeckten Bergebenen, die von engen Einkerbungen unterbrochen werden, gekennzeichnet. In anderen Teilen bestimmen wilde, mit Heidekraut bedeckte Moore das Bild, die von bewaldeten Tälern abgegrenzt werden, in denen lose aufgeschichtete Steinmauern ein Karomuster von Feldern schaffen. Seltsamerweise lebt im südwestlichen Teil des Nationalparks eine Peak District

214

QUITTUNG

DM _____

Im Betrag ist 7% MwSt., bei Schallplatten, Spiel-
karten, Spielen 14% MwSt. enthalten

Von _____

für Zeitungen, Zeitschriften, Bücher, Fachbücher,
Taschenbücher, Kursbücher, Landkarten, Stadtpläne,
Schreibmaterial

_____

_____

heute in bar / Scheck erhalten

Düsseldorf, _____ 199

Die internationale Buchhandlung
im Bahnhof Düsseldorf
Grauert GmbH

QUITTUNG

DM _____ 47,80 _____

Im Betrag ist 7% MwSt., bei Schreibwaren, Spiel-
karten, Spielen 14% MwSt. enthalten.

Von _____

für: Zeitungen, Zeitschriften, Bücher, Fachbücher,
Taschenbücher, Kursbücher, Landkarten, Stadtpläne,
Schreibmaterial

_____

_____

heute in bar / Scheck erhalten

Düsseldorf, _____ 05. 06 _____ 199 0

Die internationale Buchhandlung
im Bahnhof Düsseldorf
Grauert GmbH

Kolonie von Wallabies (kleine Känguruhs). Unverfälschte Natur ist hier anzutreffen, und damit es so bleibt, fordert ein Führer durch den Peak District auf, „nichts als die Zeit totzuschlagen, nichts außer Fotografien mitzunehmen und nichts als Fußstapfen zurückzulassen".

Von Süden kommend, bietet sich als erste Station **Derby** an, die alte Stadt am Derwent. Nicht nur steht hier Englands erste „richtige" Fabrik, eine 1718 erbaute, fünfstöckige Seidenmanufaktur, sondern hier werden seit 1908 „die besten Automobile der Welt" hergestellt: Rolls-Royce.

Als nächstes kann man auf der schönen Hauptstraße von **Ashbourne** lustwandeln und sich eine Schule aus dem 16. Jahrhundert oder ein Armenspital aus dem 17. Jahrhundert ansehen. Ashbourne hat sich seit den Zeiten, als Charles I. einen Gottesdienst in St. Oswald's Church besuchte — nach der verlorenen Schlacht bei Naseby (1645) —, kaum verändert. Von George Eliot, der Autorin von *Adam Bede,* wurde die Kirche als die „schönste einfache Pfarrkirche des Königreichs" bezeichnet. Ein besonderes Schauspiel bietet Ashbourne am Fastnachtsdienstag. Dann findet ein gigantisches Fußballspiel statt, bei dem 300 Mann starke Mannschaften versuchen, Tore dadurch zu erzielen, daß sie jeweils die fast 5 km auseinanderliegenden Mauern von Sturston Mill bzw. Clifton Mill treffen. Das Spiel kann bis in den Aschermittwoch hinein dauern, einem Zeitpunkt, an dem kaum noch ein Körperteil unversehrt geblieben ist.

Zwischen Ashbourne und Buxton führen kleine Straßen durch Dovedale, ein Tal im Kalksteingebiet, das gerne als „kleine Schweiz" bezeichnet wird. Selbst Schottland-Liebhaber Dr. Johnson schrieb: „Wer das Dovedale gesehen hat, braucht das Hochland nicht mehr aufsuchen." Die Täler entlang des Dove sind von unzähligen Schafen bevölkert, und in den Sommermonaten finden Schäferwettbewerbe statt, in denen schwarzweiße Collies störrische Schafe auf Zeit in Pferche jagen.

Buxton erreicht man nach einer Irrfahrt auf kleinen Sträßchen (es sei denn, man fährt auf der A 515). Der Ort hatte im Mittelalter die Reputation eines englischen Lourdes. Die neun Heilquellen des Thermalbades sind für Geschmacks-

Winnats
Pass.
Castletown
(Derbyshire)

und Geruchsneutralität bekannt. Bereits Mary Stuart suchte hier Linderung für ihre rheumatischen Beschwerden, die sie sich in feuchten Gefängnissen zugezogen hatte. In der nahgelegenen **Wye-Schlucht** sind schöne Wanderungen möglich, während der Ort selbst, trotz der Anstrengungen des fünften Herzogs von Devonshire, einen Badeort von nationalem Rang zu schaffen, nicht bemerkenswert ist.

Mit dem benachbarten **Chatsworth House** gelang dagegen dem vierten Herzog ein Meisterstück. ,,Der Palast auf dem Gipfel" ist ein weit angelegtes Herrenhaus im Palladio-Stil, das in einem entsprechenden Wildpark liegt und unschätzbare Kunstwerte birgt. Zur Belebung des Geschäfts finden Angelwettbewerbe, Blaskapellen, Festivals und Reitturniere statt. So sind es jährlich über eine halbe Million Besucher, die den herzoglichen Beutel füllen.

Über Chapel-en-le-Frith gelangt man nach **Edale**, am Fuße des Berges **Kinder Scout**, wo der Pennine Way beginnt. Mangels Markierung und Schildern sollte sich nur auf den Weg machen, wer eine genaue Karte mitführt, da man sich leicht verirren kann.

In **Castleton** ist die **Speedwell Mine** von Interesse, unter der sich eine Höhle befindet, die über 150 m hoch ist. Ein Geheimgang verbindet hier **Devil's Cavern** mit **Peveril Castle**, weit oberhalb des Dorfes. Die rauchgeschwärzten Decken weisen daraufhin, daß früher die Dorfbewohner in den Höhlen Zuflucht vor plündernden Soldaten suchten.

Ebenfalls an der A 625 liegt **Hathersage**, wo in einem Fünf-Meter-Grab Little John, ein ungewöhnlich hochgewachsener Mitstreiter von Robin Hood, begraben sein soll.

Eine Abzweigung auf der B 6001 führt nach **Eyam**, dessen Bewohner sich 1665, nachdem sie entdeckt hatten, daß die Pest durch ein Paket aus London eingeschleppt worden war, von der Außenwelt abriegelten, um die Verbreitung der Krankheit zu verhindern. Innerhalb eines Jahres starben drei Viertel der Einwohner durch diesen bemerkenswerten Solidaritätsakt. Eyam ist eines der Dörfer in der Gegend, die im August Brunnen- oder Quellzeremonien abhalten, anläßlich derer die Quellen mit reichen Blumenschmuck versehen werden. Dies kann auf Reinheitsgebete während

Chatsworth House

der Pestzeit oder aber auch auf heidnische Zeiten zurückzuführen sein.

Schließlich sei **Bakewell** am Wye und das 3 km entfernte **Haddon Hall** erwähnt. Letzteres ist eines der besterhaltenen Häuser Großbritanniens aus dem 12. Jahrhundert.

Hochöfen und Chöre

Am Fuße der Pennines hat sich seit alters her **Sheffield** zunächst als Handarbeits- und später als Stahlzentrum entwickelt. Während das Fußfolk der Industriellen Revolution kaum Gelegenheit hatte, auf den Gipfeln Luft zu tanken, profitierte die Stadt schon früh von der Wasserkraft und den Kiesvorkommen der Berge.

Bereits in den *Canterbury Tales* von Chaucer trug ein Müller ein Messer aus Sheffield in seinem Strumpf. Andererseits beschrieb ein anderer Autor, Horace Walpole, Sheffield 1760 als „eine der schmutzigsten Städte in einer der zauberhaftesten Gegenden Englands". Bemühungen, den Ausstoß der Schornsteine in Griff zu bekommen, haben dazu geführt, daß die Staubschicht auf dem örtlichen Golfplatz nur noch ein Prozent der Menge von vor 30 Jahren mißt. Heute hat Sheffield ein ausgesprochen modernes Einkaufszentrum und saubere Vororte, die sich an den Hängen hinziehen. Das **Crucible Theatre** erwarb sich landesweite Anerkennung. Dennoch werden die Schlangen der Arbeitslosen länger, wie im gesamten industriellen Norden. Sheffields Stahl ist zwar der beste, aber koreanisches Besteck billiger.

Die meisten Industrien befinden sich in einem schmerzhaften Schrumpfungsprozeß. Dies betrifft insbesondere den Kohlebergbau, in dem bis zu 40 % der Männer beschäftigt sind (etwa in der Gegend von Barnsley). Nicht zuletzt deshalb lag eines der Zentren des einjährigen Bergarbeiterstreiks 1984/85 um die Zechenschließungen in Süd-Yorkshire, einer Gegend, die sich schon früher den Titel „Republik von Süd-Yorkshire" erworben hatte.

Aber auch viktorianische Tugenden leben in Yorkshire fort. So führt die berühmte Chorvereinigung von **Huddersfield,** nördlich des Peak Districts, seit 1836 jedes Jahr Händels *Messias* auf. Oder es finden sich in den Reihen der Black Dyke Mille Band, der bekannte-

Hathersage

sten Blaskapelle Englands, viele Weber und Metaller.

Viktorianischer Sinn für Sparsamkeit zeigt sich an der Vielzahl von *Building Societies* (etwa Bausparkasse plus Bauträgergesellschaft), die sich Geld von Kleinsparern borgen, um es an Hauskäufer zu verleihen. Ihre Bautätigkeit haben diese Gesellschaften bis auf die Errichtung von zunehmend größer werdenden Verwaltungszentralen weitgehend eingestellt. ,,Die größte Bausparkasse der Welt'', Halifax, bezieht ihren Namen von der gleichnamigen Stadt und brüstet sich mit Einlagen von 20 Milliarden £.

Außer der Bausparkasse besteht der Beitrag von **Halifax** zur Welt in den ,,Katzenaugen'' für Motorfahrzeuge, die 1934 ein gewisser Percy Shaw erfunden hat. Ebenso wie Halifax bezog **Bradford** seinen Reichtum aus der Textilindustrie. Jeder Ziegelstein des Rathauses im italienischen und der Wollbörse im gotischen Stil atmet Verläßlichkeit und Tatkraft; entsprechend dem Bild, das die Wollbarone von sich selbst hatten. Einer von ihnen, Titus Salt, ließ seine Vorstellungen Wirklich-

keit werden und erbaute sich eine Modellstadt, die er **Saltaire** nannte. Viktorianischer Geist läßt sich an der Kombination von Weberei, Krankenhaus, Schule, Bibliothek und Armenhaus ablesen. Die Pubs fehlen! Heute allerdings wird auch in Saltaire Bier ausgeschenkt. Die Wirtschaftskraft beruht immer noch auf der Textilindustrie und lockt viele, meist asiatische, Einwanderer an.

Prominente Söhne der Stadt sind J. B. Priestley, dem die Stadt einen — touristisch intendierten — ,,**J.B. Priestley Rundgang**'' gewidmet hat, und Frederick Delius, der Komponist. Ersterer setzte der Stadt als ,,Bruddesford'' in seinem Roman *The Good Companions* ein Denkmal. Neu in Bradford ist das **National Museum of Photography, Film and Television,** das z.B. eine fünf Stockwerke hohe und 30 m breite Leinwand besitzt. Das benachbarte **Leeds** hat sich weltweit einen Namen als Zentrum für Konfektionskleidung gemacht.

Goldgrube der Brontë — Familie

Angesichts des fabelhaften Rohmaterials der Brontës, Yorkshires tragischer

Brontë Parsonage, Haworth

Literatur-Familie, läuft der Tourismus in **Haworth** auf höchsten Touren. Das Bergdorf, 22 km nordwestlich von Bradford, mit seinen grauen Steinhäusern eher unscheinbar, wird jährlich von annähernd 700 000 Besuchern heimgesucht. Menschen aller Nationen stehen im — ungewöhnlich näßenden — Regen Schlange, um durch die Pfarrei geführt zu werden, in der Charlotte, Emily, Anne und Branwell aufwuchsen. Eine Unzahl von Erinnerungsstudien und persönlichen Gegenständen sind ausgestellt, ein paar zuviel, als daß sie tatsächlich von den behaupteten Eigentümern hätten benutzt werden können. Besucher, die einen kleinen Stiefel bestaunen, kommen einstimmig zu dem Schluß, daß *Jane Eyre* von einer Person mit außergewöhnlich kleinen Füßen verfaßt worden sein muß.

Die Kirche von Pastor Brontë existiert nicht mehr, sie wurde 1879 von seinem Nachfolger neu erbaut. Der Friedhof gibt jedoch anschaulich die Lebensbedingungen Mitte des 19. Jahrhunderts wieder, als die durchschnittliche Lebenserwartung 28 Jahre betrug und Typhus sowie Cholera in Haworth wüteten. Wer an Ye Shappe of Haworth

oder der Boutique Buckle 'n' Hide vorbeikommt, kann sich die unhygienischen Verhältnisse früher vorstellen.

Das Moor jedoch blieb in seiner Großartigkeit bestehen, wenn auch zu vermuten ist, daß die Geister von Heathcliff und Cathy wegen der Besucher, die **Ponden Kirk** finden wollen, kaum auf Ruhe hoffen können. Dieser Felsen soll das Vorbild des ,,Penistone Crag'' aus *Wuthering Heights* sein.

Zwischen **Keighley** und **Oxenhope** verkehrt auf 8 km ein Zug mit Dampflokomotive. Weitere private Linien in Yorkshire sind die **Middleton Line** in Leeds, die **Dales Railway** bei Skipton und die **North York Moors Railway** von Pickering nach Grosmont. Für Eisenbahnfreunde ist die Fahrt mit diesen alten Bahnen sicher ein Erlebnis.

Schließlich sei auf das Kurbad von **Ilkley** verwiesen, dessen mildes Klima auch in der Yorkshire-Hymne hervorgehoben wird: *,,On Ilkla Moor baht 'at.''* (,,Ins Ilkla Moor kann man auch ohne Hut gehen.'') Wer jetzt Hunger bekommen hat, kann auf der A 65, zwischen Ilkley und Leeds, **Harry Ramsden's** weltgrößten ,,Fish and Chip Shop'' aufsuchen. Glaslüster, Plüschdekor, 400

Pickering
Steam Fair
bei York

219

Parkplätze für Pkws und ein Buspark- platz laden zum Verweilen ein.

Yorkshire Dales

Blühende Hecken, Legesteinmauern, geschäftige Marktflecken, einsame Farmhäuser, Höhlendome und verlasse- ne Bleiminen heißen den Besucher in den **Yorkshire Dales** willkommen. Wenn die Bewohner auch von Natur aus konservativ und schweigsam sind, gilt das auch für sie. Eher sind ihnen Nach- barn ein Dorn im Auge, die sich mit touristischen Unternehmungen ein Zu- brot verdienen. Dann heißt es freilich ,,Dales for the Dalesman``, jedoch nur im Pub und nicht auf der Straße. Um den Einwohnern näher zu kommen, kann man eine Schafsauktion aufsu- chen, auch wenn man dort kein Wort versteht. Oder man wohnt einem dörfli- chen Kricketspiel bei — das Spiel wird in Yorkshire mit Leidenschaft betrieben — und entdeckt, daß es überhaupt nicht einschläfernd ist.

Zur Entdeckungsfahrt (falls man es nicht zu Fuß versucht) bricht man am besten ohne festen Plan auf und mag auf wenig bekannte ,,Dales`` wie **Rose- dale, Farndale** oder **Bilsdale** stoßen. Sonst bietet sich von Ilkley aus ein Aus- flug ins **Wharfedale** an, in dem sich Fel- sen, Gehölze, Wasser und ab und zu ei- ne Burg ins malerische Ganze fügen. Auf Steine im Wasser kann man den Fluß Wharfe überqueren, um zur **Bol- ton Abbey,** einer Klosterruine aus dem 12. Jahrhundert, zu gelangen.

Nördlich des Masham Moors verläuft das **Wensleydale,** ein breites, bewaldetes Tal, das zunächst einen heiteren Ein- druck macht, sich jedoch rasch verdü- stert, sobald das bedrohliche **Bolton Castle** hoch oben am Hang im Blickfeld erscheint. Vielleicht liegt es daran, daß behauptet wird, der Mörtel sei mit Och- senblut vermischt worden, um die Mau- ern zu stärken. Wandert man von den Stallungen in den Hof, der einst die Große Halle war, hat man unwillkürlich den Eindruck, in das Jahr 1568 zurück- versetzt zu sein, als Maria Stuart hier ge- fangen saß. Der Eindruck wird ver- stärkt durch den schlechten baulichen Zustand der Burg. Dennoch befindet sich in einem Flügel ein Restaurant, das verspricht, hier könne man gut speisen, weil ,,einst eine Königin hier speiste``.

Östlich von Bolton Castle in **Hawes**

befindet sich die Verwaltung des Nationalparks, wo nicht nur Informationen erhältlich sind, sondern auch ein Folkloremuseum um Besucher bemüht ist. Nicht weit von hier steht ein Zeugnis britischer Eisenbahnbaukunst, der **Ribblehead Viadukt** über **Batty Moss,** dessen Fundamente zur Stabilisierung auf Tausenden von Schafsfellen stehen.

Südwestlich der Burg sind die Ruinen von **Middleham Castle** zu sehen, das kurzfristig Richard III. (bekannt durch allerlei Verwandtenmorde, insbesondere seines jüngeren Bruders 1483) gehörte. Über den **Buttertubs Pass** (575 m) führt die Straße von Leyburn nach **Richmond** im **Swaledale.** Das steile und felsige Tal wird von einer Normannenburg beherrscht, an deren Fuß die Marktgemeinde Richmond außer einem großen, kopfsteingepflasterten Platz auch **Friar's Wynd,** ein sehr schön restauriertes georgianisches Theater, aufzuweisen hat.

Schönheit und Schwefel

Verläßt man Leeds in nördlicher Richtung, trifft man nach wenigen Kilometern auf das prächtige **Harewood House,** wo Robert Adam und Thomas Chippendale (Innenausbau, Mobiliar), ,,Capability'' Brown (Landschaftsgarten) sowie Edwin Lascelles, der große Architekt aus Yorkshire, verantwortlich zeichnen. Das gelungene Ergebnis der Zusammenarbeit dieser vier Größen des 18. Jahrhunderts bewohnen heute noch der Earl und die Countess of Harwood.

Der nächste Halt, **Harrogate,** kündigt sich schon von weitem mit dem typischen Geruch nach faulen Eiern an. Ausgeprägter Schwefelgeruch und (früher jedenfalls) Snobbismus haben das Kurbad zum größten Hydrotherapiezentrum der Welt gemacht. Die Seebadatmosphäre, obwohl unecht, ist so plastisch, daß selbst Möwen darauf hereinfallen. Üppige Grünflächen und Blumenbeete sowie ein Kongreßzentrum aus Ziegelstein, das an eine Festung erinnert, zieren den Ort. Die Baukosten von anfänglich 750 000 £ stiegen mit den Visionen von Internationalität schließlich auf 30 Mio. £.

Weiter gen Norden (6 km) liegt **Ripley,** ein Ort, dessen Rathaus als Hôtel de Ville firmiert, weshalb man das Dorf als elsässisch erachtet. Die Einschüsse an der Pfarrkirche stammen zweifellos

Yorkshire, Swaledale

von Cromwell. **Ripley Castle,** das seit 600 Jahren der Familie Ingleby gehört und eine gute Rüstungs- und Waffensammlung enthält, ist nicht zuletzt deshalb dem Publikum zugänglich, weil die heutigen Inglebys unter den zu hohen Versicherungs- und Heizkosten zu leiden haben.

Auf dem Weg nach **Ripon,** ein paar Kilometer westlich der A 61, liegen die Überbleibsel der einst reichsten Zisterzienserabtei Britanniens, **Fountains Abbey.** Küchen und Schlafsäle sind dank alter Handwerkskunst erhalten geblieben und geben eine ungewöhnlich klare Vorstellung von mitteralterlichem monastischem Leben. Der Ort Ripon, eine sächsische Gründung, wird von der düsteren Kathedrale — St. Wilfrid soll im 7. Jahrhundert den Bau veranlaßt haben — bestimmt. Nordöstlich liegt das Marktstädtchen **Thirsk,** ein guter Ausgangspunkt für Ausflüge in die Yorkshire Moors.

Das Erbe von York

Auf keinen Fall versäumt werden darf ein Besuch in **York.** Da viele Autofahrer derselben Meinung zu sein scheinen — nach York hinein besteht unab- lässig ein Verkehrsstau — und York im 19. Jahrhundert das Zentrum britischen Eisenbahnbaus war, ist es nur angemessen, mit dem Zug anzureisen (sowohl von Harrogate als auch Leeds möglich). Das Eisenbahnmuseum, **National Railway Museum,** zeigt zudem vom luxuriösem Waggon Königin Victorias bis zum letzten Schrei der Eisenbahntechnik alles, was das Herz des Amateurs begehrt, und das ohne Eintrittsgeld.

Nachdem bereits im Jahr 71 n.Chr. die Römer ein Lager errichtet hatten, gründeten acht Jahrhunderte später Wikinger hier eine Siedlung, die sie Jorvik nannten. Routineausgrabungen im Jahr 1976 stießen auf diese Siedlung und entdeckten einen wahren archäologischen Schatz mit 15 000 Artefakten, die heute im Mittelpunkt des eindrucksvollen **Jorvik Viking Centre** stehen. Lange vor der Öffnungszeit um 9.00 Uhr formieren sich bereits Schlangen am Eingang. Der Besucher begibt sich zunächst hinab zum neuen Einkaufsbereich im Untergeschoß, bevor er elektrisch gesteuerte Wägelchen besteigt, die ihn durch einen „Zeittunnel" ins 10. Jahrhundert fahren. Hier trifft er auf ein authentisch nachgebautes Wikingerdorf, das mit al-

York Minster

lem Alltäglichem, mit Geräuschen und (oft überriechenden) Gerüchen ausgestattet ist. Anschließend geht es weiter zur Ausgrabungsstätte.

Wieder an der Oberfläche kann man durch das Gassenlabyrinth der **Shambles,** des ehemaligen Metzgerviertels, wandern. Heute sind die Schaufenster nicht mehr mit Tierkörpern, sondern mit Antiquitäten und Souvenirs vollgestopft. Die Gassen sind oft so eng, daß sich die obersten Stockwerke der Häuser zu berühren scheinen. Wer einen Rundgang um die Stadt machen möchte, kann dies ohne weiteres auf den Stadtmauern tun (etwa zwei Stunden), die breit genug für Pferde wären. Mittelalterliche Fachwerkhäuser, wie die **Merchant Adventurers' Hall,** und Buchantiquariate finden sich an jeder Ecke.

Dies alles verblasst jedoch vor dem **Minster,** Großbritanniens mächtigster Kathedrale, die über der Stadt zu schweben scheint. Man sagt, daß ihre über 250 Jahre andauernde Erbauung ,,für die äußerst praktisch veranlagten Bürger eine Art des Gebets war". So hat man auch errechnet, daß die Unterhaltung des Baus 2 £ pro Minute kostet. Die mittelalterlichen Glasfenster stehen denen von Chartres in nichts nach. Als 1984 ein Blitz im südlichen Querschiff einschlug, am Tag, nachdem ein umstrittener Bischof geweiht worden war, sahen die Frommen im folgenden Feuer ein Gottesurteil. Die mehr praktisch Veranlagten machten sich in einem ehrgeizigen Puzzlespiel daran, die 8000 Teile des Rose Window aus dem 12. Jahrhundert wieder zusammenzusetzen.

Im **Yorkshire Museum** ist eine ständige Ausstellung über römisches Leben in Britannien zu sehen. König George VI. faßte einmal zusammen, was über York zu sagen ist: ,,Die Geschichte Yorks, ist die Geschichte Englands."

Einer der grandiosen Herrensitze Englands liegt 24 km nordöstlich von York, das von Sir John Vanbrugh erbaute und mit Kunstschätzen angefüllte **Castle Howard.** Die Fernsehversion von *Revisiting Brideshead* (,,Wiedersehen im Brideshead" von Evelyn Waugh) wurde hier abgedreht.

Nordwestlich von Howard erreicht man über kleine Straßen **Rievaulx Abbey,** eine ausgedehnte Zisterzienserabtei aus dem 12. Jahrhundert, deren Umgebung Zehntausende von Grabhügel aus der Bronze- und Eisenzeit aufweist.

York: Gasse und Fußgängerzone

„Yorkshire Riviera"

Auch an der Ostküste sind zahllose Zeugnisse der Vergangenheit, insbesondere Ruinen von Trutzburgen, erhalten geblieben. Im Bestreben, die Gegend und das Urlaubsangebot aufzuwerten, erfanden Werbeleute die unsinnige Bezeichnung „Yorkshire Riviera". Und um den Anspruch zu untermauern, wurde in Scarborough mit großer Zeremonie eine Palme verpflanzt, die jedoch, ohne daß ein Einheimischer ihr eine Träne nachweinte, bald darauf dem Salz und der Kälte erlag.

Der Fischereihafen von **Hull** (eigentlich Kingston upon Hull), 60 km südöstlich von York, ist der Hauptort an der Küste. An historischen Gebäuden ist das **Trinity House** (1753) zu erwähnen, in dem die 600 Jahre alte Seefahrergilde ihren Sitz hat, eines jener Gebäude, die der Bombardierung im Zweiten Weltkrieg entgangen sind. Ein Sohn Hulls ist William Wilberforce, der sich für die Befreiung der Sklaven einsetzte.

Eine Hängebrücke, mit einer Spannweite von 1410 m die längste der Welt, überspannt die Humber-Flußmündung und verbindet **Humberside** mit Hull.

Nördlich von Hull ziehen sich an der Küste billige und fröhliche Badeorte hin, die sich allerdings mit der spanischen Konkurrenz schwer tun, nicht nur, weil diese das gleiche Produkt preiswerter, sondern auch wärmer anbieten.

Als erstes liegt **Hornsea** auf dem Weg, ein kleiner Ort mit nettem Museum, Süßwassersee (zum Fischen und Segeln) und beliebtem Vergnügungspark, der **Hornsea Pottery.**

Bridlington, 24 km weiter nördlich, ist da schon lebendiger und bietet außer aktuellen Diskotheken auch Gebäude aus dem 14. Jahrhundert. Vom nahegelegenen **Flamborough Head** ist ein atemberaubender Blick 130 m hinab auf die Nordsee möglich. Nördlich von **Filey** beginnen die häßlichen Caravanparks, die viele der schöneren Buchten verunstalten.

Schließlich gelangt man nach **Scarborough,** dessen Niedergang als berühmtes Seebad am Schicksal des **Grand Hotels** abzulesen ist. Einst ein Hotel der europäischen Spitzenklasse, wurde das 1867 eröffnete Haus zunächst jahrelang von Vertreterkonferenzen und Parteitagen in die Mangel genommen, bevor es in

Robin Hood Bay

die Hände des Ferienlagerorganisators Butlin geriet, dessen rotbefracktes Personal gezwungene Fröhlichkeit verbreitet. Die Burg aus dem 12. Jahrhundert ist aber sehenswert und auf dem Friedhof der **St. Mary's Church** liegt Anne Brontë begraben, die — wie so viele — hierher kam, um die stärkende Seebrise zu atmen.

Weiter nördlich führt ein Abstecher nach **Ravenscar** in relative Einsamkeit, da aus den großen Entwicklungsplänen, außer einem imposanten Hotel auf der Klippe, nie etwas wurde. Schöne Spaziergänge sind hier möglich, auch zur **Robin Hood's Bay,** die dem freundlichen Gesetzlosen wie auch Schmugglern als Schlupfwinkel gedient haben soll. Gen Westen, über dem **Fylingdales Moor,** ragen die Kuppeln einer Frühwarnstation in den Himmel und erinnern an die Realitäten des Nuklearzeitalters.

Der malerische Fischerort von **Whitby** hat wenig von der Gewöhnlichkeit seiner südlichen Nachbarn. Im 7. Jahrhundert soll ein Mönch in der (heutigen Ruine) **Whitby Abbey** den *Song* geschrieben haben, das „Urwerk" englischer Literatur. Der berühmte Entdecker, Captain Cook, lebte in einem Haus in Grape Street, das heute Station eines „Heritage Trail" ist, der seinen Spuren in der Gegend folgt. Vorübergehend weilte zudem Graf Dracula in Whitby, der als riesiger schwarzer Hund von Bord eines havarierten Kreuzschiffes gegangen war (zumindest im Roman von Bram Stoker).

Für jene mit weniger ausgefallenem Geschmack als der Graf, sind die Krabben und Bratheringe zu empfehlen, wie überhaupt diese Küste für Meeresfrüchte bekannt ist, insbesondere noch Bridlington für Garnelen und Scarborough für seine Schollen.

Im Sommer ist Whitby ein einziger Verkehrsstau, weshalb die umliegenden Orte gebührenpflichtige Parkplätze eingerichtet haben. Wer also Schlupfwinkel wie **Runswick Bay,** eine eingebildete Ansammlung von hübschen Fischerhäuschen, besuchen will, muß eine ausreichende Menge von 10 und 50 Pencemünzen parat halten. Dasselbe gilt für **Staithes,** wo der junge Cook kurzzeitig und zu seinem Leidwesen eine Lehre als Krämer absolvierte.

Jenseits der Grenze, in Northumbria, liegt **Redcar,** der Ausflugsort für die Be-

Bamburgh
Castle

wohner der verfallenden Industriezentren von **Middlesborough, Stockton-on-Tees** und **Darlington.** Als im 19. Jahrhundert hier Kohle und Eisenerze entdeckt wurden und die Eisenbahn ungeahnten Reichtum mit sich brachte, war die Gegend ein Eldorado. George Stevensons ,,Locomotion No. 1'' (1825) ist im **Railway Museum** von Darlington zu sehen. Heute wachsen sonst nur noch die Abfall- und Altmetallhalden, während der dicke Rauch aus den silbernen Rohren der Chemiefabriken signalisiert, daß es noch einige Arbeitsplätze gibt.

Der Kontrast könnte nicht größer sein. Nur 25 km westlich stehen andere Zeitzeugen, wie **Barnard Castle** und das schloßähnliche **Bowes Museum** (vor allem Gemälde). Allerdings soll sich Charles Dickens die Schule von Bowes als Modell für die grausame Dotheboys Hall in *Nicholas Nickleby* genommen haben. Von hier aus führt die B 6277 ins **Teesdale** bis hinauf zum Wasserfall **High Force.** Richtung Nordosten dagegen kommt man, über **Raby Castle,** nach Durham.

Zwischen den Industrieballungen von Middlesborough und Newcastle gelegen, ist **Durham** eine Stadt, die sich eine gelehrte, fast mittelalterliche Atmosphäre erhalten hat. Bis 1836 besaßen die Fürstbischöfe von Durham uneingeschränkte Souveränität innerhalb ihrer Diözese, komplett mit eigenem Parlament und eigener Münzprägung. Eine sehr schöne romanische Kathedrale und eine Burg, die nie eingenommen wurde, zeichnen Durham zusätzlich aus.

Eindeutig dominiert wird die Gegend aber durch **Newcastle upon Tyne,** einer weitläufigen Stadt der Werften, die nicht nur für seine schwungvollen Einwohner, deren Dialekt nahezu unverständlich ist, bekannt wurde, sondern auch für das Starkbier, *Newcastle Brown.* Genau wie ein echter Londoner ,,Cockney'' in Hörweite des Glockenschlags von Bow Bells geboren sein muß, muß ein echter Newcastle ,,Geordie'' in der Hörweite der Werkssirene von Armstrong zur Welt gekommen sein. Keine andere Stadt profitierte mehr von der Industriellen Revolution — ihre Straßen waren die ersten in Europa, die mit elektrischem Licht beleuchtet wurden — und nur wenige haben mehr unter dem Niedergang der Schwerindustrie gelitten.

Die Burg von Newcastle wurde 1172 von Henry II. begonnen, der, wie schon die Römer tausend Jahre vor ihm, die strategische Wichtigkeit des Orts erkannte. Hier verlief der Hadrian's Wall, und im nahen **South Shields** ist die römische Festung von **Arbeia** ausgegraben worden.

Der Hadrian's Wall (5 m hoch und 2,5 m breit) ist an mehreren Stellen leicht zugänglich, immerhin erstreckt er sich über 177 km. **Chesters,** mit einem militärischen Badehaus und Quartieren, **Housesteads,** eine gut erhaltene Festung, **Vindolanda,** eine große Ausgrabungsstätte, und **Carvoran,** dessen Museum einen guten Überblick über seine fast zweitausendjährige Geschichte gibt, sind hierbei hervorzuheben.

Nur 30 km von der schottischen Grenze entfernt liegt **Alnwick,** dessen ausgedehnte mittelalterliche Festungsanlage der Percy-Familie gestattete, über 600 Jahre in diesem nordöstlichen Gebiet die Macht auszuüben.

Ebenso beeindruckend ist **Bamburgh Castle,** das 25 km nördlich unverwundbar auf den Klippen thront. An einem klaren Tag sind von hier aus die **Farne Islands** zu erkennen. **Lindisfarne,** die Heilige Insel, liegt noch ein Stück nordwärts. Mönche aus Iona ließen sich hier im 7. Jahrhundert nieder und verwandelten sie in einen Ort der Gelehrsamkeit, der in ganz Europa Berühmtheit erlangte. Bei Ebbe kann Lindisfarne über einen 5 km langen Damm erreicht werden. Ein 1550 erbautes, märchenhaftes Schloß und nistende Vögel empfangen den Wanderer.

Berwick-upon-Tweed, der alte Seehafen direkt an der Grenze zwischen Schottland und England, ist heutzutage nicht mehr Fangball der beiden Nationen. Allein zwischen 1147 und 1482 wechselte er 13 mal die Seiten. Jeder Stein in Berwick hat nahezu buchstäblich seine Geschichte. Durch die ständigen kriegerischen Auseinandersetzungen mußten die verstreuten Steine immer wieder eingesammelt und aufs neue verbaut werden, so daß kaum alte Gebäude überlebt haben, obgleich die Steine dieselben geblieben sind. Als ob sie die blutige Geschichte Berwicks unterstreichen wolle, ist die Landschaft der Umgebung ungewöhnlich düster, was aber keinesfalls von einem Besuch an diesem nördlichsten Ort Englands abhalten sollte.

Lindisfarne Castle

Info: Lake District

Zur Orientierung

Der Lake District ist ein „abgeschlossenes" Gebiet. Im Osten wird er von der M6 begrenzt, die Cumbria in zwei Hälften teilt. In Nord-Süd Richtung erstreckt sich der Lake District über rund 95 km, in Ost-West Richtung über rund 65 km. Es ist deshalb durchaus möglich, die Gegend wirklich kennenzulernen ohne hier gelebt zu haben. Die landschaftliche Schönheit des Lake District wird nur noch vom schottischen Hochland übertroffen. Glücklicherweise ist der Tourismus bisher schonend mit der Region umgegangen.

Der erste Abschnitt des folgenden Kapitels beschreibt Orte zwischen Kendal im Südosten und Keswick, das in der Mitte liegt. Der zweite Abschnitt schlägt Orte im Osten (um Penrith), im Südosten (um Eskadale) und im Süden (um Cartmel und Barrow-in-Furness) zum Besuch vor.

Anreise

Von der M6 aus bestehen zwischen Carnforth im Süden und Carlisle im Norden mehrere Zufahrtmöglichkeiten. National Express Busse (Victoria Coach Station in London, Tel. 7300202) fahren mitten durch den Lake District und halten in Kendal, Windesmere, Ambleside, Grasmere, Keswick und Cockermouth, bevor es nach Workington und Whitehaven an der Küste weitergeht. Eine Bahnverbindung besteht zwischen London (Euston) und Oxenholme (bei Windesmere), Penrith und Lancaster. Relativ selten fährt auch ein direkter Zug nach Barrow-in-Furness.

Umherreisen

In den Sommermonaten können die Straßen im Lake District recht überfüllt sein. Je öfter man auf Nebenstraßen ausweicht, desto größer die Chance, die natürliche Schönheit des Lake District ungestört von Touristengewimmel genießen zu können.

Die Busverbindungen der drei großen Busunternehmen sind recht gut. Detailanfragen bei:

Cumberland Motor Service Ltd., Tel. Keswick 72791/2.
Ribble Bus Company, Tel. Kendal 20932 (Buchungsstellen auch in Ambleside, Carlisle, Penrith und Ulverston).
Mountain Goat, Tel. Windermere 5161.

Ribble bietet die Tageskarte **Day Explorer** (beim Fahrer zu kaufen), und die Wochenkarte **Tour Cumbria** (an den Busstationen zu kaufen) an.

Eine andere Fortbewegungsmöglichkeit ist natürlich das Fahrrad, wenn auch viele Berge zu bewältigen sind. Zur Küste hin wird jedoch das Land flacher.

Das Cumbria Tourist Board gibt den Führer Cycling In

Aktivitäten im Freien

Alle Unternehmungen im Freien (insbesondere Wanderungen in den Hochmooren und Kletterpartien) bedürfen sorgfältiger Planung. Die TICs in der Gegend versorgen den Reisenden mit Informationen, insbesondere mit Karten und Wegbeschreibungen, die meist nichts oder nur wenig kosten. Der National Park Service gibt die Heftserie Walks In The Countryside heraus. Das **National Park Centre** befindet sich in Brockhole in der Nähe von Ambleside (Tel. 09662/2231). Hier sind alle Informationen in reichlichem Maß zu erhalten, auch mündlich von den Mitarbeitern und im Rahmen von Ausstellungen. Wer eine längere Strecke plant, sollte die Hauptverwaltung des **Lake District National Park** kontaktieren (Anschrift: Lake District National Park, Special Planning Board, Busher Walk, Kendal, Cumbria, Tel. Kendal 24555). An vielen Orten können Boote gemietet werden, insbesondere beim **Coniston Boating Centre** (Tel. Coniston 366). Ruderboote, Segelboote und Motorboote für bis zu acht Personen werden angeboten. Kanus und Segelboote können auch in Grasmere zwischen Ostern und Oktober gemietet werden (Tel. Grasmere 409).

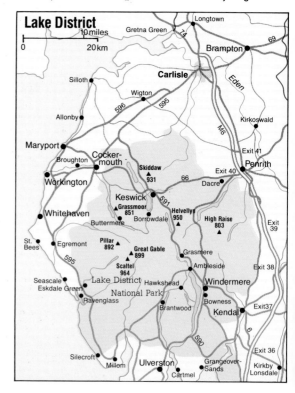

Cumbria heraus, der viele Fahrtstrecken beschreibt. Fahrräder kann man mieten bei:

Ghyll Side Cycle Shop, Bridge Street, Ambleside, Tel. Ambleside 3592.
Keswick Cycle Hire, Pack Horse Court, Keswick, Tel. Braithwaite 273.
Lakeland Cycles, 104 Stricklandgate, Kendal, Tel. Kendal 23552.
Rent-a-Bike, 72 Craig Walk, Bowness, Tel. Windermere 4786.

Die Privatbahn Ravenglass and Eskdale Railway **trifft mit British Railways in Ravenglass zusammen. Informationen über diese Schmalspurbahn sind unter Tel. Ravenglass 226 erhältlich (siehe S. 238).**

Unterkunft

Unterkünfte gibt es im Lake District in allen Preisklassen, vom Luxushotel bis zum „Bed-and-Breakfast"-Zimmer. Auf Seite 351 nennt der Kurzführer Übernachtungsmöglichkeiten für folgende Orte: Kendal, Windermere, Keswick, Ambleside, Penrith, Carlisle, Alston, Whitehaven, Derwentwater, Bowness und Coniston.

Nachfolgende TICs haben den „book-a-bed-ahead"-Service: Kendal, Windermere, Keswick und Bowness. Außerhalb des Lake Districts, aber leicht mit dem Wagen zu erreichen, halten das TIC von Chester (siehe das Kapitel Wales), Edinburgh (siehe Schottland), York und Harrogate (siehe North Country) den Vorausbuchungs-Service bereit.

Informationsstellen

Tourist Information Centres gibt es in folgenden Orten:
Alston, The Railway Station, Tel. Alston 81696.
Ambleside, Old Courthouse, Church Street, Tel. Ambleside 33084.
Bowness, The Glebe, Tel. Windermere 2895.

Carlisle, Old Town Hall, Green Market, Tel. Carlisle 25517.
Coniston, 1 Yewdale Road, Tel. Coniston 41553.
Kendal, Town Hall Highgate, Tel. Kendal 25758.
Keswick, Moot Hall, Market Square, Tel. Keswick 72645.
Windermere, Victoria Street, Tel. Windermere 4561.

Historische Bauten und Museen

Nachfolgend sind die Telephonnummern und Öffnungszeiten der wichtigsten Sehenswürdigkeiten aufgeführt:
Abbot Hall Museum of Lakeland Life an Industry, Tel. Kendal 22464. An Werktagen von 10.30 bis 17.00 Uhr geöffnet (siehe S. 234).
Brantwood, Tel. Coniston 396. Täglich von Ostern bis Oktober außer Samstag von 11.00 bis 17.30 Uhr geöffnet (siehe S. 239).
Brougham Castle, Tel. Penrith 62488. Täglich von 9.30 (Sonntag 14.00) Uhr an das ganze Jahr geöffnet. Von April bis September ab 18.30 Uhr geschlossen, von Oktober bis März bereits um 16.00 Uhr (siehe S. 238).
Dacre Castle, Tel. Pooley Bridge 375. Kann nach schriftlicher Anfrage besichtigt werden.
Dalemain House, Tel. Pooley Bridge 450. Täglich (außer Freitag) von 14.00 bis 17.15 Uhr geöffnet (siehe S. 237).
Dove Cottage and Wordsworth Museum, Tel. Grasmere 418/464. Täglich (außer Sonntag) und das ganze Jahr (im November und Dezember nur nach Terminvereinbarung) geöffnet (siehe S. 235 und 236).
Furness Abbey, Tel. Barrow-in-Furness 23420. Öffnet das ganze Jahr um 9.30 (Sonntag 14.00) Uhr und schließt um 18.30 Uhr von März bis Oktober, um 16.00 Uhr von November bis Februar (siehe S. 239).
Hawkshead Court House, Hawkshead, Ambleside, Tel. Ambleside 3883. Täglich (außer Montag) von Mai bis September und von 14.00 bis 17.00 Uhr geöffnet (siehe S. 235).
Levens Hall, Tel. Sedgwick 60321. Dienstags, mittwochs,

donnerstags und sonntags von Ostern bis September geöffnet.
Muncaster Castle, Tel. Ravenglass 614. Das Gelände ist täglich von Mitte April bis Anfang Oktober zugänglich. Die Burg kann nur am Dienstag, Mittwoch, Donnerstag und Sonntag an Nachmittagen besichtigt werden (siehe S. 239).
Ruskin Museum, Tel. Coniston 359. Von April bis Oktober und von 9.30 Uhr bis Einbruch der Dunkelheit geöffnet . (siehe S. 239).
Rydal Mount, Tel. Ambleside 3002. Von März bis Oktober täglich geöffnet. Zwischen November und Mitte Januar nur vormittags geöffnet (nicht am Mittwoch) (siehe S. 235).
Sizergh Castle, Kendal Tel. Sedgwick 60285. Nur Mittwoch, Donnerstag und Sonntag und von April bis September geöffnet (siehe S. 234).
Windermere Steamboat Museum, Rayrigg Road, Bowness-on-Windermere, Tel. Windermere 5565. Von Ostern bis Oktober täglich von 10.00 bis 17.00 Uhr, Sonntag 14.00 bis 17.00 Uhr geöffnet (siehe S. 239).
Wordsworth House, Tel. Cockermouth 824805. In den Sommermonaten täglich außer Sonntag und Donnerstagnachmittag geöffnet (siehe S. 237).

Die folgenden historischen Gebäude und Museen sind nicht im Kapitel Lake District erwähnt:
Graythwaite Hall Gardens, Lakeside, Ulverston, Tel. Newby Bridge 31333 oder 31248. Das Gelände ist täglich zwischen April und Juni von 10.00 bis 18.00 geöffnet.
Leighton Hall, Yealand, nahe bei Carnforth, Tel. Carnforth 724474. Dienstag bis Freitag von 14.00 bis 17.00 Uhr und von Mai bis September geöffnet.
Stagshaw Gardens, Ambleside, Tel. Ambleside 3265. Im Mai, Juni, Juli täglich von 10.00 bis 18.30 Uhr geöffnet.
Keswick Museum and Art Gallery, Fitz Park, Station Road, Keswick, Tel. Keswick 73263.
Kendal Museum, Station Road, Kendal, Tel. Kendal 21374. Werktags von 10.30 bis 17.00 Uhr, Samstag von 14.00 bis 17.00 Uhr geöffnet.

LAKE DISTRICT

Die nordwestenglische Seenplatte, der Lake District, erstreckt sich nur über eine Fläche von 48 km Länge (von Norden nach Süden) und 32 km Breite (von Ost nach West). Die geringe Ausdehnung tut jedoch der faszinierenden Schönheit keinen Abbruch. William Wordsworth, der in Cockermouth geboren wurde und die meiste Zeit seines Lebens im Lake District verbrachte, schrieb: ,,Ich kenne keine andere Gegend, in der auf so engem Raum Licht und Schatten in derart großer Vielfalt mit den feinen oder schönen Landschaftsformationen spielen." Seien es sanfte Hügelketten und rauschende Wälder, das endlose Panorama der großen Seen, die Überraschung eines gurgelnden Baches und eines stillen Bergsees oder die blanke Silhouette eines Hochmoors gegen den Himmel und die ehrfurchtgebietende Erhabenheit entlegener Berge und Bergpässe. Alles trägt zur berückenden Schönheit bei.

Zwar lockt heute der Lake District mehr Touristen an als jede andere Region mit landschaftlichen Attraktionen, doch ist es erstaunlich gut gelungen, den zunehmenden Besucherstrom, der seit Fertigstellung der Autobahn die Gegend aufsucht, zu integrieren. Sofern der Reisende im Sommer die schon in den siebziger Jahren des 18. Jahrhunderts beliebten Zugangsrouten (von Penrith nach Ambleside und von Keswick nach Windermere) meidet, kann er heute noch dieses Gefühl des Alleinseins mit der Natur spüren, das die ersten Besucher und romantischen Dichter (Wordsworth, William Colderidge, Samuel T.) so hoch schätzten.

Die Berge im Inneren des Lake District blieben auch im 19. Jahrhundert ohne Berührung mit der industriellen Entwicklung, insbesondere hinsichtlich des Abbaus von Erzen und Steinbrüchen. Aber auch an der Küste Cumberlands sind die einst florierenden Werften, Stahlwerke, Kohlenbergwerke und kleineren Industrien praktisch verschwunden. Schafzucht steht wieder hoch im Kurs und die Menschen des Berglands sind zu traditionellen Lebensformen zurückgekehrt. Viele der Farmen im Lake District National Park gehören dem National Trust und sind lediglich verpachtet. Gezüchtet werden Herdwick- und Swaledaleschafe, deren Wolle nicht zuletzt zu Pullovern, Mützen und Schals verarbeitet wird.

Am Anfang der ,,touristischen" Entdeckung des Lake District — nachdem 1778 der ,,Guide to the Lakes" von Thomas West erschienen war — stand das visuelle Erlebnis von Landschaft im Vordergrund. Bereits im frühen 19. Jahrhundert jedoch begannen erste Besucher damit, Wanderungen über die Hochmoore zu unternehmen. Und 1860 versuchten sich die ersten an Klettertouren in den schwierigeren Felsenwänden. Auch heute treffen sich Bergsteiger in Great Langdale, Borrowdale und Wasdale, um die Höhen von Langdale, Scafell Crags, Great Gable und Steeple and Pillar zu erklimmen. Hunderte von Kilometern an Wegen laden den Wanderer ein. In den Hochmooren sollte hierbei dem bekanntermaßen schnell umschlagenden Wetter der nötige Respekt durch entsprechende Ausrüstung gezollt werden, entlang der Seen oder Bäche gibt es jedoch unzählige einfache Wanderungen, die ohne Vorbereitung ausschließlich Vergnügen bereiten. Zu Fuß erlebt man am intensivsten den unablässigen Wandel der Szenerie.

Vorherige Seiten:
Lake Windermere.
Links:
Großmutter und Enkelin zu Besuch im Lake District.
Rechts:
Landschaft im Lake District

Abgesehen von landschaftlicher Schönheit bietet der Lake District, und Bemühungen in dieser Richtung sind in den letzten Jahren verstärkt worden, auch andere Sehenswürdigkeiten.

Am südlichen Eingang, bei **Carnforth,** der Abzweigung von der M 5, ist als erstes **Steamtown** zu nennen. Wie der Name andeutet, sind hier Lokomotiven und Eisenbahnzubehör zu sehen. Weiter nördlich liegt **Levens Hall,** ein Landsitz weitgehend aus dem 16. Jahrhundert, dessen Garten beschnittene Bäume und Büsche („Pflanzenskulpturen") aufweist, die seit dem 17. Jahrhundert unverändert geblieben sind. Nicht weit von Kendal liegt **Sizergh Castle,** ebenfalls ein Landsitz, dessen Urspurng als mittelalterliche Befestigung aber noch klar zu erkennen ist.

Kendal

„Diejenige Stadt im Lake District, die ihren Charakter beibehalten hat und sich weigert, zu einem reinen Ferienort herabzusinken", so beschreibt Norman Nicholson, ein mit der Gegend verbundener Dichter, **Kendal.** In der Tat ist Kendal eine lebendige, arbeitsame Stadt, auch wenn die vielen schönen Gebäude aus dem 17. und 18. Jahrhundert, einige Einkehren aus der Postkutschenzeit und ein Hornladen, der noch Gegenstände aus diesem alten Material herstellt und verkauft, etwas anderes vermuten lassen. Hinzu kommt eine ausgezeichnete spätgotische Kirche und **Abbot Hall,** ein Herrenhaus aus der Mitte des 17. Jahrhunderts, das eine bemerkenswerte Sammlung von Einrichtungen, Porzellanen und Malereien örtlicher Künstler, insbesondere von George Romney, enthält. Ein ganzer Raum ist Ruskin, dessen Aquarelle manche für unübertroffen halten, gewidmet. Das städtische und das **Museum of Lakeland Life** liegen gleich nebenan. Schließlich bietet Kendal noch die Fotogalerie **Brewery Arts Center,** wo auch Konzerte und Theaterstücke gegeben werden.

Die Heimstatt der Wordsworths

Unterhalb von Windermere liegt **Bowes,** wo die Boote zur **Belle Isle** abfahren und dessen hübsches Ortszentrum meist unangenehm übervölkert ist.

Ebenfalls in Bowes fährt die Autofähre nach Sawrey ab, wo im **Beatrix**

Gärtner im Ziergarten von Levens Hall, Cumberland

234

Potter's House, einem schönen Beispiel überlieferter Landhausarchitektur im Lake District, viele der Originalzeichnungen aus den berühmten Kinderbüchern ausgestellt sind. Im nahen **Hawkshead** ging Wordsworth ins örtliche Gymnasium und wohnte bei einer älteren Dame zur Untermiete. Später zog er ins benachbarte **Colthouse** um (nahe der Quäker-Versammlungshalle, 17. Jh.).

Das alte Gymnasium, in dem heute ein Museum untergebracht ist, wurde von Erzbischof Sandys bereits zu elisabethanischen Zeiten gegründet, und die Bibliothek im ersten Stock vermittelt etwas von der ausgezeichneten Erziehung, die um 1780 Wordsworth und seine Brüder hier genossen.

Etwas außerhalb Hawkshead liegt **Esthwaite Lake,** wo Wordsworth seine Morgenspaziergänge machte, und das mittelalterliche **Courthouse,** ein Überbleibsel aus der Zeit, als Zisterziensermönche den südlichen Teil der Gegend regierten.

Auf der Straße von Ambleside nach Keswick kommt man nach Rydal Water, einer weiteren Station im Leben der Wordsworths. **Rydall Hall** war schon in frühen Zeiten eine touristische Attraktion. Unter anderen malten Joseph Wright und Constable malten die hiesigen Wasserfälle. Auf der anderen Straßenseite liegt **Rydal Mount**, das Haus in dem die Familie Wordsworth von 1813 an lebte. Im Inneren hängen viele Gemälde und sind Erinnerungsstücke der Familie aufbewahrt. Das Gelände wird derzeit umgestaltet, um den ursprünglichen Zustand, so wie er vom Dichter geplant war, wiederherzustellen. **Rydal Chapel** enthält Gedenksteine für die Familie von Dr. Arnold, der seine Sommerresidenz in der Nähe erbaute. 3 km nördlich liegt **Grasmere Lake.** Am südlichen Ende des Hauptortes, in **Town End,** ließen sich Wordsworth und seine Schwester Dorothy 1799 nieder. Das einfache, weißgetünchte Landhäuschen vermittelt etwas vom Lebensstil, das nahegelegene **Grasmere and Wordsworth Museum** mit den Manuskripten und Portraits von Familie und Freunden aber verdeutlicht, welch großartige Dichtung hier geschrieben wurde und welches Gewicht Wordsworth und Coleridge im kulturellen Leben ihrer Zeit hatten.

Grasmere Church ist ein schlichter,

Lake
Windermere

massiver Bau mit einem bemerkenswerten alten Holzdach. Die Familiengräber der Wordsworths und das Grab von Coleridges Sohn Hartley befinden sich hinter der Kirche. Die Wege, Bäche und Hügel der Umgebung hat Dorothy Wordsworth in ihrem *Journal* (1800—1802) beschrieben. Hinter dem alten **Swan Inn,** wo die Dorfstraße auf die Hauptstraße nach Keswick stößt, liegt das düstere Tal von **Greenhead Ghyll,** Schauplatz von Wordsworths Gedicht ,,Michael''.

Poeten und ihr Werkzeug

Unweit nördlich erreicht man **Thirlmere,** einen fast schweizerisch anmutenden See, der jedoch in den achziger Jahren des 19. Jahrhunderts zur Wasserversorgung von Manchester und anderer großer Städte im Nordwesten gestaut wurde. Die damals gepflanzten Nadelhölzer ergeben ein hübsches, aber für den Lake District untypisches Landschaftsbild. Zur Rechten liegt der dritthöchste Berg Englands, der **Helvellyn.**

Kurz vor Keswick biegt eine Straße zum **Castlerigg Stone Circle** ab — ringförmig aufgestellte Felsbrocken, denen frühe Touristen eine Bedeutung im Ritual der Druiden unterlegten. Neuere Autoren sind der Auffassung, daß es sich bei den Steinen um einen riesigen Kalender handelte, der durch seine Schatten die Zeiten der Aussaat und Ernte anzeigte. Auf jeden Fall ein eindrucksvoller Anblick. Ähnliche Kultstätten gibt es in **Great Salkeld** bei Penrith (bekannt als ,,Long Meg and her Daughters'') und in **Swinside** bei Broughton-in-Furness.

Seit 1760 ist **Keswick,** ein viktorianisches Städtchen mit älterem Stadtkern, bei seinen Besuchern beliebt. Zu jener Zeit hielt sich Thomas Gray hier auf, um den See von **Derwentwater** zu erforschen. Voller Furcht und zitternd soll er sich zum Eingang des von hohen Bergen umgebenen Borrowdale begeben haben, einem Ort, der frühen Besuchern den erschreckend erhabenen Gemälden Salvator Rosas entsprungen schien und noch heute so manchen Touristen erschaudern läßt. Seit den Zeiten von Gray ist auch der Ausflug zum **Powder Stone,** ein Stück talaufwärts, sehr populär. Unverändert steht der Monolith an derselben Stelle des Berghanges, wenn auch die alte Dame, die damals dort Erfri-

Castleriggs Stone Circle bei Keswick

schungen verkaufte, verschwunden ist. Der Wasserfall von **Lodore** gehört ebenfalls zu den „klassischen" Ausflugszielen.

Das **Borrowdale** war bei frühen Touristen auch wegen der Schwarzbleimine bekannt, die die Herstellung von Bleistiften in Keswick ermöglichte. Ein kleines **Bleistiftmuseum** existiert immer noch im Ort. Keswick ist aber heute bekannter für die Benutzer, sprich Dichter, als für die Hersteller von Bleistiften. Das **Fitz Park Museum** zeigt Erinnerungsstücke von Coleridge, Robert Southey und Hugh Walpole.

Coleridge hatte sich 1800 in **Greta Hall,** am Ortsrand von Keswick, niedergelassen und seinen Schwager Southey überredet, mit ihm dort einzuziehen. Zwar verließ er selbst bald darauf Keswick, seine Familie und die Southeys blieben aber für viele Jahre dort wohnen. In der **Crossthwaite Church** stehen Gedenksteine an Southey und Mitglieder seiner Familie. Den überwältigenden Blick vom Pfarrhaus beschrieb Gray als „tausend Pfund wert, wenn man all die Weichheit der lebendigen Farben einfangen könnte". Vom Kirchhof nördlich sieht man **Bassenthwaite**

Lake, dessen Ostufer der Skiddaw beherrscht. Am Fuße des Berges liegt **Mirehouse,** wo im 18. Jahrhundert die Spedding-Familie lebte. James Spedding war ein Freund von Tennyson, der die Aussicht auf den See in seinem Gedicht „Morte D'Arthur" verewigte.

Abwehr gegen Schottland

Fährt man nach Osten Richtung **Penrith,** so kommt man durch **Dacre,** wo eine normannische Kirche und **Dacre Castle** (14. Jh.) zu besichtigen sind. In der Nähe liegt das Herrenhaus **Dalemain,** das zuletzt 1750 umgestaltet wurde und eine sehr schöne Einrichtung und einen freundlichen Garten aufweist.

Westlich von Keswick führt die Straße nach **Cockermouth,** wo Dorothy und William Wordsworth ihre ersten Jahre im **Wordsworth House** verbrachten. Einrichtung und Bilder stammen nicht aus der Zeit, als der Vater des Dichters, ein Rechtsanwalt, hier lebte. Dennoch ist die Auswahl dem Haus angemessen und trägt zur netten Atmosphäre bei.

Als Vorschlag für eine Rundfahrt seien die südliche Straße durch das Lorton

Vale (Tal) zu den Seen Crummock Water und Buttermere sowie die südöstliche Straße über den Whinlatter Pass und durch den Thornthwaite Forest zurück nach Keswick erwähnt. Beide Straßen bieten eindrucksvolle Aussichten auf die wilde Hochmoorlandschaft.

Bevor man den Norden des Seengebietes verläßt, können noch zwei weitere Sehenswürdigkeiten besucht werden. Südöstlich von Penrith liegt **Brougham Castle,** eine Normannenburg, die auf römischen Fundamenten errichtet wurde und zum ausgedehnten Besitz der Familie Clifford gehörte. Lady Ann Clifford ließ im 17. Jahrhundert einige Besitztümer in der Gegend auf bemerkenswerte Weise restaurieren. Die Ruinen sind beeindruckend und es lohnt sich, die oberste Galerie des Hauptturms (der ebenfalls in *The Prelude* vorkommt und ein bevorzugter Ausflugspunkt des jungen Wordsworth war) zu erklimmen.

Ebenso verdient **Carlisle** einen Besuch. Die ungewöhnliche Silhouette der örtlichen **Burg** rührt daher, daß man das Dach verstärken mußte, als Kanonen installiert wurden. Die Gefängniszellen weisen Inschriften aus dem 16. und 17. Jahrhundert auf. Und das **Cast-le Museum and Art Gallery** zeigt eine bedeutende Sammlung römischer Artefakte sowie Gemälde von Burne-Jones und anderen präraffaelitischen Malern. Ebenfalls einen Besuch ist die **Kathedrale** von Carlisle wert, deren seltsam verkürztes normannisches Kirchenschiff und geschnitzte Kanzel hervorzuheben sind.

Römische Haarnadelkurven

Dem Südwestteil des Lake Districts und seiner eindrucksvollsten Sehenswürdigkeit — **Hardknott Roman Fort** hoch über dem **Eskdale** — nähert man sich am besten über den Wrynose und Hardknott Pass. Wer keinen äußerst wendigen Wagen und Nerven aus Stahl besitzt, sollte allerdings für die Fahrt einen Kleinbus der ,,Mountain Goat''- (,,Bergziegen''-)Verbindung in Anspruch nehmen. Zwar haben schon die Römer die Paßstraßen gebaut, aber ihre engen Haarnadelkurven und extrem steilen Steigungen waren wohl eher für Fußgänger gedacht. Im Sommer wird der Verkehr auf dieser Straße in der Tat gefährlich. Für die Gefahren der Straße entschädigen die phantastische Aussicht

Landschaft am Lake Bassenthwaite

von **Hardknott Castle** hinaus auf das Meer und hinauf zu den Gipfeln. Wegen der Minen und Steinbrüche im **Eskdale** baute die **Ravenglass and Eskdale Railway** durch das Tal eine Schmalspurbahn, deren wunderschön erhaltene Dampflokomotiven im Kleinformat zum Sommervergnügen der Touristen beitragen. Ins verhältnismäßig unbekannte **Duddon Valley** — das Lieblingstal von Wordsworth — führt eine Straße über Birker Fell von **Eskdale Green** aus.

Das „Glück von Muncaster"

Nahe bei Ravenglass liegt **Muncaster Water Mill,** eine wasserbetriebene Kornmühle, die für Besucher in Betrieb gehalten wird. Nicht weit hiervon entfernt steht **Muncaster Castle,** seit 1325 im Besitz der Familie Pennington, die auf römischen Fundamenten einen Wachturm errichten ließ. Er gestattet einen schier endlosen Blick auf die Hochmoore und das Eskdale. Als Henry VI. hier Zuflucht suchte, überließ er seine Trinkschale, genannt „Glück von Muncaster", seinem Gastgeber Sir John

Pennington. Im Laufe des 18. und 19. Jahrhunderts wuchs der ursprüngliche Wachturm zu einem ansehnlichen Herrensitz heran.

Von Furness nach Coniston

An der Südspitze Lakelands liegt **Furness Abbey,** eine Zisterzienserabtei, die im Mittelalter hier ein großes landwirtschaftliches Gut betrieb. Bis zu ihrer Auflösung im Jahr 1537 galt die Abtei als eine der reichsten in England. Die Ruinen der Gebäude aus dem 12. und 15. Jahrhundert liegen in einer reizvollen Umgebung. Besser überstand **Cartmel Priory** die Zeiten der Suprematsakte (1534), als Henry VIII. mit dem Vatikan brach und die Klöster auflöste. Das 1188 von Baron von Cartmel erbaute Kloster entging der Plünderung zugunsten des Thronschatzes durch die Geistesgegenwärtigkeit der Bevölkerung.

Nördlich, Richtung Ambleside, liegt **Coniston Water,** ein See, der Berühmtheit durch die Versuche von Donald Campbell erlangte, hier den Geschwindigkeitsrekord für Wasserfahrzeuge zu brechen, 1967 kam er bei einem Versuch auf tragische Weise ums Leben. Zu früheren Zeiten war Coniston berühmt durch die Tatsache, daß John Ruskin, der große Historiker und Autor sozialer sowie ökonomischer Themen, hier lebte. In **Brantwood** enthält sein unverändertes Wohnhaus auch Gemälde von ihm. In Coniston selbst gibt es ein **Ruskin Museum,** das noch die Atmosphäre des 19. Jahrhunderts ausstrahlt.

Auf dem See läßt es das viktorianische Dampfschiff *Gondola* langsamer als Campbell angehen. Nachdem es 40 Jahre unbenutzt am Ufer lag, erstrahlt es heute wieder in alter Eleganz des 19. Jahrhunderts. Weitere Reminiszenzen aus der Dampfzeit sind im **Windermere Steamboat Museum** in Bowness-on-Windermere (einschließlich des angeblich ältesten dampfgetriebenen Schiffes der Welt, der **Dolly** von 1850) und auf einer Fahrt mit der **Haverthwaite and Lakeside Steam Railway** entlang des Seeufers zu sehen.

Abschließend bleibt der See **Tarns** (3 km von Coniston) zu erwähnen. Viele halten ihn für den hübschesten im Lake District. Die ursprünglich drei Seen wurden durch die Errichtung eines Dammes zu einem verschmolzen.

Die Ravensglass und Eskdale-Bahn

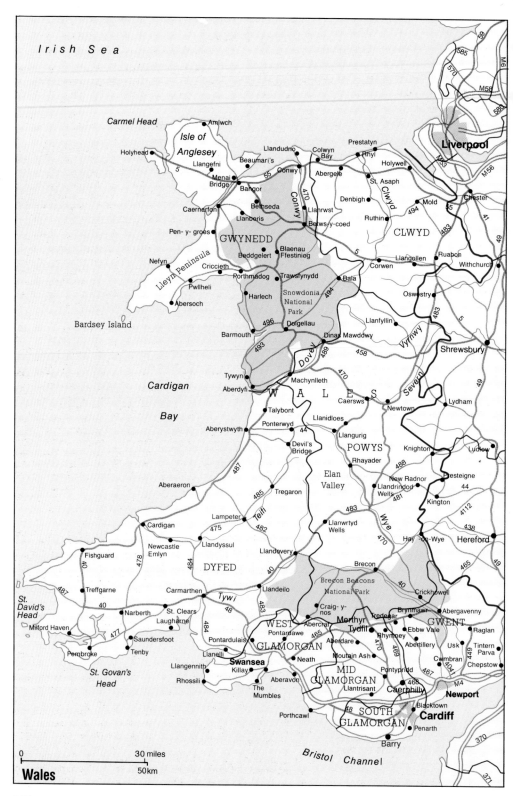

Irish Sea

Carmel Head

Isle of
Anglesey

Holyhead
Llangefni
Amlwch
Beaumari's
Llandudno
Colwyn
Bay
Prestatyn
Rhyl
Holywell
Liverpool

Menai
Bridge
Conwy
Abergele
St. Asaph
Mold
Chester

Bangor
Caernarfon
Bethseda
Denbigh
Ruthin

Llanberis
Llanrwst
Betws-y-coed
CLWYD

Pen- y- groes
GWYNEDD
Beddgelert
Blaenau
Ffestiniog
Ruabon
Withchurch

Nefyn
Criccieth
Porthmadog
Trawsfynydd
Bala
Llangollen
Corwen
Oswestry

Lleyn Peninsula
Pwllheli
Harlech
Snowdonia
National
Park

Abersoch
Llanfyllin

Bardsey Island
Barmouth
Dolgellau
Dinas Mawddwy

Cardigan
Bay
Tywyn
Aberdyfi
Machynlleth
W A L E S
Caersws
Newtown
Shrewsbury
Lydham

Talybont
Llanidloes

Aberystwyth
Ponterwyd
Llangurig
POWYS
Knighton
Ludlow

Devil's
Bridge
Rhayader

Elan
Valley
New Radnor
Presteigne

Aberaeron
Tregaron
Llandrindod
Wells
Kington

Lampeter
Teifi
Llanwrtyd
Wells
Hereford

Cardigan
Llandyssul
Hay -on-Wye

Fishguard
Newcastle
Emlyn
Llandovery
Brecon

Treffgarne
Carmarthen
DYFED
Llandeilo
Brecon Beacons
National Park
Crickhowell

St.
David's
Head
Narberth
St. Clears
Laugharne
Craig- y-
nos
Tredegar
Brynmawr
Abergavenny

Milford Haven
Tywi
Abercraf
**Merthyr
Tydfil**
Ebbw Vale
Raglan

Pembroke
Tenby
Saundersfoot
Pontardulais
Aberdare
Rhymney
Abertillery
Usk
Tintern
Parva

Llanelli
**WEST
GLAMORGAN**
Neath
Mountain Ash
GWENT
Cwmbran
Chepstow

Llangennith
Killay
Swansea
**MID
GLAMORGAN**
Pontypridd
Caerphilly
Newport

Rhossili
The
Mumbles
Aberavon
Llantrisant
Blacktown
Cardiff

St. Govan's
Head
Porthcawl
**SOUTH
GLAMORGAN**
Penarth

Barry

Bristol Channel

0   30 miles

50km

Wales

242

Info: Wales

Zur Orientierung

Wales ist nicht viel größer als East Anglia und erstreckt sich auf einer Länge von rund 220 km und einer Breite von rund 60 km an der schmalsten Stelle. Auf dieser relativ geringen Fläche hat Wales dennoch sehr viel zu bieten.

Das folgende Kapitel beginnt mit Nordwales: Anglesey, Bangor, Snowdonia, Lleyn Peninsula und Caernarfon. Bis auf das Vale of Llangollen liegen die meisten erwähnten Orte im Westen von Nordwales.

Der Text führt dann zunächst entlang der Küste bei Harlech und Barmouth etwas landeinwärts durch Dolgellau und Machynlleth, und dann wieder zurück zur Küste bis Aberystwyth.

Von hier aus geht es ostwärts nach Devil's Bridge und durch das Elan Valley bis nach Llandrindod Wells. Hier finden sich viele alte Grenzorte, wenn auch einige der erwähnten Orte bereits jenseits der Grenze in England liegen, wie z.B. Oswestry, Shrewsbury, Ludlow und Hereford.

In Cardigan an der Westküste fährt der Text fort bis hin zum Pembrokeshire Coast National Park. Im Anschluß daran folgen Orte an oder in der Nähe der Südküste: die Halbinsel von Gower, Brecon Baecons, Cardiff, Chepstow und Monmouth. Zwischen den beiden letztgenannten Orten liegen Raglan Castle und Tintern Abbey.

Anreise und Verkehrsmittel

Aus Richtung Südwesten (London) führt die M4 bis nach Carmarthen. Landschaftlich schöner aber langsamer ist die A40, die über Brecon, Llandovery und Carmarthen am Brecon Beacons National Park vorbeiführt. Von den Midlands reist man über die M6 an. Von Birmingham oder Coventry führen gut ausgebaute Hauptstraßen, insbesondere die A44 und

A5, durch die Mitte von Wales zur Küste. Über die A494 gelangen Besucher aus dem Nordwesten (Chester zum Beispiel) nach Wales. Die Badeorte an der Nordküste von Wales — Rhyl, Prestatyn, Colwyn Bay und Conwy — liegen alle an der A55, die mit der A56 und M6 verbunden ist. Bequemer erreichbar über die A55 und A5 sind Snowdonia und die Halbinsel Lleyn.

Llandudno im Norden ist mit Cardiff um Süden durch die gut ausgebaute Hauptstraße A470 verbunden. Diese malerische, über die Brecon Beacons und den Snowdonia National Park führende Straße würde auch eine eigene Reiseroute abgeben.

Die Bahnverbindungen zwischen London und Wales sind gut und schnell. Der InterCity 125 von London nach Cardiff braucht lediglich zwei Stunden. Direkte Verbindungen gibt es auf dieser Strecke auch nach Swansea, Carmarthen und Fishguard. Haltepunkte der Cambrian Coast Line, die mit den Fernstrecken in Shrewsbury verbunden ist, sind Aberystwyth, Barmouth, Porthmadog und Pwllheli.

Wales selbst wird durch drei verschiedene Zugarten erschlossen. An der Nordküste (von Chester nach Holyhead) und an der Südküste (von London nach Carmarthen) fahren InterCity Züge. Bahnen des British Rail Rural Service (Dieselloks) fahren entlang der Cambrian Coast, durch das Conwy Valley und die Täler von Südwales sowie entlang der Grenze zu England. Bei Blaenau Ffestiniog (siehe S. 253) sind noch Schmalspurenbahnen in Betrieb, die **Great Little Trains of Wales**. Durch sehr schöne Landschaft verläuft die Central Wales Line, die ebenfalls in Shrewsbury auf die Fernstrecken stößt und nach Llanelli sowie Swansea führt.

In Llandudno Junction trifft die malerische Conwy Valley Line auf die Fernstrecke und

stellt eine gute Verbindung zu Orten wie Betws-y-Coed und Blaenau Ffestinog her (siehe S. 250).

British Rail bietet „Runabout" und „Rover" Fahrkarten zu ermäßigten Preisen an. Die Broschüre *Wales By Train* (bei allen British Rail Travel Centres gratis erhältlich) beschreibt detailliert alle Bahndienste und führt auch Hotels und Pensionen mit auf, die an den Strecken liegen.

Die Anreise mit dem Bus kann empfohlen werden, während eine Rundreise per Bus nicht immer günstig zu bewerkstelligen ist. National Express Direktbusse fahren von London (Victoria Coach Station, Tel. 7300202) aus nach Cardiff, Swansea und Llandudno, wie auch fast alle größeren Orte von National Express angefahren werden. Örtliche Busverbindungen in Wales können dagegen langsam und ungünstig sein, an Sonntagen sind sie fast ganz eingestellt.

Das National Welsh Busunternehmen unterhält den **Traws Cambria Service** zwischen Cardiff und Swansea, Aberystwyth, Machynlleth sowie Bangor (außerhalb der Saison nur an Wochenenden). Hierbei handelt es sich um die längste Strecke in Wales überhaupt. In den Sommermonaten besteht auch eine Verbindung zwischen Cardiff und Rhyl mit Halt in Brecon, Newtown, Llandrindod, Wells, Porthmadog, Betws-y-Coed und Llandudno. Fahrkarten verkauft auch Crosville Motor Services.

Crosville Motor Services ist das größte Unternehmen in Nordwales und hat seinen Hauptsitz jenseits der Grenze in Chester. In Wales unterhält es 21 Stationen, unter anderem in Wrexham, Caernarfon, Barmouth, Bangor und Pwlhelli.

Der südlichste Halt des Unternehmens ist Newcastle Emlyn in der Nähe von Cardigan. Auch auf der Insel von Anglesey unterhält Crosville eine Buslinie. Im Sommer besorgt Crosville den Transport im

Snowdonia National Park, den sogenannten **Snowdon Sherpa Service.** Das Unternehmen bietet eine **Wanderer**-Fahrkarte von entweder einem oder sieben Tagen Gültigkeit an (erstere kann im Bus, letztere an der Busstation erworben werden), die für das gesamte Netz gilt. Crosville fährt auch bis nach Manchester und Liverpool in England.

In Südwales ist das größte Unternehmen South Wales Transport mit Hauptsitz in Swansea. Von hier aus bestehen Verbindungen nach Cardiff, Brecon, Tenby und Haverfordwest. Einzigste ermäßigte Fahrkarte ist **Rover Plus** für eine Woche auf allen Bussen. Jenseits der Grenze gibt es in Bristol eine Busstation von South Wales Transport.

Schließlich gibt es eine Fahrkarte, die auf allen öffentlichen Verkehrsmitteln für sieben oder 14 Tage Gültigkeit hat, den **Pass Cambria.** Er kann an jeder größeren Bus- oder Bahnstation gekauft werden. Adressen:

National Welsh, Central Square, The Bus Station, Cardiff, Tel. 371331.
Crosville Motor Service, Crane Wharf, Chester, Tel. Chester 315400.
South Wales Transport, 31 Russell Street, Swansea, Tel. 475511.

Straßenverbindungen

Auto Wales, das British Tourist Association und Wales Tourist Board zusammen herausgeben, ist ein Faltplan von Wales, der sechs Routen durch das Land beinhaltet.
Die längste Route heißt „all around Wales" und die kürzeste „wild Wales" (auf die Gegend um Brecon Beacons konzentriert). Der Begleittext ist für die Planung einer Strecke nicht sehr hilfreich. Die Karte ist jedoch sehr detailliert und außerdem umsonst bei jedem TIC erhältlich.

Unterkunft

Im Kurzführer findet man auf Seite 352 Unterkunftsmöglichkeiten in folgenden Orten:

Abersoch, Aberystwyth, Bala, Anglesey, Beddgelert, Bethseda, Brecon, Cardiff, Carmarthen, Colwyn Bay, Cardigan, Harlech, Newport, Swansea und Tintern Parva. Das Wales Tourist Board veröffentlicht zwei Hochglanzbroschüren, *Wales* und *Wales Holidays,* die auf den Massentouristen abzielen, jedoch aktuelle Übernachtungsmöglichkeiten in ganz Wales aufführen. Die Einführungen weisen auch auf Pubs, Familienhotels, Landhäuser und Schlösser hin. Sie sind bei allen TICs umsonst erhältlich (siehe „Informationsstellen" unten). Der Kurzführer erwähnt auch Orte, deren TICs den „book-a-bed-ahead"-Service bereithalten. Im übrigen haben alle TICs, die in der Rubrik „Informationsstellen" geführt sind, diesen Service.
Zusätzlich gibt das Wales Tourist Board den detaillierten Hotelführer *Where To Stay: Hotels and Guest Houses* heraus.

Informationsstellen

Tourist Information Centres gibt es in folgenden Orten:

Aberystwyth, Eastgate, Tel. Aberystwyth 612125/617911.
Bangor, Texaco Service Station, Beach Road, Tel. Bangor 352786.
Cardiff, 3 Castle Street, Tel. Cardiff 27281.
Knighton, The Old School, Tel. Knighton 528753.
Llandrindod Wells, Rock Park Spa, Tel. Llandrindod Wells 2600.
Machynlleth, Canolfan Owain Glyndwr, Tel. Machynlleth 2401.
Newtown, St. David's House, Tel. Newtown 25580.
Swansea, Singleton Street, Tel. Swansea 468321.
Tenby, Guildhall, The Norton, Tel. Tenby 2402/3510.
Welshpool, Vicarage Garden Car Park, Tel. Welshpool 2043.

Whitland, Canolfan Hywel Dda, Tel. Whitland 240867.

Die folgenden TICs befinden sich in oder in der Nähe von Orten, die im Kapitel Wales erwähnt werden, sind aber nicht das ganze Jahr geöffnet:

Betws-y-Coed, Royal Oak Stables, Tel. Betws-y-Coed 426/665.
Brecon, Watton Mount, Tel. Brecon 4437.
Caernarfon, The Slate Quay, Tel. Caernarfon 2232.
Harlech, High Street, Tel. Harlech 780658.
Haye-on-Wye, Car Park, Tel. Haye-on-Wye 860828.
Porthmadog, High Street, Tel. Porthmadog 2981.
Tintern, Tintern Abbey, Tel. Tintern 431.

Das Wales Tourist Board hat in London ein Büro in der Nähe des Piccadilly Circus Nr. 34, Piccadilly, London W 1, Tel. 409969. Es ist Montag bis Donnerstag von 9.15 bis 17.15 Uhr, am Freitag bis 17.00 Uhr geöffnet. Außer Informationen aller Art kann man sich hier Ratschläge über Unterkünfte einholen und — für eine Gebühr — auch vorausbuchen. Zudem werden Fahrkarten für National Express Busse in Wales verkauft.

Schlösser und historische Orte

Das Wales Tourist Board hat die Öffnungszeiten für Schlösser und andere historische Bauten standardisiert: Von 15. März bis 15. Oktober ist zwischen 9.30 und 18.30 Uhr geöffnet, von 16. Oktober bis 14. März bis 16.00 Uhr. An Sonntagen wird üblicherweise um 14.00 Uhr geöffnet, was allerdings auf größere Anlagen wie Caernarfon nicht zutrifft. Das Kapitel Wales führt die wichtigsten Sehenswürdigkeiten, wie Caernarfon, Conwy, Harlech und Tintern auf; wer jedoch weitere historische Denkmäler in seine Reiseroute miteinbauen möchte, sei auf die folgenden verwiesen.

Im **Nordosten:** Valle Crucis Abbey gleich nördlich von Llangollen, eine Zisterzienserabtei, die 1201 gegründet wurde, und Denbigh Castle, eine Gründung von 1282. Letztere Burg steht auf einem Hügel, der den Ort Denbigh überragt (im Ort selbst steht ein Karmeliterkloster und eine Kapelle). Ein Ausflug von einem der Badeorte an der Küste aus ist in jedem Fall lohnenswert.

Auf Anglesey: Beaumaris Castle ist die letzte und größte Burg, die Edward I. zur Beherrschung der Waliser erbaute. Zudem ist sie das beste Beispiel einer konzentrisch angelegten Burg in England.

In Westwales: Caerphilly Castle, ein paar Meilen nördlich von Cardiff, ist in sehr gutem Zustand und die größte mittelalterliche Festungsanlage Europas abgesehen von Schloß Windsor.

Im Südosten: Tretower Castle und Tretower Court liegen nördlich von Crickhowell an der A479 und innerhalb des Brecon Beacons National Park. Das mittelalterliche Herrenhaus erinnert an die Colleges in Oxford und Cambridge. An der B4423 nördlich von Abergavenny liegt die 1180 gegründete Llanthony Priory, deren Haupthaus jetzt ein Hotel aufnimmt.

Pembrokeshire Coast National Park

Auf den Seiten 255 und 256 bezieht sich das Kapitel Wales auf diesen Nationalpark. Die Countryside Commission gibt ein kleines Heft über den Pembrokeshire National Park heraus, das eine klare Karte über diesen Wanderweg enthält und gratis beim National Park Information Service in Haverfordwest (Tel: Haverfordwest 4591) erhältlich ist. Für eine kleine Gebühr kann man die Übernachtungsbroschüre *Pembrokeshire Coast Path Accommodations* erwerben.

Über kürzere Abschnitte des Pembrokeshire Wanderwegs liegen Karten und Wegempfehlungen auf. Zwar sind an der gesamten Küste Übernach-

tungsmöglichkeiten zu finden, es empfiehlt sich jedoch im voraus zu buchen. Die Küstenorte werden auch von Bussen angefahren, so daß bei sorgfältiger Planung eine Strecke gelaufen und die andere mit dem Bus gefahren werden kann. Das Haverfordwest Information Office gibt einen Fahrplan für öffentliche Verkehrsmittel heraus, der bei jedem National Park Information Centre oder der Hauptverwaltung erhältlich ist.

Für die Halbinsel von Pembrokeshire ist Haverfordwest das Verkehrszentrum für Busse und Bahn. Von hier aus gibt es Verbindungen nach Tenby und Pembroke Dock zu den Fähren.

Snowdonia National Park

Viele der auf den Seiten 249 bis 252 erwähnten Ortschaften des Wales-Kapitels liegen innerhalb des Snowdonia National Park.

Er erstreckt sich auf einer Fläche von 2.000 Hektar zwischen Conwy im Norden und Aberdovey im Süden, im Landesinnern von Betws-y-Coed bis zur walisischen Küste.

Im Sommer sind die besten Informationen in Betws-y-Coed erhältlich, wo die Parkverwaltung und das Wales Tourist Board ein gemeinsames Büro unterhalten. Hier wird man mit Publikationen über Wanderungen und Unterkünfte sowie mit Karten über den Park versorgt. Außerhalb der Saison sollte man sich mit der North Wales Tourist Commission, 77 Conway Road, Colwyn Bay, Tel: 31731, in Verbindung setzen. Snowdonia ist rauhes Bergland, dessen Szenerie zum Wandern geradezu einlädt. Man sollte sich jedoch dadurch nicht verführen lassen, ohne Stiefel, Karten und Kompaß aufzubrechen. Angestellte Förster des Parks führen auch Tagesausflüge für Gruppen und Einzelpersonen durch. Am besten setzt man sich mit The Mountain Centre, Pen-y-Pass Youth Hostel, Nant Gwydant in Verbindung.

Der **Snowdon Sherpa Servi-**

ce von Crosville Motor ermoglicht einen bequemen Zugang zum Park (siehe Anreise und Verkehrsmittel). Die für den Park zuständigen Büros von Crosville sind: Caernarfon, Tel. 2556, und Blaenau Ffestinog, Tel. 830259.

Offa's Dyke Path

Der Wanderweg auf dem Befestigungswall, **Offa's Dyke Path**, ist im Kapitel Wales auf Seite 253 und 254 erwähnt. Er bietet eine ausgezeichnete Möglichkeit, wenigstens einen Teil von Wales zu Fuß zu erwandern. Zwischen Chepstow im Süden und Prestatyn im Norden verläuft dieser irdene Grenzwall auf einer Länge von 269 km, und es überrascht nicht, daß er in etwa der heutigen Grenze von Wales entspricht. Auf einer Strecke von 150 km ist The Dyke noch gut erhalten und bietet einen ausgezeichneten Wanderweg durch das Grenzland, d.h. durch die Welsh Mountains, Black Mountains und die Clwydian Hills südlich von Prestatyn.

Der Wanderweg beginnt an den Sedbury Cliffs am Severn Fluß in der Nähe von Beachley, das östlich von Chepstow liegt. Er verläuft zunächst östlich von Tintern und Monmouth, später schlängelt er sich westlich von Hay-on-Wye, Kington und Presteigne vorbei. Um genau zu sein, verläuft er genau durch Knighton (siehe S. 254), während er weiter nördlich im Osten von Montgomery, zwischen Chirk und Llangollen und wieder östlich von Bodfari weitergeht, um schließlich in der Nähe der Nordküste bei Prestatyn zu enden. Chepstow, Tintern, Hay-on-Wye, Knighton, Llangollen und Prestatyn sind im Wales-Kapitel erwähnt. Von hier aus ist der Dyke jeweils leicht zugänglich.

Die Offa's Dyke Association und das Offa's Dyke Heritage Centre haben ihren Sitz in Knighton. Unter den vielen Büchern und Broschüren, die dort zu haben sind, ist *Along Offa's Dyke,* ein preiswertes Büchlein von Ernest und Katherine Kay.

CHESTER

Chester liegt unmittelbar vor der walisischen Grenze und ist bekannt wegen seiner einzigartigen Architektur. Eastgate, Watergate und Briddge Street entlang kann man die malerischen **Rows** bewundern — Straßenzüge mit mittelalterlichen Fachwerkhäusern, die größtenteils aus dem 16. Jahrhundert stammen. Nicht nur auf Straßenhöhe, sondern auch in den oberen Stockwerken sind zahlreiche Läden in Arkaden und Laubengängen untergebracht.

Die Stadt geht zurück auf das römische Lager *Castra Devana,* um das sich die Stadt Deva entwickelt hat. Zu den wichtigsten Ausgrabungen aus der Römerzeit gehört ein teilweise erhaltenes **Amphitheater** außerhalb der mittelalterlichen Stadtmauer nahe der St. John's Street. Im **Grosvenor Museum** sind zahlreiche Überreste und ein Modell der ursprünglichen Römerfestung zu besichtigen.

Unter der Herrschaft der Normannen erhielt Chester den Status eines teilweise selbständigen Staates. Der bei Flut hohe Wasserstand in der Mündung des Flusses Dee machte Chester bis ins 15. Jahrhundert hinein zu einer blühenden Hafenstadt. Von da ab jedoch konnte der Hafen wegen Verschlickung nicht mehr angelaufen werden, und das nur 25 km nördlich gelegene Liverpool wurde zum regionalen Handelszentrum.

Den besten Eindruck von Chester und seiner näheren Umgebung vermittelt ein Spaziergang entlang der drei Kilometer langen, völlig erhaltenen mittelalterlichen **Stadtmauer,** deren nördliche und östlichen Abschnitte auf römischen Fundamenten ruhen.

Chester Cathedral, unweit der St. Werburgh Street, war ursprünglich eine normannische Benediktinerabtei, die erst zum Zeitpunkt der Säkularisation und der damit verbundenen Auflösung vieler Klöster zur Kathedrale erhoben wurde. Sie ist flacher als andere englische Kathedralen, hat ein kurzes Längs- und ein massives Querschiff mit einem viktorianischen Fenster. Der heutige Bau ist über einen Zeitraum von acht Jahrhunderten entstanden und wurde erst 1870 abgeschlossen.

Vorherige Seiten: Schafherde in der Brecon Beacons. Die einzigartige Fachwerkarchitektur in Chester

WALES

,,In Wales zu leben heißt,
sich des vergossenen Blutes zu erinnern,
das den wilden Abendhimmel färbt...
Unmöglich, in der Gegenwart zu leben,
nicht hier in Wales.''

Auch wer nicht einverstanden ist mit dieser düsteren Vision der Keltenzeit in einem Gedicht von R.S. Thomas, wird zugeben, daß Wales ein geschichtsträchtiges Land ist. Die Waliser haben ein stark ausgeprägtes Geschichtsbewußtsein und von ihren mittelalterlichen Fürsten und dem Tod ihres letzten Herrschers Llewelyn im Jahr 1283 sprechen sie noch heute wie von einer Katastrophe im vorigen Jahr. Mag sein, daß Ihnen keine einschneidende Veränderung der Landschaft auffällt, wenn Sie die Severn Bridge überquert und das Schild mit der Aufschrift *Croeso i Gymru* (,,Willkommen in Wales'') passiert haben. Aber lassen Sie sich nicht täuschen — Sie betreten eine andere Welt. Die größte Beleidigung für einen Waliser ist, für einen Engländer gehalten zu werden. Diese uralte Abneigung gegen England kommt alljährlich in der Verbissenheit des Rugbymatches England — Wales zum Ausdruck.

Die Waliser brüsten sich sogar, die wahren Britannier zu sein — schließlich glaubten ihre Vorfahren, sie seien unmittelbar aus der Erde geboren worden. Noch heute sprechen etwa 20 % der Bevölkerung Walisisch, die älteste europäische Sprache. In der Tat bekunden zahllose, im Land verstreute Steinsäulen und Gräber, daß es schon in prähistorischen Zeiten bewohnt war, und zwar von kleinwüchsigen, dunklen Iberern. Sie wurden im Lauf der Geschichte unterjocht von den großen, blonden und rotgesichtigen Kelten, die eines der größten vorchristlichen Reiche errichteten. Aus der Zeit der römischen Besatzung stammen die Überreste des Heerlagers Caerleon bei Gwent. Seit dem 6. Jahrhundert haben sich die Waliser hartnäckig gegen die Einfälle der Angelsachsen zur Wehr gesetzt. Ihr Kampfgeist war so stark, daß Offa von Mercia entlang der heutigen Nord-Süd-Grenze zwischen Wales und England sogar einen Grenzwall bauen ließ. Der heutige Name Waliser stammt von den Angelsachsen und bedeutet: ,,Fremder, Aus-

Verkehrsschilder in Wales.

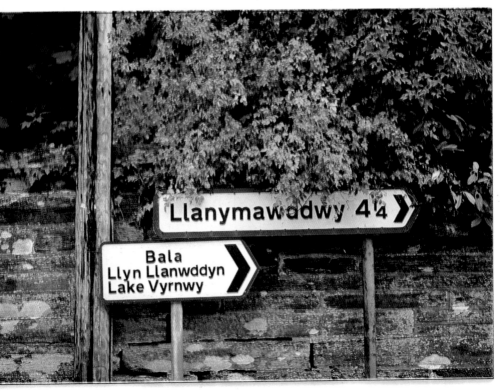

247

länder'. „Cymry", der keltische Name der Waliser, bedeutet bezeichnenderweise „Freund".

Invasion und politische Einheit

Die normannische Eroberung hat ihre Spuren vor allem in Südwales und den Marches hinterlassen, in etlichen Burgen und befestigten Klöstern, von denen eine — **Ewenny** in Mid-Glamorgan — heute noch besteht. Aus der Verschmelzung uralten Wissens mit europäischen Einflüssen entstand eine der reichsten literarischen Traditionen Europas. Aber während der Herrschaft Edwards I. entstanden die mächtigen Zwingburgen Caernarvon, Conway und Beaumaris, Ausgangspunkte für die Unterwerfung der Waliser im 13. Jahrhundert. Nach dem Tod des letzten keltischen Herrschers Llewelyn im Jahr 1282 wurde Wales Teil des englischen Königreiches, endgültig besiegelt durch den Act of Union während der Dynastie der Tudors im Jahr 1536.

Bis heute überstrahlt der verfallene Glanz der Burgruinen die Landschaft — für viele Waliser Symbol imperialistischer Unterdrückung.

Während des 17. Jahrhunderts wurde Wales von den Ideen der Nonkonformisten erfaßt und erlebte eine Renaissance des Methodismus. Voll religiösen Eifers wurden immer neue Kirchen gebaut, nur übertroffen von den zahllosen Pubs. Der wegen seiner puritanischen Strenge bekannte Welsh Sunday wurde eingeführt, der nur noch Bibellektüre erlaubte. Seinen Höhepunkt erreichte das religiöse Eiferertum vor allem in den engen Tälern von Südwales, wo sich Tausende rund um die neuerschlossenen Kohlezechen angesiedelt hatten. Vermutlich hat nur die Übertragung der Bibel ins Gälische diese Sprache vor dem Aussterben bewahrt, aber dieses Verdienst der Methodisten wird überschattet dadurch, daß sie viele der mehr irdischen Volkstraditionen ausgelöscht haben.

Auf der Basis der demokratischen Strukturen der Kirchengemeinden wurde Wales zu einem der fortschrittlichsten Landesteile. Seit den sechziger Jahren findet die nationalistische Partei Plaid Cymru wachsende Unterstützung und hat seit 1966 ununterbrochen drei Abgeordnete im Houses of Parliament.

Nationalismus heute

In der walisischen Nationalhymne wird Wales „gwlad beirdd a chantorion, enwogion of fri" genannt — „Land der Sänger, Dichter und großen Männer". Angesichts der jahrhundertelangen Diskriminierung der gälischen Sprache — im 14. Jahrhundert galt jeder gälisch sprechende als buchstäblich zweitklassiger Staatsbürger ohne Recht auf Waffen und öffentliche Ämter — ist die anhaltende Vitalität der walisischen Kultur erstaunlich.

In Wales leben heute etwa 510 000 Menschen. Etwa ein Viertel davon ist noch zweisprachig. Ein walisisches Kind kann seine ganze Ausbildung, vom Kindergarten bis zum Studienabschluß, in Gälisch absolvieren. Das alljährlich in der ersten Augustwoche stattfindende National Eisteddford ist ein Brennpunkt des Kulturlebens in Wales — ein riesiges Fest, auf dem Sänger, Dichter, Tänzer, Künstler und Zuschauer aus ganz Wales zusammenströmen. Alljährlich wird hier The Chair and The Crown verliehen, die höchste Auszeichnung für einen walisischen Dichter.

Conwy Castle

Küstenstreifzüge

Die zahlreichen Badeorte entlang der walisischen Nordostküste verdanken ihre Existenz den scheinbar endlosen Sandstränden in dieser Gegend. **Rhyl, Prestatyn, Colwyn Bay** und **Llandudno** sind allesamt von Nordengland und Snowdonia aus gut erreichbar. Herrliche Ausblicke auf die Nordküste von Wales hat man am 265 m hohen Gipfel des Great Orme bei Llandudno, dem wohl elegantesten Badeort.

Wenig Angst vor Überfällen von der See aus dürften früher die Einwohner der versteckt liegenden und durch Mauern geschützten alten Stadt Conwy gehabt haben. Die von Edward I. erbaute Burg liegt auf einem Landvorsprung am Zusammenfluß von Gyffin und Conwy.

Von der Universitätsstadt **Bangor** aus über die Menai Straits kommt man im Schiff nach **Anglesey,** einer Insel unmittelbar vor der Nordküste von Wales. Die Waliser nennen die Insel ,,Mon, man Cymru'' (Anlesey, Mutter von Wales), weil sie die Kornkammer für ganz Wales war. Bei den Römern hieß die Insel Mona, und hier war es auch, wo sie die Druiden zusammentrieben und um-

brachten. Die von Thomas Telford 1826 gebaute Hängebrücke war die erste ihrer Art und die schwierigste technische Meisterleistung entlang der Holyhead Road, durch die er Dublin und London miteinander verband. Wenn man die Fähre nach Dublin in Holyhead erreichen will, kann eine Fahrt über die schmalen und gewundenen Straßen der Insel ganz schön entnervend sein. Aber dabei sieht man einiges vom Leben der Farmer in ihren kleinen, weißgetünchten Häusern. **Llanfairpwllgwyngyllgogerychwyndrobwyll llantysiliogogogoch** ist ein langer Name für ein so kleines Dorf. Obwohl dieses atemberaubende Monstrum aus Vokalen und Konsonanten für jeden Nicht-Waliser schier unaussprechlich ist, enthält es eine ausgezeichnete Beschreibung des Ortes: ,,St. Martin's Church bei den weißen Espen über dem Strudel und St. Tysilio's Church an der roten Höhle.''

Freuden des Nordens

Zweifellos können die durch jahrhundertelange Gletschertätigkeit entstandenen und im 1070 m hohen Mount Snowdon gipfelnden Berge von Nordwales

Snowdonia Bahn

nicht konkurrieren mit den Alpen oder Pyrenäen. Trotzdem gelten sie unter Bergsteigern und Besuchern als einige der schönsten Berge der Welt. Sanfte grüne Gebirgsausläufer steigen zu schroffen Felstürmen auf und an den hochgelegenen Hängen kleben steinerne Schafhürden. Von Pässen wie **Llanberis** und **Aberglaslyn** bietet sich ein atemberaubendes Panorama von ganz Snowdonia, über das herrliche Bergseen verstreut sind. Einige Fanatiker glauben, man müsse unbedingt den Snowdon hinaufklettern, um die Morgendämmerung zu sehen. Weniger beschwerlich ist es jedoch mit der **Snowdon Mountain Railway.** Der leichteste Fußweg zum Gipfel beginnt in Llanberis und ist 5,5 km lang.

Gegenüber von **Llyn Padarn** befindet sich das **Quarrying Museum** von Nordwales. Früher war der Schieferabbau eine wichtige Industrie in Nordwales, und wenn es wie so häufig regnet, erglänzen die riesigen Schieferhalden über den Dächern der Ortschaften **Blaenau Ffestiniog** und **Bethesda** in schauriger Schönheit. Der weitgehend unterirdisch gelegene Schieferbruch **Llechwedd** kann besichtigt werden.

Allein die Fahrt um den Snowdon herum ist ein erregendes Erlebnis. An mindestens zwei Stellen sollten Sie anhalten. Eine davon ist das kleine Dorf **Beddgelert,** 1,5 km nördlich des Aberglaslyn Passes, inmitten einer traumhaften Berglandschaft. Der Name bedeutet ,,Grab des Gelert''. Der Legende zufolge war Gelert ein treuer Hund, den Fürst Llewelyn irrtümlich tötete, nachdem er seinen Sohn vor einem Wolf gerettet hatte. Der Ort **Betws-y-Coed** liegt am Schnittpunkt der drei Täler Lledr, Llugwy und Conwy. 3 km westlich davon sind die **Swallow Falls** und unweit davon die **Conwy Falls,** wo man für die Lachse eine Fischleiter gebaut hat.

Fürsten und Halbinseln

Wenn man sich Wales als eine alte Dame vorstellt, die einen Ball ins Meer wirft, wobei ihr Kopf Anlesey und ihr Bein Pembrokeshire ist, dann sieht die Halbinsel **Lleyn** aus wie ihr Arm. Die größte Stadt im Küstengebiet ist **Caernarfon.** Die Burg aus dem 13. Jahrhundert diente 1969 als malerische Kulisse bei der Ernennung von Prinz Charles zum Prince of Wales — einem Titel, der Caernarfon

seit 1282 an den männlichen Thronfolger des englischen Königreiches verliehen wird. Caernarfon war schon lange vor dem Bau dieser Burg eine bedeutende Siedlung. Nach ihrer Ankunft im Jahr 78 errichteten die Römer hier die Festung **Segontium**, deren Überreste man von Mai bis September besichtigen kann.

Unvergeßlich werden Ihnen die sich ständig verändernden Lichtverhältnisse über den zwischen dem Snowdon und dem Meer gelegenen kleinen Hafenstädten **Porthdinllain** und **Nefyn** bleiben. Von **Abardaron** kommt man nach **Bardsey Island** (der „Ball der alten Dame"), obgleich die Überfahrt oft schwierig ist. Die Insel wurde im 7. Jahrhundert erstmals von Mönchen besiedelt. Selbst wenn es nicht stimmen sollte, daß hier angeblich 20 000 Heilige begraben sind, wirkt die Insel dennoch wie eine heilige Stätte. Am Nordufer der Halbinsel ragt der 560 m hohe **Yr Eifl** empor, auf dessen östlichem Gipfel **Tre'r Ceiri** liegt, eine der ältesten eisenzeitlichen Befestigungsanlagen Großbritanniens. Sie umfaßt über 200 Steinrundbauten, die dicht gedrängt innerhalb eines doppelten Verteidigungswalles stehen. Von hier bietet sich ein herrlicher Blick über die Halbinsel Lleyn.

Die liebenswerte Stadt **Porthmadog** ist kaum denkbar ohne Alexander Madocks, der einen kilometerlangen Bahndamm, genannt „the Cob", über die Flußmündung baute. Eine Fahrt mit der **Ffestiniog Narrow Gauge Railway** ist deshalb ein unbedingtes Muß. Die Fahrt beginnt in Porthmadog und führt hinauf ins Vale of Ffetiniog. Wesentlich kurioser als die damalige Idee Madocks war der Plan von Sir Clough Williams Ellis, der 1926 mit dem Bau eines italienischen Dorfes an der Nordküste von Wales begann und seinem närrischen Werk den Namen **Portmeirion** gab. Wenn man an einem Sommerabend vor den pastellfarbenen Häusern sitzt, fühlt man sich ganz schön irritiert, ringsum nur Gälisch zu hören.

Nur wenige verlassen Nordwales, ohne das von Snowdonia und Chester gleich weit entfernte Vale of Llangollen besucht zu haben. Durch das **Llangollen's International Eisteddfod** (Juli) ist es als Zentrum des walisischen Kultur- und Musiklebens berühmt geworden. Übel aufgenommen haben die Ladies of Llangollen ein Sonett von William

Bahnhof in Llangollen

251

Wordsworth, das Kritik übt an ihrem Bestehen auf Holzschnitzereien als Gastgeschenk. Ihr entsprechend reich ausgeschmücktes Cottage **Plas Newydd,** in dem sie Anfang des 19. Jahrhunderts lebten, liegt am Ende der Castle Street und ist von Mai bis September geöffnet.

Harlech ist der ideale Ort, um in einem Atemzug **Lleyn Peninsula, Cardigan Bay** und **Cader Idris Range** überblicken zu können. In dem aufrüttelnden Marschlied „The Men of Harlech" ist der Kampf um die aus dem 13. Jahrhundert stammende Burg festgehalten, die auf einer Landzunge ins Meer vorragt. Das **Theatre Ardudwy** bietet Vorstellungen in Gälisch und Englisch an. Malerisch gibt sich der Ferienort **Barmouth,** dessen steilen Häuser die steilen Felsen fast hinaufzuklettern scheinen. Falls Sie Cader Idris Range erkunden wollen, starten Sie am besten in **Dolgellau.** Diese Stadt ruft extreme Gefühle wach — manche lieben, manche hassen sie. Denn sie ist in jeder Hinsicht der Inbegriff einer schlichten, festgefügten, stabilen Stadt in Wales.

Machynlleth, eine freundliche viktorianische Einkaufsstadt, stellt den auf korrekte Aussprache erpichten Ausländer vor einige Probleme. Die Stadtmitte wird bestimmt durch einen ungewöhnlichen Glockenturm aus dem Jahr 1873. Das Machynlleth's Tourtist Information Centre ist im **Owain Glyndwr Institute** untergebracht, in dem angeblich der letzte der großen walisischen Rebellen im Jahr 1404 sein Parlament tagen ließ. Hier befindet sich eine Ausstellung über das Dyfi Valley und die walisische Geschichte. 4 km nördlich der Stadt liegt das **Centre for Alternative Technology,** wo man neue Möglichkeiten der Energiegewinnung durch Sonne, Wind und Wasser untersucht.

Ein Bummel entlang der Häuserfassaden an der Promenade von **Aberystwyth** bereitet nicht weniger Freude als der Sonnenuntergang an der Küste gegenüber Irland. Die Stadt ist zugleich Ferienort, Marktflecken und Universitätsstadt und erstreckt sich auf unterschiedlichen Höhenniveaus. Vom Campus der **University of Wales** schaut man auf die grauen Häuser am Strand, von der **National Library of Wales** aus hat man einen herrlichen Blick über die Cardigan Bay. Von der nahe dem Golfplatz gelegenen Burg klingen an schönen Stamstagabenden Hymnen der sangesfreudi-

Harlech Castle

gen Waliser herüber. Der Strand ist kiesel- und sanddurchmischt. Von der Alexandra Road Station können Sie mit einem der berühmten Schmalspurzüge der **Vale of Rheidol Narrow Gauge Railway** — die Spurbreite beträgt nur knapp über 50 cm — bis **Devil's Bridge** fahren. Eindrucksvoller können Sie die walisische Landschaft und den fernen Glanz der Keltenzeit kaum genießen. Am Zusammenfluß der Flüsse Mynach und Rheidol stößt man auf eine Kette hoher Wasserfälle, die ein Gesamtgefälle von 90 m überbrücken. Sie werden durch drei übereinandergebaute Brücken überquert.

Wenn Sie der B4574 östlich von Devil's Bridge folgen, gelangen Sie zum **Elan Valley** — oft auch ,,Lake District of Wales'' genannt. Die Abgeschiedenheit und Wildheit dieser Gegend hat den Dichter Shelley im 19. Jahrhundert bewogen, hier zu wohnen. Seit dieser Zeit hat sich die Landschaft durch die Schaffung eines Wasserreservoirs am Ende des vorigen Jahrhunderts entscheidend verändert. Die dadurch entstandenen Seen haben die ohnehin traumhafte Landschaft noch mehr verschönert. Heute speist Elan Valley weitgehend die

Wasserversorgung von Birmingham. Zwischen 1978 und 1984 jedoch sorgten die für Wales infolge der Trockenheit verhängten Beschränkungen im Wasserverbrauch für Unmut, weil sie für Liverpool und Birmingham nicht galten.

Östlich des Elan Valley liegt **Llandrindod Wells**, einst führendes Heilbad von ganz Wales. Als solches schon zu Zeiten von Charles II. bekanntgeworden, zählte es in den Tagen von Königin Victoria bis zu 85 000 Besucher. Ein kurzes Stück nördlich der Stadt stößt man auf die Überreste des römischen **Castell Collen**.

,,The Borders'' — das Grenzland

The Welsh Marches, Schauplatz zahlreicher blutiger Schlachten, haben ein selbst für Wales unvergleichliches Gepräge. Nirgendwo sonst in Wales hat sich die keltische Kultur so stark mit der römischen und normannischen verschmolzen wie hier. Die Hügel fallen sanft ab nach England, und die Namen klingen eher englisch als gälisch: Radnor, Paincastle, Knighton. Mitten durch Knighton verläuft ein Abschnitt von **Offa's Dyke Path**, ein im 8. Jahr-

hundert von den angelsächsischen Eroberern gegen die kriegerischen Waliser erbauter Verteidigungswall.

Obwohl sie nicht in Wales liegen, haben die Marktstädte **Oswestry, Shrewsbury** und **Hereford** eine große Rolle in der walisischen Geschichte gespielt. Die schwarz-weißen Fachwerkhäuser von **Welshpool** sind typisch für diese Gegend, und seine alten schiefen Hotels und Pubs vermitteln einen seltenen Eindruck uralter Wohnkultur. Etwas außerhalb der Stadt liegt **Trelydan Hall,** eines der schönsten Tudorhäuser in Privatbesitz, in dem regelmäßige Tanz-und Gesangsabende stattfinden. Einen Besuch wert ist auch der Bahnhof mit seinen Giebeln, Türmchen und einer schmiedeeisernen Arkade.

Selbst in Wales, wo alt und neu ohnehin austauschbar erscheinen, ist der Name **Newtown** für eine Stadt aus dem Jahr 1280 einigermaßen erstaunlich. Die Stadt ist Sitz der New Town Development Corporation, die sich die Eindämmung der Landflucht zur Aufgabe gemacht hat. Früher war Newtown Zentrum der Textilindustrie, und noch heute ist es Marktstadt und Verkehrsknotenpunkt. Es finden sich überall Erinnerungsstätten an Robert Owen, einen Pionier der Genossenschaftsbewegung und des Frühsozialismus.

Das Stadtbild von **Shrewsbury** wird bestimmt durch die Brücken über den Severn und den Shropshire Union Canal. In seinem Gedicht ,,A Shropshire Lad'' hat der Dichter A.E. Houseman die verträumten Berghänge dieses fruchtbaren Landstriches verherrlicht. Über **Wenlock Edge** und die Zwiespältigkeit der Welsh Marches schreibt er:

,,Das Morgenbanner im Land des Eroberers wird aufgezogen am englischen Tor; auf der Straße nach Wales verblutet der von der Nacht besiegte Abend.''

Hoch über den wogenden Feldern der Umgebung thront **Ludlow Castle** inmitten der wohl schönsten unter allen Grenzstädten. Bemerkenswert gut erhalten ist der mittelalterliche Stadtkern aus dem 13. Jahrhundert mit seinen Schenken und Tudorgebäuden. Auf Ludlow Castle fand die Uraufführung von Miltons Maskenspiel *Comus* zu Ehren des Herzogs von Bridgewater statt. Noch heute kann man sich das Leben der Familie Bridgewater in Ludlow Castle Anfang des 17. Jahrhunderts gut

Llandrindod Wells

vorstellen. Auch in der friedlichen Grenzstadt **Presteigne** lohnt sich gewiß ein kurzer Aufenthalt. Im **Radnorshire Arms** gibt es eine Priesterkammer oberhalb des Eingangs aus der Tudorzeit und Geheimgänge. **Dukes's Arms** stammt aus dem Mittelalter. Beliebt ist Pony-Trekking in den Radnor Forest.

Unweit der Black Mountains liegt **Hayeon-Wye,** ein ungewöhnlicher Ort vor allem für Liebhaber alter Bücher. Hier befindet sich nämlich das größte Antiquariat der Welt, dessen Gründer Richard Booth den Ort zu einem unabhängigen Land und sich selbst zu seinem Herrscher erklärt hat. Aber 1983 ging Booth bankrott, und die Zukunft seines ,,Reiches'' ist derzeit ungewiß. Es gibt etliche Überreste, die von der strategischen Rolle der Grenzstädte in früheren Zeiten zeugen.

Die Westküste

Wenn man auf der A487 die Westküste entlang von Aberystwyth bis **Cardigan** fährt, passiert man kleine und schmale Meeresbuchten — zum Beispiel bei **Llangrannog** und **Tresaith.** In Cardigan, einem geschäftigen Marktflecken mit 3800 Einwohnern, gibt es die besten Fische von Wales zu kaufen. In **Cenarth** und **Cilgerran** werden noch Boote aus mit Häuten überzogenem Weidengeflecht hergestellt.

Sie heißen *coracle,* auf gälisch *cwrwgl,* und ihre Bauweise hat sich seit der Eisenzeit kaum verändert. Sie haben den großen Vorteil, daß sie von den Fischern auf dem Rücken getragen werden können, weil sie so leicht sind. Heute werden sie nur noch auf den Flüssen Teifi und Tywi benutzt. Das Tywi-*coracle* ist fast oval und besser für ruhiges Wasser geeignet, während das Teifi-*coracle* mittschiffs eingebuchtet ist. Es macht Spaß, den Fischern in den stabileren Teifi-*coracles* zuzusehen.

Pembrokeshire und südwärts

Die alte Grafschaft **Pembrokeshire** wird scherzhaft ,,Kleinengland von Wales'' genannt, weil hier soviele Engländer leben. Es ist bekannt für seine zerklüftete Küste. Durch den **Pembrokshire Coast National Park,** der nirgendwo breiter als 8 km ist, zieht sich ein Wanderweg von der Mündung des Teifi (bei

Antiquariat in Haye-on-Wye

Cardigan) bis Amroth. Es ist ohne Zweifel einer der schönsten Wanderwege Großbritanniens, auf dem sich zahllose Möglichkeiten ergeben, die Tierwelt in dieser Gegend zu beobachten, darunter Lunde, Fulmare, Tölpel und Kormorane. Der Weg ist 288 km lang und gut gekennzeichnet. Einer der beliebtesten Abschnitte verläuft rund um **St. Govan's Head** südlich von Pembrok. Ein Stück weiter landeinwärts liegt **Bosherton**, das berühmt ist für seine Seerosenteiche und den Teich, aus dem angeblich Excalibur stammt, das legendäre Schwert König Arthurs.

Nicht immer waren Besucher an der Küste von Pembrokeshire willkommen, gewiß nicht Plünderer früherer Zeiten. Um sie nicht anzulocken, hat man **St. David's Cathedral** und **Bishop's Palace** etwa 1 km landeinwärts in **Glyn Rhosyn** (,,Tal der Rosen'') erbaut. Es gab Zeiten, in denen eine Pilgerfahrt nach St. David's doppelt soviel zählte wie eine nach Rom. Die Geschichte dieses ,,House of David'', dem Schutzheiligen von Wales, ist lang und verwickelt.

Die Angst vor feindlichen Angriffen war keineswegs unbegründet — bei **Fishguard** kam es 1797 zur letzten Invasion ausländischer Truppen auf britischem Boden, als die Franzosen landeten und nur durch die Beherztheit der Frauen von Fishguard mit ihren roten Schals und hohen schwarzen Hüten zur Aufgabe bewegt werden konnten. Wer den 1971 hier gedrehten Film *Under Milk Wood* nach einer Vorlage von Dylan Thomas gesehen hat, wird sich in **Lower Fishguard** mit seinem bezaubernden Hafen sofort vertraut fühlen. Ein Muß für Dylan-Thomas-Fans ist auch das verschlafene Fischernest **Laugharne**. Vor allem hier hat der schon zu Lebzeiten zur Legende gewordene Thomas — jugendlicher Draufgänger, Trinker, Dichter und böser Engel — seine Spuren hinterlassen. Das Bootshaus, in dem er lebte und arbeitete, ist heute eine Gedenkstätte. Auf der nahegelegenen Burg wohnte sein Freund Richard Hughes, Verfasser von ,,A High Wind in Jamaica''.

Geburtsort der Tudordynastie

Pembroke Castle hat eine große Rolle in der englischen Geschichte gespielt — hier wurde Henry VII., der Begründer der Tudordynastie geboren. Der große

Arbeitszimmer von Dylan Thomas

256

Rundturm von Pembroke Castle war wesentlich schwerer einzunehmen als die früheren viereckigen Burgtürme. Den Wohlstand des 15. Jahrhunderts in **Dinbych-y-psygod** kann man im **Tudor Merchant's House** und der **St. Mary's Church,** der größten Pfarrkirche von Wales, bewundern. Im Sommer fahren viele hinaus zur 4 km vor der Küste gelegenen **Caldy Island,** wo auch noch heute Zisterziensermönche Blumenduftstoffe herstellen.

Mit einer Fläche von 32 x 8 km ragt **The Gower Peninsula** weit in die **Carmarthen Bay** hinein. Die landschaftliche Schönheit dieser Gegend steht im schroffen Kontrast zu den Wunden, die durch Bomben des Zweiten Weltkriegs geschlagen wurden, und den Industriegebieten um die Stadt **Swansea.** Eine ,,häßliche, liebliche Stadt'' hat Dylan Thomas seinen Geburtsort genannt. Das Licht der Welt erblickte er in **Cwmdonkin Drive Nr. 5.** Auf dem **Swansea Market** gibt es herkömmliche walisische Lebensmittel zu kaufen, wie zum Beispiel Herzmuscheln oder Tangbrot, eine Deliaktesse aus Seetang, die man mit Speck gebraten ißt. Vom Royal Institute of South Wales hat Dylan Thomas gesagt, es sei ein Museum, das selbst ins Museum gehört — nämlich wegen seiner erstaunlichen neugriechischen Architektur. An der Südseite der Swansea Bay liegen **The Mumbles** mit zahlreichen Möglichkeiten für Bootsfahrten und Wasserski.

Westlich von The Mumbles, an der A4118, liegt **Parkmill.** Zwei Kirchen wurden schon von den hohen Sanddünen überwandert und begraben, die auch die Ruinen von **Pennard Castle** bedrohen. An den Hängen oberhalb des Atlantik bei **Llangennith** finden sich ebenfalls Spuren der Vergangenheit. Im 6. Jahrhundert baute hier St. Cenydd ein Kloster, in dem normannische Mönchen sechs Jahrhunderte lang wohnten. Der von einer Festungsanlage gekrönte **Llanmadoc Hill** ist einer der besten Aussichtspunkte in diesem Teil der Halbinsel.

Nördlich von Merthyr bis zu dem Marktflecken Brecon ziehen sich die roten Sandsteinberge der **Brecon Beacons.** Im **Mountain Centre** in Libanus an der A470 können Sie sich informieren über die hier gebotenen Freizeitmöglichkeiten, wie zum Beispiel Bergsteigen, Ponytrekking und Segeln.

Strand bei Tenty

257

Bei **Pen-y-fan** („höchste Stelle") steigen die Beacons bis zu einer Höhe von 885 m an und dienen als Standort für Leuchtfeuer, die ihnen den Namen gegeben haben. Die Landschaft ist deutlich geprägt von der eiszeitlichen Geschichte.

Brecon selbst liegt nicht in den Bergen. Es ist eine alte Marktstadt am Zusammenfluß von Honddu und Usk. Statt im Mountain Centre können Sie sich auch im **Brecon Beacons National Park Information Centre** in der Stadt informieren. Die Kirche aus dem 12. Jahrhundert ist erst im Jahr 1923 zur Kathedrale erhoben worden. Die meisten Gebäude tragen den Stempel der Restauration im 19. Jahrhundert. **Crickhowell** liegt am Fuß der Black Mountains, die die Ostgrenze des Nationalparks bilden. Zu besichtigen gibt es in der Stadt einige georgianische Häuser und **Porthmawr**, ein Pförtnerhaus aus dem 15. Jahrhundert. 3 km in südwestlicher Richtung liegt **Agen Allwedd Cave**, mit 22 km Gesamtlänge eine der längsten Höhlen in Großbritannien. Bei **Dan-y-Ogof**, einige Kilometer südwestlich von Brecon, erstreckt sich ein Gewirr von Kalksteinhöhlen; unweit davon

Ogof Fynnon Ddu, eine Tropfsteinhöhle mit grotesken Felsformationen und unterirdischen Seen.

Während der wirtschaftlichen Blütezeit in Südwales war die heutige Hauptstadt **Cardiff** der Welt größter Umschlaghafen für Kohle. Heute hat die Stadt 277 000 Einwohner, und wenn 1978 die auf mehr Selbstverwaltung für Wales abzielende Devolution Bill verabschiedet worden wäre, dann würde heute die Nationalversammlung von Wales bei den Docks tagen. In **Cardiff Castle** ist die gesamte Geschichte von Wales repräsentiert. Die Burgmauern ruhen auf römischen Fundamenten, während im Innern ein normannischer Burgfried alles überragt. In der Blütezeit Cardiffs zwischen 1867 und 1872 ließ der auch für den Bau der Docks verantwortliche Marquis of Bute einen Glockenturm und zusätzliche Staatsgemächer anbauen, in denen nachts mittelalterliche Bankette gefeiert werden. Dem Marquis ist auch der Bau des 8 km nördlich von Cardiff gelegenen **Castell Coch** (Rote Burg) zu verdanken, einem Jagd- und Lustschloß. Im **National Museum of Wales** findet sich eine ausgezeichnete Sammlung impressionistischer Gemäl

Friedhof der Brecon Cathedral

de. Wer lieber den Spuren einheimischer Geschichte folgen will, darf einen Besuch im 6 km außerhalb gelegenen **St. Fagan's National Folk Museum** versäumen. Auf dem Gelände des aus der Tudorzeit stammenden **St. Fagan's Castle** hat man Gebäude und Einrichtungen aus dem walisischen Dorfleben früherer Jahrhunderte rekonstruiert.

Von Cardiff aus bieten sich Streifzüge durch **Gwent** an, wie Monmouthshire heute nach einem alten walisischen Königreich genannt wird. Es steckt voller Zeugnisse der frühen Geschichte von Wales. Es war der Stamm der Siluren, die unter Caractacus den Römern hartnäckigen Widerstand leisteten. Wenn man über die Severn Bridge auf der M4 nach Wales fährt, kommt man als erstes in die Grafschaft Gwent. Schöner ist allerdings die Fahrt auf der A48 in Richtung Westen auf Newport zu folgt einer alten Römerstraße, die damals die befestigte Stadt **Venta Silurum** bei Caerwent mit der Festung **Isca Silurum** bei Caerlon-on-Usk verbunden hat.

Von der Severn Bridge aus kommt man als erstes nach **Chepstow,** einer befestigten Stadt am Fluß Wye. Der normannische Burgfried hebt sich malerisch ab gegen die Kalksteinfelsen. Die bis zu zwei Meter dicke alte Stadtmauer diente ursprünglich als Erweiterung der Burg.

Mit seiner Lobrede auf die nördlich von Cheptstow an der A466 gelegene **Tintern Abbey** hat Wordsworth bestimmt nicht übertrieben — es ist ein wirklich wunderschönes Plätzchen. Die Abbey wurde 1131 von Zisterziensermönchen erbaut und ist die schönste und besterhaltenste von allen noch stehenden britischen Klöstern. **Anchor Inn** war vermutlich das frühere Schleusentor der Abtei.

Nördlich von Tintern, am Zusammenfluß des Wye und Monnow, liegt die Marktstadt **Monmouth.** Ehemals eine römische Siedlung, wurde Monmouth später Sitz bretonischer Grafen. Das gut erhaltene **Great Castle House** aus dem 17. Jahrhundert ist wegen seiner Deckengemälde bekannt.

Südwestlich von Monmouth entlang der A40 stößt man auf **Raglan Castle** mit seinem wasserumgebenen sechseckigen Burgfried. Die Burg war ein wichtiger Stützpunkt während der Rosenkriege und wurde später zum Wohnsitz der Grafen von Worcester.

Links:
Raglan
Castle
Rechts:
Tintern
Abbey

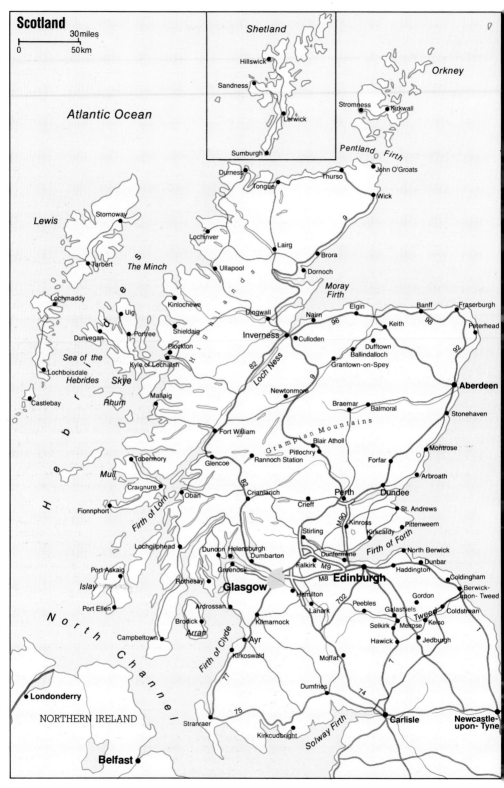

Info: Schottland

Zur Orientierung

Das Kapitel über Schottland befaßt sich mit dem geographisch ausgedehntesten Teil von Großbritannien. Für viele Besucher wird Edinburgh erste Anlaufstelle sein, weshalb das Kapitel auf den Seiten 267 bis 271 mit der Hauptstadt beginnt. Weitere Informationen findet man auf diesen Info-Seiten.

Von Edinburgh führt der Text nach Süden ins Grenzland, The Borders, zwischen Schottland und England. Wer mit dem Wagen anreist, durchquert die Gegend auf der A 68 und A 1. Anschließend geht es ostwärts von Edinburgh nach Lothian Richtung Berwick-upon Tweed an der schottisch-englischen Grenze. Bevor Glasgow abgehandelt wird, werden Orte in Fife, auf der anderen Seite des Firth of Forth, bis hinauf nach St. Andrews erwähnt. Außer den Informationen über Glasgow auf Seite 274 und 275 enthalten diese Seiten noch ein paar praktische Hinweise.

Im Anschluß daran folgen die Gegenden südwestlich, Ayrshire und Solway Firth. Nach dem schottischen Tiefland folgt ab Seite 277 bis Seite 287 das Hochland von Schottland (bis auf die letzten drei Absätze auf Seite 287). Das Hochland handelt der Text im Uhrzeigersinn ab, d.h. zunächst geht es von Glasgow aus nach Mallaig an der Westküste. Dieser Abschnitt ist am interessantesten mit dem Zug, kann jedoch auch mit dem Wagen bereist werden. Auch der zweite Reiseabschnitt, zwischen Kyle of Lochalsh und Inverness, bietet eine schöne Bahnfahrt an. Wer allerdings mit dem Wagen unterwegs ist, hat die Möglichkeit auch Ullapool und die Nordwestküste zu erreichen.

Von Mallaig setzt man zur Isle of Skye über (S. 280—281). Zusätzliche Informationen über die Inseln weiter unten.

Die letzten fünf Seiten des Kapitels beschreiben Reiserouten nördlich, südlich und schließlich östlich von Inverness. Nördlich sind die Orkney und Shetland Inseln genannt, südlich führt eine Route über Pitlochry und Perth nach Stirling. Östlich von Inverness verläuft der Whisky Trail des Spey Valley, der Weg führt nach Aberdeen, Balmoral und Dundee.

Anreise

Wer von London oder noch weiter südlich anreist, sollte einen Flug in Erwägung ziehen. Von London aus (und überall sonst in Großbritannien) werden die schottischen Flughäfen Edinburgh, Aberdeen, Dundee und Inverness angeflogen. Näheres bei:

British Caledonian: Gatwick (Tel: 518888) und Heathrow (Tel: 6684222).
British Midland, Tel: 01 581 0864.
British Airways, Tel: 01 897 4000.
Dan Air, Tel: 01 680 1011.
Air U.K., Tel:01 249 7073.

Die schnellste Verbindungsstraße von der Westküste nach Glasgow ist der Motorway M6 oder M74 über Carlisle, von der Ostküste der M1 bzw. die Staatsstraße A1 (M). Von London aus sind es rund 650 km nach Edinburgh oder Glasgow. Verläßt man London am frühen Morgen, ist man am Nachmittag bequem in Schottland. Schnellzüge der British Rail fahren von London aus häufig nach Schottland, und zwar ab Euston und Kings Cross. Die Reisedauer von beiden Bahnhöfen aus beträgt weniger als fünf Stunden. Glasgow und Edinburgh sind die Verkehrsknotenpunkte für Anschlußzüge in Schottland.

Scottish Omnibus (und andere Unternehmen) unterhalten einen Schnellbusdienst nach Glasgow und Edinburgh. Näheres unter Tel: 730 0202 in der Victoria Coach Station in London. Anschlußverbindungen bestehen nach Fort William, Kyle of Lochalsh, Uig (Isle of Skye), Inverness und nach anderen Orten. Das Londoner Büro von Scottish Omnibus ist in der Regent Street, Tel: 636 9373.

Umherreisen

Große Teile Schottlands sind relativ abgelegen, obwohl das Verkehrsnetz es durchaus erlaubt, sich ohne Schwierigkeiten fortzubewegen.

Dies trifft auch auf die Flugverbindungen zu den Inselgruppen der Orkneys, Shetlands und Hebriden zu. In Schottland selbst gibt es ebenfalls ein Luftverkehrsnetz. Falls man sich längere Zeit in Schottland aufhält und auch abgelegnere Gebiete aufsuchen will, könnte der Erwerb des **Highland Rover Ticket** von British Airways in Frage kommen. Es gilt für acht verschiedene Flüge, die innerhalb von mindestens acht und innerhalb von höchstens 14 Tagen absolviert werden müssen. British Airways fliegt unter anderem Aberdeen, Benbecula (Outer Hebrides), Edinburgh, Glasgow Kirkwall (Orkney Islands), Sumburgh (Shetland Islands) und Stornoway (Outer Hebrides) an. Die Flugscheine müssen 14 Tage vor Reiseantritt gekauft werden. Näheres bei jedem British Airways Büro (London, Tel: 897 4000).

Fahrten mit der Eisenbahn in Schottland sind deshalb besonders lohnenswert, weil die Strecken durch Gegenden verlaufen, die nicht von Straßen erschlossen sind. Unser Schottland-Kapitel schlägt eine Bahnfahrt von Glasgow nach Mallaig über Fort Williams und Kyle of Lochalsh nach Inverness vor (siehe S. 278).

Für Schottland bietet British Rail eine Reihe von ermäßigten Sonderfahrkarten an. Das **Freedom of Scotland**-Arrangement gilt entweder für sieben oder 14 Tage und schließt die Fähren der Caledonian MacBrayne im

Firth of Clyde mit ein (auch zu den südwestlichen Inseln). Die Bahnverwaltung ist in Glasgow, Tel: Glasgow 332 9811. Zudem bietet British Rail in ganz Schottland über 40 Tagesarrangements (inklusive eventuell notwendiger Busse und/oder Fähren) an. Dieses Angebot gilt jedoch nur von Mai bis September. Näheres ist ebenfalls in Glasgow zu erfragen.

Auf der Straße kommt man ohne Wagen nur langsam und beschwerlich voran, obwohl Busse in die abgelegensten Orte im Hochland fahren.

Sonderfahrkarten sind **Reiver Rover** (für The Borders) und **Waverley Wanderer** (für den Südosten). Auch hier gilt das übliche Eintages- bzw. Sieben-Tage-Arrangement. Die Fahrkarten gibt es bei den TICs in der jeweiligen Region. Der Waverley Wanderer ist auch an der Busstation in Edinburgh erhältlich.

Wer das Hochland intensiv bereisen will, sollte sich den **Highlands and Islands Travel Pass** besorgen, der unbegrenzt Fahrten auf den meisten Bahnen, Bussen, Postbussen und Fähren in dieser Region ermöglicht, mit einer Verbindung entweder nach Glasgow oder Edinburgh. Der Pass ist bei Hi-Line in Dingwall nahe Inverness erhältlich (Tel: 0349/63 434). Zusätzliche Auskunft gibt das Highlands and Islands Development Board in Inverness (Tel: Inverness 234 171).

Eine gute Möglichkeit, abgelegenere Gegenden zu erforschen, sind Postbusse, die außer der Post immer auch ein paar Passagiere mitnehmen. Die örtlichen Postämter geben Auskunft über Verbindungen in ihrem Amtsbereich. Im Hauptpostamt von Edinburgh kann man sich auch einen Gesamtfahrplan besorgen.

Die Inseln

Mit oder ohne Auto sind fast alle westlichen Inseln Schottlands mit Fähren zu erreichen. Eine der wichtigsten Fährverbindungen ist diejenige von Kyle od Lochalsh nach Kyleakin auf der Insel Skye. Mit dem **Car Rover Ticket** sind unbegrenzte Passagenfür acht oder 15 Tage im Firth of Clyde und zu den westlichen Inseln möglich. Das Ticket wird von Sealink und British Rail überall in Europa verkauft. Nähere Auskünfte hierzu erteilt der Reiseveranstalter Caledonian MacBrayne in Gouroch, Tel: 0475/33755.

Im Folgenden die Fährverbindungen zu den westlichen Inseln:

Lewis: Fähre von Ullapool nach Stornoway.
Harris: Fähre von Uig nach Tarbert.
North Uist: Fähre von Uig und Tarbert nach Lochmaddy.
Benbecula: Fährdamm von North nach South Uist.
South Uist: Fähre von Mallaig nach Lochboisdale.
Barra: Fähre von Oban und Lochboisdale nach Castlebay.
Skye: Fähren von Kyle of Lochalsh, Mallaig und Glenelg.

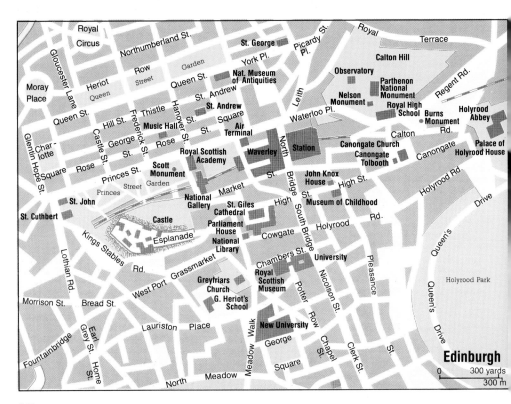

Edinburgh

0   300 yards
300 m

Coll, Tiree und Colonsay: Fähre von Oban.
Mull: Fähren von Oban und Lochaline.

Unterkunft

Folgende Orte sind im Kurzführer auf Seite 351 mit Unterkunftsmöglichkeiten aufgeführt:

Edinburgh, Aberdeen, Arran, Auchterarder, Dundee, Fort William, Glasgow, Inverness, Kyle of Lochalsh, Perth, St. Andrews, Skye und Stirling.

Folgende TICs bieten den „book-a-bed-ahead"-Service: Aberdeen, Arbroath, Fort William, Gairloch, Glasgow, Inverness, Jedburgh, Kirkwall, Mallaig, St. Andrews, Ullapool und Wick.

Das Scottish Tourist Board gibt die ausführliche Unterkunftsliste *Where To Stay: Hotels and Guest Houses* heraus.

Informationsstellen

Das Scottish Tourist Board befindet sich in: 34 Ravelston Terrace, Edinburgh, Tel. Edinburgh 332 2433. Weitere Büros gibt es in:

Aberdeen, St. Nicholas House, Broad Street, Tel. Aberdeen 632727.
Arbroath, Market Place, Tel. Arbroath 72609.
Fort William, Highland, Tel. Fort William 3781.
Gairloch, Achtercairn, Tel. Gairloch 2130.
Glasgow, 35-39 St. Vincent Place, Tel. Glasgow 227 4880.
Inverness, 23 Church Street, Tel. Inverness 234353.
Jedburgh, Murray's Green, Tel. Jedburgh 63435.
Kirkaldy, Esplanade, Tel. Kirkaldy 267775.
Kirkwall, (Orkney Islands), Broad Street, Tel. Kirkwall 2856.
Mallaig, Highland, Tel. Mallaig 2170.
St. Andrews, South Street, Tel. St. Andrews 72021.
Ullapool, Highland, Tel. Ullapool 2135.
Wick, Whitechapel Road, Tel. Wick 2596.

Edinburgh

Das Tourist Information Centre befindet sich am Waverley Market, Princess Street, Tel. Edinburgh 5572727. Es bietet einen ausgezeichneten Sofortbuchungsservice für Unterkünfte. Schriftliche Vorbestellungen sind möglich, die allerdings nur bestätigt werden, wenn ein Pfandbetrag eingezahlt worden ist.

Da eine Stadtbesichtigung ausschließlich zu Fuß nur schwer zu bewältigen ist, gibt es für die städtischen Busse eine **Tourist Card,** die für zwei Tage Gültigkeit hat und an der Edinburgh Bus Station erworben werden kann.

Fahrräder kann man bei Sandy Gilchrist, Cadzow Place, Abbey Hill, Tel. 652 1760, mieten.

Das Großereignis in Edinburgh ist das alljährliche **Festival,** eine umfangreiche Darbietung von Kunst, Theater, Tanz und Musik. Mehr oder weniger gleichzeitig (von Mitte August bis Anfang September) finden statt: das **Edinburgh International Film Festival;** das **Military Tattoo;** das **Edinburgh Fringe Festival** und das **International Jazz Festival.**
Das Military Tattoo ist ein imposanter Aufmarsch von Musikkapellen. Das Veranstalterbüro befindet sich in der Cockburn Street, Tel. 225 1188. Das Fringe Festival ist eine zunehmend erfolgreiche Veranstaltung, bei der Amateur- und professionelle Gruppen jede denkbare Art von Theater, Revue, Tanz, Pantomime und Dichtung aufführen. Das Veranstalterbüro ist in: 170 High Street, Tel. 226 5257. Für das Jazz Festival ist das Büro in: Canongate, Tel. 557 1642; für das film Festival in der Lothian Road, Tel. 228 6382; und für das „richtige" Festival: The Festival Box Office, Market Street, Tel. 226 4001.

Glasgow

Das TIC in Glasgow befindet sich in: 35-39 Vincent Street, Tel. Glasgow 227 4880. Auch hier gibt es einen Sofortbuchungsservice ähnlich wie in Edinburgh.

In Glasgow ist es schwieriger, herumzukommen, obwohl die U-Bahn für schnelle Fortbewegung sorgt. Die Kathedrale von Glasgow und die City Art Gallery (siehe S. 274 und 275) sind zu Fuß zehn Minuten vom Zentrum entfernt.

Das Theatre Royal befindet sich neben der U-Bahn-Station Coucaddens. Von der Union Street fahren regelmäßig Busse zum Pollock Park (siehe S. 275). British Rail Züge fahren nach Pollock Shaw West und nach Shawlands, beides unweit von Pollock Park entfernt.

Nur wenige Kilometer von Glasgow entfernt liegt der Loch Lomond, der mit dem Wagen über die A 82 erreichbar ist. Von der Glasgower Queen Street Station gibt es zwei Zugverbindungen: die eine fährt nach Balloch am Südende des Sees; die zweite fährt nach Tarbet und Ardlui am nördlichen Ende.

Der Busbahnhof ist in der Buchanan Street (Tel. 332 7133) und wird auch von Fernbussen angefahren. Die Städteverbindung ist unter Tel. 332 9191 erreichbar.

Wandern und Klettern

In Schottland findet man die besten Bedingungen in ganz Großbritannien für Bergwanderungen und Kletterpartien.

Das Tourist Board hat eine Broschüre mit dem Titel *Scotland for Hillwalking* herausgeben, ein ausgezeichneter Führer zu beliebten Wanderpfaden. Wer sich „richtig" ins schottische Hinterland begeben will, sollte dies nur gut ausgerüstet tun. Mehr als anderswo erfordern die Berge, Schluchten, Seen und Glens Vorsicht und Ausdauern. Ohne Karten, Wanderstiefel und Camping-Ausrüstung wäre ein solches Unternehmen schlicht gefährlich. Besonders sei auf einen Schutz — mittels Spray oder Rauchringen — vor den aggressiven Mücken hingewiesen.

SCHOTTLAND

Schottland ist anders, ist eine andere Erfahrung. Schotten haben ein Identitätsgefühl, Werte, eine Geschichte und Traditionen, die sich von denen der anderen Volksgruppen auf den britischen Inseln unterscheiden. Zum einen liegt das sicherlich an der Geschichte Schottlands. Während Wales bereits Ende des 13. Jahrhunderts von England unter Edward I. erobert wurde, kam Schottland erst 1603 zu England, als der schottische König James VI., Sohn von Maria Stuart, den englischen Thron als James I. bestieg und die beiden Länder in Personalunion verband. Bis zum Jahr 1707 behielten die Schotten ihr eigenes Parlament, das durch den Act of Union dann mit Westminster vereinigt wurde; allerdings erst nach beträchtlicher Unruhe und Opposition in Schottland. Bis auf den heutigen Tag unterscheiden sich schottische Gesetze von englischen in vielerlei Hinsicht, und Schottland hat sowohl seine eigene Kirche als auch seine eigenen Institutionen behalten.

Die Herkunft der Schotten liegt im Dunkeln der Geschichte verborgen. Frühe Zeugnisse sind Steinmetzarbeiten und jene seltsamen Rundtürme, *broch* genannt, die im Norden und auf den Inseln erhalten geblieben sind. Ihre erste geschichtliche Namensbezeichnung erhielten die Schotten von den Römern. Pikten, die Bemalten, nannten sie die wilden Krieger, die ihre Eroberungsversuche zurückschlugen. Nur einmal, in der Hochphase römischer Expansion auf den britischen Inseln, im Jahr 84, gelang es den Römern unter Führung von Julius Agricola am Mons Graupius eine Schlacht zu gewinnen. Der Historiker Tacitus, Schwiegersohn von Agricola, nennt aus diesem Anlaß den ersten Schotten der Geschichte beim Namen: Calgacus, den in der Schlacht gefallenen Anführer der Pikten. Den später an der engsten Stelle Schottlands, zwischen Clyde und Forth, erbauten Antoninuswall hielten die Römer nur wenige Jahrzehnte und mußten sich bereits im Jahr 184 zum Hadrians Wall, zwischen Solway und Tyne, zurückziehen.

Neben den Pikten siedelten an der Westküste Schottlands schon in vorgeschichtlicher Zeit aus Irland eingewanderte Kelten. Diese bezeichneten sich selbst als Gaelen, während sie von den Römern *Scoti* genannt wurden und so Schottland (Scotland) seinen Namen gaben.

Der König des westschottischen — irischen — Dalriada, Kenneth McAlpin, wurde 843 auch zum König der Pikten, deren Name daraufhin verschwand. Das vereinigte Reich hieß von nun an Alba(n) und war nördlich der Linie Clyde-Forth vereinigt. Zum schottischen Nationalwesen trugen aber auch norwegische Wikinger bei, die die Orkney-, Shetland- und Hebrideninseln bis ins Mittelalter hinein besetzt hielten. Hinzu kamen noch Einflüsse der Briten, die im Clyde-Tal (Strathclyde), sowie von Angeln und Sachsen, die an de Ostküste zwischen Tweed und Forth siedelten (Bernicia, später Lothian).

Unter Malcolm III. Canmore schließlich (1057—1093) war Schottland in seinen heutigen Grenzen, zwischen Solway und Tweed, vereinigt. Bevor dieser König wurde, mußte er jedoch erst den Usurpator Macbeth aus dem Haus der Earls of Moray vertreiben, der seinen Vater Duncan I. ermordet hatte (Näheres bei Shakespeare).

Edinburgh, die Hauptstadt

Der Sohn von Malcolm III. Canmore, David I., verlegte die Hauptstadt von Dunfermline in Fife nach **Edinburgh**. Scone, in der Nähe von Perth, war zuvor Hauptstadt gewesen und der Ort, an dem die schottischen Könige, auf dem ,,Schicksalsstein" sitzend (er befindet sich heute in der Westminster Abtei), gekrönt wurden. Auf eine frühe Besiedlung Edinburghs weisen die Reste eines Dorfes aus der Eisenzeit auf Arthur's Seat hin, einem felsigen Hügel, der den königlichen Palast von Holyroodhouse in der Stadtmitte überragt.

Heute ist Edinburgh eine Stadt mit einzigartigem Charakter, die zudem sehr schön zwischen Hügeln und Meer gelegen ist. Ihr Herz bildet die **Princes Street**, eine Straße, die den Vergleich mit den großen Boulevards anderer europäischer Hauptstädte nicht scheuen muß.

Südlich der Princes Street und unterhalb der Basaltfelsen, auf denen das mittelalterliche Edinburgh erbaut wurde, ragt **Edinburgh Castle** in den meist aufgewühlten Wolkenhimmel. In der Burg selbst befindet sich das älteste Gebäude Edinburghs, **Queen Margret's Chapel,** die der Sohn von Malcolm Canmore für seine Mutter erbauen ließ. Die königlichen Insignien, Krone, Zepter und Schwert, werden auch hier aufbewahrt. Die große Halle weist eine der schönten Stichbalkendecken Großbritanniens auf und findet bei großen Banketten heute noch Verwendung. Der kleine Raum, in dem Maria Stuart ihren Sohn gebar, der später als James I. erster König von Großbritannien und Irland wurde, ist ebenfalls zur Besichtigung freigegeben.

Auf der **Royal Mile,** die von der Esplanade der Burg (hier findet im August, während des Edinburgh-Festivals die große Militärparade statt) wegführt, spielte sich bis zum Ende des 18. Jahrhunderts das gesellschaftliche Leben ab. Entlang dieser Straße sind herrschaftliche Häuser aus dem 16. und 17. Jahrhundert erhalten geblieben, die zu damaliger Zeit meist von Mitgliedern des Hofes bewohnt waren. **Parliament House,** die große **High Kirk of St. Giles, Canongate Talbooth** (16. Jh.) und **Canongate Kirk** (17. Jh.) liegen an der Royal Mile ebenso wie das Haus von John Knox, dem calvinistischen Refor-

Blick von Edinburgh Castle

mator. Mit der jungen Maria Stuart soll er hier religiöse Fragen und die Stellung der Frau in der Gesellschaft diskutiert haben. Auf dem Friedhof von Canongate Kirk liegen viele berühmte Persönlichkeiten Edinburghs, wie der Begründer der Nationalökonomie Adam Smith (gest. 1790) und Nancy Maclehose, die ,,leidenschaftliche Freundin'' von Robert Burns, dem bedeutenden schottischen Volksdichter.

Palace of Holyroodhouse, am Fuße der Royal Mile, ist die offizielle Residenz von Königin Elizabeth II., wenn sie in Schottland weilt. Von James IV. 1498 begonnen, wurde der Palast im folgenden Jahrhundert von James V. und später von Charles II. erweitert. Maria Stuart lebte hier sechs Jahre lang. In einem der heute noch zu besichtigenden Räume wurde ihr italienischer Sekretär, David Rizzio, Opfer einer Verschwörung von Lord Darnley, ihrem Ehemann. Nur wenige Monate später starb Darnley bei einer mysteriösen Explosion.

Während des Stuartaufstands von 1745 lebte auch ,,Bonnie Prince Charlie'' (so heißt im Volksmund der letzte Stuartthronprätendent Charles Edward,

der Enkel von James II.) in Holyrood, als es ihm kurzzeitig gelang, Edinburgh mit Hilfe französischer Truppen besetzt zu halten. Im Anschluß daran wurde der Palast vernachlässigt und kam erst 1822 wieder zu königlicher Gunst unter George IV. Die Räume sind heute mit französischen und flämischen Tapisserien sowie Mobiliar aus dem 18. Jahrhundert eingerichtet. Der Thronsaal wird von der Königin gegenwärtig für Investituren genutzt.

Von der Royal Mile zweigen rechts und links eng abfallende, gewundene Gassen ab, deren hochaufragende Häuser abwechselnd den Blick auf die Pentland Hills im Süden, die Nordsee im Osten und den silbernen Firth of Forth sowie die grünen Hügel von Fife im Norden freigeben.

New Town, ein ausgezeichnetes Beispiel für städtische Planung im 18. Jahrhundert. Das Buch *Pelican History of Art* bezeichnet die Neustadt gar als ,,das umfassendste Beispiel einer Stadt des romantischen Klassizismus auf der Welt''. Die eleganten georgianischen Fassaden der Häuser entfalten ihren ästhetischen Reiz insbesondere durch die harmonisch aufeinander abgestimm-

Links:
Kanone auf den Wällen von Edinburgh Castle
Rechts:
Wachposten

te Aneinanderreihung. Dagegen wirken die mittelalterlichen Gassen der Altstadt geradezu als „chaotisch". Der National Trust of Scotland zeigt am Charlotte Square Nr. 7 das **Georgian House,** das auch im Stil der Zeit eingerichtet ist.

Edinburgh ist sowohl das administrative als auch das gastronomische Zentrum Schottlands. An der Royal Mile und am Grassmarket, 150 m südlich und unterhalb von Edinburgh Castle, finden sich viele lebhafte Pubs, einige auch mit Musik. Hervorzuheben ist **White Hart Inn,** das von Robert Burns und William Wordsworth bei ihren Besuchen in Edinburgh zum Stammlokal erkoren wurde. An einen der berüchtigsten Charakter Edinburghs erinnert **Deacon Brodie's Tavern** an der Ecke Royal Mile und The Mound. Tagsüber war Brodie Kunsttischler und respektierter Stadtrat, des nachts aber wurde er zum Einbrecher und Dieb. Robert Louis Stevenson soll er als Vorlage für seine Novelle *Dr. Jekyll and Mr. Hyde* gedient haben. Zentrum des Pub-Lebens ist zweifellos die **Rose Street,** eine Gasse zwischen Princes Street und George Street. Einst hatten hier 22 Pubs geöffnet, und es gehörte zum Ritual der Rugby-Anhänger, nach internationalen Begegnungen in Murrayfield, in jedem dieser Pubs ein Pint zu trinken. Viele sind aber inzwischen zu Boutiquen umgewandelt worden. Am östlichen Ende der Rose Street befindet sich das wohl schönste und beste Pub in Edinburgh, **Abbotsford.** Die bessergestellte Jugend dagegen bevorzugt **The Tilted Whig** in der Cumberland Street, New Town.

Geht es nach den Restaurantführern, hat Edinburgh mehr erwähnte Restaurants pro Kopf aufzuweisen (480 000 Einw.) als jede andere Stadt in Großbritannien. Schottisch ißt man am besten bei **Martin's** (Rose Street/North Lane, einfallsreiche Verwendung von einheimischen Gewürzen), bei **Mackintosh's** (Stafford Street, interessantes Dekor), im **Prestonfield House** (Priestfield Road, in dem prächtigen Haus des 17. Jh. übernachteten 1773 Boswell und Dr. Johnson) und im **Champany Inn Town** (Colinton, die besten Steaks in Schottland, mit entsprechender Weinauswahl).

Die anziehende Atmosphäre Edinburghs bewegt viele Reisende dazu, länger zu bleiben als ursprünglich geplant. Es sei deshalb bemerkt, daß die Stadt

Straßenbild in Edinburgh

natürlich auch viele Museen, Kunstgalerien und Antiquitätenläden zu bieten hat. Sportliche Betätigung ist ebenso in reichem Maße möglich (allein innerhalb der Stadtgrenze gibt es 28 Golfplätze). Und schließlich findet in Edinburgh eines der berühmtesten und sicherlich das längste Kunst- und Theaterfestival der Welt statt. Beim städtischen Fremdenverkehrsamt an der Waverley Bridge kann man einen Kurzführer erwerben.

An der Südgrenze

Südlich der Hügel von Pentland, Moorfoot und Lammermuir, die Edinburgh südlich umschließen, liegt das Grenzland, die **Borders.** Dieses Land bekam in alten Zeiten jeweils als erstes die Rache und den Zorn der Römer, Angeln und Engländer zu spüren, wenn diese hier auf ihren letztlich erfolglosen Eroberungszügen durchzogen.

Heute ist dies Stück Schottland liebliches Weideland mit grünen Hügeln und glasklaren Bächen. Landwirtliche Produkte, Strick- und Tweederzeugnisse bestimmen die Wirtschaft, und die Leidenschaft für Fischen und Rugby.

Zwischen Melrose und Selkirk liegt **Abbotsford,** wo sich Sir Walter Scott (1771—1832), der „Begründer" des historischen Romans, niederließ. Die Scott-Familie war schon immer im Grenzland ansässig gewesen, und die Balladen und Bardengesänge über die Kämpfe der Vorfahren an der Seite der Engländer gegen den Alten Feind aus dem Norden mögen als erste die Phantasie des jungen Scott angeregt haben. Abbotsford, das immer noch von Nachfahren des Dichters bewohnt wird, ist voller Erinnerungsstücke, darunter auch einige von historischer Bedeutung wie ein *quaich* (Trinkkelch), der Bonnie Prince Charlie (s.o.) gehört haben soll (März bis Oktober täglich geöffnet).

Am Fuße der Eildon Hills, in denen nach einheimischer Überzeugung die Königin der Elfen und ihr Gefährte Thomas der Reimer hausen, liegt das reizende Städtchen von **Melrose,** ein guter Ausgangspunkt für Wanderungen ins Grenzland oder für Angeltouren. Auf dem östlichsten Hügel von Eildon liegt eine römische Befestigung, und vom höchsten der drei Hügel ist ein atemberaubender Blick auf die Cheviot Hills möglich. Im Ort selbst sind die

Beim Fischen in den Borders

Ruinen der **Melrose Abbey** aus dem 12. Jahrhundert zu sehen, trotz der Plünderung durch die Engländer 1544 noch immer ein architektonisches Gedicht aus rotem Sandstein. Der örtliche Rugby-Club soll einer neueren Sage zu Folge das 7-Mann-Rugby erfunden haben, das heute überall auf der Welt gespielt wird.

Auch in **Klso, Dryburgh** und **Jedburgh** stehen noch gut erhaltene mittelalterliche Abteien und einige beeindruckende Herrenhäuser wie **Floors Castle,** der Sitz des Herzogs von Roxburgh. Ebenso ist das Herrenhaus des Herzogs von Buccleuch, **Bowhill** und das von Robert Adam entworfene **Mellerstain** einen Besuch wert.

Viele kleine Hotels, die solide Bequemlichkeit und einfaches, aber ausgezeichnetes Essen anbieten, heißen den Besucher in den Borders willkommen. Für anspruchsvollere Gäste steht das **Cringletie House Hotel** (einige Kilometer nördlich von Peebles) zur Verfügung. Auf dem Weg an die Ostküste sei noch **Coldstream** erwähnt, das seine Existenz der dortigen Furt durch den Tweed verdankt und dem Coldstream Garderegiment Cromwells den Namen gab.

Lothian — Land im Osten

Nördlich der Lammermuir Hills öffnet sich zur Küste hin weites, grünes Farmland, in dem zudem einige der besten Golfplätze Großbritanniens zu finden sind; zu nennen sind insbesondere Muirfield, North Berwick, Longniddry, Luffness, die drei Plätze von Gullane, Kilspindie und Dunbar. In **Gullance** findet man außerdem eines der besten Restaurants Schottlands, La Potinière, das die Mühe, einen Tisch zu bestellen, lohnt. Am neunten Grün von Muirfield, in **Greywalls,** liegt das reizende Lutyens House, ein elegantes, sehr komfortables Hotel mit guter Küche.

Für Nichtgolfer besteht um **Aberlady Bay** die Möglichkeit zur Vogelbeobachtung und zu Spaziergängen entlang von Dünen geschützten Sandstränden. Auf letzteren kommt man an Burgenruinen vorbei, z.B. **Tantallon,** das auf einem felsigen Steilküstenabschnitt zwischen North Berwick und Dunbar liegt. Bei **Dirleton Castle,** zwischen Aberlady und North Berwick, lädt **The Open Arms,** eines der besten Restaurants der Gegend, zur Rast ein.

Landeinwärts bei Haddington, in

Jedburgh Abbvey

dem sorgfältig restaurierte Häuser aus dem 17. und 18. Jahrhundert zu sehen sind, steht das Herrenhaus des Herzogs von Hamilton, **Lennoxlove.** **Preston Mill,** in East Linton an der B1407 stammt aus dem 16. Jahrhundert und ist die älteste wassergetriebene Mühle in Schottland (National Trust of Scotland, der Öffentlichkeit zugänglich). An der Küste wiederum, nördlich von Coldingham, erstreckt sich an der bis zu 90 m hohen Steilküste das Vogelreservat von **St. Abb's Head.** Die Unterwasserfauna und -flora vor der Küste von St. Abb's zählt zum Besten, was die schottische Küste Tauchern zu bieten hat (Taucherlaubnis beim örtlichen Ranger einholen).

Jenseits des Firth

Auf der anderen Seite der Flußmündung (,,Firth'') des Forth liegt die Grafschaft **Fife,** oder das ,,Königreich Fife'' wie es manchmal heute noch in Erinnerung an die Tage zäh verteidigter Unabhängigkeit genannt wird. ,,Mit den Leuten von Fife ist nicht gut Kirschen essen'' (,,taks a lang spoon tae sup with a Fifer'') gehört als Ausspruch zum Standardrepertoire der Schotten. Ansonsten bestimmen Kohleberg- und Industriewerke das Bild von Fife, wenn auch die Landschaft durchaus Charakter hat und eigenwilligen Charme entwickeln kann. Flußaufwärts liegt die alte königliche Stadtgemeinde von **Culross,** das schon in frühen Zeiten ein bedeutender Handelsplatz für Kohle, Salz und metallenes Backgeschirr war. Seine gut erhaltenen malerischen Häuschen aus dem 16. und 17. Jahrhundert sind den Ausflug in das verschlafene Städtchen wert. Nicht weit entfernt liegt die alte schottische Hauptstadt **Dunfermline,** in dessen prächtiger Abtei aus dem 12. Jahrhundert Robert Bruce begraben liegt. Durch seinen Sieg über den englischen König Edward II. bei Bannockburn am 24. Juni 1314 sicherte er — trotz späterer interner Auseinandersetzungen — Schottland für weitere Jahrhunderte die Unabhängigkeit. In Dunfermline steht auch das Geburtshaus (jetzt Museum) eines der größten Industriebarone des ausgehenden 19. Jahrhunderts in Amerika, Andrew Carnegie, der hier als Sohn armer Weber geboren wurde. An der Halbinsel von Fife (,,Neuk of Fife'') findet man noch reges

Strand bei Pittenweem

Fischerleben vor, insbesondere in den von malerischen Häuschen geschmückten Häfen von **Earlsferry, St. Monans, Pittenweem, Anstruther** und **Crail.** Landeinwärts sind das Jagdschloß der Stuarts, **Falkland Palace,** das elegante **House of Tarvit** und **Kellie Castle** aus dem 14. Jahrhundert für den Besucher interessant. Sicherlich aber ist **St. Andrews** eine Attraktion. Auf dem Old Course des Golfclubs von St. Andrews soll schon vor 800 Jahren Golf gespielt worden sein, und hier hat auch der Golfgerichtshof seinen Sitz, der weltweit die Regeln auslegt (etwa wie es zu bewerten ist, wenn in Kenia ein Nashorn einen zunächst bespielbaren Ball verschluckt). St. Andrews war zudem einst die kirchliche Hauptstadt in Schottland und seine Universität zählt zu den ältesten in Großbritannien.

Glasgow: besser als sein Ruf

Der Westen und der Osten des schottischen Tieflandes, der **Lowlands,** unterscheidet sich nicht nur geographisch, sondern auch in der Typologie der Menschen voneinander. Betrachten sich die Bewohner des östlichen Teils als kultiviert und verfeinert — wie es die regelmäßige Pracht des georgianischen Edinburgh zum Ausdruck bringt —, halten sich die Bewohner des Westens für warmherzig, weniger anmaßend und dafür realistischer. Ein gewisser Wahrheitskern ist dem nicht abzusprechen, erscheinen die Einwohner Edinburghs doch manchmal in der Tat als unnahbar und glatt.

Glasgow ist Schottlands industrielles Ballungszentrum, dessen Herz, die Schiffbauindustrie, jedoch einen steten Niedergang (wie überall in Europa) zu verzeichnen hat, so daß sich die Einwohnerzahl von einst über einer Million heute auf 850 000 verringert hat. Die Einwohner Glasgows haben darüber aber ihre Warmherzigkeit und ihren ausgeprägten Sinn für einen trockenen Humor nicht verloren. In letzter Zeit ist die Stadtverwaltung bemüht, das Image von Glasgow zu verbessern und hat sich den Slogan ,,Glasgow's Miles Better'' (,,Glasgow ist weitaus besser'') ausgedacht.
Glasgow hat aber tatsächlich mehr zu bieten, als es auf den ersten Blick er-

St. Andrew's Royal Golf Course

scheint. Die mittelalterliche **Glasgow Cathedral** (12. Jh.) ist die einzige, die den Zerstörungen während der Reformation entgangen ist. Sie beherbergt auch das Grab des Schutzheiligen der Stadt, St. Mungo. Entgegen dem praktischen Anschein kommt die Kunst in Glasgow nicht zu kurz. Im **Theatre Royal** ist zum Beispiel die Scottish Opera, deren Produktionen durchaus internationales Niveau erreichen, das Scottish National Orchestra und das BBC Scottish Symphony Orchestra zu Hause. Glasgows Universität wurde bereits im 15. Jahrhundert gegründet und hat über die Jahrhunderte eine ansehnliche Kunstsammlung, mit die schönste auf der Insel, zusammengetragen. Die städtische Kunstgalerie, **City Art Gallery,** weist eine ungewöhnlich reichhaltige Sammlung europäischer Maler von Bedeutung auf, wie Giorgione, Dali und Rembrandt. Außerdem ist hier moderne schottische Malerei und Bildhauerei zu sehen. Wem das nicht genügt, der sei auf das angeschlossene Schiffsmuseum und die einzigartige Sammlung von Rüstungen und Waffen, mit Exemplaren aus den Schmiedestätten Mailands des 15. Jahrhunderts, verwiesen. Eine weitere Gemäldesammlung spanischer Maler — u.a. El Greco, Goya und Murillo — befindet sich im **Pollok House,** das am südlichen Stadtrand im gleichnamigen Park liegt und von den Architekten William und Robert Adam im 18. Jahrhundert entworfen und erbaut wurde.

Die nahegelegene **Burrel Collection** ist der wichtigste Museumsneubau dieses Jahrhunderts in Großbritannien. Der Schiffsmagnat Sir William Burrel machte die Sammlung 1944 der Stadt zum Geschenk. Sie umfaßt nahezu alle Kunstformen von der Glasmalerei bis zur Metallbearbeitung von etwa 1800 v. Chr. bis ins 20. Jahrhundert. Unter den vertretenen Malern sind Cranach, Rembrandt und Manet zu erwähnen.

Unfreundlicherweise ist behauptet worden, Glasgow sei eine tolle Stadt, wolle man sie verlassen. Auf jeden Fall ist dies einfach zu bewerkstelligen, und zwar auf einer Schnellstraße, die mitten durch die Stadt und über den Fluß hinaus zum Flughafen in Abbotsinch führt. Abbotsinch liegt schon in Ayrshire, und nun ist es nicht mehr weit zur Westküste mit den Badeorten von **Largs, Troon, Prestwick** und **Girvan.** Von Weymss

Glasgows kriselnde Schiffbauindustrie im Dämmerlicht

Bay fahren Fähren zu den Inseln von **Bute** und **Millport,** von Ardrossan zur Insel **Arran,** dem beliebten Ausflugsort für die Glasgower Bevölkerung. Am Fuße des 900 m hohen Goat-FellBerges auf Arran steht Brodick Castle, das einst Robert Bruce bewohnt hat und heute vom National Trust of Scotland unterhalten wird. In der Burg ist eine Sammlung der Familie Hamilton zu sehen, typisch englisch mit Porzellan-Figuren, Drucken von Reitern und Jagden und reichhaltigem Silberservice.

Das Land des Robert Burns

Das wohl größte Bauwerk des schottischen Architekten des 18. Jahrhunderts, Robert Adam, ist das prächtige **Culzean Castle** an der Küste von Ayrshire gegenüber Arran. Zwischen der Burg und General Eisenhower besteht eine enge Beziehung. Nach dem Krieg war ihm auf Lebenszeit eine Suite im obersten Stock vorbehalten. Das Burgmuseum zeigt neben Waffen, Gemälden und Möbeln auch Stationen aus dem Leben des späteren amerikanischen Präsidenten.

Im Dorf **Alloway,** etwas außerhalb von Ayr, steht das bescheidene Geburtshaus (heute ein Museum) des wohl bekanntesten und beliebtesten schottischen Dichters, Robert Burns. Ein Stück südlich davon, an der Straße nach Culzean, liegt **Kirkoswald,** in dem sich **Souter Johnnie's Cottage** befindet, die Hütte der Figur des ,,alten, vertrauenswürdigen, wahrhaften Freundes'' aus der großen Ballade *Tam o'Shanter* von Robert Burns.

Entlang der Küste liegen einige der besten Golfplätze in Schottland, unter anderem drei Plätze, auf denen die British-Open-Golfmeisterschaften stattfinden: Prestwick, wo sie erstmals 1860 ausgetragen wurden, Royal Troon und Turnberry.

Wilde Moorlandschaft und hübsche Dörfer kennzeichnen den südlichen Teil Schottlands, **Galloway** und **Kirkcudbright.** Von **Stranraer,** an der hammerförmigen Halbinsel Mull of Galloway (bekannt für ihre Austern) fahren die Fähren nach Larne in Nordirland ab.

Am Fluß Nith, in dem Fischer bis zu den Hüften im Wasser nach Lachsen fischen, liegt die größte Stadt des Südwestens, **Dumfries.** Robert Burns starb hier 1796 und das Haus, in dem er lebte, ist heute ein Museum. In der High

Blick auf Loch Lomond mit dem Ben Lomond im Hintergrund

Street steht seine Statue und selbst der Stuhl, auf dem er im **Globe Inn** zu sitzen pflegte, ist daselbst zu besichtigen. Im ersten Stock des Globe Inn soll er zwei Verse mit einem Diamanten in Glas geritzt haben.

An den Ufern des **Solway Firth,** 12 km südlich von Dumfries, liegen die Ruinen des dreieckigen, von Wassergräben umgebenen **Caerlaverock Castle.** Einst eine der großen Grenzbefestigungen, ließ im 17. Jahrhundert der Earl of Nithsdale inmitten der Ruinen ein Herrenhaus im klassischen Stil errichten, ohne Frage eine äußerst seltsame architektonische Ergänzung.

Devorgilla, die Frau von John Balliol, dem Gründer von Balliol College in Oxford, ließ **Sweetheart Abbey** aus rotem Sandstein erbauen. Die beeindruckende Ruine liegt 10 km südlich von Dumfries auf der anderen Seite des River Nith. Devorgilla war auch die Mutter jenes anderen John Balliol, den Edward I. zum schottischen Marionettenkönig ,,Toom Tabard'' (,,Leerer Mantel'') machte, nachdem das schottische Königshaus 1286 mit Alexander III. ausgestorben war.

Streifzüge durch das Hochland

Nimmt man die andere Straße, die nordwestlich aus Glasgow Richtung Dumbarton herausführt, ist man schnell im schottischen Hochland, den **Highlands,** angelangt. **Loch Lomond** (Loch = See oder Meeresarm), mit 37 km Länge und 9 km Breite Großbritanniens größter Süßwassersee, und **Ben Lomond,** einer der 277 ,,Munros'' Schottlands (d.h. Berge, die höher als 900 m sind), begrüßen den Reisenden.

Das schottische Hochland ist eine der letzten, nahezu unberührten Naturlandschaften in Europa. Endlos ziehen sich hier Berge, Schluchten, Hochmoore, immer wieder unterbrochen von Seen und Meeresarmen, hin. Abgesehen von der nordöstlichen Ebene zwischen Aberdeen, dem Moray Firth und der Grafschaft Fife ist alles nördlich der Linie Edinburgh — Glasgow — Mull of Kintyre zum Hochland zu zählen. Das Hochland ist klimatisch rauh, der Boden felsig, so daß nur in einigen Fluß- und Seentälern (Glens) Viehzucht und Ackerbau möglich sind. Hunderte von Inseln und Inselgruppen säumen zudem die Küsten des Hochlands im Westen

Megalithen bei Callnish

und Norden. Zu einigen Inseln, wie Islay, Benbecula, Lewis, Orkneys, Shetlands und Fair, bestehen Flugverbindungen, zu allen anderen Fährverbindungen, soweit sie bewohnt sind.

Das schottische Hochland, all seine Berge, Moore, ,,Lochs'' und ,,Glens'' erforschen zu wollen, würde ein ganzes Leben in Anspruch nehmen. Und viele Schotten tun an den Wochenenden und während der Ferien tatsächlich nichts anderes.

Eine attraktive Möglichkeit, dies ebenfalls zu versuchen, bietet der Hochlandzug von Glasgow nach Fort William am kaledonischen Kanal. Entlang der Ufer des Clyde geht es zunächst bis nach **Helensburgh,** wo der Fernseh-Pionier John Logie Baird geboren wurde. Hier steht auch das **Hill House** des Architekten Charles Rennie Mackintosh, dem führenden Vertreter der Glasgower Neuen Bewegung für Architektur. Entlang der Ufer des Loch Long und Loch Lomond setzt der Zug seine Fahrt fort, schlängelt sich durch das enge Tal des Glen Falloch, das von bronzefarbenen, purpurnen und grünen Hügeln begrenzt wird, und erreicht schließlich **Crianlarch.** Dieser Ort ist wie Fort William ein günstiger Ausgangspunkt, um eines der bekanntesten Glens Schottlands, **Glen Coe,** aufzusuchen. Von Rannoch Moor bis Loch Leven zieht sich diese wildzerklüftete, großartige Bergschlucht, deren nebelverhangene Gipfel bei Bergsteigern hoch im Kurs stehen. Wanderer finden hier Pfade vor, die um die Gipfel herum und auch in die Seitentäler hinein führen. In das Hidden Valley und das Glen of Weeping gelangt man nur auf einer alten Militärstraße.

Diese Schlucht war 1692 Schauplatz des berüchtigten Massakers von Glencoe. Auf Befehl König Williams III. (von Oranien) fielen englische Truppen, die seit zwölf Tagen die Gastfreundschaft des MacDonald-Clans genossen hatten, über ihre Gastgeber her und machten sowohl Männer als auch Frauen und Kinder nieder. Das Clan-Oberhaupt hatte den verlangten Treueschwur auf die englische Krone ungebührlich hinausgezögert. An der alten Invercoe-Straße steht ein Gedenkstein für die MacDonalds und am Clachaig Inn ist der ,,Nachrichtenstein'' zu sehen, von dem aus dem englischen Kommandeur Robert Campell der Befehl übermittelt wurde.

Glencoe

Wer den Zug nicht verlassen hat, fährt nun weiter durch die bedrohliche Faszination des **Rannoch Moor.** Keine Straße führt in das Moor hinein, und dunkle Torfmoore, Seen und Tümpel oder gurgelnde Bäche säumen das Gleis. Von Bergen umkränzt, ist Rannoch Moor völlig menschenleer, und die beiden Bahnstationen Rannoch und Corrour zählen zu den einsamsten in Großbritannien. Dafür wird das 410 m über dem Meeresspiegel gelegene und 155 ha große Moor von zahllosen Wasservögeln, Kiebitzen, Feldlerchen, Adlern und Rotwild bevölkert, die Bachforellen nicht zu vergessen.

Am nördlichen Ende des Moores biegt die Bahn nach Westen ab und passiert dem River Spean folgend Monessie Gorge, um schließlich **Fort William** zu erreichen. Fort William liegt am Ende von Loch Linnhe und am Fuße des **Ben Nevis,** mit 1343 m der höchste Berg Großbritanniens. Will man die Hochlandfahrt mit der Bahn fortsetzen, kann man hier in den Zug nach Mallaig an der Westküste umsteigen. Fort William zeichnet sich lediglich dadurch aus, daß es die letzte größere Stadt an der Westküste ist und von hier aus der Ben Nevis erklommen werden kann. Auf die stramme Wanderung (kein Klettern erforderlich) sollten warme Kleidung und gute Stiefel mitgenommen werden, da das Wetter auch im sommerlichen Schottland sehr schnell umschlagen kann. Die Stadt selbst könnte den Reisenden fast davon abhalten, überhaupt erst auszusteigen. Die einstige Festungsanlage ist fast verschwunden und von jenen unbeschreibbaren Installationen des britischen Massentourismus ersetzt worden. Im 17. Jahrhundert als Bollwerk gegen ,,wilde Clans" und anderes ,,Gesindel" erbaut, war Fort William im 19. Jahrhundert Durchgangsstation für gezwungenermaßen ,,Auswanderungswillige". Heute verhindern keine Mauern mehr den Einfall von Horden Einwanderungswilliger auf Zeit, sprich Touristen. Dennoch sollte Sie dies nicht von einer Wanderung zum Ben Nevis abhalten. Sie lohnt sich wirklich. Fort William ist eine Art Kreuzungspunkt im westlichen Hochland, der dem abenteuerlustigen Entdecker als ,,Basislager" dienen kann. Und es gibt noch die Busfahrt zum 48 km entfernten **Loch Ness,** wo man versuchen kann, das allseits bekannte Ungeheuer zu erspähen.

Blick auf Loch Lomond von Ben Lomond aus

Loch um Loch

Die Fahrt nach Mallaig führt durch das Land von Bonnie Prince Charlie. Vorbei an den Ufern von Loch Eil fährt der Zug über den Viadukt von Glenfinnan — mit einer fantastischen Aussicht auf den **Loch Shiel.** Unterhalb der Brücke bezeichnet ein Denkmal am Ufer die Stelle, an der Prince Charlie 1745 zum ersten Mal das Stuart-Banner aufpflanzte und die schottischen Clans um sich versammelte, um mit ihnen nach Edinburgh zu ziehen. Nach der Niederlage bei Culloden (1746) und der Aussetzung eines Kopfgeldes von 30 000 £ kam er hierher zurück, um sich zu verstecken. Nach weiteren 14 km Bahnfahrt tauchen die Felsen von **Loch nan Uamh** auf. In dieser Bucht war Prince Charlie 1745 mit neun Mann gelandet, und von hier aus verließ er Schottland 14 Monate später, um nie wiederzukehren. Landeinwärts liegt **Loch Morar,** mit 305 m der tiefste See Großbritanniens und auch von einem Ungeheuer bewohnt.

Isle of Skye

Von **Mallaig,** einem Fischereihafen ohne besonderes Interesse, setzt die Fähre zur **Isle of Skye** über.

Skye ist keltisches Schottland aus dem Bilderbuch, von den fjordähnlichen *Sealochs* im Westen, über die vulkanischen Cuillin Hills im Süden, bis hin zur wilden Küste der Halbinsel Trotternish im Norden. Seit den großen Auswanderungen zu Beginn des 19. Jahrhunderts, die ganze Täler von Menschen entleerten, ist die Bevölkerung von Skye stetig zurückgegangen. Die Verbliebenen widmen sich heute großteils dem Tourismusgeschäft und nur wenige führen noch das mühsame Leben eines Kleinbauern. Die Hauptorte auf der Insel scheinen manchmal einzig Tourismuszwecken zu dienen, eine Fahrradtour oder ein Spaziergang führen jedoch schnell hinaus in die blanke Wildnis.

Wem die Gipfel der **Cuillin Hills** (immerhin eine 10 km lange Kette mit 15 Bergen über 900 m) zu hoch erscheinen, kann auch an ihrem Fuße durch das Glen Sligachan wandern und stößt am Strand von Camasunary auf das Meer. An der nördlichsten Spitze von Skye liegt **Armadale Castle,** das heute als Clan MacDonald Centre dient. Im west-

lichen Skye dagegen liegt **Dunvegan Castle,** angeblich die älteste noch bewohnte Burg in Schottland. Einst Heimstatt des Macleod-Clans, gibt Dunvegan einen guten Einblick in schottischen Clangeist, seine Gebräuche und Lebensumstände. Hervorzuheben schließlich ist **Uig,** ein malerisches Fischerdorf an der Westküste der wenig touristischen Halbinsel Trotternish.

Auf dem Weg nach Inverness

Von **Kyleakin** im Osten geht die Fähre zurück auf das „Festland", nach **Kyle of Lochalsh,** wo die Hochland Bahnlinie wieder beginnt. Ein ausgezeichneter Platz zum Übernachten ist hier das **Lochalsh Hotel,** auch wegen des fangfrischen Fischs, der im Restaurant gut zubereitet serviert wird.

Morgens verläßt der Zug nach **Inverness** Kyle of Lochalsh; an der Küste entlang passiert er den hübschen Ort **Plockton,** um dann dem Reisenden am **Loch Carron** die Berge von Applecross und Wester Ross von ihrer schönsten Seite zu zeigen. Nahezu unberührte Wildnis, Rotwild und Adler, Wildkatzen und Bussarde sowie ein paar Schafe

und Rinder in den engen Glen-Tälern ziehen am Zugfenster vorbei. Nach Garve am Loch Luichart beginnt die Landschaft milder zu werden und in grünes Farmland überzugehen, das zum Moray Firth hin abfällt. Inverness kommt in Sicht, wie auch die Monadhliath Mountains östlich von Loch Ness.

Wer nicht an den Zug gebunden ist, kann von Kyle of Lochalsh aus an der Küste entlang weiter Richtung Norden fahren, entweder die A 896 über **Shieldaig** oder die A 890 bis **Achnasheen** und dann links auf die A 832. Diese Straße führt entlang des Loch Maree bis zu den Gärten von **Inverewe.** Auf dem selben Breitengrad wie Labrador und Leningrad gedeihen hier, dank des Golfstroms und Generationen von Gärtnern, subtropische Pflanzen und Blumen in allen Regenbogenfarben.

Hinter Inverewe führt die Straße zurück nach Osten und spätestens bei den **Wasserfällen von Measach** (Gorrieshalloch Gorge) muß entschieden sein, ob man geradewegs zurück nach Inverness will. Denjenigen, der sich nach Norden wagt, erwarten nach dem Fischerdorf Ullapool am Loch Broom steile Straßen und eine leicht unheimliche, schöne und

Ullapool

verträumte Landschaft. An der **Laxford Bridge** besteht für längere Zeit die letzte Möglichkeit, gen Süden zu fahren, ansonsten sind es dann noch 20 km bis zur Nordküste Schottlands bei Durness. Wem danach ist, kann diese bis nach John O'Groats (rund 100 km) an der äußersten Nordostspitze entlangfahren.

Inverness wird diejenigen, die es aus Shakespeares Macbeth zu „kennen" glauben, eine Enttäuschung bereiten; es hat tatsächlich nichts Bemerkenswertes aufzuweisen. Lediglich die Nähe zum **Loch Ness** (8 km) macht es interessant. Wer auf der A82 in Richtung Süden fahrend Schwierigkeiten hat, im Wasser Schlangenformationen auszumachen, die auf Ungeheuer hinweisen, dem sei angeraten, an den Ruinen von **Urquhart Castle** anzuhalten. Von hier aus wurden die meisten Photos von „Nessie" geschossen und im nahegelegenen Loch Ness Monster Information Centre kann ein maßstabgetreues Modell der Seeschlange besichtigt werden. Darüberhinaus sei erwähnt, daß Urquhart Castle eine der größten Burgen Schottlands war, ehe es 1692 in die Luft gesprengt wurde — um zu verhindern, daß sich dort Stuart-Anhänger festsetzen.

Hoch oben im Norden

Von Wick (mit dem Flugzeug) oder Thurso, wo die Fähre nach **Kirkwall** abfährt, kommt man auf die **Orkney Islands.** Skandinavischer Einfluß ist hier noch sehr lebendig. Immerhin war die Inselgruppe schon 890 von Harald Schönhaar, dem norwegischen Wikingerfürsten, erobert worden, nachdem bereits zuvor eine skandinavische Einwanderung eingesetzt hatte. Erst 1468 kamen die Orkneys (wie auch die Shetlands) als Mitgift für die Tochter des dänischen Königs Christian I. (Norwegen und Dänemark waren seit 1380 in Personalunion vereint) zu Schottland. In den Geschäften sind „deshalb" auch Pullover mit Norwegermustern neben schottischem Karo zu haben.

Allgegenwärtiger Wind, offener Himmel, wilde Felsformationen und das aufgewühlte Meer kennzeichnen die Orkney-Islands. Nördlich von Stromness (16 km westlich von Kirkwall) kann man sich an einem Spaziergang über die wildeste Steilküste der Britischen Inseln, von Black Craig Richtung Bay of Skaill, versuchen. Eine Fähre fährt hinüber zum Moaness Pier auf der Isle of Hoy,

Urquhart Castle, Loch Ness

eine Passage, die sich Abenteuerlustige nicht entgehen lassen sollten.

In Kirkwall ist außer dem **Bishop's Palace** (Ruine aus dem 12. Jh. mit Rundturm aus dem 16. Jh.) und der **St. Magnus Cathedral** (1137 erbaut, einem Wikinger-Schutzheiligen gewidmet) nicht viel zu sehen.

Interessanter sind die Sehenswürdigkeiten außerhalb, insbesondere **Skara Brae,** eine wunderbarerweise erhaltene neolithische Siedlung, und der große Grabhügel von **Maes Howe,** dessen Grabkammer mit kunstvollen Runen geschmückt ist. Im Nordwesten liegt der **Earl's Palace** (in Birsay), ein sehr schönes Renaissance-Herrenhaus. Nicht zu vergessen sind schließlich die **Stennes Standing Stones,** ein Kultplatz aus druidischen Zeiten.

Mit der Fähre von Kirkwall (sonst nur von Aberdeen) oder mit dem Flugzeug kommt man nach **Lerwick** auf den **Shetland Islands.**

Das Nordseeöl hatte zwar den Tourismus vorübergehend beiseite gedrängt, seit es jedoch spärlicher fließt, kehren die Inseln zur alten Abgeschiedenheit zurück und damit die Touristen.

Muness Castle auf der nördlichen Insel **Unst** sowie **Scalloway Castle** (8 km westlich von Lerwick) sind ebenfalls einen Besuch wert.

Neben dem Flugplatz von Sumburgh an der Südspitze der Hauptinsel liegt **Jarlshof,** eine Ausgrabungsstätte, in der die Geschichte buchstäblich in Schichten — von der Bronzezeit bis zum Mittelalter — abgelesen werden kann.

Südlich von Inverness

Durch die Hochland-Glens und über die Cairngorm Mountains (gute Ski- und Sportmöglichkeiten in Aviemore) geht es zurück nach Edinburgh oder Glasgow. Auf dem Weg liegt der hübsche Ort **Pitlochry,** der bisweilen in dem Meer der Touristen unterzugehen droht. Ursache ist zum einen das Pitlochry Festival Theatre, das zwischen April und Oktober mit erstklassigen Aufführungen aufwartet, andererseits **Blair Castle,** 13 km nördlich, der Stammsitz des Herzogs von Atholl aus dem 12. Jahrhundert.

Perth, das Tor zum schottischen Hochland, hat außer diesem Spruch nichts zu bieten.

Orkney Brae, Steinzeithäuser

Stirling, die wahre Hauptstadt

Als Abschluß der Rundreise darf ein Besuch in **Stirling** nicht fehlen. Von viktorianischem Erneuerungsdrang verschont geblieben, hat Stirling auch heute noch mittelalterlichen Charakter.

Die gesamte schottische Geschichte seit dem 13. Jahrhundert ist in irgendeiner Weise mit Stirling verbunden.

Die entscheidenden Schlachten des schottischen Befreiungskampfes wurden bei Stirling geschlagen: Stirling 1297, Bannockburn 1314 und Sauchiburn 1488. In diesen Kämpfen spielte Stirling Castle eine entscheidende Rolle und wechselte hin und her zwischen Engländern und Schotten, bis letztere es endgültig 1342 in ihren Besitz brachten.

In der Burg residierten die Stuart-Könige zwischen 1370 und 1603. Auch Maria Stuart und James I. verbrachten hier einige Jahre. Eine Multimedia-Show im **Landmark Visitor Centre** wiederholt die geschichtlichen Ereignisse auf eindrucksvolle Art. Eine Ausstellung im gleichen Gebäude zeigt das Leben in Stirling während des letzten Jahrhunderts, und eine Boutique verkauft „keltische" Gegenstände verschiedenster Art.

Das ungewöhnliche, offene Holzdach und die fünfeckige Apsis im Chor zeichnen die **Church of the Holy Rude** (15. Jh.) aus. Am 28 m hohen Turm sind Beschädigungen zu erkennen, die womöglich auf den Stuart-Aufstand zurückzuführen sind. In dieser Kirche wurde Maria Stuart als Kind gekrönt, ebenso ihr Sohn James VI., nachdem sie zur Abdankung (1567) gezwungen worden war. Aus dem 11. Jahrhundert stammt die **Cambuskenneth Abbey,** die 1326 Schauplatz des ersten Parlaments unter Robert Bruce war.

Prince Charlies Waterloo

Östlich von Inverness liegt das **Culloden Moor,** in dem 1746 die Stuart-Streitkräfte unter Prince Charlie vernichtend geschlagen wurden. Diese Niederlage in der Schlacht von Culloden (der letzten überhaupt, die auf dem Boden des Vereinigten Königreichs ausgetragen wurde) durch die hannoversche Armee des Herzogs von Cumberland bedeutete zugleich das Ende der Stuart-Dynastie, die Schottland seit 1370 re-

Pitlochry High Street

giert hatte. Beiderseits der Straße, die durch das Moor führt, sind heute noch Steine zu sehen, die auf Gräber der Clan-Soldaten hinweisen. In der Nähe von **Old Leanach Farmhouse,** das ein Museum beherbergt, soll die Schlacht getobt haben. **Culloden House,** in dem der Prinz am Vorabend der Schlacht nächtigte, ist zu einem Hotel umgebaut worden.

Im fruchtbaren Farmland entlang des River Spey beginnt das Land des schottischen Whisky (aus Malz gebrannt). Eine Brennerei nach der anderen säumt den Weg hinunter durch das wunderschöne **Spey-Valley.** Hier kann man dem Herstellungsprozeß des gälischen „Lebenswassers", des *uisgebeatha,* zuschauen und am Ende der Besichtigungstour davon kosten. **Keith,** an der A96, ist Ausgangspunkt des sogenannten **Whisky Trail,** der über **Dufftown** nach **Ballindalloch** führt.

Von Aberdeen nach Dundee

Am Zusammenfluß und der Mündung der Flüsse Dee und Don liegt **Aberdeen,** die Hauptstadt des britischen Nordseeöls. Seit jeher bezog das granitene Aberdeen seine Bedeutung aus der Seeschiffahrt. Schon im 13. Jahrhundert war es der wichtigste Hafen im Norden Schottlands. Und im 19. Jahrhundert ersegelten sich die Klipper aus Aberdeen den Ruf, am schnellsten und sichersten den Transport von Tee aus China zu besorgen. Verläßt man die Hauptstraße, Union Street, trifft der Besucher in den kopfsteingepflasterten Gassen auf die typische Atmosphäre alter Hafenstädte, wenn auch der Hafen selbst von der Geschäftigkeit eines Ölumschlagplatzes erfüllt ist.

Die weithin renommierte Universität von Aberdeen stammt aus dem 15. Jahrhundert, und ihr **King's College** ist ein besonders schönes Beispiel schottischer Gotik.

Weitere Sehenswürdigkeiten sind **St. Machar's Cathedral** aus dem 14. und das **Maritime Museum** im Provost Ross's House aus dem 16. Jahrhundert (in der Shiprow, die hinunter zu den Kais führt). Schließlich hat auch Aberdeen eine Kunstsammlung, die **Art Gallery,** aufzuweisen (in Schoolhill), die eine große Auswahl französischer, englischer und schottischer Gemälde insbesondere aus dem 20. Jahrhundert zeigt.

Landeinwärts am königlichen River Dee liegt nicht nur die Sommerresidenz der Königsfamilie, **Balmoral,** sondern eine ganze Ansammlung von Burgen und Schlössern. Erwähnt seien nur **Drum, Castle Fraser, Crathes** und das märchenhafte **Craigievar.** Balmoral, inmitten einer der schönsten Landschaften des Landes gelegen, kam erst 1848 in Besitz der Königsfamilie. Prinz Albert kaufte es nach dem Tod des Vorbesitzers, Sir Robert Gordon. Ebenso wie die anderen Schlösser im Frühling, Herbst und Winter der Öffentlichkeit zugänglich sind, können die Gärten und das Gelände von Balmoral (nicht jedoch das Schloß) besucht werden, wenn die Königsfamilie nicht in Schottland weilt.

Weiter nördlich liegt **Haddo House,** der Stammsitz der Earls of Aberdeen und von William Adam entworfen, sowie **Leith Hall,** ein bescheideneres, typisches Gutsherrenhaus, und **Brodie Castle** in der Nähe von Nairn.

Auf der Küstenstraße nach Süden sind die Häfen von Montrose und Arbroath hervorzuheben. In **Arbroath** stehen die Ruinen einer Abtei aus dem 12. Jahrhundert, die Schauplatz der Unabhängigkeitserklärung von 1320 war:

,,Für Freiheit, nicht für Reichtümer, Ehrungen oder Ruhm kämpfen wir, für Freiheit, die ein getreuer Mann nur im Tode ablegt.''

Dundee am Firth of Tay wird gemeinhin als die Stadt der drei J bezeichnet: *jam* (Marmelade), *jute and journalism.* Jute wird in Dundee heute kaum noch produziert, die andern beiden J spielen aber bis in die Gegenwart eine große Rolle. Der D.C. Thomson Verlag nennt nicht nur Lokalzeitungen und Wochenzeitschriften, die in ganz Schottland gelesen werden, sein eigen, sondern ist auch der größte Herausgeber von Comic-Serien für Kinder in Großbritannien. Und schottische Marmelade aus Früchten des fruchtbaren Carse of Cowrie ein paar Meilen landeinwärts ist weltberühmt.

Ansonsten kennzeichnen Industrie und Werften das Bild von Dundee. Aber die Stadt hat noch eine Berühmtheit in der Hinterhand, nämlich William McGonagall, der sich des Titels ,,Bester schlechtester Dichter aller Zeiten'' rühmen kann. Seine Zeilen über Dundee sprechen — auch übersetzt und gekürzt wiedergegeben — für sich:

Kein andrer Stadt kommst Du, oh Dundee, gleich,
Sein's deine Webereien oder Mädchen bleich.
Und keine übertrifft Deine Gebäude, schön und hell,
Wie das prächt'ge Albert Institut und das Queen's Hotel,
Denn wo Königin, Herzog und Graf speisen und trinken Wein,
Wer kann was Hübsch'res denken, als auch hier zu sein.

Es gibt in Schottland natürlich sehr viel mehr zu sehen, als hier beschrieben werden konnte. Ungezählte Bergzüge, Lochs, Flüsse, Glens, Denkmäler, Schlachtfelder und vor allen Dingen schottische Menschen warten auf einen Besuch.

Und Schottlands Anziehungskraft, die sich in keinem besonderen Ort manifestiert, wird wohl am besten eine bejahende Antwort auf den alten gälischen Gruß ,,Haste ye back'' (etwa ,,Eile zurück'') gerecht.

Links:
Dudelsackpfeifer
Rechts:
Rentierherde

DAS BRITISCHE KÖNIGSHAUS

Großbritannien hält sich zwar gerne zu Gute, Vorreiter der modernen Demokratie gewesen zu sein, was jedoch die Wahl des Staatsoberhaupts betrifft, ist es kompromißlos undemokratisch. Unter Monarchie hat man eine Art Familienunternehmung zu verstehen. So kann sich die derzeitige Throninhaberin auf eine Abstammungslinie berufen, die alle 62 Vorgänger, wenn auch manchmal entfernt, umfaßt und bis auf Egbert von Wessex zurückgeht. Diesem wird zugeschrieben, die Stämme des südlichen Britannien 829 unter seiner Krone vereint zu haben. Ein anderer Stammvater ist Kenneth MacAlpin, dem 839 mit Skoten und Pikten Ähnliches gelang.

Dahin gestellt bleiben kann, ob Vererbung der beste Weg ist, den Häuptling eines Stammes zu bestimmen. Im übrigen wurden die meisten Stämme der sogenannten zivilisierten Welt irgendwann von Monarchen regiert, so wie in Europa Schweden, Norwegen, Dänemark, Belgien, Holland und Spanien heute noch.

Eine lange Tradition

Die Briten haben zwar die vererbliche Monarchie nicht erfunden. Könige gab es schon in Frankreich und Polen, als Egbert seinen Thron bestieg. Dennoch sind sie ihr über längere Zeiträume treu geblieben als die meisten anderen. Bis heute gab es nur einmal eine Unterbrechung von 11 Jahren (1649—1660) als Charles I. Arroganz über weisen Ratschluß stellte, und das Parlament unter der Führung von Oliver Cromwell ihn enthaupten ließ.

Die Einschränkung der absoluten Macht des Monarchen hatte bereits 1215 mit der Unterzeichnung der Magna Charta durch König John begonnen, und der Englische Bürgerkrieg war ein weiterer Schritt in diesem Prozeß. Seit langem schon liegt deshalb die wahre Macht beim britischen Parlament, während sich die Monarchie aufs Repräsentieren beschränkt. Das Parlament, ursprünglich eine bunt gemischte Versammlung von Baronen und anderen Großgrundbesitzern, setzt sich heute zusammen aus dem nicht gewählten Oberhaus, in dem die Nachfahren dieser mittelalterlichen Größen sitzen, und dem Unterhaus, zu dem allgemeine Wahlen (allerdings erst seit relativ kurzer Zeit) stattfinden. Wegen Mißachtung des Parlaments

und nicht wegen seiner Religion, die niemand kümmerte, verlor denn auch Charles I. seinen Kopf.

Waren früher Muskeln und Schlagkraft ausschlaggebend, so überlebt heute die Monarchie aus genau gegenteiligem Grund, da niemand ernstlich etwas gegen den Ohnmächtigen einzuwenden hat. Dennoch ist sie eine wundervolle Scharade (eine gut funktionierende Methode der Selbsttäuschung, auf die sich die Briten besonders gut verstehen). Im November, zur Parlamentseröffnung, erreicht die Scharade ihren jährlichen Höhe

punkt. Dann hält Königin Elizabeth II. in glitzerndem Putz und mit einer Krone auf dem Kopf — dem wertvollsten Schmuckstück dieser Welt — die Thronrede für die neue Sitzungsperiode, und jedes der Worte stammt aus der Feder von Politikern, deren Auswahl ohne sie stattfand.

Dennoch wird die Monarchie als nützlich und wünschenswert angesehen. Allein ihr Alter macht sie zu einem mächtigen Symbol nationaler Identität. Über der Tagespolitik stehend vermittelt sie das Gefühl von Kontinuität und die Hoffnung letzter Zuflucht vor der

Vorhergehende Seiten und rechts: Königin Elizabeth II. Links die Königin-Mutter.

Inkompetenz geistloser Politiker. Und nicht zuletzt ist sie immer für eine Show gut.

Im Gegensatz zu Königin Victoria, die versuchte, sich in die Geschäfte ihres Premierministers einzumischen und ob dieses Fehlschlags derart verärgert war, daß sie ernstlich erwog, von Australien aus zu regieren, haben es ihre Nachfahren in diesem Jahrhundert verstanden, sich aus der Politik herauszuhalten. Daneben widmete sich das Haus Windsor hauptsächlich der Aufgabe, herauszufinden, welcher Typ eines Monarchen am besten bei der Bevölkerung ankommt.

Königliche Macht

Königin Elizabeth konnte die politische Arena dennoch nicht ganz vermeiden, da der

selten. In der Regel ist es nur eine Formalität, den Sieger bei allgemeinen Wahlen vorzuschlagen, bei zwei Gelegenheiten jedoch mußte in jüngster Zeit die Königin einschreiten. In einem Fall trat ein konservativer Premier zurück, ohne einen offensichtlichen Nachfolger zu hinterlassen. 1974 war das Wahlergebnis so knapp, daß sogar über die völlig unbritische Möglichkeit einer Koalition diskutiert wurde. Natürlich warf sie keine Münze, um ihre Auswahl zu treffen, Kriterium war einfach, wer die größte Aussicht hatte, eine Mehrheit zustande zu bringen. Für derartige Fragen hat die Königin einen breitgefächerten Stab gutinformierter Berater zur Seite.

Den Krieg erklären kann ebenfalls nur das königliche Staatsoberhaupt. Selbst wenn er

Krone ein zwar kleiner, nichtsdestoweniger aber wichtiger Rest an Regierungsmacht verblieben ist, der sich nicht nur aufs konsultiert werden, beraten und warnen beschränkt. Für den Fall eines Rücktritts des Premierministers infolge einer Wahlniederlage, von Krankheit, Tod, aus Altersgründen oder wegen eines Skandals hat die Königin das Vorschlagsrecht. Sie kann auch eine Regierung entlassen bevor die Wahlperiode abgelaufen ist. Letzteres geschieht in Großbritannien äußerst selten, in Australien jedoch mußte die Regierung Gough Whitlam auf Veranlassung des britischen Generalgouverneurs Sir John Kerr 1975 ihren Hut nehmen. Viele Australier empfanden dies damals als Kolonialzeitliches Pochen auf Macht. Ersteres ist weniger

nicht erklärt wird, wie der Falkland-Krieg 1982, würde keine Regierung die Marine auf den Weg schicken, ohne vorher den Privy Council, das unabhängige Königliche Beratergremium, konsultiert zu haben.

Schließlich unterstellt die Marine sich der Königin und nicht dem Premierminister. Sie ist Oberkommandierende der Streitkräfte und Oberhaupt der Anglikanischen Kirche zugleich. Soldaten und Bischöfe schwören der Krone die Treue und nicht der Regierung.

Großbritannien besaß einst ein mächtiges Weltreich, in dem die Sonne nicht unterging, weil, wie es einst in den Kolonien hieß, Gott den Briten nicht im Dunkeln begegnen mochte. Seit 1974 jedoch, als Großbritannien Indien aufgeben mußte, zerbrach das Weltreich, ein Vorgang, der bis heute nicht abgeschlossen ist. Wegen seines negativen Beigeschmacks mag heute auch niemand mehr den Begriff „Empire" in den Mund nehmen. Nur ein Nachwehen früherer imperialistischer Eroberungszüge ist, daß Königin Elizabeth II. zur Zeit noch als Staatsoberhaupt für 17 Länder auf dem ganzen Erdball herhalten muß.

All diese seltsamen Länder

Nur zur Erinnerung, es sind: Das Mutterland Großbritannien und seine Schutzgebiete (kleine Reste des Imperiums wie Gibraltar oder halbautonome Inseln wie die Isle of Man und die Kanalinseln), Antigua und Barbuda, Australien, die Bahamas, Barbados,

keit als aus Hoffnung, mit Hilfe des Mutterlandes Handel zu betreiben): die Republiken Bangladesh, Botswana, Guyana, Indien, Kenia, Kiribati, Malawi, die Malediven, Malta, Nauru, Nigeria, Sambia, die Seychellen, Sierra Leone, Simbabwe, Singapur, Sri Lanka, Tansania, Trinidad und Tobago, Uganda, Vanuatu und Zypern. Hinzu kommen die Monarchien von Lesotho, Malaysia, Swasiland und Tonga sowie das Westliche Samoa, dessen Staatsoberhaupt ein gewählter Stammeshäuptling ist. In all diesen Ländern hat die Königin keine offiziellen Funktionen mehr, sie ist lediglich Vorsitzende einer Vereinigung.

Offen bleibt, ob das Commonwealth mehr zum Frieden und Ausgleich in der Welt beiträgt als der große Bruder in New York, si-

Belize, die Fidschi-Inseln, Grenada, Jamaica, Kanada, Mauritius, Neuseeland, Papua Neuguinea, St. Lucia, St. Vincent und die Grenadinen, die Solomon-Inseln und schließlich Tuvalu.

. Von den ehemaligen Kolonien blieben allerdings die meisten (mit der wesentlichen Ausnahme von Südafrika) Mitglieder des Commonwealth. Das ist eine informelle, losegefügte Vereinigung wie die Vereinten Nationen, nur kleiner. Sie unterhält ein Sekretariat in London, dem ein Generalsekretär vorsteht, zur Zeit ein jovialer, umgänglicher Rechtsanwalt aus Guyana mit dem Namen Sir Sridath Ramphal, den alle „Sonny" nennen.

Mitglieder sind (weniger aus Anhänglich-

cher aber ist, daß die Königin eine glühende Anhängerin der Commonwealth-Idee ist und die Institution sehr ernst nimmt. Sie bereist diese Länder unablässig, was sie zum weitgereistesten Monarchen der Geschichte gemacht hat. Und ihr ausgleichender, unpolitischer Einfluß hinter den Kulissen hat 1979 sicherlich viel dazu beigetragen, daß die Umwandlung der britischen Kolonie Rhodesien zum unabhängigen Staat Simbabwe mit sehr viel weniger Blutvergießen ablief als befürchtet.

Prinz Charles und Prinzessin Diana. Ihre Hochzeit am 29. Juli 1981 stürzte England in einen königlichen Taumel.

Über Auftritte der Königin im Ausland wird im Gastland und zu Hause in großer Aufmachung berichtet. Ihre offizielle und verfassungsmäßige Rolle als Staatsoberhaupt in Großbritannien bleibt dagegen fast unbeachtet.

Drei Viertel oder mehr ihres Arbeitslebens verbringt sie mit dem Lesen und Unterzeichnen von Staatspapieren. Die im Grunde einzige Gelegenheit, das Staatsoberhaupt zu spielen, bietet sich im November bei der großartigen und farbenprächtigen Eröffnung des Parlaments. Zwar sind hierzu nur Mitglieder der Legislative geladen, der Vorgang wird jedoch in voller Länge im Fernsehen übertragen. Als Oberkommandierende der Streitkräfte nimmt sie zudem anläßlich der *offiziellen* Geburtstagsfeierlichkeiten für den

lich unerwünscht sei. Eine beträchtliche Anzahl hält sie schlechtestenfalls für eine vernachlässigbare Größe in der Alltagsproblematik einer nach-industriellen Gesellschaft oder bestenfalls für eine Touristenattraktion. Ein paar mehr noch beklagen sich regelmäßig über die Nichtsnutze der königlichen Familie und ihre buchstäblich fürstlichen, aus öffentlichen Geldern finanzierten Apanagen. Das Haus Windsor hat ja nur allzuoft Skandälchen und schwache Seiten seiner Mitglieder zu vermelden, die haarklein in den Londoner Klatschspalten vermerkt werden. Jedoch nur wenige von jährliche Tausenden haben sich dem Charme der Queen entziehen können, waren nicht begeistert oder nur angetan von einem Zusammentreffen. Der gesellschaftliche und öffentliche Wert solcher Gelegenhei-

Monarchen im Juni (sie ist jedoch im April geboren) eine Truppenparade ab.

Die Queen auf Tour

Die meisten anderen Anlässe für Auftritte der Königin sind sozialer oder gesellschaftlicher Art. Eine endlose Abfolge von Besuchen in Provinznestern und bei ungezählten Wohltätigkeitsorganisationen steht auf ihrem Programm, wobei sich diese mindestens ein Jahr im voraus einen Platz im königlichen Terminkalender gesichert haben müssen.

Nur ein verhältnismäßig kleiner Teil der Briten ist der Meinung, daß die Monarchie oder ihre derzeitige Repräsentantin tatsäch-

ten schafft natürlich eine besonders beeindruckende Atmosphäre, allerdings ist Königin Elizabeth II. in der Tat eine charmante, geistreiche und humorvolle Person.

Begegnungen mit der Queen sind nur nach vorheriger Einladung möglich. Selbst die mehr als 9000 Gäste, die den Rasen des Buckingham Palasts anläßlich einer sommerlichen Nachmittagseinladung bevölkern, werden vorher dahingehend überprüft, ob sie etwas Erwähnenswertes vollbracht haben oder eine zumindest identifizierbare gesellschaftliche Gruppierung repräsentieren.

Um die Ehre, diesen Rasen betreten zu dürfen, und die Chance eines königlichen Handschlags inklusive einiger banaler Worte, entbrennt jedesmal ein heftiger Wettstreit.

Der Hang der Briten, die sich von anderen gerne für ausgesprochene Individualisten halten lassen, sich der Ehrerbietung gegenüber den Souverän hinzugeben, ist unverkennbar.

Einige Detektivarbeit ist notwendig, um den Aufenthaltsort der Königin oder eines Mitgliedes ihrer Familie an einem gegebenen Tag festzustellen. Hierbei ist *The Times* hilfreich, auf deren letzter Seite, gleich über dem Kreuzworträtsel und leider nur einen Tag vorher, königliche Termine bekanntgegeben werden. Einfach ist es im Juni. Dann nämlich verbringt die Queen die ersten zwei Wochen bei den Rennen in Ascot, während sie für den Rest des Monats Edinburgh aufsucht. Schließlich ist sie auch Königin von Schottland.

reich sind. Die großen Paläste und Herrenhäuser sind im Besitz des Staats (mit Ausnahme der Privatresidenzen von Sandringham und Balmoral). Bei Gemälden und Einrichtung derselben ist man sich nicht so sicher. Böse Zungen behaupten, den Königlichen wäre durchaus zuzutrauen, daß sie angesichts einer Revolution Englands mit ein paar Leonardos im Gepäck Richtung Kanada verlassen würden.

Wie bereits angedeutet, ist es ziemlich unwahrscheinlich, daß die Königin — vor die Wahl gestellt — ihre freien Nachmittage in einer Kunstgalerie verbringen würde. Viel eher wird sie, wie die meisten Familienmitglieder, der Lieblingsbeschäftigung des englischen Landadels nachgehen, die sich im wesentlichen um Pferde, Hunde, Schießeisen,

Die Monarchie ist es denn auch, die viele Besucher anlockt. Die beängstigende Zahl an Schlössern und Palästen sowie deren Ausstattung macht ihnen zudem bewußt, daß die Queen zu den reichsten Frauen der Welt gehören muß. In der Tat, neben allem anderen, wacht sie über die beste private Kunstsammlung dieser Welt, wovon ein Gutteil öffentlich ausgestellt ist.

Königliche Finanzen

Die königliche Familie ist reich. Reich an Ererbtem und Geschenktem sowie durch Einkommen aus ausgedehntem Landbesitz. Dazu gehören einige Gestüte, die sowohl in der Zucht als auch im Renneinsatz erfolg-

grüne Gummistiefel und jene unsäglichen grünen Umhänge dreht, die sich englische Gentleman-Bauern zum Schutz ihrer Oberkörper gegen englische Kälte überwerfen.

Der englische Adel ist heute noch gegenwärtig. Höchster Titel ist der eines königlichen Herzogs, dann geht es fein abgestimmt hinab bis zum einfachen Baron. Die ältesten Familien kamen durch Dienste zu Land, die sie den Königen nach Wilhelm dem Eroberer leisteten. Der mittelalterliche Wollhandel brachte später auch andere Familien zu

Schönheiten mit königlicher Eskorte. Oben — Prinzessin Margaret und eine Schönheitskönigin. Rechts — Prinz Andrew in Begleitung.

Macht und Reichtum. Noch später investierten Industriebarone die Erlöse ihrer Fabriken in Grundstücke und suchten durch Bestechung und andere Methoden ihrem neuen Reichtum, der auf sehr unfeine Art und auf Kosten unmenschlicher Verhältnisse erworben worden war, durch Adelstitel die Aura der Respektabilität zu verleihen.

Landrechte wurden zu dieser Zeit nicht mehr vergeben. Bereits Ende des 18. Jahrhunderts hatte das Parlament George III. das meiste Land weggenommen und zahlte ihm stattdessen eine Apanage für seine Dienste, ein Arrangement, das heute noch Gültigkeit hat. Die oft riesigen Güter sind bis in die Gegenwart ebenfalls ungeteilt erhalten geblieben. Ein Grund hierfür war — neben der nur mäßig erfolgreichen proletarischen Revolu-

richtet und sind um jede Einkunftsquelle, auch Pop-Konzerte, bemüht. Den Anfang machte der derzeitige Herzog von Bedford, der im Garten von Woburn Abbey, nach einem Steuerbescheid in Millionenhöhe, einen Safaripark einrichtete. Denselben Weg ging auch der Marquis von Bath in Longleat, Wiltshire.

Andere, wie der Herzog von Devonshire, verkaufen regelmäßig Erbstücke, um die Millionenbeträge zur Erhaltung zusammenzubringen. So findet man auf dem majestätischen Chatsworth keine Löwen und Karusells, sondern nur unermeßliche Pracht. Britische Herrenhäuser sind, außer daß sie bewohnt werden, reine Kunst- und Architekturmuseen und enthalten Sammlungen, die mancher Großstadt-Galerie gut zu Gesicht

tion und entsprechenden Umverteilungen — das in England bestehende Primogenitur-Recht, wonach immer nur der älteste Sohn einen Besitz erben kann.

Auch in Schottland gibt es einige solcher großen Landgüter. Nachdem der Aufstand der schottischen Hochlandclans 1745 gescheitert war, mußten sie ihr Land verlassen, das daraufhin zugeteilt oder billig verkauft wurde.

Was der Revolution nicht gelang, scheint heute den britischen Steuerbehörden zu gelingen. Die Erbschaftssteuern sind so hoch, daß Adelige heute zu Dutzenden gezwungen sind, ihre Häuser gegen bescheidene Eintrittsgelder besichtigen zu lassen. Einige haben in ihren Gärten Vergnügungsparks einge-

stünden. Auf keines trifft dies mehr zu als auf Althorp in Northamptonshire, wo Graf Spencer, der Vater von Prinzessin Diana, Touristen durch eine der reichsten Privatsammlungen Europas führt.

Die Landgüter werden, unter Einsatz aller technischen Mittel, intensiv bewirtschaftet, um für den Todesfall die Steuermillionen bereit zu haben.

Titel und die „Sorgen" um den Landbesitz gehen nicht ohne weiteres Hand in Hand. So ist der Vicomte Nelson, ein Nachfahre des berühmten Admirals, Polizeibeamter und Graf Attlee, Sohn des Nachkriegspremiers, in der Werbeabteilung der Britischen Eisenbahnen beschäftigt.

Die Titelinhaber sind sich aber sehr wohl ihres gesellschaftlichen Status' bewußt, wenngleich dieser, außer bei formellen und königlichen Anlässen, wo überaus strikt auf das Protokoll geachtet wird, im Alltag wenig Bedeutung hat.

Mit bestimmten Adelstiteln ist in der Regel auch ein Sitz im Oberhaus, dem House of Lords, verbunden. Dieses ist zwar weniger mächtig als das Unterhaus, zeigt aber gelegentlich Muskeln, um Regierungsvorlagen abzublocken. Nur ein Bruchteil der Berechtigten nimmt jedoch seinen Sitz war. Bei der ersten Fernsehübertragung 1985 — im Unterhaus sind Aufnahmen immer noch nicht erlaubt — waren von 1200 Mitgliedern, davon 64 Frauen, nur 300 anwesend. Eine kürzlich vorgenommene Zählung ergab folgendes Bild.

Nach ihrem Rang aufgeführt waren Mitglied: vier königliche Herzöge (Edinburgh, Cornwall, Gloucester und Kent, alles enge Verwandte der Königin), 26 normale Herzöge, 38 Marquis, 217 Grafen, 144 Vizegrafen, 531 Erbbarone und 286 Barone auf Lebenszeit. Die letzteren sind oft ehemalige Politiker, die aus Altersgründen oder politischer Zweckmäßigkeit hinauf befördert wurden. Die Erhebung in den Adelsstand, zum Peer, gilt nur für die Person und ist nicht vererbbar.

Der typische Lebenslauf eines englischen Aristokraten sieht etwa so aus: Zunächst besucht er eine Eliteschule des Landes (bezeichnenderweise heißen diese „public schools", also öffentliche Schulen, und genau das sind sie nicht), um anschließend an der königlichen Militärakademie Sandhurst eine Offizierslaufbahn anzustreben.

Die Universität besuchen nur wenige. Die Karriere selbst vollzieht sich dann in einem der Elite-Garderegimenter des Heeres. Luftwaffe und Marine sind weniger frequentiert. Zum einen sind diese Waffengattungen zu technisiert, zum anderen haben sie kein angemessenes gesellschaftliches Leben zu bieten.

Die Aristokratie mag nicht mehr so vermögend wie früher sein, sie ist aber immer noch ein gut versorgter, genau bestimmbarer Teil der britischen Gesellschaft — eine Tatsache, die seine Mitglieder durchweg abstreiten werden. Und wie das Königshaus überlebt sie, weil ihr die Machtbasis entzogen worden ist. Sollte einmal eine Änderung eintreten, hat das Oberhaus die größten Chancen, als erste der adeligen Institutionen von der Bildfläche zu verschwinden.

Der linke Flügel der Labour Party hat immerhin angedroht, im Falle der Machtergreifung das Oberhaus mit Baronen auf Lebenszeit aus den eigenen Reihen zu überschwemmen, damit es sich mit eigener Mehrheit aus der Existenz wählt. Viele würden das sicher bedauern, ist doch das Niveau der Debatten hoch und hat die Zweite Kammer oft genug mäßigend auf Übergriffe der gewählten Regierung gewirkt.

Den Aristokraten steht die anonyme Masse der „Gemeinen" mit 93 % gegenüber; diese Zahl ergibt sich aus einer Schätzung; und zwar sollen demnach 7 % der Bevölkerung 84 % des Volksvermögens ihr eigen nennen. Zweimal im Jahr jedoch, an Neujahr und im Juni, haben die Gemeinen Aussicht ihrem Schicksal zu entrinnen. Dann nämlich enthalten britische Zeitungen zwei nur mit der Lupe zu entziffernde Seiten: die Ehrenliste der halbjährlich an die Guten, Wertvollen, Hingebungsvollen und Langdienenden vergebenen Orden.

Mitglieder des „Order of the British Empire" (kurz O.B.E.) werden in folgender Stufung ernannt: Hohe Beamte werden zu Rittern (das bringt ein „Sir" vor den Namen), Leiter von städtischen Einrichtungen und Krankenhäusern zu Komturs (kein „Sir"), weniger Profilierte zu Offizieren, der Pressefotograf, der das beste Falkland-Foto schoß und die 20 Jahre dienende Krankenschwester zu einfachen Mitgliedern.

Am unterm Ende der Seite schließlich die britische Reichsmedaille (British Empire Medal, B.E.M.), ausschließlich für die arbeitenden Klassen: Etwa für den langgedienten Türsteher oder einen pensionierten Internatskoch.

Für sie alle ist die Medaille nicht so wichtig wie der Tag draußen im Buckingham Palace, wenn sie von der Königin persönlich an die Brust geheftet wird. Die Auswahl nimmt das Amt für Ehrungen (Honours Office) vor, das dem Geschäftsbereich des Premierministers angegliedert ist.

Das Ereignis ist für die Inselbewohner jedes Mal Anlaß, sich abfällig und spöttisch über Monarchie, Adel, Klassen und Ehrungen überhaupt auszulesen. Stehen sie jedoch plötzlich selbst auf der Liste, und sei es auf der Seite ganz unten, gibt es nur ganz wenige, die den Orden und die Chance, der 43. Nachfolgerin von Wilhelm dem Eroberer die Hand drücken zu können, ausschlagen.

Lady Diana und die Früchte des Ruhms. Fotografen auf der Jagd.

DER ENGLISCHE GARTEN

Der englische Satiriker Joseph Addison beschreibt 1712 in einem Brief an die Zeitschrift *The Spectator* langatmig seinen Garten und schließt: „Darf ich deshalb der Auffassung Ausdruck verleihen, Sir, daß das Vergnügen, das wir aus der Betrachtung eines Gartens ziehen, zu den unschuldigsten des menschlichen Lebens zu zählen ist. Ein Garten war die Wohnstatt der ersten Menschen vor dem Sündenfall. Von Natur aus stillt, beruhigt er den Geist und befreit ihn von seinen aufwühlenden Leidenschaften."

Heißt es für den Engländer „my home is my castle" (etwa „Heimes Herd ist Goldes wert"), so mag sein Garten der Versuch sein, sich das verlorene Paradies wiederzuerschaffen. Angesichts der nationalen Vorliebe für gestaltete Landschaften waren die Annehmlichkeiten, die der Englische Garten bot, schon immer sowohl physischer als psychischer Art. Oder wie sich Andrew Marvell ausdrückte: „Alles Geschaffene wird hier von grünenden, in grünen Schatten verweilenden Gedanken ausgelöscht". Ein Spaziergang entlang eines gewundenen Pfades kann natürlich auch weniger weitgehende Wirkungen haben. Um es mit Thomas Edward Brown kurz und bündig zu sagen: „Bei Gott — Garten, was bist Du liebenswert!"

Römische Ursprünge

Die prächtigen Gärten von Fishbourne, in der Nähe von Chichester, zeugen von den Anfängen englischen Gartenbaus in römischer Zeit. Erst 1960 wurde diese 6700 qm umfassende Anlage entdeckt, deren kunstvolle, regelmäßige geometrische Ausgestaltung an die späteren strengen Renaissance-Gärten Frankreichs und Italiens erinnert.

Das Mittelalter teilte seine Obst-, Rosen- und Kräutergärten durch Mauern ab, an denen Erde aufgeschüttet wurde. Die später grasbewachsenen Flächen dienten als Sitzgelegenheit. Rosen waren zur damaligen Zeit nicht nur literarische Symbole der Liebe, sondern auch des Leidens Christi. Kräuter wurden außer zu medizinischen Zwecken auch für duftende Trockenblütenmischun-

Vorhergehende Seiten: Chatsworth House von Lancelot Brown. Links, italienischer Stil in England. Rechts, der Garten als Metapher für das Paradies.

gen, genannt *pot pourri,* und Pomaden verwendet, um die verschiedenen Übelgerüche zu überdecken. Der Elvaston Castle Country Park in Derbyshire ist ein Beispiel für solch mittelalterliche Rosen- und Kräutergärten.

Das Elisabethanische England gestaltete seine Beete in der Art von Duftteppichen und nannte sie bezeichnend „knots", Knoten. Der Garten der Tudorzeit war ein fest von der Außenwelt abgeschlossenes Rechteck, das mehr das Gefühl eines Zimmers als in der freien Natur zu sein vermittelte. Die meist eingeführten Blumen standen in Reih und

Glied, abgeteilt von niedrigen Hecken und von Kieselsteinwegen durchzogen, oft zu Emblemen wie Familienwappen geformt. Sie waren buchstäblich als gärtnerische Stickereien anzusehen. Hatfield House in Hertfordshire, Packwood House in Warwickshire und das Tudor House Museum in Southampton geben hiervon einen ausgezeichneten Eindruck.

In der Elisabethanischen Kunst spielten Metaphern aus dem botanischen Bereich eine große Rolle, so etwa der Veredelungsprozeß des Wurzelpfropfens. In Shakespeares Romanze *The Winter's Tule* („Das Wintermärchen") z.B. erklärt Polyxenes diese Methode und drückt damit den Elisabethanischen Wunsch nach Harmonie mit der Natur aus:

„Du siehst, mein holdes Kind, wie wir vermählen
den edlern Sproß dem allerwildesten Stamm
Befruchten so die Rinde schlechter Art
Durch Knospen edler Frucht.
Dies ist 'ne Kunst, die die Natur verbessert
— mindestens ändert.
Doch diese Kunst ist selbst Natur."

Von den Römern begonnen und im Italien des 15. Jahrhunderts zu hoher Blüte gebracht, sind Irrgärten und kunstvoll beschnittene Bäume und Büsche weitere zu erwähnende Traditionen der Renaissance. Die heute in England zu findenden Exemplare von „Pflanzenskulpturen" sind zwar nicht mehr italienisch extravagant, Hampton

Die Ringelblume, die mit der Sonn' entschläft
Und weinend mit ihr aufsteht."

Ophelia bedient sich in *Hamlet* einer noch deutlicheren Blumensprache, als sie ahnungsvoll den eigenen Trauerkranz zusammenstellt:

„Da ist Vergißmeinnicht, das ist zum Andenken:
ich bitte Euch, liebes Herz, gedenket meiner!
Und da ist Rosmarin, das ist für die Treue.

Die authentischen Elizabethanischen Beete des Shakespeare-Gartens in Stratford, New Place, enthalten übrigens alle Blumen, die in Shakespeares Stücken vorkommen.

Court, Aldermaston Court in Berkshire und Elvaston Castle zeigen jedoch einige bemerkenswerte Proben dieser Kunst. Die Irrgärten von Hever Castle in Kent halten viele für die besten des Landes.

„Es durch die Blume zu sagen" wurde in der Renaissance zur großen Mode. Ohne Blumensymbolik wurde kein Kompliment ausgetauscht, keine verschlüsselte Botschaft abgesandt und die höfische Sprache kam ohne sie erst recht nicht aus. Um Perdita aus *The Winter's Tale* zu zitieren, als sie eine Welt der Schäferidylle beschwört:

„Hier habt Ihr Blumen:
Feuriges Lavendel, Minzen, Salbei und Majoran.

Die Vorliebe für kleine, in schwärmerischen Mustern angelegte Blumenbeete (*parterres* genannt), hielt bis in das 18. Jahrhundert an. Während dieser Zeit entstand auch ein Interesse an kunstvollen Wasserspielen. Das schlichte Rechteck des Tudor-Gartens wurde mehr und mehr ausgeschmückt, oft mit Alleen, die sich von einer halbkreisförmigen *patte d'oie* (wörtlich „Gänsefuß") ausfächerten, als Beispiele, die Gärten von Melbourne Hall in Derbyshire und Bramham Park in Yorkshire.

Oben links: Statuen des Renaissance Gartens. Oben rechts: „Pflanzenskulpturen". Rechts: Hampton Court.

In der Mitte des 17. Jahrhunderts setzte der sogenannte „Tulpenwahn" ein, der eine in der Geschichte beispiellose Handelsaktivität auslöste. Tulpenzwiebeln wurden seit Mitte des 16. Jahrhunderts von der Levante nach Europa eingeführt. Die Ähnlichkeit der Blüte mit einem Turban, *tulbent* auf Italienisch, gab ihr den Namen *tulipa*. Für eine einzige Zwiebel dieser merkwürdigen Blumen wurden in manchen Fällen 2400 oder gar 4600 Zweishillingstücke gezahlt.

Ende des 17. und zu Beginn des 18. Jahrhunderts erreichte auf dem Kontinent Frankreich unter Ludwig XIV. den Höhepunkt seiner Macht- und Prachtentfaltung. Die herrlichen Gärten von Versailles, „das Wunder, das Monsieur le Nôtre schuf", wie es Ludwig XIV. ausdrückte, sind beredter Beweis hier-

derts war Ausdruck unterschiedlicher politischer und geschmacklicher Vorstellungen. Die geradezu mathematische Ordnung und Reglementierung der Natur veranlaßte Pope in seinem *Essay über die Kritik* zu der Aussage, daß ein Engländer mit französischem Konformismus nichts am Hut habe. Seine Forderung nach „Freiheit des Geistes" wurde zum Auslöser der einzigen neuen Kunstform, die seit der Renaissance in England entstand, die des englischen Landschaftsgartens, des *Jardin Anglais*. Die Begeisterung war so groß, daß überall auf der Insel Grundbesitzer begannen, die Gärten des 17. Jahrhunderts umzugraben.

Die Bewegung des *Jardin Anglais* zog nicht nur Gartenbauer, sondern auch Dichter und andere Künstler an. Das Interesse für die

für. Ludwigs Landschaftsarchitekten Le Nôtre war es gelungen, die ganze Herrlichkeit und „Grandeur" der französischen Monarchie einzufangen und dem Sonnenkönig eine ihm gemäße Bühne zu schaffen, Ausdruck seines Platzes im Zentrum des politischen Universums Europa. Breite, vom Palast wegführende Avenuen bildeten die Achsen der Anlage, an denen sich großzügig Triumphbögen, Gartenstatuen und Pavillons gruppierten. Der Kontrast zu den Elisabethanischen Gärten zeigt, daß gärtnerische Gestaltung philosophische und kulturelle Konzepte widerspiegeln kann und nicht lediglich eine Frage der Mode ist.

Die heftige englische Reaktion auf den französischen Stil des frühen 18. Jahrhun-

Themen der Schäferidylle wurde aufs Neue geweckt. In seinem *Essay über die Moral* legt Pope dar, wie ein Garten zu planen sei, und bezieht sich dabei auf die Anlagen Viscount Cobham in Stowe, Buckinghamshire (im Sommer der Öffentlichkeit zugänglich):

„Vor allem — laßt uns nie vergessen die Natur,
Bescheiden sollt Ihr die Göttin behandeln,
Weder zu schön, noch unbekleidet soll sie wandeln,
Höchster Preis für jenen, der freundlich bringt zum Wanken,
Überrascht, verschleiert, umspielt die Schranken.
Befragt den Geist des Orts — vor allem."

Nicht zufrieden mit Worten allein setzte Pope in Tat um, was er predigte, und entwarf zusammen mit Horace Walpole die Gärten von Marble Hill House in Twickenham (täglich geöffnet).

Abgesehen von der Literatur gab auch die Malerei wichtige Impulse für die neuen Gärten. Zwei in Italien arbeitende französische Künstler, Claude und Poussin, hatten Mitte des 17. Jahrhunderts idealisierte Landschaften gemalt, deren Ruinen, Lichtungen, Teiche und ferne Berge jetzt genau den Zeitgeschmack mit seinen Sehnsüchten nach klassischer Anmut trafen. ,,Jeder Gartenbau ist Landschaftsmalerei'' sagte denn auch Pope, und viele Landschaftsarchitekten orientierten sich an gemalten Vorbildern. So gehen die Kaskaden von Bowood in Wiltshire

Castle Howard etwa wurde von Vanbrugh zu einer großzügigen Landschaft gestaltet, in der prächtige Gebäude aus Grasflächen aufragen.

In Stowe verwendete der Gartenarchitekt Charles Bridgeman als erster den ,,ha-ha'', einen breiten und tiefen Graben zwischen Garten und Park, der, während er für weidende Tiere als Grenze diente, den Blick über die Landschaft nicht störte. (Der Name soll sich vom überraschten ,,ah-ha!'' der Leute ableiten.) Hierdurch verschmolz der ursprünglich ans Haus gebundene, strenge und abgeschlossene Garten mit der umgebenden Parklandschaft zu einer Einheit.

In Stowe begann auch der Aufstieg von Lancelot Brown, der hier zwischen 1740 und 1751 angestellt war. Später von Walpole als

auf ein Gemälde von Poussin zurück, während die Seenlandschaften von Painshill in Surrey nach Skizzen von Salvator Rosa gestaltet wurden. Landschaftsgemälde, die er auf seiner großen Europareise gesehen hatte, inspirierten den um 1740 zu Reichtum gekommenen Bankier Henry Hoare dazu, in Stourhead (Wiltshire) die schlichten Weiher eines Tales in seinem Besitz zu einer Seenlandschaft mit Tempeln und Grotten im klassischen Stil umzugestalten. Sie gilt als das berühmteste Beispiel ,,gemalter'' Landschaften.

Die neuen Gärten der großen Güter

Es dauerte nicht lange, bis das neue Gestaltungsgefühl auch die großen Güter erreichte.

,,König der Landschaft'' bezeichnet, brachte im seine Arbeit als wichtigster Landschaftsarchitekt des 18. Jahrhunderts den Namen ,,Capability'' Brown ein. Honorar und Spitznamen erwarb er sich dadurch, daß er von Gut zu Gut ritt und dort die ,,capabilities of improvement'', das Potential der Verbesserungsmöglichkeiten, darlegte.

Browns anfangs nicht unumstrittenen Veränderungsvorschläge unterschieden sich erheblich von denjenigen seiner Vorgänger. Sie betonten die Grundstrukturen eines Geländes, seine Begrenzungen, Wasser- und Baum-

Oben: Garten als Landschaftsmalerei — Stourhead in Wiltshire. Gleich rechts: Lancelot Brown. Ganz rechts: Humphrey Repton.

linien. Farbgebung und Plazierung von Statuen spielten bei Brown keine Rolle. Vielmehr ließ er alles schmückende Beiwerk entfernen und suchte die Landschaft in möglichst natürlichem Zustand zu belassen. Er führte den Park unmittelbar an die Gebäude heran. Bäume und Pflanzen benutzte er gleichsam zur Interpunktion der „Sätze" einer Landschaft. „Hier mache ich ein Komma, dort setze ich Klammern — dann einen Punkt. Daneben beginnt etwas Neues."

Besonders einfallsreich war Brown, wenn er mit Wasser gestaltete. Im Park von Blenheim Palace (Oxfordshire), seinem vielleicht berühmtesten Werk, staute er ein unbedeutendes Flüßchen auf, um einen See entstehen zu lassen, der in jeder Hinsicht Vanbrughs anmutiger Brücke würdig ist. Brown hat

teilt sind wie zufällige Spritzer aus einem Federkiel".

Nach seinem Tode (1783) setzten Schüler die Arbeiten in seinem Stil fort, ohne jedoch Browns heitere, unterbrochene Linienführung zu erreichen. So kam es nicht überraschend, daß Englands Landbesitzer bald darauf Neuerungen aufgeschlossen waren. Diese besorgte Humphrey Repton, der 1752 in Bury St. Edmunds geboren, eine kontinentaleuropäische Erziehung genossen hatte und sich erst in reifem Alter als gescheiterter Geschäftsmann dem Gartenbau zuwendete. Seine Auftraggeber waren Freunde aus gehobenen Gesellschaftsschichten.

Repton war mehr an sozialer Nutzung als an Ausblicken interessiert und definierte das Verhältnis zwischen Gärtnerei und Malerei

nicht weniger als 200 Gärten entworfen, meist in den Home Counties und den Midlands. Neben Blenheim sind Syon Park in London, Doddington House in Gloucestershire, Ugbrooke in Devon, Burghley in Northamptonshire, Chatsworth House in Derbyshire und Longleat in Wiltshire der Öffentlichkeit zugänglich.

Nicht alle jedoch waren von Browns Werken angetan. Vielen mißfiel der „rasierte Rasen" und die eintönige Auswahl der Bäume (er verwendete bis auf die libanesische Zeder nur einheimische Arten). Blumen waren ganz in den Küchengarten verbannt. Ein Kritiker verstieg sich gar zu einer Satire, in der er Browns Parklandschaften verglich mit „Seiten grünen Papiers, auf denen Klumpen ver-

neu. Sie waren für ihn nicht „Schwesterkünste, sondern eher Ergänzungen wie Mann und Frau — und es ist gefährlich, die bestehenden Unterschiede verwischen zu wollen." Unter Mißachtung kontinental beeinflußter Planer wie Burlington, Kent und Temple, verhalf er den regelmäßigen Formen (ähnlich dem alten Tudor-Garten) zu neuer Anerkennung. Den Park verlagerte er zurück und ordnete den sozialen Raum Garten mit Terrassen, Blumenbeeten und Wintergärten wieder dem Haus zu. Der Roman *Mansfield Park* von Jane Austen vermittelt einen typischen Eindruck, welchen sozialen Nutzungen eine Repton Landschaft zugeführt werden konnte. Sein Gefühl für soziale Zusammenhänge führte denn auch dazu, daß er mit der

Gestaltung vieler Plätze in London beauftragt wurde. Arbeiten von Repton sind Cobham Hall in Kent, Sezincote in Gloucestershire und Attingham Park in Shropshire.

Chinoiserien

Etwa zur gleichen Zeit machten sich orientalische Strömungen, wie Londons Kew Gardens von Sir William Chambers bezeugen, bemerkbar. Das Bemühen, die Gärten wieder zu beleben, war unverkennbar. Pagoden, Rasenflächen für das Bowlingspiel, Muschelgrotten und blühende Büsche beschworen sowohl die alten Tugenden als sie die Errungenschaften moderner Kultur betonten.

Das romantische Auge des beginnenden 19. Jahrhunderts schließlich verlangte nach der hehren Erhabenheit von Bergzügen und

dramatischen Ausblicken. Andererseits jedoch erwachte eine Vorliebe für den sorgsam gepflegten Landhausgarten. Von Gartengemüse, Obstbäumen und prangenden Blumenbeeten charakterisiert, erwarb dieser sich bald den Status einer eigenen Gartenform. Kletterrosen und andere Rankengewächse umhüllten das Landhaus mit einem grünbunten Schleier. Hidcote Manor in Gloucestershire, aus dem 20. Jahrhundert, steht beispielhaft für einen solchen Garten. Der National Garden Trust in der Londoner Belgrave Street hat eine Liste mit über 1000 privaten Landhausgärten aufliegen, die man besuchen kann.

Mit Beginn des Viktorianischen Zeitalters beschäftigten sich Gartenarchitekten wieder intensiver mit Details, insbesondere den Blumen, die Brown vernachlässigt hatte. Einer Phase begeisterten Experimentierens folgte der Import vieler neuer Arten durch Sammler wie David Douglas, William Cobb und Robert Fortune. Bald darauf errichtete man überall die bis heute typischen Gewächshäuser, in denen die fremde Flora mit heimischen Arten gekreuzt wurde.

Einigen jedoch ging das ungehemmte Streben der Viktorianer, die Gärten gleich ihren überladenen und engen Salons zu verschönern, zu weit. Jede verfügbare Gartenecke wurde mit Urnen, Statuen und anderem Nippes vollgestopft, so daß der Englische Garten nun zu einem Sammelsurium von Farben und Dekoration geraten war.

Mäßigende Einflüsse

Eine Reaktion auf derartige Extravaganzen blieb nicht aus. William Robinson und Gertrude Jekyll wandten sich wieder den weniger ins Auge springenden Reizen des Landhausgartens zu. Wie Repton vor ihnen, hielten sie die Beziehung zwischen Haus und Garten für sehr wichtig. Ihre Gärten von Gravetye in Sussex, Munstead Wood in Surrey und Knebworth House in Hertfordshire sind wahre Meisterwerke berechnender Zufälligkeit, die zurückhaltende Farbfolgen mit ausgeklügelter Formgebung in anheimelnden Stil kombiniert.

Auch in diesem Jahrhundert hat der Gartenbau nichts von seiner Anziehungskraft auf den schöpferischen Geist und den begeisterten Amateur eingebüßt. Wie schon Repton und Brown schufen sich in den 30er Jahren Vita Sackville-West und Harold Nicolson mit dem Garten von Sissinghurst Castle ein ihrem gesellschaftlichen Umgang entsprechendes Umfeld. In der formalen Gestaltung den Gärten der Tudors und Stuarts ähnlich, faßt Sissinghurst in vieler Hinsicht alle wesentlichen Merkmale des Englischen Gartens — und vielleicht des englischen Charakters — zusammen, die dieser über die Jahrhunderte aufzuweisen hatte. Die strenge Regelmäßigkeit der Beete wird durch die lockere, manchmal ans Exzentrische grenzende Pflanzenauswahl gemildert. Und obwohl sich Sissinghurst eng an heimische Traditionen anlehnt, ist er doch bereit, die unterschiedlichsten Einflüsse aus aller Welt aufzunehmen — und das alles, damit sich der Betrachter am einzigartigen ,,Geist des Ortes'' erfreuen kann.

Links: Chinesische Pagode in Londons Kew Gardens. Rechts: Tropen und Klassik in Kew.

VON ‚SCHÄNKEN UND EINKEHREN‘

„Wir speisten zu Abend im ausgezeichneten Gasthof von Chapel House, wo sich Dr. Johnson über das Glück Englands ausließ, Schenken und Einkehren zu besitzen, und dadurch über die Franzosen triumphiere, die in keiner Weise ein Wirtshausleben hätten... ‚Nein Sir: Keiner Erfindung der Menschheit ist es bisher gelungen, so viel Freuden zu bereiten, wie es eine gute Wirtschaft kann.‘ “
James Boswell, *Life of Johnson*

Die beste Kneipe Englands (im folgenden besser als Pub bezeichnet) heißt The Moon Under Water und versteckt sich in einer unscheinbaren Seitenstraße einer alten nordenglischen Industriestadt. Zu seiner unnachahmlichen Atmosphäre trägt eine Vielzahl von Elementen bei: einmal die Gäste, meist Stammkunden, die nicht nur wegen des Biers, sondern ebenso wegen der Gespräche kommen; zum anderen die unverfälschte viktorianische Einrichtung mit dunklem Mahagoni, verzierten Spiegeln und geschliffenem Glas, gußeisernen Kaminen und einer von Jahrzehnten der Nikotinablagerung gelbbraunen Decke. Alles zusammen schafft jene unvergleichliche Kombination aus solider Bequemlichkeit und viktorianischer Überladenheit.

Dieses Pub bietet gute, ehrliche Hausmannskost zu Preisen an, die für ein Restaurant ruinös wären, und natürlich Spiele, insbesondere Darts, das englische Wurfpfeilspiel. Die Bedienungen kennen alle Gäste beim Namen, welche im Sommer ihr Bier unter schattigen Platanen im hübschen Garten trinken.

Im Moon Under Water findet man keine modernen Errungenschaften, keine Musikbox und kein Klavier, keine vorgetäuschten Balken an der Decke und Tische mit Glasplatten. Es ist immer ruhig genug, um ein gutes Gespräch führen zu können und sei es nur über das ausgezeichnete, herkömmlich gebraute englische Bier und seinen günstigen Preis.

Aber das Moon Under Water existiert nicht, hat nie existiert. Es ist der Phantasie von George Orwell entsprungen, der sich vor 50 Jahren der unablässigen englischen Träumerei vom perfekten Pub hingab. In England und Wales gibt es mehr als 70 000 Pubs, zusätzlich noch ein paar Tausend in Schottland.

Das „gute“ Pub

Was ein ideales Pub kennzeichnet, hängt vom persönlichen Geschmack und bestimmten Vorlieben ab und bleibt meist unerreicht. Es gibt jedoch einige genau definierte Kriterien, die ein „gutes“ Pub ausmachen. Sie stehen in der jährlich erscheinenden englischen Biertrinkerbibel *Good Beer Guide* von Michael Jackson:

„In einem ‚guten‘ Pub wird sehr viel Wert auf die Pflege der Getränke, insbesondere auf das Bier gelegt. Geselligkeit beiderseits der Theke ist fast ebenso wichtig. Ein gutes Pub hat ein aufmerksames, entgegenkommendes Individuum und nicht einen desinteressierten Schmeichler oder anmaßenden Narren zum Wirt. Welche Leistungen auch angeboten werden, in einem guten Pub gibt es immer einen Schankraum (besser noch zwei), in dem sich diejenigen aufhalten können, die einfach trinken und sich unterhalten wollen. Ein gutes Pub fördert den geselligen Austausch und wird nicht von Cliquen beherrscht. Schließlich sollen Unterhaltungsdarbietungen und Restaurantbetrieb unaufdringlich und nicht belästigend sein.“

Jedes Land hat seine Lokale, keines jedoch kommt der Institution des englischen Pubs gleich. Weder das französische Café, in dem die Gäste Passanten beobachten und Kaffee den gleichen Rang wie Alkohol hat, noch die American Bar, ein Etablissement mit befangener Atmosphäre, so als ob es die Zeiten der Prohibition noch in den Knochen spüre. Allenfalls die deutsche Kneipe kann noch den Anspruch auf Gleichwertigkeit anmelden. Schwieriger zu beantworten ist die Frage, was ein englisches Pub *ist*. Eine Antwort könnte sein, daß ein Gast das englische Pub nicht aufsucht, um sich zu betrinken. Kommt es dennoch dazu, war es nur ein Nebeneffekt der schönen Stunden, die er darin verbracht hat.

Geschichtliches

Die Römer hatten ihre *tavernae,* Wein- und Metschenken entlang der Straßen zur Versorgung von Reisenden ohne Nachtquartier. Die englischen Sachsen des 8. und 9. Jahrhunderts übernahmen die *taverna*-Idee nur zu gerne, so daß sich bereits 959 König Edgar beklagte, daß es zuviel davon gäbe. Er verfügte deshalb, daß in jedem Dorf nur ein Ale-Ausschank zuzulassen sei. Bis auf den heutigen Tag ist ein englisches Dorf ohne Pub schlicht arm, unzivilisiert, ohne Wärme und außerordentlich langweilig.

Der Begriff „Pub" ist eine Abkürzung von „public house" („öffentliches Haus") und rührt wohl daher, daß frühe Wirte ihr in der Küche gebrautes Bier an der Haustür oder in der Stube ausschenkten. Um auf den Ausschank aufmerksam zu machen, befestigte der Besitzer in frühen Zeiten einen Immergrünzweig an einer Stange am Haus.

Sächsische Pubs sind nicht erhalten geblie-

lauten die häufigsten Pub-Namen The Crown („Die Krone") und The Kings Arms („Die Waffen des Königs") unmittelbar gefolgt von den Namen einzelner Herrscher, z.B. The George, The Victoria and Albert.

Als die Zeit der Postkutschen kam, spezialisierten sich einige Pubs auf die Erfrischung von Reisenden und die Versorgung von Pferden. Bestes Beispiel ganz Englands hierfür ist The George in Southwark am südlichen Londoner Themseufer, ein Prachtbau mit Stallungen und Galerien. In der Nähe lag Shakespeares ursprüngliches Globe Theatre, und es ist zu vermuten, daß dieses in der Tat eine Weiterentwicklung der Unterhaltungsdarbietungen für die Reisenden war. Ebenso sind die Musik- und Schauspielaufführungen in viktorianischen Pubs die Geburtsstunde der

ben, aber viele der ländlichen Schenken stammen aus dem 15. und 16. Jahrhundert. An Anwärtern auf den Titel „ältestes Pub Englands" besteht kein Mangel. Größere Aussichten hierauf als andere hat sicherlich das Trip To Jerusalem („Reise nach Jerusalem"), ein Pub, das seit mindestens dem 13. Jahrhundert, der Zeit der Kreuzzüge, in Betrieb ist und aus den Felsen unterhalb von Nottingham Castle gehauen wurde. Sein Ursprung geht auf klösterliche Traditionen zurück, für Pilger Zufluchten bereitzuhalten. Nach dem Bruch Englands mit dem Vatikan im 16. Jahrhundert jedoch hielten es viele solcher Wirte für sicherer, auch äußerlich zu zeigen, daß sie auf der Seite des Königs standen und tauften ihre Häuser um. Seitdem

englischen Music Hall, des musikalischen Varietétheaters gewesen.

Ende des 17. Jahrhunderts entstanden in den großen Städten Coffee Houses, in denen Geschäfte abgeschlossen und die Konversation gepflegt wurde. Viele schenkten später auch Alkohol aus und einer der hervorragendsten Zeugen dieser Zeit ist The Old Cheshire House in der Fleetstreet in London. Einst Samuel Johnsons „Wohnzimmer", ist es heute das „Wasserloch" für die Londoner Zeitungsleute.

Links: Brauereiwagen der über 200 Jahre alten Henley-on-Thames-Brauerei. Rechts: Ein typisch ländliches Pub.

Viktorianischer Glanz

Wie vieles andere in Großbritannien erreichte das Pub seinen Höhepunkt zu Zeiten von Königin Victoria. Trotz aller Anstrengungen phillisterhafter Brauereien, die Pubs zu „modernisieren", bleibt England immer noch mit ungezählten viktorianischen Pubs und ihrer üppigen Einrichtung gesegnet. Dem Aufstieg Englands zu imperialer Größe wollten viktorianische Wirte in nichts nachstehen, um sich von billigen Schnapsläden und Stehschenken abzuheben. Der Einsatz von Mahagoni und Messing, Marmor und Keramik, geschliffenem Glas und verzierten Spiegeln fand kein Ende. Wie das neue elektrische Licht doch herrlich leuchtete und reflektierte!

Juwel ist das Red Lion in der Red Lion Street, die von der Jermyn Street abzweigt. In dieser Miniaturausgabe eines Pubs proben Spiegel und geschliffenes Glas, Mahagoni und Messing buchstäblich den Aufstand.

Hauptsache an einem Pub ist das vermittelte Intimitätsgefühl. Ein Pub muß Winkel und Verstecke, Ecken und Nischen haben, in denen Gespräche stattfinden und Bestellungen aufgegeben werden können, ohne daß alle Welt zuhört.

In einigen viktorianischen Pubs, wie The Lamb in Lamb's Conduit Street, sind „Snob Screens" installiert, Sichtblenden aus geschliffenem Glas, die vor neugierigen Augen schützen ohne an der Bestellung des nächsten Drinks zu hindern.

Viele der schwelgerischen viktorianischen Pub-Einrichtungen findet man außerhalb Londons. The Philharmonic Dining Rooms in Liverpool haben derart luxuriös mit rosafarbenem Marmor und poliertem Kupfer ausgestattete Männertoiletten aufzuweisen, daß Damen schon um Besichtigungstouren nachgefragt haben (nach Geschäftsschluß versteht sich).

Weiter zu erwähnen sind The Vines, ebenfalls in Liverpool, Bennet's Bar neben dem King's Theatre in Edinburgh und The Black Friar („Schwarzer Mönch"), in der Nähe des Londoner Mermaid Theatre, eine besonders skurrile Mischung aus Jugendstil und viktorianischen Elementen. Ein anderes Londoner

Sperrzeiten — oder wann man trinken darf

Sperrzeiten sind das große Schreckgespenst für das englische Pub — besser für den trinkenden Engländer. Bis zum Ersten Weltkrieg standen sie im Belieben des Wirts, während der Kriegsjahre jedoch befürchtete der damalige Premierminister Lloyd George, daß Trunkenheit den Ausstoß der Munitionsfabriken verlangsamen könnte und verfügte, daß Pubs nur während bestimmter kurzer Zeiten geöffnet werden durften. 70 Jahre nach Beendigung dieses Krieges hat sich daran wenig geändert, wenn auch ernsthafte Bestrebungen hierzu im Gange sind. Die genauen Öffnungszeiten variieren je nach Landstrich, als allgemeine Regel jedoch gilt, daß Pubs von 11.00 bis 14.30 oder 15.00 Uhr und von 17.30 oder 18.00 bis 22.30 bzw. 23.00 Uhr geöffnet sind. Die meisten Londoner Pubs sind von 11.00 bis 15.00 Uhr und von 17.00 bis 23.00 Uhr geöffnet, eine großzügige Regelung, wenn man bedenkt, daß in den Geschäftsvierteln einige bereits um 21.00 Uhr (z.B. The Old Cheshire Cheese) schließen. Die Geschäftskundschaft sitzt dann bereits in den Vorortzügen, um im heimischen Pub weiterzutrinken.

Wie die Sperrzeiten auch immer aussehen, sie sind unumstößlich. Es nützt nichts, gegen die Tür zu hämmern oder durchs Schlüsselloch zu schreien, daß man am verdursten ist. Selbst wenn das Pub noch geöffnet ist, der Wirt aber bereits die Sperrstundenglocke ge-

Die meisten Pubs haben mindestens zwei getrennte Schankräume, die „public bar" und die „lounge bar" aufzuweisen. In ersterer geht es nur ums Trinken, letztere ist mit jener englischen Auslegeware und eher viel Plüsch ausgestattet. Der Preisunterschied beträgt nur ein paar Pence pro Glas.

Wer trinkt was?

Die „public bar", sagen einige, sei für ernsthafte, meist männliche Trinker oder Werktätige in schmutzigen Arbeitskitteln vorgesehen. Sie wird meist ein Darts-Brett aufweisen, denn Darts ist immer noch das populärste Pub-Spiel, obwohl Pool-Billard im Kommen ist. In der „lounge bar" hingegen setzt man sich hin. Manchmal gibt es ein

schlagen hat, muß man sehr viel Glück haben, um noch einen Drink zu ergattern. Das Gesetz räumt dem Gast gerade 10 Minuten ein, um sein Glas auszutrinken. Das Signal zum Aufbruch gibt außer der Glocke ein Handtuch, das über die Zapfhähne geworfen wird. Sehr gute Pubs lassen den Gast etwas länger verweilen, wenn auch die Rufe, „Time, please!" immer lauter und schneller.

Wie in vielen anderen Bereichen sind die Schotten hier ihren englischen Vettern um einiges voraus. Bis 1970 waren die Sperrzeiten noch restriktiver, seitdem aber haben viele schottische Pubs den ganzen Tag und manchmal bis in die frühen Morgenstunden geöffnet.

Klavier oder eine Musikbox. Das sind allerdings Abirrungen, denn Pubs sind vornehmlich (außer zum Trinken) für das Gespräch bestimmt.

Einige Pubs, wie das vormalige Varietétheater Pinder of Wakefield (Kings Cross, London), haben sich auf Musik spezialisiert, was in einer Großstadt nicht störend wirkt — oft sind es nur einige Schritte zum nächsten Pub —, auf dem Land jedoch, wo man bis ins nächste Dorf fahren muß, müßte Musik in der Tat als grobe Lärmbelästigung aufgefaßt werden.

Wer darf ein Pub betreten? Nun, eigentlich jeder, dessen Religion es erlaubt. Zwar schreibt das Gesetz vor, daß niemand unter 14 Jahren hinein darf, und alle zwischen 14 und 18 von Erwachsenen begleitet sein müssen und keine Spirituosen trinken dürfen. Insbesondere auf dem Land aber, wo auch Familien willkommen sind und einige Pubs separate Räume für Kinder eingerichtet haben, steht das mehr oder weniger auf dem Papier. Viele haben auch Gärten, in denen Kinder fast immer akzeptiert werden.

Frauen können selbstverständlich auch ohne Begleitung ein Pub betreten, in einigen Landstrichen würden sie jedoch davon absehen. Die Vorstellung von der Gleichheit der Geschlechter ist nicht überall — sagen wir in Tyneside — soweit fortgeschritten wie in London. So! Das Pub hat geöffnet, wir sind über 18, drinnen, was trinken wir dann? Die Antwort in einem englischen Pub muß englisches Bier heißen.

Traditionelles englisches Bier war in den 50er und 60er Jahren fast ausgestorben. Sein Nachteil ist, daß es Können und Pflege seitens des Wirts in Lagerung und Ausschank bedarf. Zeitweilig setzten die großen Brauereien auf das ,,keg''-Bier, ein Bier, das in der Brauerei pasteurisiert und in Fässern versiegelt wird, bevor es in die Pubs kommt. Dort wird es dann aus schicken, beleuchteten Zapfvorrichtungen mit Hilfe von Kohlendioxyd ausgeschenkt. Es bietet gleichbleibende ,,Qualität'', ist hygienisch und leicht auszuschenken, hat aber auch keinen Geschmack und Charakter — und ist teuer! Die Verbraucher wehrten sich mit einer Kampagne, die zu den erfolgreichsten der Neuzeit zu rechnen ist, der ,,Campaign for Real Ale''.

,,Real'' (,,echtes'') Ale hat ein bemerkens-

Gutes, traditionelles englisches Bier ist anders als anderes Bier. Fast jedes andere Land braut ein Bier, das die Brauerei zu Ende gebraut und es somit trinkfertig ausliefert. Englisches Bier dagegen lebt und fermentiert noch, wenn es in den Pub-Keller kommt und wird zu eben diesen Kellertemperaturen ausgeschenkt. Englischem Bier wird keine Kohlensäure zugesetzt und ausschließlich aus Gerste, Hopfen und reinem, klaren Wasser gebraut. Seine Verleumder bezeichnen es als flach, warm und dünn.

wertes Comeback erlebt. Die Mehrzahl der Pubs hat wieder die alten Handpumpen installiert und gelernt, dieses lebendige Gebräu zu hegen und zu pflegen. Wenn heute der Gast nach ,,a pint of bitter'' fragt, kann er damit rechnen, den echten Artikel zu bekommen.

Echter Stoff sollte golden- oder strohfarben sein und — gegen das Licht gehalten — kristallklar. Englisches Bier wird als ,,bitter'' bezeichnet und weist verschiedene Stärkegrade auf. Mittelstark und durchschnittlicher Qualität ist das ,,best bitter'', während ,,premium bitter'' stärker ist und — von einigen Brauerein zumindest — mit Sorgfalt und Respekt behandelt wird. In London sind Young's Special, Fullers' ESB, Greene King

Links: Sommerliches Pub in der Nähe von Covent Garden. Oben: Geselligkeit des Thekenpersonals ist äußerst wichtig.

Abbot Ale, Courage Directors' Bitter und Whitbread Flowers dazuzurechnen.

Das heutige englische Bier ist nicht allzu stark. Der durchschnittliche Biertrinker will sich auch gar nicht so schnell wie möglich vollaufen lassen. Das Bier sollte so stark sein, daß es ihn eher milde stimmt als hilflos macht.

Neben „bitter" gibt es in allen Pubs „stout". Stout ist ein Bier mittlerer Stärke, das aus gerösteter Gerste hergestellt wird. Das beste Stout ist sicherlich Guinness, der — in der Meinung vieler — wesentliche Beitrag Irlands zur Zivilisation. Seine in Flaschen gefüllte Variante mit dem trockenen, nußartigen Geschmack und der leichten, feinen Bitterkeit ist ohne Frage eines der hervorragendsten Biere dieser Welt.

In allen Pubs wird auch „lager" verkauft, ein alles in allem schändliches Getränk. Dieses, dem übrigen europäischen — etwa deutschem — vergleichbare Bier hat in seiner britischen Ausgabe ein bißchen weniger Geschmack als ein Glas Wasser und ist um ein gutes Stück teurer. Nur ganz Durstige oder Schüchterne sollten sich daran wagen, auch wenn es eine Bezeichnung wie „Heldenbrau" trägt (Ausnahmen ausgenommen).

Alle Pubs schenken eine große Bandbreite von Spirituosen aus, und die meisten verkaufen auch Wein. Aber ein Pub ist kein Ort, um Wein zu trinken. Das Angebot ist mittelmäßig und ohne jede Auswahl. Die meisten haben auch etwas zu Essen, wobei sich der Standard in den letzten Jahren erheblich verbessert hat. Einfache, aber ausgezeichnete Kost findet man häufig, aber keineswegs überall. Viele Pubs bieten zur Mittagszeit warme Gerichte an (abends allerdings seltener), am sichersten geht man mit dem bewährten „Ploughman's Lunch" (bedeutet etwa „Landmanns Mahlzeit"), bestehend aus einem großen Stück frischen braunen (englischen!) Brotes, einer großzügigen Scheibe reifen, englischen Cheddarkäses, „pickled onions" (in gewürztem Essig eingelegte Zwiebeln) und einer Reihe von Garnierungen. Sättigend und labend sollte es nicht mehr als ein „pint" (etwas mehr als ein halber Liter) Bier kosten, was zumindest in London bald ein Pfund bedeutet.

Einige ungeschriebene Regeln schließlich wollen in englischen Pubs beachtet sein. Man spricht die anderen Gäste nicht an, wenn sie es nicht wünschen. Auch im Pub achten Briten auf ihre Privatsphäre. Man besetzt die besten Plätze nicht mit einer Familie, die nur Coca Cola trinkt. Man gibt keine Lokalrunden aus (es sei denn, das eigene Pferd hat gerade das englische Derby gewonnen). Runden werden nur unter Freunden ausgegeben, falls man dazu gehört, wird erwartet, daß man mindestens einmal am Abend für Getränke sorgt („may I get you in?"). Man versucht nicht, nach dem Glockenschlag noch Getränke zu bekommen. Und man ruft dem Wirt oder dem Mann hinter der Theke keinen Abschiedsgruß zu, wenn man das Lokal verläßt. Das britische Pub ist ein durch und durch höflicher und ruhiger Ort.

Abgesehen davon, ist es wichtig zu verstehen, daß jedes Pub ein Individuum ist. Dies belegen schon folgende Namensbeispiele: The Hark to Bounty („Warten auf die Rückkehr der Bounty"), The Who'd Have Thought it („Wer hätte das gedacht"), The Frog And Nightgown („Der Frosch und das Nachthemd") oder The Three Moles („Drei Maulwürfe"). Weitere Namen, oft witzige Wortspiele und laszive Anspielungen, erklären Einheimische vor Ort gerne.

Pubs sind wesentlicher Bestandteil der Gemeinschaft, der sie dienen, sei dies ein Geschäftsviertel in London oder ein entlegenes Dorf in Cornwall. Und ohne sein „local", sein Stamm-Pub, kann sich ein Brite das Leben nicht vorstellen. Es wäre der Himmel auf Erden, könnte man lang genug verweilen, um sie alle zu besuchen.

Links: Der Pint schmeckt. Rechts: Schmiedeeisernes Pub-Schild. Die unendliche Vielfalt und Namen charakterisieren das englische Pub.

320

BRITISCHE POPKULTUR

Jeder war irgendwann einmal jung, aber nicht jeder war zu dieser Zeit auch ein Teenager. Von der Erwachsenenwelt in den 50er Jahren identifiziert und mystifiziert, hat sich diese Kreatur bis auf den heutigen Tag die Nächte mit Rock 'n' Roll, Twist, Frugg, Headbanger, Pogo und anderem mehr um die Ohren geschlagen.

Aufeinanderfolgende Wellen von Teenagern haben in Großbritannien ihre Gruppenidentität aus eigentümlich gemischten Lebensstilen und bestimmten Musikrichtungen geschmiedet — für Außenseiter in einer unentschlüsselbaren Weise.

Diese Jugendkulturen — von den Teddy Boys bis zu den Punks — schufen von der Erwachsenenwelt völlig unabhängige Lebensformen. Die Ankunft jeder neuen Welle versetzte Eltern, Presse und Politiker in Alarm, bis schließlich „die Jugend" einen ständigen Anlaß zur Sorge bot. Erklärungen aber, weshalb die Jugendlichen den Wegen der Erwachsenen nicht mehr folgen wollten blieben selten. Pete Townsend, der erste Gitarrist von The Who, fand vielleicht die treffendsten Worte: „Zwei Kriege haben früheren Jugendlichen Identifikationsbilder geliefert. Unsere Generation mußte sich etwas anderes suchen."

Die Teddy Boys

In der Nüchternheit des Nachkriegs-Großbritannien entstand der Teddy-Boy-Kult, Vorläufer aller späteren Jugendkulte. Nachdem sich die Kleidungsrationierung ihrem Ende zuneigte, kamen die Modeschneider der Savile Row zusammen, um den neuen Nachkriegsstil zu entwerfen. Sie wollten den jungen städtischen Gentleman in neu belebter edwardianischer Art einkleiden, mit langem Jackett, schicker Weste und engen Hosen. Ein Stil, der auch den halbseidenen Händlern mit Waren dunkler Herkunft aus dem Londoner East End gefiel. Nur fügten sie ihm einige wesentliche, elegante Verbesserungen zu, und der Teddy Boy-Stil war kreiert: Langes Jackett mit samtenen Kragenaufschlägen, Krawatten aus Schnürsenkeln und dazu Kreppsohlen-Schuhe, die man

„brothel-creepers" (etwa „Bordellschleicher") nannte.

Der Stil fand vor allem bei Teenagern der Arbeiterklasse Anklang. Ganzer Stolz war das wie aus dem Ei gepellte „gear" (etwa „Zeug") und sie sagten: „Auch wenn wir kein Geld haben, können wir uns immer noch so anziehen wie es uns paßt." Kein Ted, der etwas auf sich hielt, trat an die Öffentlichkeit ohne seine genau festgelegte Uniform. Fast ebenso wichtig war der Haarschnitt. Lange Koteletten krönte eine Stirnlocke, die stundenlanges geduldiges Zureden erforderte, damit sie sich in der Luft hielt.

Die Teds waren zwar alle herausgeputzt, konnten jedoch nirgendwo hingehen. Sie waren meist zu jung, um in die Tanzpaläste Einlaß zu finden, in denen „Big Bands" und „Swing" die Älteren unterhielten. Und nur an Straßenecken herumzuhängen war auf die Dauer nicht auszuhalten. So nahm es nicht Wunder, daß sich ihr aufgestauter Frust in Vandalismus und Straßenschlachten entlud. Ein neues Wort machte bald die Runde — „Jugendkriminalität".

Schlimmer noch kam es für das Establishment, als sich die Teds 1956 mit dem Rock 'n' Roll verbanden. Bei Aufführungen von Bill Haleys Film *Rock Around the Clock* tanzten die Teds überall in Großbritannien in den Kinoreihen — naheliegend denn Rock 'n' Roll erwies sich als gute Begleitmusik zum Kinositzeausreißen.

Nach diesen Gesetzesverfehlungen war die Öffentlichkeit endgültig davon überzeugt, daß die „Ausreiß-Teds" eine drohende Gefahr für die Gesellschaft darstellten. Bill Haley, dessen *Rock Around the Clock* zur Nationalhymne der Teds wurde, fand sich unversehens als Anführer einer Jugendrebellion wieder und versuchte das Rock 'n' Roll-Problem herunterzuspielen: „Es ist doch nur Unterhaltung", sagte er damals, „die Jungs wollen doch bloß ihren Überschwang bei einem guten Beat loswerden. Außerdem kommen sie dabei nicht auf dumme Gedanken." Leserbriefe an die Zeitungen zeigten jedoch, daß es nichts Gefährlicheres gab als diese „gesetzlose" Musik.

Elvis besteigt den Thron

Nach 1956 wurde Bill Haley als Volksfeind Nr. 1 von einer weit größeren Gefahr von jenseits des Atlantiks abgelöst — von Elvis

Zwei Meilensteine britischer Pop-Kultur. Live-Aid Konzert, Juni 1985 (vorhergehende Seiten) — und drei Jahrzehnte zuvor „Teddy Boys".

Presley. Der wirbelnde „Elvis, the Pelvis" („das Becken") hatte bereits Schockwellen durch Amerikas Moralhütergilde geschickt. Bei Fernsehaufnahmen durfte er nur von der Hüfte an aufwärts gezeigt werden.

Als in Großbritannien „Heartbreak Hotel" und „Blue Suede Shoes" herauskam, wurde Elvis auf der Stelle zum Idol der Teds. Sein überhebliches Auftreten, seine explodierende Energie und unverhüllte Sexualität personifizierten die eigenen antiautoritären Gefühle.

Die britische Schallplattenindustrie erkannte schnell das Verkaufspotential des Rock 'n' Roll und machte sich auf die Suche nach einer englischen Antwort auf Elvis. Tommy Steele mit „Rock with The Caveman" war der erste einheimische Rock 'n'

Jugendliche Kaufkraft

Ende der 50er Jahre wurde sich die Schallplatten- und Bekleidungsindustrie des großen und einträglichen Teenager-Marktes bewußt, der nur darauf wartete, ausgebeutet zu werden. 1959 gab es in England fünf Millionen Teenager, von denen vier Millionen zur Arbeit gingen. Ihre Löhne waren zwischen 1945 und 1960 doppelt so schnell gestiegen wie die ihrer Eltern. Die Aufdeckung dieser Tatsache brachte den Schriftsteller Colin MacInnes zu der Aussage: „Wir sind heute Zeugen eines in der Geschichte bis dahin unbekannten Phänomens — die Jugend ist reich".

Die Jugend war nicht nur reich, sie wollte das Geld auch ausgeben. Cathy McGowan,

Roller in den Hitparaden. Sein Erfolg war ein Werk des Musik-Managers Larry Parnes, der mit Billy Fury und Marty Wilde bald darauf ebenfalls die Hitparaden stürmte.

Hilflos mußten die Teds mitansehen, wie ihre Musik von blassen Imitationen heruntergedreht und gezähmt wurde. Ihrer Subkultur konnte nichts Schlimmeres passieren, als daß die zuvor subversive und aggressive Außenseitermusik nun allgemein akzeptiert wurde.

Das kurze, aber aufrüttelnde Rock 'n' Roll-Terrorregime der Teds hatte die Öffentlichkeit mit der Existenz eines unabhängigen und aufmüpfigen Teeangers bekannt gemacht, aber nun auch mit der profitablen Seite der Sache.

Moderatorin der ersten britischen Pop-Fernsehsendung *Ready Steady Go,* beschrieb die Jetzt-Leben-Jetzt-Ausgeben-Philosophie der Jugendlichen so: „Der größte Fehler ist, anzunehmen die Jugend würde so schnell wie möglich erwachsen werden wollen. Nichts fürchtet sie jedoch mehr als alt zu werden, älter als 25. Danach kann … das Leben nur noch in immer gleichen Bahnen verlaufen. Und wer würde schon so etwas anstreben?"

Die Teenager waren nicht damit zufrieden, Pop-Musik löffelweise von der Plattenindustrie gereicht zu bekommen. Überall im Land

Oben: Beatles-Wahn. Rechts: Rolling Stones, die „Unterminierer öffentlicher Anständigkeit".

322

begannen sie eigene Bands zu gründen. Allein in Liverpool gab es 1960 über 300 Musikgruppen. Was als Imitation amerikanischen Rock 'n' Rolls begann, entwickelte sich in den zwei darauffolgenden Jahren zum frischen, optimistischen und romantischen „Mercey-Sound" (Liverpool liegt am Fluß Mersey). Unter diesen unzähligen Bands war eine, die sich, nachdem sie The Quarrymen, Wump and the Werbles und The Rainbows verworfen hatte, einen klingenden Namen gab — The Beatles.

Während sie noch in The Cavern Club spielte war ein junger Ladenangestellter mit Ambitionen als Musik-Manager namens Brian Epstein auf sie aufmerksam geworden. John Lennon sagte später dazu: „Brian steckte uns in Anzüge und wir kamen ganz,

Unterdessen wuchs im Schatten der Beatles in den Londoner Vororten Bromley und Ilford ein neuer Jugendkult heran.

Mods, Drogen und Mary Quant

Die ursprünglichen Mods waren Söhne aus der Mittelschicht mit genügend Geld für Müßigang und Vergnügen. Ihre fast besessene Wertschätzung anspruchsvoller, äußerer Erscheinung machte sie zu würdigen Nachfolgern der Teds. Gut geschnittene italienische Anzüge, gestrickte Krawatten und handgefertigte Schuhe waren wesentlicher Bestandteil ihrer Ausrüstung. Detailfragen, wie der Länge der Jackettschlitze, wurde höchste, ans Fanatische grenzende Aufmerksamkeit geschenkt. Ob sie zwei oder vier Zentimeter

ganz groß raus". Beginnend mit dem bescheidenen Hit „Love Me Do" 1962 verkauften die Beatles allein in den 5 Jahren danach über 200 Millionen Schallplatten. Die zweite Platte schon, „Please, Please Me", katapultierte sie auf den ersten Platz der Hitparaden, und der „Beatles-Wahn", wie es eine Zeitung nannte, erfaßte eine ganze Generation halbwüchsiger Mädchen. Die Beatles von 1962 waren beruhigend harmlos, auch wenn sie Massenhysterien und reihenweise Ohnmachtsanfälle auslösten wo immer sie standen und liefen. Sogar die Presse liebte die „Fab Four". „Man muß schon ein richtiger Holzkopf sein, um die verrückten/lauten/netten Beatles nicht zu mögen", hieß es damals im Daily Mirror.

lang sein sollten, war Gegenstand stundenlanger, heißer Debatten. Ohne Transportmittel war das hektische gesellschaftliche Leben der Mods nicht denkbar. Hierzu waren nur Motorroller der Marken Vespa und Lambretta zugelassen. Und um die kostbaren Anzüge auf den Ausfahrten zu schützen, wurde der eher schäbige Parka in den Stilkodex der Mods integriert.

Der Name Mods rührt von der anfänglichen Bevorzugung des amerikanischen Modern Jazz her. Bald jedoch spielte sich der besser tanzbare „Rythm and Blues" in den Vordergrund, eine Musik, die im Radio nie gespielt wurde. Dies traf sich insofern gut, als schwererhältliche Platten ein zusätzliches Gefühl von Exklusivität vermittelten. Mod zu sein, bedeutete jedoch viel mehr, als nur eine bestimmte Kleidung zu tragen und bestimmte Platten zu hören, es war eine Lebensauffassung. ,,Wer ein Mod ist, ist es 24 Stunden am Tag, auch am Arbeitsplatz'', faßte es einer zusammen.

Die Rolle des ,,Störers der öffentlichen Ordnung'', die seit den Teds vakant geblieben war, übernahmen die Mods 1964, als sie im südenglischen Seebad Clacton mit örtlichen Motorradfahrern zusammenstießen. Die Presse nahm das Ereignis zum Anlaß für die Schlagzeile: ,,24-Stunden-Terror durch Motorrollergruppen!'' Gleichzeitig wurden weitere Auseinandersetzungen für den nächsten Bankfeiertag vorausgesagt. Die Folge war, daß Mods aus ganz England in den Seebädern Brighton, Clacton und Margate auf-

Aspekt der Stones zunächst nicht viel anfangen konnten, verfielen auch sie, wie der Rest der britischen Jugend, dem Jagger-Zauber, als ,,Satisfaction'' auf den Markt kam. Ein Song, dessen Text über aufgestaute Frustration das Lebensgefühl einer ganzen Generation widerspiegelte.

Als 1965 The Who auf der Bildfläche erschienen, waren sie wie geschaffen für die Mods. Aggressive Musik war hier mit Texten gepaart, die ihre rebellischen Untertöne mit Stil vortrugen. Nicht ohne Absicht ließ der Manager der Gruppe verlauten, die Who gäben Unsummen für ,,scharfe'' Kleider aus und verbrächten alle 14 Tage drei Stunden beim Friseur.

Gewalt auf der Bühne wurde zum Markenzeichen von The Who. Am Höhepunkt eines

tauchten, um sich mit ihren neuentdeckten Gegner, den ,,Rockern'', anzulegen.

Die Rocker waren eigentlich nur Motorradfahrer, die sich nicht um Stil und Kleidung scherten. Ihre ölverschmierten Lederkombis jedoch störten das Stilgefühl der Mods, womit die Schlachtlinien für regelmäßige Kämpfe an den südenglischen Stränden gezogen waren. ,,Mods und Rocker'' wurde zum Synonym für gewalttätige Auseinandersetzungen.

1964 platzten die Rolling Stones mit ihrer Single ,,Not Fade Away'' auf die Szene und wurden sofort als ,,ungewaschene, schmutzige Unterminierer öffentlicher Anständigkeit'' gebrandmarkt. Obwohl die Mods mit dem ,,ungewaschenen und schmutzigen''

typischen Konzerts der sechziger Jahre zerschlug Pete Townsend seine Gitarre in tausend Stücke während Schlagzeuger Keith Moon seine Trommeln demolierte.

Der Schlüsselvers für die Mods stammte aus ,,My Generation'' von The Who, wo es heißt: ,,Hoffentlich sterb' ich bevor ich alt werd'''. Die nächtlichen Umtriebe der Mods schienen gut geeignet, diesen Wunsch zu erfüllen. Sie pumpten sich voll mit Amphetaminen, die so exotische Namen wie ,,Purpurnes Herz'' oder ,,Schwarzer Bomber'' trugen, um die endlosen Tanzorgien in ihren

Links: Vespas, Lambrettas und Parka, Elemente des Mod-Stils. Rechts: David Bowie, der Modetrendsetter.

Clubs durchzustehen. Nächtliche Hochburgen waren der Londoner Marquee Club und das Hammersmith Palais.

Ende 1965 war auch das Mod-Lebensgefühl zu einen gängigen Trend geworden. Die Betonung des Kleidungsstils jedoch wurde vom London der „swinging sixties" zu neuen Höhepunkten getragen. Mary Quant, eine Studentin am Goldsmiths College, erkannte als erste die Zeichen der Zeit. „Ich habe immer gewollt, daß die jungen Leute ihre eigene Mode haben, eine echte Mode des 20. Jahrhunderts". Ihre kühnen schwarzweißen Kreationen wurden in der ersten Boutique ausgestellt, die damals in der King's Road in Chelsea aufmachte.

Eine neue Art sozialer Elite erlebt zugleich im damaligen London ihre Geburtsstunde.

nahelegt. „Lucy In The Sky With Diamonds" soll eine versteckte Huldigung an LSD sein, so behauptete jedenfalls ein Kleriker.

Der Gebrauch von Drogen durch Pop-Stars rückte 1967 ins Rampenlicht, als Mick Jagger zwei Tage wegen Besitzes von vier Amphetamintabletten im Lewes-Gefängnis einsaß.

Die Hippie-Bewegung

Das Hippie-Phänomen erreichte London im Sommer 1967, angekündigt durch Scott McKenzies Single „San Francisco", die jedermann beschwor, Blumen in den Haaren zu tragen. „Flower Power" („Kraft der Blumen") wurde alsbald zum Schlagwort in der Carnaby Street, die sich in einen Bazar mit

Designer, Coiffeure, Fotomodelle, Fotografen, Mode- und andere Schöpfer bestimmten von nun an, was die Jugend zu tragen und zu kaufen hatte. Ihr Einfluß blieb in den sechziger Jahren jedoch zunächst ohne Bedeutung, verglichen mit dem der Beatles. Die Lieblinge der Presse von 1963 hatten sich inzwischen zu geschmähten Vorreitern der Hippie-Gegenkultur entwickelt.

Auf ihrer Amerika-Tournee 1965 waren die Vier mit Marihuana bekannt geworden. Die Legende erzählt, daß die „Pot" auf der Toilette von Buckingham rauchten, bevor sie ihre M.B.E. s („Member of The Order of The British Empire"-Orden) in Empfang nahmen. Sie experimentierten auch mit LSD, wie das ätherische Lied „Strawberry Fields"

Kaftans, Kuhglocken und Glasperlen verwandelte. Die britische Jugend wurde für einige kurze Jahre zum Teil einer internationalen Jugendbewegung, in der sich Drogen, östliche Religionen, Pazifismus, radikale Politik und der Wunsch zurück zur Natur zu einer losen Ideologie zusammengefügt hatten. Und Musik war das Bindemittel.

Die Musik der Beatles, der Stones, von Jimi Hendrix, Janis Joplin und ungezählten anderen wurde zur gemeinsamen Sprache einer ganzen Generation. Irgenwie glaubten alle, daß die Welt durch Musik zu verbessern sei. Den Höhepunkt erreicht die Hippie-Kultur 1969 beim unvergessenen Woodstock-Konzert, „drei Tage voller Musik, Frieden und Liebe". Die Konzerte, die folgten, liefen schon bald auf ganz anderen, kommerziellen Schienen. Der Traum von Freiheit und Nirwana war schnell ausgeträumt. Nur zwei Jahre nach Woodstock starben für ihren Traum Jim Morrison von den Doors, Jimi Hendrix und Janis Joplin, vermutlich an einer Überdosis. Das Auseinanderbrechen der Beatles 1970 war dann auch das bittere und symbolische Ende der Hippie-Bewegung.

„Glitter Rock" und „Supergroups"

Die utopischen Hoffnungen, die in den sechziger Jahren auf Rock- und Popmusik als Motoren für eine neue Welt projiziert wurden, wichen realistischeren Einschätzungen. Rock-Poet Lester Bangs: „Es war ein grundsätzliches Mißverständnis, in der popu-

aus Glasgow in Ohnmacht. Gary Glitter war übrigens ein abgewrackter Rocker namens Paul Raven, den ein Plattenfirmenangestellter überzeugt hatte, sich ein Silber-Lamé-Kostüm überzuziehen.

Während sich der Glitter Rock in den Single-Hitparaden breitmachte, wurden die Album-Charts („Langspielplatten-Hitparaden") von den Supergruppen des Rocks wie Led Zeppelin, Yes und Genesis übernommen. Diese erhielten sich eine geradezu mystische Aura, indem sie nie Singles auf den Markt brachten. Unter den Jeansgekleideten Mittelschicht-Anhängern dieser Gruppen kursierte der Begriff „progressive rock" („fortschrittlicher Rock"), den aber niemand zu definieren vermochte. Vielen schien sich dieser Fortschritt nur in fortschreitender

lären Musik etwas anderes sehen zu wollen, als eine genuin kapitalistische Unternehmung. Popmusik ist Unterhaltungsgeschäft, jede andere Interpretation barer Unsinn." Die neue Musik und Woodstock trennten Welten. Die Plattenindustrie bot nun Showbusineß-Blendwerk, Eskapismus und Spaß an. Als Marc Bolan, Gary Glitter, The Sweet und schließlich die Bay City Rollers 1971 die Hitparaden eroberten, und sie in den nächsten beiden Jahren beherrschten, markierte dies die Entdeckung eines noch jüngeren Publikus als bis dahin für möglich gehalten wurde. Die Bay City Rollers weckten Erinnerungen an den Beatles-Wahn. Armeen von „Weenyboppers" („Jungteenager") fielen im Kielwasser der vier Jungen

Gigantomanie ausdrücken zu wollen. Tourneen wurden zu Mammutunternehmen, bei denen sich der Erfolg an der Anzahl der eingesetzten Tieflader bemaß, die eingesetzt werden mußten, um die Ausrüstung durchs Land zu fahren. Auch die Schauplätze wurden größer, so groß, daß das bloße Auge überfordert war, den auftretenden Fleck auf der Bühne zu erkennen. Bei ihrem Konzert in Earls Court 1972 ließ Led Zeppelin deshalb eine große Filmleinwand aufstellen, damit die Fans die Gruppe auch zu Gesicht bekamen.

Die Gruppen wurden zu Millionen-Unternehmen, und ihr zurückgezogener Millionärslebensstil entfremdete sie den Fans. Ihre Projekte wurden immer großartiger und selbstbezogener, bis schließlich selbst die Musik-Presse müde wurde und Ausschau hielt nach „der nächsten großen Sache".

Geburt des Punk

Diese wurde währenddessen in einer Boutique namens Seditionaries („die Aufständischen") in der guten alten King's Road produziert. Vivienne Wetwood und Malcolm McLaren schufen die Sex Pistols. Vivienne erfand den „provokativen", „konfrontativen" Modestil, der sich durch Leder, Riemen, Reißverschlülle, Sicherheitsnadeln und anderes auszeichnete. Malcolm brachte seine Erfahrung als Musik-Manager ein, die er mit den New York Dolls gewonnen hatte, einer

Gruppe, die einen gewissen Bekanntheitsgrad durch ihr schickes kommunistisches Image erlangt hatte. Und fertig war der neue entsetzte Aufschrei: Punk!

In seinen „Zehn Erfolgslektionen für das Rock-Geschäft" schreibt Malcolm später wie man es macht: „Mach Dir Deine Gruppe, leg den Namen fest und verkauf' den Schwindel." Der Lead-Singer der Sex Pistols definierte Punk kurz und bündig: „Wir machen keine Musik, wir machen Chaos."

Links: Gary Glitter, der dem Pop eine neue leuchtende Dimension gab. Oben: Johnny Rotten, ehemals Star der Sex Pistols.

Trotz ihrer künstlichen Herkunft schufen die „Lieder" der Sex Pistols über Arbeitslosigkeit, Langweile und Gewalt in den Großstädten einen neuen Kult. Der Punk war aber auch schon die Musik einer neuen Generation. Die erste Generation von Rock-Anhängern war nun schon bald in den Bereich erwachsener Respektabilität entwachsen, und damit hatte sich auch die Musik auseinanderentwickelt. Auf der einen Seite lebten die „neureichen" Ausläufer von Woodstock weiter, während andererseits der Punk auf die weniger feine Herkunft des Rocks zurückverwies.

New Wave, ein schillernder Begriff, der später ganz gegenteilige Elemente aufnahm war jetzt das Schlagwort der Zeit. Auch die Musik-Kommentatoren waren desorientiert, weshalb sie zunächst einmal Punk zum Neuerwachen der Arbeiterklasse-Teenager hochstilisierten, so daß es oftmals schien, es gäbe mehr Kommentatoren als Punks. Der Punk-Kultur, die nur ganz bestimmte Segmente der Jugend erfaßte, rückte man mit allen möglichen Theorien zu Leibe, bis schließlich, zumindest in den Medien, nichts mehr von ihr übrig blieb.

Das Ende des Punk

Innerhalb von 18 Monaten war der musikalische Spuk vorbei. Bevor die Sex Pistols auseinandergingen, komponierten sie jedoch ein Abschiedslied, einen Abschiedsschuß in Form einer bissigen Version von „God Save the Queen", das im Jahr des 25-jährigen Krönungsjubiläums von Königin Elisabeth den zweiten Platz in den Hitparaden erreichte; und dies obwohl die BBC die Ausstrahlung verbot.

Nach dem Punk entdeckte die Jugend, daß sie eine eigene Geschichte hatte, und begann damit sich selbst zu wiederholen. Teds erlebten Ende der siebziger Jahre eine Wiederauferstehung, und Popper von heute sind durchaus mit den frühen Mods vergleichbar.

Ein relativ neuer Beitrag zum Stilkatalog des britischen Pop ist die feminine Person von Boy George. Dennoch ist er wohl eher der Sparte unkonventioneller Originale zuzuordnen, als daß hier ein neuer Kult entstanden sei. David Bowies spektakuläres androgynes Image war da ein Jahrzehnt früher von größerem Einfluß.

So schreibt denn der „Stil-Jäger" Peter York: „Die Jugendkultur hat sich in Tausende von Fragmenten aufgelöst, der Zusammenhalt, der sie früher prägte ist verloren gegangen".

KURZFÜHRER

Anreise

Auf dem Luftweg

Die meisten Linienflugzeuge landen auf dem Flughafen Heathrow an der Peripherie Londons. Eine Fahrt mit dem Taxi in die City kostet nicht unter 20 £ und dauert eine Stunde. Aber es gibt auch andere Möglichkeiten. Zum Beispiel Mietwagen, die man vorbestellen und bei Package-Tours vorausbezahlen kann. Am schnellsten und bequemsten kommt man in die City mit der „tube", der Londoner U-Bahn. Mit ihr erreicht man den Piccadilly Circus und viele andere zentrale Punkte, ohne irgendwann umsteigen zu müssen. Kostenpunkt: etwa 3 £. Ebenso günstig sind die von London Transport und anderen Unternehmen unterhaltenen Buslinien. London Transport bietet als besonderen Service drei **Airbus**-Zugverbindungen (A 1, A 2, A 3) zu allen drei Terminals in Heathrow, mit denen man schnell zu insgesamt 18 wichtigen Punkten in den Londoner Hotelzentren gelangt. A 1 führt direkt bis zur Victoria British Rail Station, A 2 zur Paddington British Rail Station, A 3 zur Euston British Rail Station.

Vom Flughafen Gatwick dauert die Taxifahrt über eine Stunde und ist entsprechend teuer. Deshalb empfiehlt sich ein Mietwagen oder die Fahrt mit dem British Rail Gatwick Express, der bis zur Victoria British Rail and Underground Station im Herzen Londons verkehrt.

Auf dem Seeweg

Es gibt zahlreiche Fährverbindungen zwischen England und dem europäischen Kontinent, so von Häfen in Norwegen, Schweden, Dänemark, Westdeutschland, Holland, Belgien und Spanien. Die bekanntesten Verbindungen sind die zwischen Calais, Boulogne, Dünkirchen, Ostende und Dover, Folkestone, Ramsgate auf englischer Seite. Fährschiffverbindungen werden von Sealink und anderen Transportunternehmen unterhalten. Zwischen Dover und Calais, Boulogne und Ostende verkehren auch Hovercraftschiffe der Hoverspeed. Fährschiffe verbinden auch Liverpool und Belfast bzw. Dublin. Weitere Verbindungen: Larne — Stranraer/Cairnryan (Schottland); Dun Laoghaire — Holyhead (Wales); Rosslare — Fishguard (Wales).

Reiseveranstalter

Eine Liste der deutschen Reiseveranstalter finden Sie im Anhang auf S. 354.

Reiseinformationen

Einreisebestimmungen

Der Personalausweis genügt für Reisende aus der Bundesrepublik, aus Österreich und der Schweiz, so sie nicht länger als sechs Monate im Inland bleiben wollen.

Zoll

Beschränkungen hinsichtlich der nach Großbritannien eingeführten Geldmenge gibt es nicht. Nicht eingeführt werden dürfen: Pflanzen, Gemüse, Fleisch, Drogen, Tiere, Waffen und Munition. Bei der Einreise von Irland oder Nordirland aus muß man mit Zoll- und Sicherheitskontrollen rechnen.

Europäische Staatsangehörige können zollfreie Tabakwaren in folgenden Mengen bei sich führen: 200 Zigaretten oder 100 Zigarillos oder 50 Zigarren oder 250 g Tabak. Nichteuropäern ist die doppelte Menge erlaubt. Bei Getränken sind folgende Mengen zulässig: eine Flasche Schnaps oder zwei Flaschen Weinbrand zuzüglich zwei Flaschen Wein. 50 g Parfüm zuzüglich neun Unzen Gesichtswasser. Hinzukommen dürfen Waren im Wert bis zu 28 £. Bei Einreise von EG-Ländern gelten folgende Warenmengen: 300 Zigaretten oder 150 Zigarillos, 5 l Wein, 1,5 l Spirituosen, 75 g Parfüm, Waren bis zum Wert von umgerechnet 780 DM.

Gepäck

Bei den meisten Fluggesellschaften dürfen First-Class-Passagiere zwei Gepäckstücke als Handgepäck mit sich führen, deren jeweilige Gesamtabmessung (Länge + Breite + Höhe) 265 cm nicht überschreiten darf. Auch Passagiere der Economy Class dürfen zwei Gepäckstücke mit sich führen, allerdings nur mit einer jeweiligen Gesamtabmessung von 155 cm. Das Restgepäck darf für beide Klassen die Gesamtabmessung von 22 x 35 x 55 cm nicht überschreiten. Jedes zusätzliche Gepäckstück kostet auf internationalen Flügen mindestens 50 £. Die Gepäckbestimmungen sind bei Charterflügen und Schiffsverbindungen unterschiedlich.

Währung und Geldwechsel

Das englische Pfund ist eine Dezimalwährung mit 100 Pence. Münzen gibt es in folgenden Einheiten: 50 Pence (p), 20 p, 10 p, 5 p, 2 p und 1 p. Banknoten sind im Umlauf zu 50, 20, 10, 5 und 1 £. Es gibt keine Einfuhrbeschränkungen für Geld in welcher Währung auch immer. Die Wechselkursraten sind bei Travellerschecks etwas ungünstiger. Gerade in letzter Zeit schwanken die Wechselkuse ständig. Sie sollten sich deshalb vor Ihrer Einreise nach dem jeweiligen Stand erkundigen.

Am günstigsten ist es, wenn Sie Ihr Geld bei einer Bank umtauschen. Zwar wird dafür eine Gebühr erhoben, aber dabei kommen Sie immer noch besser weg als bei einem der zahlreichen *Bureaux de Change* in den Touristengebieten. Bei Banken haben Sie auch die Gewähr, zum offiziellen Wechselkurs umtauschen zu können.

Es ist ratsam, schon bei der Ankunft eine bestimmte Menge englisches Geld bei sich zu haben. Denn nicht immer sind Banken und Wechselstuben bei Ihrer Ankunft geöffnet oder leicht erreichbar. Vielleicht brauchen Sie aber englisches Geld sofort, sei es für Essen, Verkehrsmittel oder im Hotel.

Ansonsten jedoch sollten Sie Geld nur in Form von Travellerschecks bei sich tragen. Denn sie sind der sicherste und bequemste Weg, große Geldwerte mitzuführen, da sie bei Verlust ersetzt werden.

Viele Besucher lassen sich ihre Travellerschecks in englischer Währung ausstellen, um sie leichter und schneller einlösen zu können. Bewahren Sie die Liste Ihrer Schecknummern unbedingt getrennt auf von den Schecks selbst!

Alle wichtigen Kreditkarten werden in den meisten englischen Geschäften und Restaurants anerkannt. Dazu gehören: Visa, American Express, Mastercard, Diner's Club. Belastet wird Ihr Konto erst nach Ihrer Rückkehr zum Tageskurs des jeweiligen Kaufes. Aber bedenken Sie, daß Kreditkarten nicht überall akzeptiert werden — zum Beispiel bei kleinen Alltagseinkäufen, bei Trinkgeldern, in kleinen und dörflichen Läden oder bei kleineren Ausflügen.

VAT

VAT bedeutet *Valued Added Tax* und ist eine Art englischer Mehrwertsteuer in Höhe von 15 %, die auf alle Waren mit Ausnahme von Lebensmitteln, Arzneimitteln und Büchern erhoben wird. Sie wird auch bei bestimmten Dienstleistungen wie Haareschneiden oder in Restaurants berechnet. In der Regel ist die VAT in den angegebenen Preisen bereits enthalten. Fragen Sie sicherheitshalber nach.

Bei teuren Anschaffungen können Sie die VAT in Abschlag bringen, falls Sie glaubhaft machen, daß Sie die entsprechenden Waren mit in Ihr Heimatland nehmen wollen. Dann brauchen Sie nur ein Kaufformular ausfüllen, das Sie bei Ihrer Rückkehr den Zollbehörden vorzulegen haben. Wenn Sie das vom Zoll geprüfte Formular an das jeweilige Geschäft zurückschicken, wird Ihnen der entsprechende Betrag mit der Post überwiesen. Am besten, Sie vereinbaren die entsprechenden Modalitäten gleich an Ort und Stelle.

Kleine Landeskunde

Regierung und Wirtschaft

Englands Regierungsform ist die einer konstitutionellen Monarchie — was für den Außenstehenden um so verwirrender erscheint, als es keine schriftlich kodifizierte Verfassung gibt. Der jeweilige Monarch ist Staatsoberhaupt und steht formell auch an der Spitze der Regierung. Aber eben nur formell, denn in Wirklichkeit liegt alle Macht in Händen des Parlaments, das aus zwei Kammern besteht. Die Legislative und der Staatshaushalt obliegen dem Unterhaus, dem House of Commons. Die Befugnisse des Oberhauses, des House of Lords, sind eher bescheiden. Zwar können die ehrwürdigen Lords eigene Gesetzesentwürfe einbringen oder die Verabschiedung von Gesetzen verzögern — aber die eigentlichen Entscheidungen fallen „anderswo", wie die Lords sagen. Die Rolle des Königshauses bei alledem ist in Teil III in dem Essay „Das Britische Königshaus" genauer behandelt.

Bei einem Besuch im Unterhaus fällt sofort auf, daß die Regierungsvertreter und die Abgeordneten der Regierungspartei auf einer der Längsseiten des Saales sitzen. Logischerweise genau gegenüber haben die Abgeordneten der Oppositionsparteien ihre Plätze. Die Premierministerin ist nicht nur Regierungschefin, sondern zugleich auch in einem bestimmten Wahlkreis gewählte Abgeordnete, Member of Parliament (MP). Alle Mitglieder ihres Kabinetts müssen ebenfalls Parlamentsabgeordnete aus den Reihen der Regierungspartei sein. Alle anderen Regierungsabgeordneten gelten als „backbenchers" — „Hinterbänkler". Die Angehörigen der im Parlament vertretenen Oppositionspartei bilden ein „Schattenkabinett" unter Führung ihres Vorsitzenden. Die Angehörigen dieses Schattenkabinetts spezialisieren sich analog zu den Fachgebieten der einzelnen Minister, um optimal für die Redeschlachten mit ihnen vorbereitet zu sein. Die alle fünf Jahre stattfindenden Parlamentswahlen werden vom Premierminister einberufen. In den jeweiligen Wahlkreisen im ganzen Land werden dann die Abgeordneten in direkter Wahl gewählt. Die Partei, die die meisten Parlamentssitze auf sich vereinigen kann, gilt automatisch als „Regierung", ihr Vorsitzender wird zum Premierminister ernannt und beruft die führenden Persönlichkeiten seiner Partei in sein Kabinett. Die unterlegenen Parteien gelten als Opposition und „Schatten" der Regierung.

Die Wirtschaftspolitik der seit 1979 im Amt befindlichen Thatcher-Regierung beruht auf der Theorie des Monetarismus und hat eine schroffe Abkehr vollzogen von der seit Kriegsende im wesentlichen von allen vorherigen Regierungen unangetasteten Prinzipien eines gemäßigten Sozialismus und des Wohlfahrtsstaates. Trotzdem ist auch heute noch ein beträchtlicher Teil der englischen Wirtschaft und des Dienstleistungssektors verstaatlicht — ein prominentes Beispiel: der National Health Service, durch den eine kostenlose medizinische Versorgung für jeden Bürger gewährleistet ist. Alles in allem ist Großbritannien auch heute noch eine hochentwickelte Industrie- und Handelsnation, obwohl ein ständig wachsender Anteil des Bruttosozialprodukts im Dienstleistungsbereich erwirtschaftet wird.

Politische Gliederung

Großbritannien besteht aus drei Landesteilen: England, Schottland und Wales. Wenn vom Vereinigten Königreich (UK) gesprochen wird, ist auch Nordirland einbezogen.

Klima

Das englische Klima ist gemäßigt, im allgemeinen kühl und mild, häufig auch feucht. In den meisten von Touristen besuchten Teilen des Landes ist der Winter eher regnerisch, Schneefälle sind relativ selten. Auch die Sommer sind vergleichsweise regnerisch. Aber andererseits macht die Tatsache, daß es im Sommer so gut wie nie glühend heiß ist, das Reisen angenehmer als in manchen anderen europäischen Ländern.

im wärmsten Monat August liegen die Temperaturen im Süden und in London zwischen 13 und 23°C, in Edinburgh um etwa 3° niedriger. Die Durchschnittstemperatur im Winter beträgt 0—5°C, wobei es einem wegen der ständigen Nässe noch kühler vorkommt. Im schottischen Hochland ist es immer kühl — vergessen Sie also nicht, warme Kleidung mitzunehmen. Der englische Regen ist zu Recht berüchtigt — denken Sie an einen leichten Regenmantel und den obligatorischen Regenschirm.

Kleidung

Die Engländer neigen zu dunkler und konservativer Kleidung, gutsitzende Anzüge bei Geschäftsleuten und Kleider bei werktätigen Frauen sind immer noch die Regel. Tweedkostüme und Wolljacken trägt man das ganze Jahr über, und ein Regenmantel darf nie fehlen. Die jungen Leute sind sehr modebewußt, wobei ihr Geschmack sich erheblich von Trendsettern wie Jaeger oder Burberry unterscheidet. Die farbenfrohen und originellen Frisuren und Kleidungsstücke der Punks, Rastafaris, Mods und Rockabillies tragen einen Hauch von Karneval in die sommerlichen Straßen englischer Großstädte.

Zeitzonen

Englands Zeit ist *Greenwich Mean Time* (GMT), jene Zeitzone entlang des Nullmeridians, auf dem Greenwich liegt und von der aus alle anderen Zeitzonen berechnet werden. Westlich von Greenwich ist es jeweils mindestens eine Stunde früher, östlich davon eine Stunde später. Wenn es zum Beispiel in England Mitternacht ist, ist es in Mitteleuropa 1 Uhr morgens.

Etikette

Engländer gelten zu Recht als sehr zurückhaltend und höflich. Es kann Ihnen jederzeit passieren, daß sich ein Engländer bei Ihnen entschuldigt, nachdem Sie *ihm* auf den Fuß getreten sind. Abgesehen von der empfehlenswerten Beachtung gewisser Höflichkeitsformen sollten Sie sich auch nicht daran stören, wenn Ihnen selbst vertraute überschwengliche Begrüßungen oder Äußerungen nicht mit der gleichen Leidenschaftlichkeit von den introvertierten, aber aufrichtig freundlichen Engländern erwidert werden. Sie sollten sich auch daran gewöhnen, daß Engländer gerade in der Öffentlichkeit, sei es im Fahrstuhl oder Zug, wesentlich ruhiger sprechen als Sie erwarten.

Banken

Montags bis freitags sind die Banken geöffnet von 9.30 bis 15.30 Uhr. Manche Banken sind auch samstags geöffnet, aber das ist selten, und Sie werden Schwierigkeiten haben, eine dieser Banken zu finden. Nicht alle Fillialen tauschen Ihr Geld um, aber in den Stadtzentren und den Touristenorten gibt es keine Schwierigkeiten. Wechseln Sie rechtzeitig und an Werktagen, wenn Sie die wesentlich höheren Gebühren und schlechteren Kurse in den *Bureaus de Change* in den Tourismuszentren vermeiden wollen. Fast alle wichtigen ausländischen Banken haben in London Niederlassungen, die sich allerdings häufig nur mit Handelsgeschäften befassen. Die meisten Besucher ziehen es vor, nur Travellerschecks oder Kreditkarten zu benutzen. Im folgenden einige wichtige Adressen:

American Express
6 Haymarket
London SW1Y 4BS
Tel. (01) 9304411

Barclays Bank PLC
54 Lombard Street
London EC1
Tel. (01) 6261567

National Westminster Bank (and Viscard)
41 Lothbury
London EC2P 2BP
Tel. (01) 9205555

Midland Bank
Poultry
London EC4
Tel. (01) 6069911

Geschäftszeiten

Die Läden sind in der Regel geöffnet von 9.30 bis 17.30 Uhr. Manche Geschäfte öffnen etwas früher oder später. Fischhändler, Metzger und Gemüsehändler öffnen meist schon um 7.30 Uhr.

Feiertage

Die *kursiv* hervorgehobenen Tage sind keine gesetzlichen Feiertage.

England/Wales

Bank Holiday (1. Januar)
Karfreitag
Ostermontag
Mayday (der erste Montag nach dem 1. Mai)
Spring Bank Holiday (im späten Mai)
Summer Bank Holiday (im späten August)
Christmas Day (25. Dezember)
Boxing Day (26. Dezember)

Schottland

Bank Holiday (1. Januar)
Bank Holiday (2. Januar)

Karfreitag
Spring Bank Holiday (Mai)
Bank Holiday (Mai)
Summer Bank Holiday (August)
Christmas Day (25. Dezember)
Boxing Day (26. Dezember)

Essengehen

Obwohl die englische Küche einen ausgesprochen schlechten Ruf hat, kann man in England sehr wohl gut essen — vor allem, wenn man sich an die Spezialitäten des Landes hält. Die Engländer sind ein Volk von Fleischessern — von daher ihre ausgezeichneten Rinder-, Lamm- und Schweinebraten und die köstlichen Yorkshire-Schinken. Als Beilagen zum Rinderbraten gibt es traditionellerweise: Yorkshire-Pudding, eine luftige Pastete, Gemüse und die allgegenwärtigen Kartoffeln. Wenn Sie dazu ein wenig Braten- und Meerrettichsauce nehmen, können Sie ein herzhaftes und köstliches Mahl genießen. Zum Nachtisch sollten Sie auf keinen Fall die zu Recht berühmten englischen Süßigkeiten versäumen, darunter „Trifle" (Löffelbiskuits in Sherry getränkt, darüber Pfirsichscheiben und Schlagsahne), „Gooseberry Pie" (Stachelbeeren in Mürbeteig heiß überbacken) und Siruppfannkuchen.

Wer weniger hohe Ansprüche stellt, kann auch auf leichtere Kost zurückgreifen wie Quiche, Salate, Hähnchen und Fisch. Die englischen Käsesorten sind nicht nur hervorragend, sondern auch vielfältig — sie reichen vom überall erhältlichen Cheddar bis zum aromatischen Stilton. In den Großstädten hat man ungezählte Möglichkeiten, in Restaurants mit ausländischer Küche essen zu gehen. Besonders bekannt sind die scharf gewürzten indischen Gerichte, aber auch die chinesischen, orientalischen und italienischen Restaurants haben einen guten Ruf. Trotz scharfer Konkurrenz durch Hamburger und Fried Chicken halten aber englische „fish and chips" nach wie vor unangefochten ihre Spitzenposition als Schnellimbißgericht.

Beim Frühstück wird in England gewiß nicht geknausert — ein englisches Frühstück besteht aus Eiern, Speck, Wurst, gegrillten Tomaten und Toast. Manchmal gibt es dazu noch Räucherlachs, Porridge und Cornflakes. Auch wenn Sie nicht jeden Morgen ein derartiges Festmahl zum Frühstück wollen — es wird Ihnen auf jeden Fall mehr geboten als Kaffee und Brötchen.

Informationsstellen

Informationsstellen im Ausland

British Tourist Anthority (BTA):
Neue Mainzer Str. 22, D-6000 Frankfurt/M.
Limmatquai 78, CH-8001 Zürich.

Britische Fremdenverkehrswerbung:
Wiedener Hauptstr. 5-8, A-1040 Wien.

Touristeninformationen sind in Großbritannien erhältlich in Informationszentren, die jeweils mit einem „i" gekennzeichnet sind. Man findet sie in Rathäusern, Bibliotheken oder eigenen Gebäuden in den größeren Städten. Die Öffnungszeiten sind unterschiedlich und hängen ab von den erwarteten Besucherzahlen. In den „Info"-Abschnitten dieses Buches finden Sie Angaben über weitere Informationsstellen zusätzlich zu den nachfolgend aufgelisteten.

England

English Tourist Board, 4 Grosvenor Gdns., London SW1W oDU (nur auf schriftliche Anfrage).

The London Tourist Board, 16 Grosvenor Gdns., London SW1W oDU, beantwortet schriftliche und telefonische Anfragen bezüglich London und England. Tel. (01) 7303488

East Anglia Tourist Board, 14 Museum St., Ipswich, Suffolk IP1 1HU, Tel. (0473) 214211

East Midlands Tourist Board, Exchequergate, Lincoln LN2 1PZ, Tel. (0522) 31521. Nur schriftliche und telefonische Anfragen.

Cumbria Tourist Board, Holly Rd., Asleigh, Windermere, Cumbria LA23 2AQ, Tel. (09662) 4444. Nur schriftliche und telefonische Anfragen.

Northumbria Tourist Board, 9 Osborne Tert., Jesmond, Newcastle upon Tyne NE2 1NT, Tel. (0632) 817744.

Southeast England Tourist Board, 1 Warwick Park, Tunbridge Wells, Kent TN2 5TA, Tel. (0892) 40766.

Southern Tourist Board, Town Hall Centre, Leigh Rd., Eastleigh, Hants. SO5 4DE, Tel. (0703) 616027.

Thames and Chilterns Tourist Board, 8. The Market Place, Abingdon, Oxon, OX14 3UD, Tel. (0235) 22711.

Northwest Tourist Board, Last Drop Village, Bromley Cross, Bolton, Lancs, BL7 9PZ, Tel. (0204) 591511.

West Country Tourist Board, Trinity Court, 37 Southernhay East, Exeter, Devon EX1 1QS, Tel. (0392) 76351.

Heart of England Tourist Board, P.O. Box 15, Worcester WR1 2JT, Tel. (0905) 29511.

Yorkshire and Humberside Tourist Board, 312 Tadcaster Road, York YO2 2HF, Tel. (0904) 707961.

Schottland

Scottish Tourist Board, 23 Ravelston Terr., Edinburgh EH4 3EU, Tel. (031) 3322433. Ferner 5 Pall Mall East, London SW1, Tel. (01) 9308861.

Borders Tourist Association, 66 Woodmarket, Kelso Roxburgshire, Tel. Kelso (05732) 2978.

Clyde Tourist Association, c/o Information Centre, George Square, Glasgow G2 1ES, Tel. (041) 2217371.

Highlands and Islands Development Board, Bridge House, Bank St. Inverness IV1 1QR, Tel. (0463) 34171.

Grampian Tourist Association, 17 High St., Elgin, Moray IV30 1EG, Tel. Elgin (0343) 2666.

South West of Scotland Tourist Association, Douglas House, Newton Stewart, Wigtownshire, Tel. Newton Stewart (0671) 549.

Wales

Wales Tourist Board, Brunel House, 2 Fitzalan Rd., Cardiff CF2 1UY, Tel. (0222) 499909.

Wales Tourist Board, 2-4 Maddox St., London W1R 9PN, Tel. (01) 4090969.

Mid Wales Tourism Council, Owain Glyndwr Centre, Maengwyn St., Machynlleth, Powys, Tel. (0654) 2401.

North Wales Tourism Council, Civic Centre, Colwyn Bay, Clwyd, Tel. (0492) 31731.

South Wales Tourism Council, Ty Croeso, Gloucester Place, Swansea S4 1TY, Tel. (0792) 465204.

Channel Islands

The States of Guernsey Tourist Committee, P.O. Box 23, St. Peter Port, Guernsey, Channel Islands, Tel. (0481) 24411.

The States of Jersey Tourism Committee, Weighbridge, St. Helier, Jersey, Channel Islands, Tel. Central (0534) 78000.

Verkehrsmittel

Auf den „Info"-Seiten in Teil II vor jedem Kapitel dieses Buches finden Sie Hinweise zu den Verkehrsmitteln im jeweiligen Gebiet. Die folgenden Angaben sind allgemeinerer Natur und gelten für ganz England.

Inlandsflüge

Von den Londoner Flughäfen aus können Sie Flüge in alle wichtigen Städte buchen, aber auch zu schwer erreichbaren Orten wie den schottischen Inseln. Die wichtigsten Fluggesellschaften sind British Airways (01) 3705411 und British Caledonian (01) 6684222.

Busse

In jeder größeren Stadt gibt es ebenso öffentliche Buslinien wie auf dem flachen Land. Buslinien auf Fernstrecken werden von mehreren Privatunternehmen betrieben. Einige davon sind:

National Express, Tel. (01) 7300202
Green Line, Tel. (0923) 73121
Cotters Coachline, Tel. (01) 9305781
Northwest Coachlines, Tel. (01) 2365942

In London können Sie sich auch wenden an: Victoria Coach Station, 164 Buckingham Palace Road, London SW1, Tel. (01) 7300202.

Eisenbahn

British Rail ist die staatliche Eisenbahngesellschaft, und mit ihr erreicht man jeden Teil der Insel. Sehr vorteilhaft ist es, sich schon vor der Einreise einen Britrail-Paß, eine Netzkarte, zu kaufen. Man kann damit innerhalb eines bestimmten Zeitraums ohne Beschränkung alle Züge benutzen und so das ganze Land durchkreuzen. Es gibt auch noch andere kostensparende Ticket-Angebote von Britrail — zum Beispiel die Britrail Young Person's Card für junge Leute unter 24 Jahren. Bei Vorlage dieses Pauschaltickets erhält man auf allen Strecken Preisnachlässe bis zu 50 %. Es hat im Gegensatz zum Britrail Paß, der schon vor der Einreise erworben werden muß, den Vorteil, daß es bei jedem British Rail Travel Centre erhältlich ist.

Wenn Sie von London aus in andere Landesteile reisen wollen, sollten Sie bedenken, daß es in London acht Hauptbahnhöfe gibt, von denen aus man in jeweils andere Landesteile gelangt. Fragen Sie also bei der richtigen Station nach. Die folgenden Angaben sagen Ihnen, welcher Bahnhof für welchen Landesteil zuständig ist.

Charing Cross, Tel. (01) 9285100: Südengland.

Euston, Tel. (01) 3877070: East und West Midlands, North Wales, Nordwestengland, Schottland (über die Westküste), Irland (über Holyhead).

Kings Cross, Tel. (01) 2782477: Ost- und Nordostengland, Schottland (über die Ostküste).

Liverpool Street, Tel. (01) 2837171: East Anglia und Essex.

Paddington, Tel (01) 2626767: South Midlands, Westengland, Southwales, Irland (über Fishguard).

St. Pancras, Tel. (01) 3877070: Midlands, Pennines.

Victorial, Tel. (01) 9285100: Südostengland, Kanalhäfen.

Waterloo, Tel. (01) 9284545: Südengland.

Schiffsverkehr

Viele Reisende machen es wie die Engländer selbst und durchkreuzen die Insel entlang ihrer zahlreichen Wasserwege. Genauere Informationen bei: The British Waterways Board, Melbury House, Melbury Terrace, London NW1 6JX, Tel. (01) 2626711.

Auto- und Motorradverleih

Um ein Auto mieten zu können, müssen Sie einen gültigen Führerschein und einen Versicherungsnachweis vorlegen. Das vertragliche Mindestalter bei den meisten Autoverleihfirmen ist 21, bei manchen sogar 23 Jahre. Die Preise liegen zwischen 60 £ die Woche mit unbegrenzter Kilometerzahl bis zu 250 £ die Woche, je nach Fahrzeugtyp und entsprechenden Extras. Wegen der englischen Versicherungsbestimmungen verleihen nur wenige Firmen Motorräder an Ausländer. Die wenigen Adressen können Sie finden in einem Büchlein mit dem Titel *Britain: Motorcycle Holidays,* herausgeben von der British Tourist Authority. Im folgenden einige Autoverleihfirmen.

Avis Rent-a-Car, International Reservations, Trident House, Station Rd., Hayes, Middlesex, Tel. (01) 8488733.

Hertz Europe, Rental Centre, 44 The Broadway, London SW19, Tel. (01) 5426688.

Godfrey Davis Car Hire, Davis House, Wilton Rd., London SW1, Tel. (01) 8348484.

Swan National, 305 Chiswick High Rd., London W4, Tel. (01) 9954665.

Verkehrshinweise

In Großbritannien herrscht Linksverkehr. Die Geschwindigkeitsbeschränkung in Vorortstraßen liegt bei 40 Meilen (65 km/h), auf zweispurigen Straßen und Autobahnen bei 70 Meilen (112 km/h), bei 30 Meilen (48 km/h) in Städten und Wohngebieten. Auf allen anderen Straßen sind 60 Meilen (96 km/h) zulässig. Wenn Sie Ihren Führerschein, die Fahrzeugpapiere und die Nationalitätsplakette mit sich führen, können Sie mit Ihrem eigenen Auto über englische Straßen brausen. Landkarten sind erhältlich bei der British Tourist Authority, bei Ordnance Survey und den Automobilclubs. Die zwei wichtigsten sind AA und RAC. Die Adressen:

Automobile Association, Fanum House, Basingstoke, Hants, Tel. (0256) 20123.

Royal Automobile Club, 83 Pall Mall, London SW1, Tel. (01) 8397050.

Unterkünfte

Das Spektrum der Unterkunftsmöglichkeiten reicht von Luxushotels über Zimmer in Prachtbauten bis zu schlichten „bed and breakfast"-Unterkünften. Am sichersten ist es, wenn Sie rechtzeitig im voraus buchen und dies schriftlich bestätigen. Wenn Sie ein Doppelzimmer für 40 £ oder darunter finden, können Sie zufrieden sein. Die mittlere Preisklasse liegt zwischen 20 und 60 £. Eine Liste von Unterkunftsmöglichkeiten verschiedener Kategorien finden Sie nach Regionen geordnet im Anhang auf S. 344.

Die folgende Liste stammt von TIC (Tourist Information Centres) und ist Bestandteil des Spezialservice „book-a-bed-ahead". Damit können Sie sich eine Menge Aufwand während Ihrer Reise ersparen. Jedes der aufgelisteten Büros in der entsprechenden Stadt bucht für Sie eine Unterkunft an Ihrem jeweils nächsten Reiseort. Wenn Sie zum Beispiel am Montag in Bath zu TIC gehen, können Sie dort für den nächsten Tag eine Unterkunft an Ihrem nächsten Reiseort Bristol nach Ihren Wünschen buchen lassen. Alles wird von Bath aus abgewickelt. Verständlicherweise sind geringe Abweichungen von Ihren Wünschen im Preis und Qualität oft nicht zu vermeiden, aber Sie sparen dadurch in jedem Fall Zeit und Aufwand. Um auf das Beispiel Bath/Bristol zurückzukommen: Wenn Sie in Bath für Bristol über TIC gebucht haben, können Sie den ganzen folgenden Tag bis zu Ihrer Ankunft in Bristol am Abend nutzen, wie Sie wollen, ohne sich Sorgen machen zu müssen, wo Sie nach Ihrer Ankunft in Bristol übernachten werden. Der TIC-Service beschränkt sich allerdings auf den jeweils nächsten Tag und Zielort.

Jedem der Kapitel in Teil II dieses Buches ist ein Abschnitt „Info" vorausgestellt, in dem Sie Hinweise auf TICs mit dem „book-a-bed-ahead"-Service finden. In den unten aufgelisteten TICs können nen Sie nicht nur diesen Spezialservice beanspruchen, sondern auch am jeweiligen Ort selbst Unterkünfte buchen. In jedem Fall ist es ratsam, sich nicht erst bei Ihrer Ankunft darum zu kümmern, sondern soweit wie möglich im voraus zu planen.

England

Abingdon	Appleby-in-
Aldeburgh	Westmorland
Alnwick	Arundel
Amesbury	Avebury

Bampton
Barnstaple
Bath
Battle
Bedford
Berwick-upon-
   Tweed
Bexhill-on-Sea
Bideford
Birmingham
Blandford Forum
Bodmin
Bolton
Bournemouth
Bowness-on-
   Windermere
Bradford
Bradford-on-Avon
Braunton
Brent Knoll
Bridgwater
Bridlington
Brixham
Bromyard
Brough
Budleigh Salterton
Burford
Burnham-on-Sea
Bury St. Edmunds
Buxton

Cambridge
Canterbury
Cheltenham
Chester
Chesterfield
Chippenham
Christchurch
Cirencester
Cleethorpes
Clitheroe
Colchester
Congleton
Corbridge
Darlington
Dartmouth
Dawlish
Deal
Devizes
Doncaster
Dorchester
Dover
Durham

Eastbourne
Eastleigh
Exeter
Exeter Services
Exmouth
Fareham
Filey
Folkestone
Frome
Gateshead
Gloucester
Gordano
Gosport
Grange-over-Sands
Grasmere

Halifax
Haltwhistle
Harrogate
Hartshead Moor
Harwich
Hastings
Haworth
Hebden Bridge
Helmsley
Hereford
Hexham
Honiton
Horton-in-
   Ribblesdale
Huddersfield
Hull
Humber Bridge
Ilfracombe
Illminster
Ipswich
Isle of Scilly
Kendal
Keswick
Kielder Water
Kingsbridge
Kirkby Lonsdale
Lancaster
Leamington Spa
Ledbury
Leeds
Leeming
Leicester
Leominster
Lichtfield
Lincoln
Liverpool
London (Victoria)
Looe
Lowestoft
Lynton/Lynmouth
Malvern
Manchester
Marlborough
Melksham
Mere
Morpeth
Newbury
Newcastle-upon-Tyne
Newquay
Newton Abbot
North Shields
Northallerton
Norwich

Okehampton
Ottery St. Mary
Oxford
Paignton
Penzance
Peterborough
Peterlee
Pevensey
Plymouth
Poole
Portland
Portsmouth/Southsea
Ravenglass
Ripon

Rochester
Romsey
Ross-on-Wye
Rye
St. Albans
St. Ives
Salisbury
Sandbach
Scarborough
Scotch Corner
Scunthorpe
Seaton
Sheffield
Shepton Mallet
Shrewsbury
Sidmouth
Skipton
South Shields
Southend-on-Sea
Southwaite
Spalding
Stafford
Stratford-upon-Avon
Sunderland
Swanage

Taunton
Tavistock
Teignmouth
Tewkesbury
Tiverton
Totnes
Wakefield
Wallingford
Wells
West Auckland
Weston-super-Mare
Weymouth
Whitby
Whitchurch
Whitehaven
Winchcombe
Winchester
Windermere
Windsor
Woodall
Woodstock
Worcester
Worthing
York

Wales

Aberawan
Aberysturyth
Bangor
Cardiff
Colwyn Bay
Carris
Knighton
Llanberis
Llandrindod Wells
Llandudno
Llangefni (Anglesey)

Machynlleth
Monmouth
Newport
Newtown
Penarth
Rhyl
Ruthin
Swansea
Tenby
Welshpool
Whitland

Schottland

Aberdeen
Aberfeldy
Aberfoyle
Abington
Alford
Anstruther
Arbroath
Auchterarder
Aviemore
Ayr
Ballachulish
Ballater
Ballock
Banchory
Banff
Bannockburn
Bettyhill
Bigger
Blairgowrie
Braemar
Broadford (Skye)
Brodick (Arran)
Burntisland

Callander
Campbeltown
Carnoustie
Carrbridge
Castlebay
Dornock
Dunbar
Dundee
Dunoon
Edinburgh
Elgin
Fort Wiliam
Gairlock
Girvan
Glasgow
Glenshee
Greenock
Inverness
Kilmarnock
Kirkwall (Orkney)
Lamark
Largs
Lerwick

Leven
Montrose
North Berwick
North Kessock
Oban
Paisley
Perth
Pitlochry

Portree (Skye)
Prestwick
Rothesay (Bute)
St. Andrews
Stirling
Stornoway (Lewis)
Troon
Wick

Telekommunikation

Post

Die Postämter sind während der allgemeinen Geschäftszeiten geöffnet. Wenn Sie in einem englischen Postamt Post empfangen wollen, muß sie vom Absender mit dem Vermerk ,,Poste Restante'' versehen sein. Dann wird sie auf dem Hauptpostamt der angegebenen Stadt bis zur Abholung für Sie aufbewahrt.

Unter der Telefonnummer 190 können Sie Auslandstelegramme aufgeben, aber besorgen Sie sich vorher genügend Münzen.

Telefonieren

Englische Telefone sind eine verzwickte Angelegenheit und scheinen häufig verrückt zu spielen. Wählen Sie bedächtig und reihen Sie genügend Zehnpencestücke vor sich auf, falls Sie von einer Telefonzelle aus anrufen. Mit Katastrophen ist immer zu rechnen. Apparate sind in leuchtendroten, aber demnächst gelben Telefonzellen aufgestellt, von denen Engländer scherzhaft behaupten, daß sie nie in Ordnung sind. Das ist gewiß übertrieben, aber für den ahnungslosen Ausländer kann es dennoch jederzeit Wirklichkeit werden. Man muß auf alles gefaßt sein.

Also: Sie nehmen den Hörer von der Gabel und warten auf das Freizeichen, dann wählen Sie betont langsam, sobald die Verbindung hergestellt ist, lauschen Sie auf das Rufzeichen. Sobald Ihr Gesprächspartner am anderen Ende der Leitung abnimmt, ist es Zeit für entschlossenes Handeln. Denn nun setzt ein schriller Piepton ein — für Sie das Signal, das erste Zehnpencestück einzuwerfen. Beten Sie zu Gott, daß die Münze in Ordnung und der Einwurfschlitz nicht mit einem Kaugummi verklebt ist. Denn dieser Piepton ist gnadenlos — Sekundenbruchteile zu spät und die Verbindung ist wieder unterbrochen.

Wenn Sie schließlich nach mehreren vergeblichen Anläufen eventuell endlich durchkommen, kann es Ihnen passieren, daß die Person am anderen Ende erbost sofort den Hörer wieder auf die Gabel wirft, weil sie überzeugt ist, daß irgendein Idiot ständig anruft, ohne irgendetwas zu sagen. Ein Anruf von einem Privatanschluß aus erspart Ihnen all das. Wichtige Rufnummern sind: Vermittlung 100, Auskunft London 142, Auskunft Großbritannien 192, Auslandsvermittlung 155.

Medien

Presse

In England gibt es eine breite Palette von landesweiten Tageszeitungen, die von Intellektuellen- bis zu Schundblättern reicht. Anders als zum Beispiel in den USA, wo die Zeitungen wenigstens den Anschein von Objektivität erwecken wollen, macht eine englische Zeitung keinerlei Hehl aus ihrem politischen Standpunkt. Deshalb sollten Sie möglichst in jede mal einen Blick werfen. Es gibt in England eine alte Redensart, die Ihnen eine grobe Orientierung innerhalb der Flut von Zeitungen erlaubt. Sie lautet:

The Financial Times ist die Zeitung derer, die England beherrschen.

The Guardian ist die Zeitung derer, die glauben, daß eigentlich sie England beherrschen sollten.

The Mail ist die Zeitung derer, die glauben, daß England die Welt beherrscht.

The Telegraph ist die Zeitung derer, die glauben, daß England die Welt beherrschen sollte.

Ansonsten gibt es eine Vielzahl guter Zeitschriften und Magazine. *The Spectator* liest sich angenehm, *Private Eye* ist immer gut für politische Satiren, *The Economist* für Internationales und aktuelle Ereignisse, *The Times Literary Supplement* für Buchrezensionen. In Magazinen wie *Time Out* und *City Limits* erfahren Sie, was in London los ist.

Fernsehen und Radio

Die British Broadcasting Corporation ist der beste Rundfunk- und Fernsehsender der Welt und zugleich der beliebteste in England. Er strahlt vier verschiedene Programme aus. BBC Radio 1 bringt fast nur Popmusik, Radio 2 bietet Jazz und Bigbandmusik, aber auch Unterhaltungssendungen und Hörspiele. BBC Radio 3 ist zuständig für klassische Musik und bringt Kultursendungen. Auch Radio 4 sendet ebenfalls Kulturprogramme, außerdem Dokumentarsendungen, Wirtschafts- und Politikinformationen und last not least: *The Archers*, eine nichtendenwollende englische Erfolgsserie. Radio 4 ist die wichtigste Nachrichtenstation. Über ganz England verstreut unterhält die BBC ein Netz lokaler Sendestationen. Außer der BBC gibt es eine Anzahl von Privatsendern und Piratensendern, die teilweise von Schiffen vor der englischen Küste aus operieren.

Fernsehprogramme gibt es vier. BBC 1 gilt als der wichtigste Kanal, auf dem vor allem Nachrichten- und Unterhaltungssendungen gesendet werden. BBC 2 orientiert sich in erster Linie an den Bedürfnissen der geistigen Elite und bringt zahlreiche der preisverdächtigen Dramen der BBC, Dokumentar- und Naturprogramme. Der dritte Kanal heißt ITV — das ist die Abkürzung für Independent Television, ein mit BBC konkurrierender Konkurrenzsender. Es ist ein Privatsender, der im Gegensatz zur BBC auch Werbesendungen bringt. Aller Wahrscheinlichkeit wird jedoch auch die

BBC nach einem überfälligen Parlamentsbeschluß demnächst Werbesendungen aufnehmen. Finanziert wird die BBC aus öffentlich erhobenen Gebühren. Der zweite private Fernsehsender ist C 4, auch Channel Four genannt. Er wurde erst vor wenigen Jahren ins Leben gerufen, um vor allem die Bedürfnisse von Minderheiten abzudecken — man kann sagen, mit einigem Erfolg. Das Programm von BBC 2 enthält auch diverse Regionalsendungen. Das Fernseh- und Rundfunkprogramm in England ist so gut, daß Sie auf jeden Fall während Ihres Aufenthaltes die eine oder andere Sendung ansehen sollten.

Ärztliche Notfälle

Für ärztliche Notfälle sollte man soweit wie möglich schon vor der Einreise Vorsorge treffen. Nehmen Sie Ihre persönlich wichtigen Arzneimittel, Aspirin Insektenmittel u.ä. mit. Lassen Sie sich von Ihrem Hausarzt aufschreiben, welche Mittel wozu gut sind, damit Sie nicht Probleme mit dem Zoll bekommen. Sehr nützlich kann auch eine von Ihrem Arzt erstellte Liste mit Ihren Allergien, chronischen Krankheiten und Ihrer eventuellen Krankheitsgeschichte sein, die Sie am besten bei Ihren Papieren mit sich tragen. So etwas kann im Notfall während Ihrer Reise entscheidend sein. Sorgen Sie auch dafür, daß Ihre Krankenversicherungsbeiträge bezahlt sind.

Falls Sie während der Reise durch England ernsthaft erkranken sollten, lassen Sie sich am besten mit dem Taxi zur Ambulanz des nächsten Krankenhauses, zum *casualty department* (Unfallnotaufnahme), fahren. Andernfalls rufen Sie die überall gültige Telefonnummer 999 an, die Notrufnummer für Notarzt, Polizei und Feuerwehr. Bei Unfällen, Notfällen und ansteckenden Krankheiten verlangt der National Health Service keine Gebühren. Jede andere medizinische Behandlung oder einen Krankenhausaufenthalt müssen Sie ganz bezahlen, auch wenn Sie sich auskurieren lassen wollen bis zu Ihrer Rückkehr. Es gibt eine Reihe von Krankenversicherungen für Touristen, die man in Anspruch nehmen kann. Falls Sie sich einen Privatarzt nehmen wollen, halten die verschiedenen Botschaften Adressenlisten dafür bereit.

Öffentliche Sicherheit

Englandbesucher werden angenehm überrascht davon sein, wie sicher man sich in der Öffentlichkeit bewegen kann. Natürlich gibt es auch in jeder englischen Stadt Gegenden, die man meiden sollte. Vor allem Frauen sollten nachts nicht unbegleitet allein herumlaufen, besonders nicht in London. In London und anderen Großstädten gibt es gelegentlich Bombendrohungen — Ausdruck des von Nordirland nach England getragenen Kampfes der IRA. Aber sie sind selten und brauchen Sie nicht zu ängstigen. Um sich gegen Verlust oder Diebstahl abzusichern, sollten Sie Ihre Papiere und Kreditkarten im Hotelsafe lassen, wenn sie nicht gerade benötigt werden. Auch die Hinterlassung einer Liste mit den Nummern der Ausweise und Travellerschecks im Hotel ist zu empfehlen. Falls Ihnen etwas abhanden kommen sollte, wird Ihnen eine solche Liste viel Zeit und Kopfzerbrechen sparen.

Einkaufen

England ist ein wahres Einkaufsparadies — Harris-Tweedstoffe, Schottentücher, entzückende Wollsachen von den Shetlands, Guernseys oder Fair Isles (es scheint, als habe jede englische Insel einen eigenen Pullovertyp entwickelt). Bei Burberry, Jaeger oder den Schneidern in der Savile Row werden Sie geblendet sein von soviel modischer Eleganz. In ganz England können Sie in einer der Filialen von Marks and Spencer preiswerte Wollsachen, Unterwäsche und Sportkleidung von hoher Qualität kaufen. In England finden Sie auch die führenden Geschäfte für Porzellanartikel — Wedgwood, Royal Doulton, Minton und Staffordshire. Und alles, was Sie auf Ihrem neuen Porzellan servieren wollen, finden Sie bei Fortnum & Mason am Piccadilly Circus mit seiner legendären Feinkostabteilung. Harrods in London, das größte europäische Kaufhaus, mit seiner legendären Feinkostabteilung. Harrods in London, das größte europäische Kaufhaus, mit seiner gigantischen Lebensmittelabteilung, muß man einfach gesehen haben, Mit Produkten von Crabtree and Evelyn oder Teesorten von Twinings oder Jacksons können Sie Ihren Freunden viel Freude machen. Es gibt in England Straßenmärkte fast in jeder Stadt, aber in den Großstädten sind sie häufig spezialisiert auf Antiquitäten, Kunsthandwerk oder Kleidung.

Das größte Warenangebot in London finden Sie noch immer in der **Oxford Street** (zwischen den U-Bahn-Stationen Marble Arch und Tottenham Court) und der angrenzenden **Regent Street** (zwischen den U-Bahn-Stationen Oxford Circus und Piccadilly Circus). Auch in **Knightsbridge** und **Covent Garden Piazza** werden Sie voll auf Ihre Kosten kommen.

Die **Oxford Street,** wo sich so große Kaufhäuser wie Selfridges, John Lewis, Debenhams, D.H. Evans und Marks and Spencer befinden, ist das ganze Jahr über ein unüberschaubares Menschen- und Verkehrsgewimmel. Wesentlich mehr Atmosphäre und Beschaulichkeit hat die **Regent Street** mit Geschäften wie Dickens and Jones, Liberty, Laura Ashley, Aquascutum, Jaeger und Hamleys.

Von der Oxford Street, beginnend an der U-Bahn-Station Bond Street, nach Süden verlaufen die **Old Bond Street** und die **New Bond Street** mit so bekannten Juwelierläden wie Aspreys, Fenwick und Yves St. Laurent. Ganz in der Nähe, in der **South Molton Street,** liegen die führenden Modehäuser, darunter Browns, Joseph und Yohji Yamamoto.

Noch anspruchsvoller einkaufen kann man in **Knightsbridge,** wo man einen Besuch bei Harrods auf keinen Fall versäumen darf, aber auch nicht bei Harvey Nichols und Scotch House. Unweit davon liegen die schicken Läden und Restaurants des Beauchamp Place.

Am **Piccadilly Circus** ist Fortnum & Mason, das weltbekannte Lebensmittelparadies.

Westlich von Knightsbridge erstrecken sich die **Kensington Road** und die **Kensington High Street**. In dieser Gegend ist das Kaufhaus Barkers, am südlichen Ende der Kensington Church Street. Im näheren Umkreis liegen eine Reihe von Modegeschäften. In der Kensington Church Street findet man vor allem Mode- und Antiquitätengeschäfte, ehe sie in das weniger attraktive Viertel Notting Hill Gate mündet.

Covent Garden, einst ein Obst- und Gemüsemarkt, ist heute ein mondänes Einkaufszentrum für Bücher, Kunsthandwerk, Lebensmittel, Mode, Parfüm, Kräuterladen und Restaurants. Die angrenzenden Straßen **Neal Street, Endell Street, Floral Street** und **Long Acre** bieten viel Exzentrisches.

Die bekanntesten Buchhandlungen sind: Foyles (Charing Cross Road), Hatchards (Piccadilly), Dillons (nahe der Gower Street) und Stanford (Long Acre).

Dem besonders anspruchsvollen Käufer sind die Londoner Straßenmärkte nicht unbedingt zu empfehlen — aber ein Streifzug kann durchaus zu günstigen Gelegenheitskäufen animieren und vermittelt einen Eindruck des bunten Straßenlebens. Die wichtigsten sind:

Camden Lock. Nur Samstag und Sonntag. Antiquitäten, traditionelle Kostüme, Kunsthandwerk, Reformkost, historische Kostüme, handgemachter Schmuck, Krimskrams. Liegt seitlich der Camden High Street. U-Bahn-Station Camden Town.

Jubilee Market. Unter der Woche ein Lebensmittelmarkt, an den Wochenenden Kunsthandwerk. Liegt an der Southampton Street seitlich vom Covent Garden Market. U-Bahn-Station Covent Garden.

New Caledonian/Bermondsey Market. Nur an Freitagen. Antiquitätenmarkt, auf dem vor allem Händler einkaufen. Liegt an der Tower Bridge Road und der Bermondsey Street. U-Bahn-Station London Bridge.

Petticoat Lane. Wenn Sie überhaupt im East End vorbeischauen, sollten Sie es an einem Sonntag tun, um die englische Arbeiterklasse beim Einkaufen zu erleben. Liegt unweit des Tower. U-Bahn-Stationen Aldgate und Aldgate East.

Brick Lane. Ein eher konventioneller Flohmarkt einige Minuten zu Fuß von Petticoat Lane. Nur Sonntagvormittag. U-Bahn-Station Aldgate.

Portobello Road. Londons bekanntester Markt. Er beginnt am Südende mit etlichen lohnenswerten Geschäften und zieht sich bis zu den Trödelläden am nördlichen Ende. Freitag- und Samstagvormittag wimmelt es hier von Touristen. Von der U-Bahn-Station Notting Hill Gate kommt man nach zehn Minuten Fußmarsch hin.

Kulturelles

Schlösser und Herrensitze

Die meisten Englandbesucher strömen zu den Prachtbauten und Burgen, die wesentlicher Bestandteil des geschichtlichen Erbes sind. Nähere Informationen darüber sind erhältlich unter der Adresse: National Trust, 36 Quenn Anne's Gate, London SW1, Tel. (01) 2229251.

Im folgenden einige der wichtigsten Sehenswürdigkeiten.

Windsor Castle, Surrey. Der bekannteste Palast der Königsfamilie auf dem Land.

Hampton Court, in der Nähe von Richmond (Surrey). Der berühmte Palast von Henry VIII.

Chatsworth, in der Nähe von Bakewell (Derbyshire). Herrschaftssitz der Herzöge von Devonshire. Tel. (024) 6882204. Schriftlich an: c/o The Comptroller.

Blenheim Palace, in der Nähe von Woodstock, Oxfordshire OX7 1PX. Wohnsitz der Herzöge von Marlborough, Geburtsstätte von Winston Churchill. Tel. (0993) 811325. Schriftlich an: The Administrator's Office.

Althorp, in der Nähe von Northampton, Northamptonshire NN7 4HG. Wohnsitz von Lord Spencer, dem Vater von Prinzessin Diana. Schriftlich an: The Countess Spencer.

Harewood House, in der Nähe von Leeds, West Yorkshire LS17 9LQ. Wohnsitz des Grafen von Harewood. Tel. (0532) 886225. Schriftlich an: The Estate Office.

Castle Howard, in der Nähe von Malton, North Yorkshire YO6 7BZ. Wohnsitz des Grafen von Carlisle. Tel. (065384) 333. Schriftlich an: Castle Howard.

Beaulieu Abbey, in der Nähe von Lyndhurst, Hampshire SO4 7ZN. Wohnsitz des Grafen von Southampton. Tel. (0590) 612345.

Crathes Castles, Banchory, Grampian Scotland. Eine schöne alte Burg. Tel. (033044) 525.

Buchhandlungen

Jede größere Stadt in England hat eine angesehene Buchhandlung. Manche, wie Blackwells in Oxford, sind weltbekannt, andere existieren nur als kleine Verkaufsstände auf Wochenmärkten. Ein Mekka für Bücherwürmer ist die Charing Cross Road in London, wo es mehrere Dutzend von Buchhandlungen gibt, darunter Foyles mit einem Bestand von vier Millionen Titeln! Adressen finden Sie vor allem auf den „Info"-Seiten vor dem London-Kapitel.

Konzert/Ballett

London ist die Heimat von vier wichtigen Symphonieorchestern: Royal Philharmonic, Philharmonia, London Philharmonia Orchestra, London Symphony Orchestra. Im Bereich Ballett kommen hinzu: Royal Ballet und London Festival Ballet. Zwei herausragende Opernensembles — Royal Opera und English National Opera — runden das kulturelle Spektrum der Hauptstadt ab.

Über das ganze Land verstreut, aber auch in London, gibt es zahllose kleinere Orchester und Tanzensembles. Falls Sie sich vom Theaterleben losreißen können, sollten Sie eine der hervorragenden Musikvorstellungen genießen. Einige Anregungen:

The Royal Opera House, Covent Garden, London WC2, Tel. (01) 2401066.

Royal Festival Hall, The South Bank, Belvedere Rd., London SE1, Tel. (01) 9283191.

Royal Albert Hall, Kensington Gore, London SW7, Tel. (01) 5898212.

Sadler's Wells Theatre, Roseberry Ave., London EC1, Tel. (01) 2788916.

The London Coliseum, St. Martin's Lane, London WC2, Tel. (01) 8363161.

Auf den „Info"-Seiten vor dem London-Kapitel finden Sie einige Informationen zum Theaterleben in London. Im *London Standard* können Sie sich speziell über die Theater im Westend informieren. Die folgende Liste enthält die Adressen und Telefonnummern der wichtigsten Theater in London. (Wenn Sie von außerhalb Londons anrufen, müssen Sie 01 vorwählen.)

Adelphi, Strand WC2, Tel. 8367611
Albery, St. Martin's La., WC2, Tel. 8363878
Aldwych, Aldwych, WC2, Tel. 8366404
Ambassadors, West St., WC2, Tel. 836 1171
Apollo, Shaftesbury Av., W1, Tel. 4372663
Apollo Victoria, Wilton Rd. SW1, Tel. 8288665/6491
Arts Theatre Club, 6 Gt. Newport St., WC2, Tel. 8363334
Astoria, 157 Charing Cross Rd., WC2, Tel. 7344291
Barbican Theatre, Silk St., EC2, Tel. 6288795, C/Cards Tel. 6388891
Battersea Arts Centre, Lavender Hill, SW11, Tel. 2238413
Cambridge, Earlham St., WC2, Tel. 8366056
Collegiate, 15 Gordon St., WC1, Tel. 3879629
Comedy, Panton St., SW1, Tel. 9302758
Criterion, Piccadilly, W1, Tel. 9303216
Donmar Warehouse, 41 Earlham St., WC2, Tel. 8361071
Drury Lane (Theatre Royal), Catherine St., WC2, Tel. 8368108
Duchess, Catherine St., WC2, Tel. 8368243
Duke of Yorks, St. Martin's La., WC2, Tel. 8365122

Fortune, Russell St., WC2, Tel. 8362238
Garrick, Charing Cross Rd., WC2, Tel. 8364601
Globe, Shaftesbury Av., W1, Tel. 4371592
Half Moon, 213 Mile End Rd., E1, Tel. 7904000
Hampstead Theatre Club, Swiss Cottage Centre, Avenue Rd., NW3, Tel. 7229301
Haymarket (Theatre Royal), Haymarket, SW1, Tel. 9309832
Her Majesty's, Haymarket, SW1, Tel. 9306606
ICA, The Mall, SW1, Tel. 9303647
Jeannetta Cochrane, Southampton Row, WC1, Tel. 2427040
Lyric, Shaftesbury Av., W1, Tel. 4373686
Lyric Hammersmith, Kings St., W6, Tel. 7412311
Mayfair, Stratfon St., W1, Tel. 6293036
Mermaid, Puddle Dock, Up. Thames St., EC4, Tel. 2365568
National Theatre, Upper Ground, SE1, Tel. 9282252, Information Tel. 6330880. Drei Theater — Cottesloe, Lyttelton & Olivier
New London Theatre, Parker St., Drury La., WC2, Tel. 4050072
Old Vic, Waterloo Rd., SE1, Tel. 9287616
Palace, Shaftesbury Av., W1, Tel. 4376834
Palladium, 8 Argyll St., W1, Tel. 4377373
Phoenix, Charing Cross Rd., WC2, Tel. 8362294
Piccadilly, Denman St., W1, 4374506
Players, 173 Hungerford Arches, Villiers St., WC2, Tel. 8391134
Prince Edward, Old Compton St., W1, Tel. 4376877
Prince of Wales, 31 Coventry St., W1, Tel. 9308681
Queen's, 51 Shaftesbury Av., W1, Tel. 7341166
Regents Park (Open Air), Inner Circle, Regents Pk., NW1, Tel. 4862431
Richmond, The Green, Richmond, Surrey, Tel. 9400088
Riverside Studios, Crisp Rd., W6, Tel. 7483354
Round House, Chalk Farm Rd., NW1, Tel. 2672564
Royal Court, Sloane Sq., SW1, Tel. 7301745
Royalty, Portugal St., WC2, Tel. 4058004
Saddlers Wells, Rosebery Av., EC1, Tel. 8371672
St. Martin's, West St., WC2, Tel. 8361443
Savoy, Strand, WC2, Tel. 8368888
Shaftesbury Theatre, Shaftesbury Av., WC2, Tel. 8366596
Shaw Theatre, 100 Euston Rd., NW1, Tel. 3881394
Strand, Aldwych, WC2, Tel. 8362660
Theatre Royal Stratford, Angel La., E15, Tel. 5340310
Tower Theatre, Cannonbury Tower, Cannonbury Pl., N1, Tel. 2265111
Vaudeville, Strand, WC2, Tel. 8369987
Victoria Palace, Victoria St., SW1, Tel. 8341317
Westminster, Palace St., SW1, Tel. 8340283
Whitehall, 14 Whitehall, SW1, Tel. 9306692

Wimbledon, The Broadway, SW19, Tel. 9465211

Windmill, 17 Gt. Windmill St., W1, Tel. 4376312

Wyndham's, Charing Cross Rd., WC2, Tel. 8363028

Young Vic, 66 The Cut, SE1, Tel. 9286363

Museen und Galerien in London

Auf den „Info"-Seiten vor dem London-Kapitel sind die wichtigsten Museen und Galerien zusammengestellt. Nachfolgend einige Ergänzungen:

Barbican Art Gallery, Level 8, Barbican Centre, EC2, Tel. 6384141. Diese Galerie ist im Barbican Arts Centre untergebracht. Die jeweiligen Ausstellungen werden in den Zeitungen inseriert. U-Bahn-Station Barbican.

Bethnal Green Museum of Childhood, Cambridge Heath Road, E2, Tel. 9802415. Ständige Ausstellung von Spielzeug, Puppen, Spielen, Kinderkostümen und Marionetten. U-Bahn-Station Bethnal Green.

British Museum, St. Russell St., Bloomsbury, Tel. 6361555. Eine der wichtigsten kulturellen Institutionen Londons. Hier finden Sie ägyptische Mumien, Skulpturen aus dem Parthenon, Exponate aus dem antiken Alltagsleben in Ägypten, Griechenland, Rom und Britannien. U-Bahn-Station Tottenham Court Road.

Clock Museum, Guildhall Library, Aldermanbury, EC2, Tel. 6063030. Dauerausstellung von Uhren aus dem 17. Jahrhundert. U-Bahn-Station St. Paul's.

Commonwealth Institute, Kensington High Street, W8, Tel. 6034535. Dauerausstellung über Gesellschaft und Kultur in mehr als 40 Commonwealth-Ländern. U-Bahn-Station High Street Kensington.

Design Centre, 28 Haymarket, SW1, Tel. 8398000. Wechselnde Ausstellungen über Industrie- und Verbraucherdesign. U-Bahn-Station Piccadilly Circus.

Eltham Palace, Court Yard, Eltham, SE9, Tel. 8592112. Zu sehen ist die Great Hall Edwards IV. aus dem 15. Jahrhundert, Teile des Palastes von Henry VII. und der Kapelle von Henry VIII. Mit British Rail bis Eltham Well Hall.

Epping Forest Museum, 39-41 Sun Street, Waltham Abbey, Essex, Tel. (0992) 716882. Fachwerkgebäude mit einem eichenholzgetäfelten Raum im Tudorstil, Kräutergarten, handwerklichen Gegenständen. Wechselnde Ausstellungen zur lokalen Geschichte. Von der U-Bahn-Station Loughton aus mit der Buslinie 250.

Geffrye Museum, Kingsland Road, E2, Tel. 7398368. Ausstellung von Räumen im jeweiligen Zeitstil von 1600 bis 1939 mit entsprechenden Kleidungsstücken. U-Bahn-Station Liverpool Street.

Geological Museum, Exhibition Road, SW7, Tel. 5893444. Eines der berühmten Museen in South Kensington. Ausstellung zur Erdgeschichte und zur Geologie. Berühmte Sammlung von Edelsteinen.

Gunnersbury Park Museum, Gunnerbury Park, W3, Tel. 9921612. Früherer Wohnsitz der Rothschilds. U-Bahn-Station Acton Town.

Hogarth's House, Hogarth Lane, Great West Road, W4, Tel. 9946757. Eine Sammlung von Werken Hogarths, die das Leben im England des 18. Jahrhunderts illustriert.

Hunterian Museum, Royal College of Surgeons, Lincoln's Inn Fields, WC2, Tel. 4053474. Museum für menschliche Anatomie. Zutritt nur nach schriftlicher Bewerbung. U-Bahn-Station Holborn.

Imperial War Museum, Lambeth Road, SE1, Tel. 7358922, Kriegsgeschichte seit 1914. U-Bahn-Station Lambeth North.

Iveagh Bequest, Hampstead Lane, NW3, Tel. 3481286. Sammlung englischer und ausländischer Gemälde. Von der U-Bahn-Station Golders Green aus mit der Buslinie 210.

Jewel Tower, Old Palace Yard, SW1, Tel. 2222219. Eines der wenigen Überbleibsel des alten Westminsterpalastes. U-Bahn-Station Westminster.

Keats House, Wentworth Place, Keats Grove, NW3, Tel. 4352062. Manuskripte und Lebensdokumente von Keats und seinen Zeitgenossen. U-Bahn-Station Hampstead.

Leighton House, 12 Holland Park Road, W14, Tel. 6023316. Räume in verschiedenen Zeitstilen. Dauerausstellung viktorianischer Kunst. U-Bahn-Station Kensington High Street.

Marble Hill House, Richmond Road, Twickenham, Middlesex, Tel. 8925115. Typisch englische Palladio-Villa mit einer Sammlung von Bildern und Möbeln aus dem 18. Jahrhundert.

Museum of Garden History, St. Mary-at-Lambeth, Lambeth Palace Road, SE1, Tel. 2611891. Gedenkstätte für königliche Gärtner bis zu Charles I. Entweder mit der Buslinie 507 von der Victoria oder Waterloo Station aus oder mit der Buslinie 159 von der Oxford Street aus.

Museum of London, London Wall, EC2, Tel. 6003699. Wechselnde und ständige Ausstellungen zur Geschichte Londons. U-Bahn-Station St. Paul's.

National Gallery, Trafalgar Square, WC2, Tel. 8393321. Eine der bedeutendsten Galerien Londons mit Werken von Rembrandt, Van Gogh, Renoir, da Vinci, Constable, Gainsborough und Rubens. U-Bahn-Station Charing Cross.

National Museum of Labour History, Limehouse Town Hall, Commercial Road, E14, Tel. 5153229. Dokumentiert die Geschichte der englischen Arbeiter- und Gewerkschaftsbewegung. U-Bahn-Station Aldgate East.

National Portrait Gallery, St. Martin's Place, WC2, Tel. 9301552. Ständige Ausstellung von Porträts berühmter englischer Persönlichkeiten. U-Bahn-Station Charing Cross.

Natural History Museum, Cromwell Road, South Kensington, SW7, Tel. 5896326. Eines der bekanntesten Londoner Museen. Ständige Ausstellung zur Naturgeschichte, Anthropologie und Ökologie. U-Bahn-Station South Kensington.

Percival David Foundation of Chinese Art, 53 Gordon Square, WC1, Tel. 3873909. Chinesische Keramiken vom 10. bis 18. Jahrhundert, darunter auch Exponate aus dem Kaiserpalast.

Public Record Office Museum, Chancery Lane, WC2, Tel. 4050741. Dokumentiert die englische Geschichte, unter den Exponanten: Domesday Book, Shakespeares Testament, Magna Charta von 1225.

Royal Air Force Museum, Grahame Park Way, Hendon, Tel. 2052266. Dokumentiert die Geschichte der britischen Luftwaffe.

Science Museum, Exhibition Road, SW7, Tel. 5893456, Museum für Wissenschaft, Industrie und Gesundheitswesen. U-Bahn-Station South Kensington.

Sir John Soane Museum, 13 Lincoln's Inn Fields, WC2, Tel. 4052107. Früherer Wohnsitz von Sir John Soane, dem Erbauer der Bank of England. U-Bahn-Station Holborn.

Tate Gallery, Millbank, SW1, Tel. 8211313 und 8217128. Eine der bedeutendsten englischen Kunstgalerien mit der Nationalsammlung englischer Gemälde aus allen Epochen und einer Sammlung moderner Kunst des 20. Jahrhunderts. U-Bahn-Station Pimlico.

Victoria & Albert Museum, Cromwell Road, South Kensington, SW7, Tel. 5896371. Umfangreiche Sammlungen europäischer und orientalischer Rüstungen, Möbel, Miniaturen und Dekorationskunst. Aber auch Gemälde, Keramik und Schmuck aus dem 19. Jahrhundert. U-Bahn-Station South Kensington.

Wallace Collection, Hertford House, Manchester Square, W1, Tel. 9350687. Ständige Ausstellung europäischer Gemälde, Miniaturen und Plastiken. französischer Möbel, europäischer und orientalischer Waffen und Rüstungen. U-Bahn-Station Bond Street.

William Morris Gallery, Lloyd Park, Forest Road, E17, Tel. 5275544. Ehemaliger Wohnsitz von William Morris aus dem 18. Jahrhundert mit einer Sammlung damaliger Dekorationskunst. U-Bahn-Station Walthamstow.

Festliche Ereignisse

Im folgenden einige der bedeutendsten Ereignisse und Veranstaltungen, die Sie eventuell für Ihren Englandaufenthalt einplanen sollten.

Januar: Burns Night in Schottland, die Wintersaison in Covent Garden und den anderen Kunststätten Londons; International Boat Show in Earl's Court.

Februar: Cruft's Dog Show und Chinese New Year in London; Skifahren in Schottland.

März: Bootsrennen Oxford/Cambridge auf der Themse; Chelsea Spring Antiques Fair (Frühlingsantikmarkt); Saisoneröffnung am Royal Shakespeare Theatre in Stratford.

April: Badminton Horse Trials; Grand National Steeplechase (Springreiten) in Liverpool; Flachrennen in Doncaster; English Bach Festival in London und Oxford; Shakespeare's Birthday Celebrations in Stratford.

Mai: Chelsea Flower Show; Saisoneröffnung in Glyndebourne; Bathfestival für Chor- und Kammermusik; Chichester Drama Festival; Brighton Arts Festival.

Juni: Derby; Royal Ascot; Wimbledon-Turnier; Trooping the Colour (die offiziellen Geburtstagsfeierlichkeiten der Königin); York Mystery Plays and Festival; Aldeburgh Festival.

Juli: Henley Royal Regatta; British Open; British Grand Prix; City of London Festival; Llangollen Festival of the Arts in Wales; Royal International Horse Show in Wembley.

August: Edinburgh Festivals; Cowes Week Regatta; Three Choirs Festival in Gloucester, Worceser und Hereford; Royal National Eisteddfod of Wales; English Games in Grasmere; Highland Games in Dunoon, Perth und Aboyne (Schottland).

September: Braemar Royal Highland Games in der Nähe von Balmoral (Schottland); Farnborough Air Show.

Oktober: Parlamentseröffnung durch die Königin; Horse of the Year Show in Wembley; National Mod in Schottland (eine Lieder- und Vortragswoche); Beginn der Fasanjagdsaison.

November: Lord Mayor's Procession in London; London to Brighton Antique Car Run (Veteranenrennen); Guy Fawkes Day (5. November); Chelsea Autumn Antiques Fair (Herbstantikmarkt); Jahrmärkte in Stratford und Warwick.

Dezember: Festival of Carols (Weihnachtssingen) in dee Ely Cathedral; King's College in Cambridge; in Andover und Marshfield; Hogmanay in Schottland; Silvestertreiben auf dem Trafalgar Square.

Sport

Breitensport

In England wird Freizeit und sportliche Betätigung sehr ernst genommen. Es gibt eine ganze Reihe öffentlicher Sportanlagen für Tennis, Schwimmen, Golf und andere volkstümliche Sportarten.

Informieren Sie sich bei den örtlichen Stadtverwaltungen oder auch bei: The Sports Council, 16 Upper Wobum Place, London WC1, Tel. (01) 3 88 12 77.

Leistungssport

Fußball: Zweifellos die beliebteste Sportart für Zuschauer nicht nur in England, dessen Fans in letzter Zeit leider für Schlagzeilen gesorgt haben. Einige der bekanntesten englischen Clubs sind: Arsenal, Chelsea, Westham, Tottenham Hotspurs, Liverpool United, Manchester United und Ipswich. Die Adresse für Fußballfans: The Football Association, 16 Lancaster Gate, London, Tel. (01) 2624542.

Rugby: Dieses rauhe und schmutzige Spiel wird von Amateurmannschaften von September bis April betrieben. Wichtige Spiele finden in Zwickenham (Südwestlondon) statt, dem Sitz der Rugby Union. Die Adresse: Whitton Road, Twickenham, Tel. (01) 8928161.

Tennis: Wer als Zuschauer beim Wimbledon-Turnier dabei sein möchte, wendet sich am besten an eine der Verkaufsstellen für Eintrittskarten in London an: The All England Lawn Tennis and Croquet Club, Church Road, Wimbledon, London SW19, Tel. (01) 9462244.

Kricket: Schlechthin *der* Sport für englische Gentlemen. Die Spiele dauern zwischen drei und fünf Tagen und sind der ideale Zuschauersport für alle, die faule Sommernachmittage lieben. Am besten, man sucht Lord's Cricket Ground auf oder wendet sich an: Marylebone Cricket Club, St. John's Wood Road, London NW8, Tel. (01) 2891615, oder an den Surrey County Cricket Club, The Oval, Kennington, London SE11, Tel. (01) 7352424.

Polo: Dem Spielgeschehen zuschauen können Sie in Smith's Lawn, Windsor Great Park in Windsor oder Cowdray Park in Midhurst (West Sussex). Informationen unter der Adresse: The Hurlingham Polo Association, 60 Mark Lane, London EC3R 7TJ.

Highland Games: Sie finden während der Monate August und September statt und fallen zusammen mit dem Jahrestreffen der verschiedenen Clans. Am bekanntesten ist das Braemar Royal Highland Gatherin nahe Balmoral im September. Nähere Informationen unter: Scottish Board, 23 Ravelston Terr., Edinburg EH4 3EU, Tel. (031) 3322433 oder 5 Pall Mall, East, London SW1, Tel. (01) 9308861.

Literaturhinweise

Geschichte

Geoffrey R. Elton: England unter den Tudors. Callwey 1982
Jürgen Klein: England zwischen Aufklärung und Romantik. Narr 1983
Kurt Kluxen: Geschichte Englands. Kröner 1985
Hugo Preller: Geschichte Englands bis 1815. Göschen 1967
George M. Trevelyan: Die Herrscher Britanniens. Time-Life 1983

Land und Leute

Karl H. Albers: England und englisch. England, wie es wirklich ist. Bock + Herchen 1982
Werner Glinga: Erben des Empire. Eine Reise durch die englische Gesellschaft. Campus 1983
Timothy Jacques: Der Gentleman und seine Lady oder Die feine britische Art. ECON 1981
Stefan Loose/Renate Ramb: England-Handbuch. Loose 1981
Georges Mikes: Das Vergnügen, dekadent zu sein. Von der Kunst, in England zu leben. Knaur 1980
George Orwell: Die Engländer/The English People. dtv zweispr. 1980
Arthur Steiner: Englisch, wie es nicht im Wörterbuch steht. Bastei/Lübbe 1973
Edward P. Thompson: Die Entstehung der englischen Arbeiterklasse. Suhrkamp 1983
— England mit Schottland und Wales. Bildband. Reich 1980

Kunst und Literatur

Nikolaus Pevsner: Das Englische in der englischen Kunst. Prestel 1974
Walter F. Schirmer/Arno Esch: Kurze Geschichte der englischen und amerikanischen Literatur. dtv 19770

Der beste Weg, um einen Zugang zur englischen Geschichte, Kultur und Mentalität zu finden, ist die Lektüre einiger großer Werke englischer Literatur. Hier einige Lesetips:

Chaucer: *Die Canterbury-Erzählungen*
Shakespeare: *Lear, Macbeth, Richard III.* und die anderen Geschichtsdramen
Defoe: *Moll Flanders*
Fielding: *Tom Jones*
Sterne: *Leben und Meinungen des Tristram Shandy*
Dickens: *David Copperfield, Oliver Twist*
Austen: *Stolz und Vorurteil*
Eliot: *Silas Marner*
Thackerey: *Jahrmarkt der Eitelkeiten*

Einige weitere Namen von Autoren, die englische Literaturgeschichte geschrieben haben:

Milton, Dryden, Swift, Shelley, Keats, Byron, Brontë, Wilde, D. E. Lawrence, Woolf, Wordsworth, Scott, Marlowe, Jonson, T. S. Eliot, Greene, Hardy.

Anhang

Unterkünfte

LONDON

Hotels 1. Klasse

Authenaeum Hotel, 116 Piccadilly, W1, Tel. 4993464

Britannia, Grosvenor Square, W1, Tel. 6299400

Browns, Dover Street, Park Lane, W1, Tel. 4936020

Cavendish Hotel, Jermyn Street, SW1, Tel. 9302111

Claridges, Brook Street, W1, Tel. 6298860

The Connaught, Carlos Place, W1, Tel. 4997070

The Dorchester, Park Lane, W1, Tel. 6298888

Grosvenor House, Park Lane, W1, Tel. 4996363

Hilton Hotel, Park Lane, W1, Tel. 4938000

Hyde Park Hotel, 66 Knightsbridge, SW1, Tel. 2352000

Inn On The Park, Hamilton Place, W1, Tel. 4990888

London Belgravia, 20 Chesham Place, SW1, Tel. 2356040

Mayfair Hotel, Stratton Street, W1, Tel. 6297777

The Ritz, Piccadilly, W1, Tel. 4938181

Royal Garden Hotel, Kensington High Street, W8, Tel. 9378000

Savoy, The Strand, WC2, Tel. 8364343

Waldorf Hotel, Aldwych, WC2, Tel. 8362400

White's, Lancaster Gate, W2, Tel. 2622711

Mittelklasse-Hotels

Bayswater Post House, 104 Bayswater Road, W2, Tel. 2624461

Bonnington House, Southampton Row, WC1, Tel. 2422828

Bryanston Court Hotel, 56—60 Great Cumberland Place, W1, Tel. 2623141

Buckingham Hotel, 94 Cromwell Road, SW7, Tel. 3737131

Clarendon Court Hotel, Maida Vale, W9, Tel. 2868080

George Hotel, Templeton Place, SW5, Tel. 3701092

Kingsley, Bloomsbury Way, WC1, 2425881

Londoner Hotel, Welbeck Street, W1, Tel. 9354442

Park Court Hotel, Lancaster Gate, W2, Tel. 4024272

President Hotel, Russell Square, WC1, Tel. 8378844

Rembrandt Hotel, Thurloe Place, SW7, Tel. 5898100

Rubens Hotel, 39—41 Buckingham Palace Road, SW1, Tel. 8346600

Somerset House Hotel, 6 Dorset Square, NW1, Tel. 7230741

Tavistock Hotel, Tavistock Square, WC1, Tel. 6368383

Preiswerte Hotels

Abbey House Hotel, 11 Vicarage Gate. W8, Tel. 7272594

Bedford Corner, Bayley Street, WC1, Tel. 5807766

Belgrave Court Hotel, 27 Belgrave Road, SW1, Tel. 8282923

Ebury Court, 26 Ebury Street, SW1, Tel. 7308147

Granada Hotel, 73 Belgrave Road, SW1, Tel. 8217611

Holland Park Hotel, 6 Ladbroke Terrace, W1, Tel. 7275815

Mount Pleasant Hotel, Calthorpe Street, WC1, Tel. 8379781

New Ambassadors Hotel, Upper Woburn Place, WC1, Tel. 3871456

Olympic Hotel, 115 Warwick Way, SW1, Tel. 8280757

Onslow Court Hotel, 109, Queen's Gate, SW7, Tel. 5896300

Oxford House Hotel, 92—94 Cambridge Street, SW1, Tel. 8346467

Royal Bayswater, 122 Bayswater Road, W2, Tel. 2298887

Royal Norfolk, 25 London Street, W2, Tel. 4025221

Suncourt Hotel, 57 Lexham Gardens, W8, Tel. 3737242

Tudor Court Hotel, 58 Cromwell Road, SW7, Tel. 5848273

White Hall Hotel, Bloomsbury Square, WC1, Tel. 2425401

Hotelreservierungszentralen

London Tourist Board, 26 Grosvenor Gardens, SW1, Tel. 7303488

Am-Ex Express, 12 Park Place, SW1, Tel. 4937060

British Hotel Reservation Centre, St. Pancras Chambers, Euston Road, NW1, Tel. 2784211

Hotel Booking Service, 137 Regent Street, W1, Tel. 4375052

Hotelguide, 8 Charing Cross, WC2, Tel. 8367677

Die folgende Unterkunftsliste bietet nur einen kleinen Ausschnitt aus der Angebotspalette. Auf den jeweiligen „Info"-Seiten in Teil II finden Sie Adresse und Telefonnummer des jeweiligen Tourist Information Office, das Ihnen behilflich ist bei der Suche nach einer Unterkunft. Die nachgestellten Buchstaben hinter den folgenden Adressen bedeuten:

E = expensive/teuer (60 £ und mehr für das Doppelzimmer)
M = moderate/preiswert (20 bis 60 £)
I = inexpensive/billig (20 £ und weniger)

Die Angaben wurden Ende 1985 zusammengestellt, Änderungen sind natürlich vorbehalten.

Windsor

Castle Hotel, High St., Windsor SL4 1LJ, Tel. (07535) 51011. M
The Christopher Hotel, High St., Eton, Windsor SL4 6AN, Tel. (07535) 61033. I
Eton Guest House, Windsor Road, Water Oakley, Windsor SL4 5UR, Tel. (0628) 74141. E

Henley

Little White Hart Hotel, Riverside, Henley-on-Thames RG9 2LJ, Tel. (0491) 574145. M
Phyllis Court Members Club, Marlow Road, Henley-on-Thames RG9 2HT, Tel. (0491) 574366. M
Rose & Crown Inn, New St., Henley-on-Thames RG9 2BX, Tel. (0491) 578376. I
The Royal Hotel, Riverside, Station Rd., Henley-on-Thames RG9 1AT, Tel. (0491) 577526. I

Maidenhead

Boulters' Lock Inn, Boulters' Lock, Maidenhead SL6 8PE, Tel. (0628) 2191. M
Clifton Guest House, 21 Crauford Rise, Maidenhead SL6 7LR, Tel. (0628) 235772. I

Oxford

Cotswold Lodge Hotel, 66a Banbury Rd., Oxford OX2 6JP, Tel. (0865) 512121/9. M
Eastgate Hotel, The High, Oxford OX1 4BE, Tel. (0865) 48244. M
Randolph Hotel, Beaumont St., Oxford OX1 2LN, Tel. (0865) 247481. M
The Old Parsonage Hotel, 1—3 Banbury Rd., Oxford OX2 6NW, Tel. (0865) 54843. I
Lincoln College, Turl St., Oxford OX1 3DR, Tel. (0865) 722741. I
Lower Farm, Berrick Salome, Oxford OX9 6LJ, Tel. (0865) 891073.

Woodstock

Bear Hotel and Restaurant, Park St., Woodstock OX7 1SZ, Tel. (0993) 811511. M
Heathfield, 31 Manor Rd., Bladon, Woodstock OX7 1RU, Tel. (0993) 811783. I

Minster Lovell

The Old Swan, Minster Lovell, Oxford OX8 5RN, Tel. (0993) 75614. M
Mrs. Brown, Hill Grove Farm, Crawley Rd., Minster Lovell OX8 5NA, Tel. (0993) 3120. I
Mr. & Mrs. M. Woodin, The Olde Farm, Asthall Leigh, Minster Lovell OX8 5PX,, Tel. (099387) 608. I

WESSEX
(WILTSHIRE, DORSET & HAMPSHIRE)

Winchester

The Royal Hotel, St. Peter St., Winchester, SO23 8BS, Tel. (0962) 53468. M
Harestock Lodge, Harestock Rd., Winchester, SO22 6NX, Tel. (0962) 881870. I

Salisbury

Red Lion Hotel, Milford St., Salisbury, SP1 2AN, Tel. (0722) 23334. M
Hollbury Guest House, 1 Fowlers Hill, Salisbury, SP1 2GF, Tel. (0722) 22494. I

Amesbury (Stonehenge)

Vale House, Figheldean, Salisbury, SP4 8JJ, Tel. (0980) 70713. I
Addestone Manor Farm, Shrewton, Nr. Salisbury, SN10 3QE, Tel. (0980) 620548. I

Sherborne

Post House Hotel, Horsecastles Lane, Sherborne, DT9 6BB, Tel. (0935) 813191. M
Half Moon Hotel, Half Moon St., Sherborne, DT9 3LN, Tel. (0935) 812017. I

Lyme Regis

Alexandra Hotel, Pound St., Lyme Regis, DT7 3HZ, Tel. (02974) 2768. I

Weymouth

Alexandra Hotel, 27—28 The Esplanade, Weymouth, DT4 8DN, Tel. (0305) 783188. I
Devon Guest House, 10 Waterloo Place, Weymouth, DT4 7PE, Tel. (0305) 786289. I

Bournemouth

Angus Hotel, Bath Rd., Bournemouth, BH1 2NN, Tel. (0202) 26420. M
Belgravia Hotel, 56 Christchurch Rd., Bournemouth, BH1 3PF, Tel. (0202) 290857. I

Dorchester

Kings Arms Hotel, High East St., Dorchester, DT1 1HF, Tel. (0305) 65353. M
The Casterbridge Hotel, High East St., Dorchester, DT1 1HU, Tel. (0305) 64043. I

Isle of Wight

Holmwood Hotel, Egypt Point, Cowes, PQ31 8BW, Tel. (0983) 292508. M
Crossways House, Osborne, Cowes, PO32 6LJ, Tel. (0983) 293677. I

Tetbury

Calcot Manor, Beverstone, Tetbury, GL8 8YJ, Tel. (066689) 227. M
Hunters Hall Inn, Kingscote, Tetbury, GL8 9XZ, Tel. (0453) 860393. T

Moreton-in-Marsh

White Hart Royal Hotel, High St., Moreton-in-Marsh, GL56 0BA, Tel. (0608) 50731. M
Redesdale Arms Hotel, Moreton-in-Marsh, GL56 0AW, Tel. (0608) 50308. T

WEST COUNTRY (CORNWALL, DEVON, SOMERSET)

Wells

Swan Hotel, Sadler St., Wells, BA5 2RX, Tel. (0749) 78877. M
Worth House Hotel, Worth, Wells, BA5 1LW, Tel. (0749) 72041. T

Glastonbury

George and Pilgrim Hotel, 1 High St., Glastonbury, BA6 9DD, Tel. (0458) 31146. M
Hawthorns Hotel, Northload St., Glastonbury, BA6 9JJ, Tel. (0458) 31255. T

Exmoor Park

Crown Hotel, Exford, TA24 7PP, Tel. (064383) 554. M
Stockleigh Lodge, Exford, Minehead, TA24 7PY, Tel. (064383) 500. T

Tintagel

Atlantic View Hotel, Treknow, Tintagel, PL34 0EJ, Tel. (0840) 770221. T
Willapark Manor Hotel, Bossiney, Tintagel, PL34 0BA, Tel. (0840) 770782. T

Dunster

Luttrell Arms Hotel, High St., Dunster, TA24 6SG, Tel. (0643) 821555. M
Exmoor House Hotel, West St., Dunster, TA24 6SN, Tel. (0643) 821268. T

Bude

Grenville Hotel, Belle Vue, Bude, EX23 8JP, Tel. (0288) 2212. M
Hotel Penarvor, Crooklets Beach, Bude, EX23 8NE, Tel. (0288) 2036. T

Clovelly

Kingsley Hotel, Woolfardisworthy, Clovelly, Bideford, EX39 5RG, Tel. (02373) 461. T
Fonquil, Burscott Rd., Clovelly, Bideford, EX39 5RR, Tel. (02373) 546. T

Cheltenham

Carlton Hotel, Parabola Rd., Cheltenham, GL50 3AU, Tel. (0242) 514453. M
Hunters Farm House, Bentham, Cheltenham, GL51 5TZ, Tel. (0452) 862735. T

Bibury

Bibury Court Hotel, Bibury, Cirencester, GL7 5NT, Tel. (028574) 337. M

Bourton-on-the-Water

Mousetrap Inn, Lansdowne, Bourton-on-the-Water, Cheltenham, GL54 2AR, Tel. (0451) 20579. M
Duke of Wellington Inn, Sherborne St., Bourton-on-the-Water, Cheltenham, GL54 2BY, Tel. (0451) 20539. T

Burford

The Inn for All Seasons, The Barrington, Burford, OX8 4TN, Tel. (04514) 324. M
The Bampont Car Inn, The Hill, Burford, OX8 ..., Tel. (099382) 2193. T

Chipping Campden

Noel Arms Inn, High St., Chipping Campden, GL55 6AT, Tel. (0386) 840317. M
The Malt House, Broad Campden, Chipping Campden, GL55 6UU, Tel. (0386) 840295. T

Cirencester

Fleece Hotel, Market Place, Cirencester, GL7 4NY, Tel. (0285) 2680. M
Black Horse Hotel, 17 Castle St., Cirencester, GL7 1QD, Tel. (0285) 3091. T

Broadway

The Lygon Arms, Broadway, Worcestershire, WR12 7DU, Tel. (0386) 852255. M
Manor Farm, West End, Broadway, Worcestershire, WR12 7JP, Tel. (0386) 858894. T

Tewkesbury

Royal Hop Pole Crest Hotel, Church St., Tewkesbury, GL20 5RT, Tel. (0684) 293236. M
The Ancient Grudge, 15 High St., Tewkesbury, GL20 5AL, Tel. (0684) 292204. T

Stow-on-the-Wold

Unicorn Crest Hotel, Sheep St., Stow-on-the-Wold, Cheltenham, GL54 1HQ, Tel. (0451) 30257. M
Grapevine Hotel, Sheep St., Stow-on-the-Wold, Cheltenham, GL54 1AU, Tel. (0451) 30344. T

Cheltenham

Carlton Hotel, Parabola Rd., Cheltenham, GL50 3AQ, Tel. (0242) 514435. M
Bouchers Farm House, Benthem, Cheltenham, GL51 5TZ, Tel. (0452) 862373. I

Bibury

Bibury Court Hotel, Bibury, Cirencester, GL7 5NT, Tel. (028574) 337. M

Bourton-on-the-Water

Mousetrap Inn, Lansdowne, Bourton-on-the-Water, Cheltenham, GI54 2AR, Tel. (0451) 20579. M
Duke of Wellington Inn, Sherborne St., Bourton-on-the-Water, Cheltenham, GL54 2BY, Tel. (0451) 20539. I

Burford

The Inn for All Seasons, The Barringtons, Burford, OX8 4TN, Tel. 04514324. M
The Rampant Cat Inn, The Hill, Burford, OX8 4QY, Tel. (099382) 2183. I

Chipping Campden

Noel Arms Inn, High St., Chipping Campden, GL55 6AT, Tel. (0386) 840317. M
The Malt House, Broad Campden, Chipping Campden, GL55 6UU, Tel. (0386) 840295. I

Cirencester

Fleece Hotel, Market Place, Cirencester GL7 4NZ, Tel. (0285) 2680. M
Black Horse Hotel, 17 Castle St., Cirencester, GL7 1QD, Tel. (0285) 3094. I

Broadway

The Lygon Arms, Broadway, Worcestershire, WR12 7DU, Tel. (0386) 852255. M
Manor Farm, West End, Broadway, Worcestershire, WR12 7JP, Tel. (0386) 858894. I

Tewkesbury

Royal Hop Pole Crest Hotel, Church St., Tewkesbury, GL20 5RT, Tel. (0684) 293236. M
The Ancient Grudge, 15 High St., Tewkesbury, GL20 5AL, Tel. (0684) 292204. I

Stow-on-the-Wold

Unicorn Crest Hotel, Sheep St., Stow-on-the-Wold, Cheltenham, GL54 1HQ, Tel. (0451) 30257. M
Grapevine Hotel, Sheep St., Stow-on-the-Wold, Cheltenham, GL54 1AU, Tel. (0451) 30344. I

Tetbury

Calcot Manor, Beverstone, Tetbury, GL8 8YJ, Tel. (066689) 227. M
Hunters Hall Inn, Kingscote, Tetbury, GL8 9XZ, Tel. (0453) 860393. I

Moreton-in-Marsh

White Hart Royal Hotel, High St., Moreton-in-Marsh, GL56 0BA, Tel. (0608) 50731. M
Redesdale Arms Hotel, Moreton-in-Marsh, GL56 0AW, Tel. (0608) 50308. I

WEST COUNTRY
(CORNWALL, DEVON, SOMERSET)

Wells

Swan Hotel, Sadler St., Wells, BA5 2RX, Tel. (0749) 78877. M
Worth House Hotel, Worth, Wells, BA5 1LW, Tel. (0749) 72041. I

Glastonbury

George and Pilgrims Hotel, 1 High St., Glastonbury, BA6 9DD, Tel. (0458) 31146. M
Hawthorns Hotel, Northload St., Glastonbury, BA6 9JJ, Tel. (0458) 31255. I

Exmoor Park

Crown Hotel, Exford, TA24 7PP, Tel. (064383) 554. M
Stockleigh Lodge, Exford, Minehead, TA24 7PZ, Tel. (064383) 500. I

Tintagel

Atlantic View Hotel, Treknow, Tintagel, PL34 0EJ, Tel. (0840) 770221. I
Willapark Manor Hotel, Bosiney, Tintagel, PL34 0BA, Tel. (0840) 770782. I

Dunster

Luttrell Arms Hotel, High St., Dunster, TA24 6SG, Tel. (064382) 555. M
Exmoor House Hotel, West St., Dunster, TA24 6SN, Tel. (0643) 821268. I

Bude

Grenville Hotel, Belle Vue, Bude, EX23 8JP, Tel. (0288) 2121. M
Hotel Pernavor, Crooklets Beach, Bude, EX23 8NE, Tel. (0288) 2036. I

Clovelly

Kingsley Hotel, Woolfardisworthy, Clovelly, Bideford, EX39 5RG, Tel. (02373) 461. I
Jonquil, Burscott Rd., Clovelly, Bideford, EX39 5RR, Tel. (02372) 346. I

Newquay

Trebarwith Hotel, Island Estate, Newquay, YR7 1BZ, Tel. (06373) 2288. M
Waters Edge Hotel, Esplanade Rd., Pentire, Newquay, TR7 1QA, Tel. (06373) 2048. I

Truro

Brookdale Hotel, Tregolls Rd., Truro, TR1 1JZ, Tel. (0872) 73513. M
Driffolg Hotel, Devoran Lane, Devoran, Truro, TR3 6PA, Tel. (0872) 863314. I

Isles of Scilly

Tregarthen's Hotel, St. Mary's, Isles of scilly, TR21 0PP, Tel. (0720) 22540. M
Polreath, Highertown, St. Martin's, Isles of Scilly, TR25 0QL, Tel. (0720) 22046. I

Penzance

Mount Prospect Hotel, Britons Hill, Penzance, TR18 3AE, Tel. (0736) 3117. M
Sea & Horses Hotel, Alexandra Terrace, Sea Front, Penzance, TR18 4NX, Tel. (0736) 61961. I

Falmouth

Meudon Hotel, Falmouth, TR11 5HT, Tel. (0326) 250541. M
Blue Haze Guest House, 7 Gyllyngvase Terrace, Falmouth, TR11 4DL, Tel. (0326) 313132. I

Plymouth

The Astor Hotel, Elliot St., The Hoe, Plymouth, PL1 2PS, Tel. (0752) 25511. M
Drake's View Hotel, 33 Grand Parade, West Hoe, Plymouth, PL1 3DQ, Tel. (0752) 21500. I

Dartmouth

Royal Castle Hotel, 11 The Quay, Darmouth, TQ6 9PS, Tel. (08043) 2397. M
Oaklands Guest House, 6 Vicarage Hill, Dartmouth, TQ6 9EW, Tel. (08043) 3274. I

Exeter

Buckerell Lodge Crest Hotel, Topsham Rd., Exeter, EX2 4SQ, Tel. (0392) 52451. M
St. Andrews Hotel, 28, Alphington Rd., Exeter, EX2 8HN, Tel. (0392) 76784. I

NORDENGLAND
(YORKSHIRE & NORTHUMBRIA)

Matlock

Riber Hall, Matlock, DE4 5JU, Tel. (0629) 2795. M
Winstaff Guest House, Derwent Ave., Matlock, DE4 3LX, Tel. (0629) 2593. I

Rowsley

Peacock Hotel, Rowsley, Matlock, DE4 2EB, Tel. (0629) 733518. M

Castleton

Castle Hotel, Castle St., Castleton, Sheffield, S30 2WG, Tel. (0433) 20578. I
Ye Olde Nags Head, Castleton, Sheffield, S30 2WH, Tel. (0433) 20578. I

Buxton

Bennetston Hall Hotel, Dove Holes, Nr. Buxton, SK17 3EY, Tel. (0298) 813174. M
Hartington Hotel, 18 Broad Walk, Buxton, SK17 6JR, Tel. (0298) 2638. I

Bakewell

Rutland Arms Hotel, The Square, Bakewell, DE4 1BT, Tel. (062981) 2812. M
Croft Hotel, Great Longstone, Nr. Bakewell, DE4 1TF, Tel. (062987) 278. M

Dovedale

Izaak Walton Hotel, Dovedale, Nr. Ashbourne, DE6 2AY, Tel. (033529) 261. M
Peveril of the Peak Hotel, Dovedale, Thorpe, Ashbourne, DE6 2AW, Tel. (033529) 333. M

Newcastle upon Tyne

The County Thistle Hotel, Neville St., Newcastle upon Tyne, NE 99 1AH, Tel. (0632) 322471. M
Clifton Cottage Guest House, Dunholme Rd., Newcastle upon Tyne, NE4 6XE, Tel. (091273) 7347. I

Durham

Royal County Hotel, Old Elvet, Durham City, DH1 3JN, Tel. (0385) 66821. M
Crossways Hotel, Dunelm Rd., Thornley, Durham City, DH6 3HT, Tel. (0429) 821248. I

Berwick-uponTweed

Kings Arms Hotel, Hide Hill, Berwick-upon-Tweed, TD15 1EJ, Tel. (0289) 307454. M
Bridge Hotel, 4 Main St., Tweedmouth, Berwick-upon-Tweed, Tel. (0289) 306274. I

York

Abbots Mews Hotel, 6 Marygate Lane, Bootham, York, YO3 7DE, Tel. (0904) 34866. M
Ashcroft Hotel, 294 Bishopthorpe Rd., York, YO2 1LH, Tel. (0904) 59286. I

Leeds

Queen's Hotel, City Sq., Leeds, LS1 1PL, Tel. (0532) 431323. M
Manston Hotel, 94 Austorpe Rd., Leeds, LS15 8EH, Tel. (0532) 645072. I

Perth

Salutation, South St., Perth, Tel. (0738) 22166.
M

Perth

Salutation, South St., Perth, Tel. (0738) 22166.
M

St. Andrews

Old Course, St. Andrews, Fife, Tel. (0334)
74371. E
Argyle Guest House, North St., St. Andrews,
Fife, Tel. 77387. I

Skye

Kinloch Lodge, Isle Ornsay, Skye, Highlands,
Tel. (04713) 214. M
Skeabost House, , Skeabost Bridge, Skye, Tel.
Skeabost Bridge 202. M

Stirling

Golden Lion, King St., Stirling, Central, Tel.
(0786) 5351. M

Botschaften und Konsulate

In Notfällen können Sie sich an das Konsulat Ihres Heimatlandes wenden. Dort kann man Ihnen weiterhelfen, falls Sie Ihren Paß verloren haben, ernsthaft erkranken oder andere Schwierigkeiten haben sollten. Geld leihen ist eigentlich nicht die Aufgabe eines Konsulats, aber sicher wird man Mittel und Wege finden, um Ihnen aus einer echten Notlage zu helfen. Nachfolgend die Adressen der Botschaften bzw. Konsulate.

Ägypten
26 South Street W1, Tel. 499 2401

Argentinien
9 Wilton Crescent SW1, Tel. 235 3717

Äthiopien
17 Prince's Gate SW7, Tel. 589 7212

Belgien
103 Eaton Square SW1, Tel. 235 5422

Bermuda
58 Grosvenor St W1, Tel. 499 1777

Bolivien
106 Eaton Square SW1, Tel. 235 4248
Konsulat: 106 Eccleston Mews SW1, Tel. 235 4255

Brasilien
32 Green Street, W1, Tel. 629 0155
Konsulat: 6 Deanery St. W1, Tel. 499 7441

Bulgarien
12 Queen's Gate Gardens SW7, Tel. 584 9400

Burma
19a Charles Street, Berkeley Square W1, Tel. 499 8841

Chile
12 Devonshire Street W1, Tel. 580 6392
Konsulat: Tel. 580 1023

China
31 Portland Place W1, Tel. 636 5637

Costa Rica
6 Braemar Mansions, Cornwall Gardens SW7,
Tel. 937 7883

Cuba
57 Kensington Court W8, Tel. 937 8226

Dänemark
67 Pont Street SW1, Tel. 584 0102

Deutschland (West)
23 Belgrave Square SW1, Tel. 235 5033

Dominikanische Republik
4 Braemar Mansions, Cornwall Gardens SW7,
Tel. 937 1921
Konsulat: Tel. 937 7116

Ekuador
Flat 3b, 3 Hans Crescent SW1, Tel. 584 1367
Konsulat: 584 2648

Elfenbeinküste
2 Upper Belgrave Street SW1, Tel. 235 6991

Finnland
66 Chester Square SW1, Tel. 730 0771

Frankreich
58 Knightsbridge SW1, Tel. 235 8080
Konsulat: 24 Rutland Gate SW7, Tel. 584 9628

Griechenland
51 Upper Brook Street W1, Tel. 629 0694
Konsulat: 49 Upper Brook Street W1, Tel. 499 2323

Haiti
49 St. James Street SW1, Tel. 493 0243

Honduras
48 George Street W1, Tel. 486 4880

Hong Kong
6 Grafton Street W1, Tel. 499 9821

Island
1 Eaton Terrace SW1, Tel. 730 5131

Indonesien
38 Grosvenor Square W1, Tel. 499 7661

Iran
50 Kensington Court W8, Tel. 937 5225

Irak
21-2 Queen's Gate SW7, Tel. 584 7141

Israel
2 Palace Green, Kensington Palace Gardens W8,
Tel. 937 8091

Italien
14 Three Kings Yard W1, Tel. 629 8200
Konsulat: 38 Eaton Place SW1, Tel. 235 4831

Japan
46 Grosvenor Street W1, Tel. 493 6030

Jordanien
6 Upper Philimore Gardens W8, Tel. 937 3685

Jugoslawien
25 Kensington Gore SW7, Tel. 589 3400
Konsulat: 19 Upper Phillimore Gardens W8 937 4872

Kamerun
84 Holland Park W11, Tel. 727 0771

Kolumbien
Flat 3a, Hans Crescent SW1, Tel. 589 9177
Konsulat: Suite 10, 140 Park Lane W1, Tel. 293 4565

Korea
36 Cadogan Square SW1, Tel. 581 0247

Kuwait
40 Devonshire Street W1, Tel. 580 8471

Libanon
15 Kensington Palace Gardens, Tel. 229 7265
Konsulat: 21 Palace Gardens Mews, Tel. 229 8485

Leeward & Windward Islands
King's House, 10 Haymarket SW1, Tel. 930 7902

Liberia
21 Prince's Gate SW7, Tel. 589 9405

Luxemburg
27 Wilton Crescent W1, Tel. 235 6961

Madagaskar
33 Thurlowe Square SW7, Tel. 584 3714

Mexiko
8 Halkin Street SW1, Tel. 235 6393

Monaco
5 Audlely Square W1, Tel. 629 0734

Marokko
49 Queen's Gate Gardens SW7, Tel. 584 8827

Muscat & Oman
33 Hyde Park Gate SW7, Tel. 584 6782

Nepal
12a, Kensington Palace Gardens W8, Tel. 229 1594

Niederlande
38 Hyde Park Gate SW7, Tel. 584 5040

Nicaragua
8 Gloucester Raod SW7, Tel. 584 3231

Norwegen
25 Belgrave Square SW 1, Tel. 235 7151
Konsulat: 42 Lancaster Gate W2, Tel. 235 7151

Österreich
18 Belgrave Mews West SW1, Tel. 235 3731

Panama
29 Wellington Court, 116 Knightsbridge SW1, Tel. 584 5540
Konsulat: 4 Carmelite Street EC4, Tel. 353 4792

Paraguay
Braemer Lodge, Cornwall Gardens SW7, Tel. 937 1253
Konsulat: Tel. 937 6629

Peru
52 Sloane Street SW1, Tel. 235 1917
Konsulat: Tel. 235 6867

Philippinen
9a Palace Green, Kensington Palace Green W8, Tel. 937 3646

Polen
47 Portland Place W1, Tel. 580 4324
Konsulat: 19 Weymouth Street W1, Tel. 580 3750

Rumänien
4 Palace Green, Kensington Palace Green W8, Tel. 937 9666

Saudi Arabien
27 Eaton Place SW, Tel. 235 8431

Senegal
11 Philmore Gardens W8, Tel. 937 0925

Somalia
60 Portland Place W1, Tel. 580 7148

Südafrika
South Africa House, Trafalgar Square WC2, Tel. 930 4488

Spanien
24 Belgrave Square SW1, Tel. 235 5555
Konsulat: 3 Hans Crescent SW1, Tel. 589 3284

Sudan
3 Cleveland Row, St. Jame's SW1, Tel. 839 8080

Schweden
23 North Row W1, Tel. 499 9500

Schweiz
18 Montagu Place W1, Tel. 723 0701

Thailand
30 Queen's Gate SW7, Tel. 589 0173
Konsulat: Tel. 589 2857

Tschechoslowakei
25 Kensington Palace Gardens W8, Tel. 229 1255

Tunesien
29 Prince's Gate SW7, Tel. 584 8117

Türkei
43 Belgrave Square SW1, Tel. 235 5252
Konsulat: 46 Rutland Gate SW7, Tel. 589 0360

Ungarn
35 Eaton Place W1, Tel. 235 4048
Konsulat: 35b Eaton Place WSW11, Tel. 235 4462

Uruguay
48 Lennox Gardens SW1, Tel. 589 8835
Konsulate: Tel. 589 8735

USA
24 Grosvenor Square W1, Tel. 499 9000

UdSSR
13 Kensington Palace Gardens W8, Tel. 229 3628
Konsulat: 5 Kensington Gardens WS 299 l3215

Venezuela
3 Hans Crescent SW1, Tel. 584 4206
Konsult: 71a Park Mansions, Brompton Roads
SW1, Tel. 589 1121 (Shipping Department), Tel.
589 9916 (Visas Department)

Westindien
18 Grosvenor Street W1, Tel. 629 6353

Yemen, Arabische Republik
41 South Street W1, Tel. 499 5246

Yemen, Demokratische Volksrepublik
57 Cromwell Road SW7, Tel. 584 6607

Zaire
26 Chesham Place SW1, Tel. 235 6137

Deutsche Reiseveranstalter

(Nähere Auskünfte über Programme und
Buchungsmöglichkeiten der nachfolgenden Veran-
stalter erhalten Sie in Ihrem Reisebüro.)

ADAC Reise GmbH, Postfach 700108,
8000 München 70

AIRTOURS INTERNATIONAL, Adalbert-
straße 44-48, 6000 Frankfurt/M. 90

AKADEMISCHE STUDIENREISE, Wieland-
straße 20, 6900 Heidelberg

ALFA SPRACHREISEN, Christophstr. 3,
7000 Stuttgart 1

AMS-Tours, Sprach- u. Bildungsr., Kraichgau-
straße 12, 6833 Waghäusel

APROPOS REISEN GmbH, Benrather
Schlossallee 82, 4000 Düsseldorf 13

A + R AKTIV REISEN, Wotanstraße 17,
8000 München

ASMUS STUDIENREISEN GmbH, Geist-
straße 81, 4400 Münster

AUSLAND SPRACHENDIENST GmbH,
Hegelstr. 52, 6072 Dreieich

A. BARON REISEN, Karlstr. 20,
6624 Großrasseln 2

BAYER. VOLKSBILDUNGSVERBAND e.V.,
Widenmayerstr. 42, 8000 München 22

REISEBÜRO BEROLINA MAGASCH
GmbH, Ostpreußendamm 67, 1000 Berlin 45

BIBLISCHE REISEN, Silberburgstr. 121,
7000 Stuttgart 1

BONESS REISEN, Eschersheimer Landstraße 49, 6000 Frankfurt/M.

BRITAIN SPECIAL TOURS, Postfach 2511,
8300 Landshut

BRITISH TOURS, Postfach 0252,
8500 Nürnberg 25

CHEAP TOURS STUDIENREISEN GmbH,
Rampendal 10, 4920 Lemgo

CVJM-Reisen, Im Druseltal 8, 3500 Kassel

DER, Deutsches Reisebüro GmbH, Eschersheimer Landstr. 25, 6000 Frankfurt/M. 1

DFDS Deutschland GmbH, Jessenstr. 4,
2000 Hamburg 50

D.L.S. Douglas Sprachreisen, Stollberger-
straße 119, 5000 Köln 41

DR. FRANK SPRACHEN & REISEN GmbH,
Waldstr. 22c, 6148 Heppenheim 5

BESUCHERRING DR. OTTO KASTEN,
Lessingstr. 1 — Im Opernhaus, 8500 Nürnberg

DR. STEINFELS SPRACHREISEN GmbH,
Fliedersteig 11-13, 8501 Nürnberg-Rückersdorf

DR. WULF'S FERIENHAUSDIENST,
Hoeschplatz 5, 5160 Düren

EBERHARD REISEN, Bahnhofstraße 2,
7530 Pforzheim

EF Language Colleges GmbH, Sofienstr. 7,
6900 Heidelberg

ENGLISH CONVERSATION CLUB e.V.,
Langer Steinweg 15, 3300 Helmstedt

EST REISEN, Zur Weide 15a, 4710 Lüding-
hausen

EUROPA SPRACHCLUB GmbH, Stuttgarter
Straße 161, 7014 Kornwestheim

EVANGEL. REISEDIENST, Schützenbühl-
straße 81, 7000 Stuttgart 40

FAHRTENRING GmbH, Unterer Seeweg 3,
8130 Starnberg

FERIENBOOT CHARTER H. U. R. BOHN,
Feichtmayrstr. 29, 7520 Bruchsal

FEE SPRACHREISEN GmbH, Leibnitzstr. 3,
7000 Stuttgart 1

FRANKFURTER STUDIENREISEN, Neuen-
hainer Weg 4, 6238 Hofheim a. Ts.

GB Flying English, Mommsenstraße 34,
1000 Berlin 12

GB-Touristik Partner GmbH, Brüder-Grimm-
Straße 50, 6000 Frankfurt/M. 60

GESELLS.Z.FÖRDER.KULT.STUDIENR.,
Adalbertstr. 23, 8000 München 34

GOSSENS STUDIENREISEN, Steelerstr. 43
4300 Essen 1

H.C. ARNS, CHARTERYACHTEN
INTERN, Elberfelder Str. 70, 5630 Remscheid 1

HOMELINK TOURS, Postfach 6026,
4930 Detmold

HTS Unger Gmbh, Friedrichstraße 32,
6000 Frankfurt/M. 1

HUMMEL REISE GmbH & Co.KG, Karl-
Wiechert-Allee 23, 3000 Hannover 61

IBIS GRUPPENREISEN GmbH, Herzog-Heinrich-Straße 32, 8000 München 2

IKARUS REISEN GmbH, Ebertstraße 7, 7500 Karlsruhe

INTERCONTACT REISEN, Mirbachstr. 16, 5300 Bonn 2

INTERNAT. KATHOL. AUSTAUSCHDIEN., Veilchenweg 2, 6634 Wallerfangen

INTO Interstudy Tours GmbH, Postfach 1229, 5203 Much b. Köln

I.S.I. Sprachreisen GmbH, Schumannstr. 56, 5300 Bonn 1

FRIEDIRCH JASPER, OMNIBUSUNTERN., Mühlendamm 86, 2000 Hamburg 76

JUGENDFAHRTENDIENST e.V., Neumarkt 64/66, 5000 Köln 1

KATH. FERIENWERK OBERHAUSEN e.V., Elsa Brandström Str. 11, 4200 Oberhausen 1

KARAWANE STUEIDEN-REISEN, Friedrichstraße 167, 7140 Ludwigsburg 1

KERKFELD GRUPPENREISEN GmbH, Weseler Straße 27, 4400 Münster

KLÄS REISEN, An der Wethmarheide 9, 4670 Lünen

KLINGERREISEN, Marienplatz 5, 8700 Würzburg

KOMPASS SPRACHREISEN GmbH, Limburgerstraße 11b, 4000 Düsseldorf 1

KRALLMANN REISEN, Schützenstraße, 4472 Haren 4

KREISBOTEN REISEDIENST, Postfach 100, 8120 Weilheim

KSE SPRACHKURSE + REISEN GmbH, Auf der Bitz 3, 5419 Schenkelberg/Westerw.

KVG Hanseat Reisen, Harburger Str. 96, 2160 Stade

LANGUAGE STUDIES GmbH, Am Hauptbahnhof 10, 6000 Frankfurt/M. 1

LE KOCK REISEN, Heinrich-Barth-Str. 2a, 2000 Hamburg 13

REISEBÜRO MÜLLER, Talstraße 25, 5441 Virneburg

OLAU LINE, Immermannstraße 54, 4000 Düsseldorf 1

OVA REISEBÜRO, Bahnhofstraße 24, 7080 Aalen

PHILIP ASHLEY — ENGL. FERIENH., Heideweg 49, 4000 Düsseldorf 30

REBA ENO REISEN, Hallplatz 2, 8500 Nürnberg

REISEN U. FREIZEIT MIT J. LEUTEN, Alfred-Rozi-Str. 10, 4800 Bielefeld 1

REISEZIRKEL JEUNEUROPE, Oststr. 162, 4000 Düsseldorf 1

RETTINGHAUS REISEN Gmb & Co., Ruhrstraße 33, 5810 Witten/Ruhr

REISEBÜRO UHLENDORFF, Paulinerstr. 13, 3400 Göttingen

RHEINGOLD REISEN GmbH, Wittener Straße 77 a-c, 5600 Wuppertal 2

RUOFF REISEN, Goethestr. 5-7, 7000 Stuttgart 1

SCHÜLERFAHRTENDIENST, Richard-Wagner-Straße 23, 6600 Saarbrücken

SHR Reisen GmbH, Postfach 3940, 6500 Mainz

SLAVIATOURS STUDIENREISEN GmbH, Goethestr. 13, 3527 Calden 3 b. Kassel

SSI Studiosus Sprachreisen Int., Amalienstraße 67, 8000 München 40

SSR-Studenten- und Schülerreisen, Rothenbaumchaussee 61, 2000 Hamburg 13

STUDIOSUS REISEN MÜNCHEN, Luisenstraße 43, 8000 München 2

UNIVERS REISEN, Am Rinkenpfuhl 55-57, 5000 Köln 1

VEREIN Z.FÖRD. D. KULTUR SCHOTTL., Philipp-Reis-Str. 2, 6500 Mainz

VON GLEICHEN TRAVEL, Goethestr. 23, bei Allzeit, 6000 Frankfurt 1

WALTER BEYER GmbH, Europartner R., Am Südhang 27, 4790 Wünnenberg

FERIENHAUSVERMITTLUNG H. WAGNER, Fehrenwinkel 18.20, 3000 Hannover 51

INGRID WEIDNER REISEN, Beethovenstraße 42, 6390 Usingen

WOLTERS REISEN GmbH, Postfach 100141, 2800 Bremen

Bildnachweis

364